LOS NUEVOS SIGNOS DEL ZODÍACO

Susan Miller

Los nuevos signos del zodíaco

EDICIONES URANO

Argentina - Chile - Colombia - España
Estados Unidos - México - Venezuela

Título original: *Planets and Possibilities*
Editor original: Warner Books, Nueva York
Traducción: Cristina Martín

© 2001 *by* Susan Miller
© de la traducción 2001 *by* Cristina Martín
© 2001 *by* Ediciones Urano. S. A.
    Aribau, 142, pral.
    08036 Barcelona
    www.edicionesurano.com

ISBN: 84-7953-479-6
Depósito legal: B. 41.839 - 2001

Fotocomposición: Ediciones Urano, S. A.
Impreso por Romanyà-Valls, S. A. - Verdaguer, 1 - 08786 Capellades (Barcelona)

Impreso en U.S.A. - *Printed in U.S.A.*

A mi madre y a mis hijas, Christiane y Diana

Índice

Agradecimientos

Todas las personas que tienen éxito cuentan con otras muchas personas de éxito detrás. La producción de un libro es un proceso largo que implica la esmerada contribución de mucha gente seria con grandes conocimientos. Este libro nació de las conversaciones con Maureen Egen, presidenta de Warner Books, que fue la primera que me instó a que escribiera un libro detallado sobre astrología. Recuerdo haberme sentado enfrente de ella en su despacho y haberle propuesto diversas ideas para mi libro, cruzando los dedos con la esperanza de que ella escogiese la primera que le propuse (y la más ambiciosa), *Los Nuevos Signos del Zodíaco*. Así lo hizo, y me proporcionó el afectuoso estímulo que necesitaba para escribirlo. En este, mi segundo libro con Warner Books, no puedo por menos de dar las gracias a mi estrella de la suerte por contar con una editora que me apoya tanto. También me gustaría agradecer a Frank Weimann, mi agente, su amable apoyo.

Doy las gracias a mi infatigable redactora, Jackie Joiner, cuyo instinto siempre fue similar al mío. Una parte del talento de Jackie reside en su capacidad para preservar la voz, el alma y el espíritu de un escritor. Hizo eso y mucho más, y quiero agradecerle efusivamente su intenso trabajo y su excepcional bondad de carácter.

Tengo una deuda tremenda con mi vieja amiga Jackie Meyer. La inquebrantable fe que tiene en mí ha ejercido (y continúa ejerciendo) una enorme influencia en mi vida. Jackie me dio la oportunidad de escribir mi primer libro, *Astrology Book of Days*, editado en 1996 por Warner Books, y también me ayudó a presentar a Time

Warner mis ideas para una página web. A consecuencia de eso, pude sacar a la luz *Astrology Zone* en la página web de Time Warner. Tres años después, trasladé *Astrology Zone* a su lugar actual en el Disney Internet Group, con el beneplácito y el aliento de Time Warner. Sin las oportunidades que me ofreció Jackie, mi vida habría tomado un derrotero muy diferente (y menos emocionante). En sentido figurado, Jackie siempre será quien proporcione las notas líricas y melodiosas al fondo musical de mi vida.

En el terreno astrológico, quisiera dar las gracias a Wendy Ashley, astróloga y mitóloga, que fue la primera que me abrió los ojos a la importancia que tiene y el placer que supone aprender los mitos que subyacen en cada uno de los signos astrológicos. Las conferencias de Wendy fueron inolvidables y provocaron en mí el deseo de saber más. Sus conocimientos sobre los mitos son enciclopédicos, y expone sus experiencias con el vivo entusiasmo de un narrador de cuentos frente a un fuego de campamento. En los años que han transcurrido desde la primera vez que escuché a Wendy, he descubierto varios libros valiosos tanto aquí como en Europa que me han ayudado a ampliar mis conocimientos y mi interés en este terreno. También estoy en deuda con alguien que es tan gran erudito como ella: el autor, historiador y conferenciante Robert Hand, cuyas conferencias me inspiraron a dar marcha atrás en el tiempo para estudiar la génesis de la astrología. Judi Vitale, una colega astróloga y miembro del equipo del Project Hindsight de Robert Hand, merece mi más sincero agradecimiento por asesorarme en lo que respecta a la parte histórica de mi libro.

Un millón de efusivas gracias a mi querido amigo íntimo Edward Rubinstein por su permanente apoyo personal a lo largo de los años, de formas demasiado numerosas para enumerarlas, así como por su inacabable ayuda en los datos que yo necesitaba contrastar. Edward, disfruté mucho de nuestras prolongadas sesiones buscando y debatiendo ideas juntos. Mi ayudante, Pleasant Cragie, aportó su talento y su amor por la historia ayudándome a comprobar algunos hechos históricos, y siempre hizo que fuera un proceso divertido. Debo dar las gracias de modo especial a Daryl Chen y Christopher Sandersfeld, que trabajaron de manera metódica y entusiasta en la corrección del manuscrito definitivo. Resulta enormemente reconfortante trabajar con un equipo de personas de semejante talento. Por último, también mi familia merece una expresión de gratitud. Doy las gracias a mis dos hijas, Christiane y Diana, que se acostumbraron durante muchos meses a la comida rápida mientras yo trabajaba sin descanso en el libro hasta altas horas de la noche. Chrissie y Diana son las mejores hijas del planeta.

Además, quisiera dar las gracias a mi madre, Erika Redl Trentacoste, que me abrió los ojos a los planetas, la Luna, el Sol y las estrellas, y por lo tanto, a la vasta y anonadante belleza de nuestro universo y la bendición que supone la vida. Mamá querida, te quiero.

INTRODUCCIÓN

Mi inusual introducción a la astrología

De pequeña, cuando no podía dormir por la noche, entraba de puntillas en el cuarto de estar para ver si había alguien levantado. Invariablemente, encontraba a mi madre acurrucada en el sofá leyendo sus libros de astrología o estudiando sus cartas astrales. A aquellas horas de la madrugada mi padre estaba dormido, pero mamá, como ocupada madre que era de dos niños pequeños, intentaba aprovechar el único momento que tenía para concentrarse en su seria afición. La astrología no era el único tema que le interesaba; devoraba (junto con mi padre) tres periódicos al día, tenía amigas y también ayudaba a mi padre en su tienda de especialidades gastronómicas. Pero la astrología la intrigaba profundamente, y la estudiaba a cada oportunidad que se le presentaba. Su aguda mente quería entender por qué ese antiguo arte siempre parecía acertar, y su estudio también le ofrecía información creativa para comprender los misterios de la vida. Sin embargo, el mayor desafío para mi madre, tanto en la vida como en la astrología, consistía en averiguar cómo ayudarme respecto del debilitante y misterioso defecto congénito que yo sufría en la pierna izquierda.

Me rogó que no le contara a nadie su interés por la astrología y sus conocimientos del tema, y decía que era sólo «para nosotros» y no para las personas ajenas a nuestra familia. Entonces corrían otros tiempos, y ella no quería provocar las críticas de viejos amigos o nuevos conocidos acerca de su afición. Con todo, decía: «Siempre es bueno que conozca los ciclos, Susan, porque así puedo ayudarte a seguir la corriente cósmica, en lugar de nadar contra ella».

Me acuerdo de que, cuando era pequeña, almorzaba con mi madre sentada a la mesa del comedor. Ella siempre se sentaba a mi lado, con el delantal puesto, y me hacía compañía. Siendo Géminis, generaba una abundante e interesante conversación. Era divertido estar con mamá. Yo me comía los emparedados de atún y a veces ella me hablaba de astrología. Dice que yo la miraba con los ojos muy abiertos y columpiaba las piernas mientras masticaba. Hoy se ríe y comenta: «Yo hablaba contigo, pero tú nunca decías gran cosa, querida Susie, de modo que yo pensaba que no me escuchabas. ¡Ahora sé que estabas pendiente de cada palabra!».

Mi madre descubrió la astrología por casualidad. Su hermana (mi maravillosa tía) Harriet, la mayor de cinco hermanos, se interesó de pronto por el tema y, deseosa de tener alguien con quien pudiera hablar de él, intentó meter a mi madre en el ajo. Al principio, mi madre se mostró escéptica con respecto a la astrología y se resistió a las sugerencias de mi tía. Yo creo que esa es una reacción inicial muy común y muy sana en cualquiera que empieza a estudiar astrología. No creo que haya nadie que sea un «creyente» nato. Más tarde, cuando tenía dieciocho años, mi madre se mudó a Nueva York, y la tía Harriet se quedó en el pueblo, pero ambas iniciaron un curso de astrología por correspondencia. Era algo que aún podían hacer las dos hermanas juntas aunque vivieran separadas. Mi madre continuó estudiando durante dos o tres años más y fue volviéndose una experta en el tema, cada vez más atraída por la investigación de la totalidad de lo que podía ofrecer ese antiguo arte. La fascinaba su complejidad, y su riqueza nunca aburría a su activa mente. Mi madre escribía cartas a mi tía para discutir sobre ciertos matices de los aspectos planetarios del momento.

Cuando mi madre tenía treinta y cinco años, la tía Harriet enfermó de repente de un cáncer de ovarios y falleció tras una lenta y dolorosa agonía a la edad de cuarenta y cinco años. (En aquella época yo tenía cinco años.) Aquél fue un suceso terrible y desgarrador en la vida de mi madre. En la lectura del testamento, descubrió que su hermana le había dejado sus libros de astrología favoritos como un regalo especial. Cuando mi madre los recibió, encontró tras una de las solapas una carta de mi tía, que al parecer había escrito cuando tuvo la certeza de que no le quedaba mucho tiempo de vida: «Erika, estudia la astrología; llegarás lejos, mucho más lejos de lo que podría haber llegado yo. Posees un talento innato para las matemáticas y se te dan de maravilla los simbolismos. No lo abandones». A partir de entonces, mi madre descubrió que era la nueva dueña de algunos de los mejores libros sobre el tema. Desde ese momento, se sumergió todavía más en la astrología, probablemente debido tanto a la curiosidad como al deseo de permanecer psicológicamente cerca de su hermana.

Mi interés por la astrología también comenzó casi por casualidad, y desde luego fue alimentado por mi defecto congénito. Nací con una misteriosa enfermedad debilitante que me provocaba un insoportable dolor en la pierna izquierda; sufría ataques repentinos e inexplicables durante los cuales me sentía como si me estuvieran derramando caramelo ardiendo sobre la rodilla. Esos ataques se presentaban aproximadamente un par de veces al año y me dejaban agotada de seis a ocho semanas. Los médicos estaban intrigados, y como no disponían de datos sólidos, decían que yo me había inventado aquella enfermedad para no ir al colegio. Los médicos que sí me creían me sugirieron toda clase de curas, incluidos tratamientos a base de radiaciones, que rechazamos. Tenía la pierna tan sensible y dolorida al tacto que no quería arriesgarme a que me hicieran nada en ella, e incluso ya cuando era muy pequeña suplicaba a mi madre que simplemente «me dejara en paz». Después de uno de aquellos repentinos «ataques», si me quedaba totalmente quieta (sin moverme ni un centímetro durante semanas en cama), siempre me recuperaba perfectamente.

Me sentía injustamente acusada cuando los médicos decían que mi enfermedad era psicosomática, y al cabo de un tiempo no quise ver a más médicos. La intuición de las madres es muy fuerte; la mía sabía que me pasaba algo malo, de modo que se convirtió en mi protectora y me consolaba asegurándome que algún día aparecería alguien que entendería lo que me pasaba y me ayudaría. Incluso predijo un cambio de estado en mi salud cuando el regente de mi ascendente, Mercurio, retomase el movimiento directo por progresión al cumplir yo los catorce años. Conjeturó que simplemente la enfermedad se me curaría al crecer, de manera que no tenía demasiada prisa por empujarme a una operación innecesaria. Estaba claro que tenía confianza en que aquella dura prueba iba a tener un final feliz. Mi padre también me prestó su apoyo, pero de todos modos ambos estuvieron de acuerdo en que teníamos que seguir viendo a otros médicos con independencia de lo que dijeran los astros.

Tal como se dieron las cosas, mi madre mostró una exactitud asombrosa al predecir el momento del cambio en mi estado de salud. Cuando tenía exactamente trece años, diez meses, tres semanas y dos días, sufrí el peor ataque de mi vida. De nuevo postrada en cama, aguardé pacientemente por espacio de dos meses una recuperación que no llegaba nunca. En aquel ataque hubo algo distinto, el dolor fue mucho peor y la hinchazón más pronunciada. Aun así, no quise que me operaran. Probamos con un médico que me sometió a tracción y empeoró el problema. Mi padre, horrorizado por el dolor que yo sufría, me sacó del hospital diciendo en voz baja que necesitábamos consultar a otro médico. Exasperada, supliqué celebrar mi cumpleaños en casa, y soplé las velas de la tarta acostada en la cama.

Ya tenía catorce años, la edad exacta en que, según había predicho mi madre, iban a acabar mis problemas de salud. Dos semanas después, acepté que me operase un nuevo médico, un especialista joven y brillante. Era alumno del jefe de otro hospital; él resolvió mi caso y continúa siendo mi médico hoy en día.

El secreto de mi enfermedad consistía en que sufría repetidas hemorragias internas que suponían un peligro para mi vida. Había nacido con una malformación en las venas de la pierna izquierda desde la cadera hasta la rodilla, y los vasos se estaban convirtiendo en papel de fumar. Con el tiempo, simplemente terminarían desapareciendo. No había nada que pudiera atar o agarrar el cirujano, así que para cualquier médico que me operase se trataba de una situación de pesadilla. En la actualidad sigue siendo un problema muy poco frecuente; me han dicho que existen sólo cuarenta y siete casos conocidos en la historia de la medicina. Yo soy uno de los pocos supervivientes, porque en mi caso el problema estaba radicado en la parte inferior del cuerpo. Si los vasos mal formados se hubiesen encontrado cerca de la cabeza o del corazón, la enfermedad me habría matado. El médico dijo que había hecho bien en esperar para ser intervenida, suponiendo que parte del problema radicaba en el hecho de que durante mi período de crecimiento mis vasos sanguíneos no habían crecido al mismo tiempo que yo. Ahora que mi crecimiento casi había finalizado (a los catorce años), existían menos posibilidades de que sufriera nuevas hemorragias internas. Aun así, los médicos se tomaron mucho trabajo para que mis ataques no se repitieran.

Pasé once meses en el hospital mientras los médicos reparaban mis venas, arterias, músculos y huesos, e incluso me hicieron un injerto de piel. En el transcurso de esa difícil cirugía quedó seccionado un nervio, y tuve que hacer terapia para regenerarlo, un proceso que llevó tres años. Durante esos años no pude asistir al instituto, así que estudié en el hospital y después en casa, y también hice los correspondientes exámenes finales. Terminé la escuela secundaria, y a los dieciséis años ingresé en la Universidad de Nueva York, donde obtuve una licenciatura en empresariales con matrícula de honor. Estudiar a solas había contribuido a mi autodisciplina. A lo largo de esos años mi madre me dijo: «Susie, acostúmbrate a no tener amigos. Es comprensible que se cansen de que estés enferma. Lee, cariño, y por ahora deja que tus amigos sean los libros. Más adelante, cuando vuelvas a andar, tendrás amigos otra vez». Como siempre, tenía razón.

Durante aquel período de recuperación, nadie estaba seguro de si yo volvería a caminar. Con un nervio seccionado, no tenía ninguna sensación en la parte inferior de la pierna izquierda, ni tampoco podía moverla. Aunque mi médico jamás titubeó en sus optimistas previsiones, los residentes del hospital no estaban tan seguros, y en privado me decían que no albergara muchas esperanzas.

Me sentía con muchas ganas de averiguar qué iba a suceder a continuación, y necesitaba una gran dosis de esperanza rápidamente. Fue entonces cuando entró en escena la astrología. Escribí una carta a la directora de la revista *Horoscope*, una publicación que había visto leer a mi madre de vez en cuando. Le pregunté si podía hacerme la carta astral y decirme si volvería a andar. (Podría habérselo preguntado a mi madre, pero pensé que tal vez ella no me dijese toda la verdad en el caso de que la respuesta fuera negativa.) En la carta incluí el día, el mes y el año de mi nacimiento, así como la ciudad y la hora exacta, pues por las conversaciones que había mantenido con mi madre durante los almuerzos sabía que aquella información era crucial para trazar una carta astral. Conocía la hora de mi nacimiento porque mi madre hablaba muy a menudo de ella. Para gran sorpresa mía, ¡mi carta fue publicada! Mi madre, asombrada de que hubiera escrito a la revista, se sentó a mi lado y me leyó la respuesta en voz alta. Tras un largo análisis, la astróloga decía que sí, que tenía la impresión de que volvería a andar y de que con el tiempo acabaría recuperándome del todo. En aquella época yo estaba aún muy enferma y necesitaba refuerzos y muletas para desplazarme, pero me sentí muy animada con aquella respuesta, si bien, por prudencia, todavía un tanto escéptica.

De forma instantánea, tomé la decisión de que quería saber más de astrología y entender con exactitud qué había visto la astróloga; quería hacer yo misma mi carta astral. Como no podía andar, disponía de tiempo de sobra para leer y estudiar. Pero iba a presentarse un obstáculo imprevisto: mi madre me sorprendió diciéndome que no quería que estudiase astrología. Me explicó que la astrología requería un compromiso pleno y muy intenso, algo que yo todavía era demasiado joven para saber si podría cumplirlo. «Un poco de conocimiento es peligroso, Susan», solía decirme. Ella creía que los novatos piensan a menudo que saben más de lo que saben en realidad, lo cual los lleva a conclusiones precipitadas. Me advirtió: «No empieces, Susan. Déjalo estar. Si no estás dispuesta a estudiar doce años seguidos, no empieces». Naturalmente, si uno le dice a un adolescente que no haga una cosa, eso es precisamente lo que hará. En aquellos años de mi adolescencia, no podía levantarme de la cama por mis propios medios. Estaba débil a causa de las muchas transfusiones de sangre, y tenía la cadera tan hinchada que incluso me costaba sentarme erguida. En mi habitación no había televisión ni teléfono. En nuestra casa, el televisor estaba en el cuarto de estar, y el teléfono en el dormitorio de mis padres y en la cocina. Aquella situación era buena, porque así no tenía distracciones. Mi madre iba a la biblioteca y me traía montones de obras clásicas, que a mí me encantaban.

No obstante, también deseaba leer los libros de astrología de mi madre. Durante aquel verano, cuando por fin regresé a casa desde el hospital, Janet, mi hermana pequeña, que entonces tenía once años, me llevaba los libros de mi madre a la habitación en secreto y los escondíamos debajo de los faldones de mi cama. Estudiaba mucho después de terminar los deberes, pero no se lo decía a mi madre, y mantuve el secreto durante años. De hecho, mi interés por la astrología no salió a la luz hasta veinte años después, cuando un día tuve que pedirle a mi madre una carta de recomendación para una asociación de investigaciones astrológicas a la que ella pertenecía. «No estás preparada», me contestó. Entonces tuve que revelarle que escribía una pequeña columna para una revista y le hablé de todo lo que había estudiado. Pero antes de escribir la carta de recomendación, se llevó a casa mis artículos y trazó cartas astrales relativas a todos los meses sobre los que yo había escrito, para comprobar si estaba aconsejando a la gente bien o mal. Tengo suerte de que fuera una maestra tan dura, y también tengo suerte de haber aprobado su examen.

Sin embargo, aún no se había formado mi verdadera vocación.

Cuando mis dos hijas eran aún muy pequeñas, monté mi propio negocio de agente de fotógrafos comerciales, pero continué escribiendo dos columnas sobre astrología como segunda actividad. Obtuve un gran éxito como agente, y representé a fotógrafos de gran talento en Londres y en Estados Unidos. Me sentía feliz con mi vida, aunque los huesos de mi pie izquierdo estaban desgastándose (aquel nervio seccionado había dejado la pierna un poco más débil). El solo hecho de caminar unas cuantas manzanas me provocaba un dolor insoportable. Aun así, estaba decidida a perseverar. En 1992 tuve otro susto con la pierna: en un eclipse total, de repente me rompí por tercera vez el fémur izquierdo. Aquel último ataque fue el peor. Me hicieron diecisiete transfusiones de sangre en una noche, durante una operación de urgencia. Fue un momento decisivo, pues aquello me recordó de nuevo lo frágil que puede ser la vida. Me salvó mi médico, pero ambos estuvimos de acuerdo en que ya no podría aguantar más intervenciones. Esa vez me recubrieron de acero el fémur y pude andar de nuevo después de recuperarme de la operación.

Unos años más tarde, llamé a Warner Books, con quienes estaba en contacto debido a mi trabajo de agente fotográfico, para ofrecerme a hacer de vez en cuando una carta astral si alguien me lo pedía. La fama que tenía de ser muy precisa en mis predicciones estaba aumentando. La insistencia de mi madre en que me dedicara a investigar la astrología durante doce años antes de leer una sola carta astral fuera de la familia estaba empezando a dar resultados en forma de respeto por parte de mis iguales. No era nada sorprendente que acertara en mis lecturas. Empecé a escribir cada vez más, y el trabajo en la revista no dejó de aumentar. Warner Books me ofreció la oportunidad en diciembre de 1995 de ser la directora de mi propia página web de astrología, y así fue como nació *Astrology Zone*. Mi primer libro, *Astrology Book of Days*, se publicó meses más tarde. Ya estaba en la senda de una carrera nueva.

Los problemas que tuve con mi pierna me otorgaron inesperadas y enormes ventajas. Me volví religiosa, reflexiva y filosófica. Al igual que muchas personas que pasan por una dura prueba, también me volví muy compasiva con los que sufren.

Recuerdo un pequeño incidente que iba a cambiar para siempre mi manera de ver las dificultades de la vida. Aún hoy sigue estando tan nítido en mi mente como el día en que ocurrió. Una mañana, cuando tenía nueve años, me encontraba en la casa que tenía mi abuela en el campo. Mi padre nos había llevado allí a mi hermana, a mi madre y a mí para pasar el verano. Yo compartía una habitación con mi hermana en la buhardilla. Al cabo de uno o dos días de nuestra llegada, sufrí uno de mis misteriosos ataques, y supe que pasaría el resto del verano en cama.

Aquella mañana mi madre estaba cambiando las sábanas estando yo acostada, algo que se había convertido en una rutina, ya que yo no podía levantarme. Ni siquiera podía moverme de un lado al otro de la cama, no más de dos centímetros, porque el dolor era muy intenso. Después de que mi madre pasara cerca de una hora empujando la sábana nueva debajo de mí y sacando la sábana vieja por el otro lado, tuve por fin sábanas y fundas de almohada frescas y suaves. Mi madre estaba poniéndole la funda a otra almohada para que yo me recostara en ella, cuando vi por la ventana abierta un frondoso roble con un pájaro en una rama. Brillaba el sol y el aire era cálido. Abrumada de pronto por la perspectiva de pasar el verano entero en cama en la buhardilla, me desahogué diciendo: «Oh, esta maldita pierna. Ojalá no tuviera este maldito problema. ¡Ojalá lo tuviera otra persona!». Supongo que resultaba típico de una niña de nueve años decir aquello, pero no era muy habitual en mí que expresara aquel sentimiento en voz alta. Mi madre se volvió de repente con la almohada en la mano y puso un gesto de sorpresa. «¿Cómo has dicho? ¿Te he oído decir esto?» Y repitió mi lamentación. Entonces se acercó a un costado de la cama y me dijo en un tono muy suave: «Existe una razón para todo. ¿Y si supieras que con tu dolor estás absorbiendo parte de los males del mundo? ¿Qué te parecería entonces? ¿Y si hubiera motivos para tu dolor que trascendieran tu persona? No debes decir nunca que ojalá no lo tuvieras; es la cruz que debes llevar, y debes llevarla con alegría. Dios te ha escogido para tener esta dificultad. No sabemos nada de la vida, ni de la voluntad de Dios, Susan. No hemos de suponer que lo sabemos todo sobre el universo. Es posible que los motivos nos sean revelados a su debido tiempo». Aquellas palabras calaron hondo en mí. Me quedé aturdida y silenciosa, pero aquel día mi madre me enseñó el concepto del valor noble del sufrimiento. Era una idea que yo no había tenido en cuenta, y me proporcionó inspiración para pensar más allá de mí misma. Deseé averiguar cuál era mi papel en la vida y saber si tenía una misión que cumplir.

Esas palabras de mi madre resonaron en mi corazón durante años, mientras continuaba sufriendo numerosos ataques de mi enfermedad. Sólo ahora empiezo a comprender lo que tal vez quiso decir. Ella me decía que el sufrimiento de uno puede absorber el sufrimiento de los demás a través de la compasión, pero a los nueve años yo era demasiado pequeña para entender que la empatía es uno de los dones más humanos y valiosos del mundo. Esto es algo que veo con mayor claridad y profundidad a medida que voy cumpliendo años. La vida tiene muchos vericuetos, y a menudo no tenemos ni idea, hasta mucho después, de por qué atravesamos una etapa en particular.

La forma de ser profundamente filosófica de mi madre y su firme optimismo frente a la adversidad han ejercido una gran influencia en mi manera de ver el mundo y, creo yo, también en mis interpretaciones y predicciones astrológicas. Ella me enseñó a ver el valor de los desafíos, y siempre le estaré agradecida por eso. Mi querido padre también me animó mucho; alimentó mi determinación de explorar todos los aspectos de la vida, y también me ayudó a darme cuenta de que los objetos materiales son efímeros y no pueden compararse con los valores espirituales. Mis padres me ayudaron no sólo a ser una persona más feliz, sino también a mirar más allá de la superficie, a observar detenidamente sucesos y circunstancias para intentar hallar pistas que nos permitan averiguar por qué existe el sufrimiento. Mi duro comienzo en la vida y muchos otros desafíos posteriores me formaron como persona y como astróloga. Comprendí que los aspectos «malos» no eran necesariamente malos del todo, que también tenían un valor. Como diría mi madre: «No se aprende nada de los tiempos fáciles, Susan. Es en los momentos difíciles cuando nos enfrentamos a lo que somos y a lo que queremos ser. Siempre tendremos la oportunidad de construir nuestra personalidad y desarrollarla al máximo; nunca es tarde para empezar».

La historia de la astrología

LA VIDA EN MESOPOTAMIA

La astrología es casi tan antigua como la humanidad. Algunos de los primeros documentos escritos —en caracteres cuneiformes, creados presionando unas herramientas en forma de cuña contra arcilla blanda— se remontan aproximadamente hasta el 3000 a. C. en Sumeria. Fue en esta región de Mesopotamia, una de las «cunas de la civilización» (Egipto, China, el valle del Indo y América Central), donde comenzó el estudio de la astrología tal como lo conocemos en la actualidad.

Cuando los seres humanos desarrollaron las primeras sociedades agrarias, la vida era muy precaria. Era un mundo carente de la medicina moderna, una época en la que no cabía esperar vivir mucho. Si el hambre o la enfermedad no constituían un problema, siempre existía el peligro de un ataque sorpresa por parte de algún enemigo. Cuando las inclemencias del tiempo destruían las cosechas, causando dolor, sufrimiento e incluso la muerte, los jefes de las comunidades escrutaban el cielo, tanto para descubrir un modo mejor de prever el tiempo como para buscar presagios de sucesos futuros. Los antiguos pasaban mucho tiempo estudiando los cielos, donde, según sus creencias, vivían los dioses y las diosas que se encargaban del cuidado de los mortales. Es importante resaltar que, a diferencia de hoy, los antiguos creían que los planetas mismos eran sus dioses. Por medio de sus observaciones a lo largo del tiempo, decidieron que determinada actividad planetaria se correlacionaba con rasgos y sucesos particulares, y para explicar sus conclusiones de forma que pudiera entenderlas la gente (y también para hacerlas vívidas y memorables), asociaron esos hallazgos con determinados mitos. Éstos fueron los primeros pasos en la creación del vasto conjunto de conocimientos denominado «astrología».

Lo que resulta sorprendente no es que los antiguos desarrollaran un sistema para realizar predicciones, sino que lo diseñaran para que fuera la herramienta rica, compleja y creativa que sigue siendo hoy en día. La astrología ha demostrado ser lo bastante pertinente y flexible como para abarcar los grandes cambios que ha experimentado la humanidad a través de los siglos y de la geografía. Conforme uno se va familiarizando con la astrología, la profundidad textual del tema se vuelve todavía más notable, porque se basa en una compleja combinación de matemáticas y significados mitológicos. La astrología se va revelando lentamente, pues existen capas de significado que pueden interpretarse a partir de diversos símbolos que subyacen en el horóscopo. Cada carta astral es única y también dinámica, y abarca no sólo las posiciones de los planetas al nacer, sino también el movimiento continuo de los planetas que los astrólogos llamamos «tránsitos» en relación con las posiciones planetarias natales. Algunos aspectos planetarios forman pautas comunes y recurrentes, mientras que otros son acontecimientos raros que se dan sólo una vez en la vida. Algunos aspectos son gratificantes, otros son desafiantes, pero tanto unos como otros nos enseñan algo sobre nosotros mismos y sobre el mundo en que vivimos.

Los antiguos veían las mismas estrellas y constelaciones que nosotros vemos actualmente, un hilo que une a todas las generaciones y nacionalidades en una sola familia humana. Sin las densas circunstancias atmosféricas, las luces brillantes y los edificios altos que tenemos en nuestras ciudades, cualquier ciudadano de la Antigüedad podía ver las estrellas y los planetas con nitidez. Por otra parte, ahora contamos con los programas del *Voyager* de los años setenta y con el telescopio espacial Hubble, el cual, desde su lanzamiento en abril de 1990, nos ha enviado sensacionales fotografías de planetas, estrellas y galaxias. Las fotografías del Hubble han ensanchado los límites del espacio profundo. Resulta muy emocionante darse cuenta de que nosotros somos la primera generación de seres humanos que ha podido ver todos los planetas de cerca y con gran detalle.

LAS CULTURAS ASOCIADAS AL DESARROLLO DE LA ASTROLOGÍA

La astrología del mundo occidental (en contraposición con la de China, la de India o la de los nativos americanos) se basa sobre todo en la astrología desarrollada por los babilonios. Grecia, Roma, Egipto y Persia también han servido de mucho a nuestra manera de entender la astrología, ya que prácticamente todos estos pueblos de la Antigüedad ofrecieron diferentes aportaciones culturales de las que se nutrió la astrología. Los eruditos están convencidos de que las diversas culturas desarrollaron versiones de la astrología de forma independiente, y de que la influencia de los viajes y las exploraciones, así como la construcción de imperios mediante conquistas militares, sirvió para mezclar e integrar partes de dichas versiones a lo largo del tiempo. Sin embargo, esto no es más que una excesiva simplificación. Echemos un vistazo a algunos de los momentos clave de la astrología para ver con mayor claridad la intrincada evolución de este antiguo arte y ciencia.

LA PRUEBA MÁS ANTIGUA QUE HEMOS DESENTERRADO PROCEDE DE BABILONIA

En Babilonia fue donde, alrededor del segundo milenio antes de Cristo, se compiló uno de los primeros códigos de información astrológica. Se trataba del *Enuma Anu Enlil,* un catálogo de los dioses celestes grabado en tablillas de arcilla. Los arqueólogos no han podido recuperar todas las tablillas. Las que se han descubierto se encontraron en la biblioteca del rey Asurbanipal, un dirigente asirio del siglo VII a. C. que tuvo la previsión de hacer copias de las tablillas babilónicas originales.

Otra importante colección de tablillas de arcilla son las *Tablas de Venus de Ammizaduga* (la fecha de la que pueden datar sigue siendo objeto de debate), que contienen información sobre los movimientos de la posición de Venus en relación con la Luna y, en menor grado, con el Sol. Los babilonios se referían a Venus como «la señora de los cielos» y seguían cuidadosamente sus desplazamientos por el firmamento. Es importante destacar que pensaban que la posición de la Luna en un horóscopo era aún más importante que la del Sol. El calendario babilónico también estaba basado en meses lunares.

Los caldeos, que poblaron la región meridional de Babilonia, en Mesopotamia (actualmente parte de Iraq), hacia el 700 a. C. y que fueron considerados habitantes «más avanzados» eran observadores especialmente expertos de los cielos. Se percataron de que entre las estrellas que veían había unas cuantas que se movían. Eran los planetas. Las doce constelaciones proporcionaban puntos fijos desde los cuales observar los movimientos de esas «estrellas errantes» (eso es lo que significa literalmente la palabra *planeta*), y dichas constelaciones permitieron a los caldeos estudiar a qué velocidad se desplazaban los distintos planetas. Recopilaron esmeradamente abundante información sobre los movimientos de los cinco planetas conocidos (y visibles), a saber: Mercurio, Venus, Marte, Júpiter y Saturno, además de los movimientos del Sol y la Luna. Tan importante fue su contribución a la astrología, que la gente de aquellos tiempos se refería a los astrólogos con el termino genérico de «caldeos». A ellos corresponde el mérito de haber desarrollado algunos de los fundamentos clave de la astrología que aún se emplean en la actualidad.

LAS CONSTELACIONES

A estas alturas parece apropiado incluir algún que otro comentario sobre las constelaciones. Son los puntos fijos desde los cuales los astrólogos antiguos podían seguir la trayectoria de los planetas, y las referencias principales para la navegación, ya que son los planetas los que dan su significado a las constelaciones, y no al revés. En la astrología antigua, las constelaciones desempeñaban un papel mucho más importante que hoy en día. En aquella época, por ejemplo, los agricultores sabían que lo sensato era sembrar en primavera y cosechar en otoño, pero en algunas regiones las estaciones no se distinguían con tanta facilidad como en otras. Por eso, los agricultores miraban las constelaciones para saber en qué mes se encontraban. Por ejemplo, en el Hemisferio Norte, Escorpio es visible en el cielo nocturno sólo durante el verano. De ahí que las constelaciones proporcionaran un práctico calendario en el cielo. En los 4.000 o 5.000 años en que las constelaciones han sido registradas por el ser humano, su número se ha incrementado. La Unión Astronómica Internacional ha aprobado recientemente unos límites que definen ochenta y ocho constelaciones oficiales. En la Antigüedad, se seleccionaron dieciocho constelaciones con fines astrológicos, pero con el paso del tiempo estas se fueron reduciendo hasta las doce constelaciones clásicas. El desplazamiento del Sol se siguió a través de los doce signos del zodíaco que adoptaron los egipcios y más tarde nos dejaron en herencia. De las constelaciones del zodíaco, se cree que la más antigua es Tauro, por aquel entonces el buey sagrado, y que Libra es la más reciente. Libra no formaba parte del zodíaco en Babilonia, pero hizo su aparición como signo zodiacal independiente en la época de los egipcios. (Anteriormente, Libra formaba parte de Virgo o de Escorpio, según la cultura.)

LOS DESCUBRIMIENTOS DE LOS CALDEOS

Los caldeos cayeron en la cuenta de que los planetas no se desplazaban por todo el cielo, sino tan sólo en una área incluida dentro de un estrecho cinturón, la trayectoria denominada «eclíptica». También advirtieron que las constelaciones se mueven treinta grados, o la doceava parte de un círculo, cada dos horas. Esta es la base fundamental del horóscopo moderno. Los caldeos hicieron un énfasis especial en las fases de la Luna y en los eclipses, igual que hacen hoy en día los astrólogos, que están de acuerdo en que los eclipses son importantes, porque cuando tienen lugar dentro de unos determinados grados de los planetas natales y en tránsito, provocan súbitos cambios de estado o condición en el ámbito de la vida representado por la casa en la que caen. A finales del siglo IV a. C., los caldeos habían compilado tablas de los movimientos planetarios y lunares, que son las precursoras de las efemérides (palabra que proviene del término latino que significa «diario») del mundo moderno.

EL PROPÓSITO DE LA ASTROLOGÍA, ANTES Y AHORA

Cuando los babilonios comenzaron a practicar la astrología, no fue con la intención de emplearla como una herramienta personal. En vez de eso, estaba reservada al rey y los jefes de estado con el fin de que se prepararan para los acontecimientos futuros. Los astrólogos eran matemáticos y astrónomos muy cultos cuyas capacidades y servicios se encontraban fuera del alcance del hombre común. Aristóteles escribió que los caldeos vaticinaron la muerte de Sócrates a partir de su horóscopo. También se dice que el padre de Eurípides solicitó que los caldeos trazasen la carta astral de su entonces desconocido hijo cuando nació (480 a. C.). Estos dos sucesos figuran en los escritos del historiador y biógrafo Diógenes Laertius, del siglo III de nuestra era.

A los caldeos de Babilonia les corresponde el gran mérito de haber desarrollado la astrología tal como la conocemos actualmente. En las primeras cartas natales, la más antigua de las cuales data de 410 a. C., se utilizaban las posiciones de los planetas, pero aún no tenían un sistema de casas tan desarrollado como el nuestro. Este llegó en la época de Ptolomeo (aproximadamente en el año 170, en Grecia). En lugar de eso, los antiguos empleaban los grados del cero al treinta de cada signo como «lugares», igual que nosotros empleamos hoy las «casas». Aunque este sistema era más simple, incorporaba el cálculo de un ascendente (véase el capítulo «Mapa para entender los fundamentos de la astrología») y otros complejos cálculos matemáticos, que los astrólogos siguen usando hoy en día para extraer conclusiones especiales respecto de un horóscopo.

LA ASTROLOGÍA MODERNA BASADA EN EL HORÓSCOPO FUE DESARROLLADA EN EGIPTO POR LOS CALDEOS

La mayoría de los expertos, incluido el respetado astrólogo e historiador Robert Hand, consideran que Egipto es el lugar donde evolucionó la astrología moderna hasta adoptar la forma que tiene en la actualidad. Hand sugiere que hubo dos acontecimientos en Egipto que estimularon el progreso de la astrología: uno fue la conquista de ese país por los persas, y el otro fue la conquista de Persia y Egipto por Alejandro Magno. En ambos casos, Egipto fue sometido al mismo régimen que gobernaba a los babilonios. Hand escribe: «En el caso del Imperio Persa, los propios persas se convirtieron en ardientes devotos de la astrología, lo cual sin duda ayudó a introducir las ideas astrológicas en Egipto». Estas dos conquistas dieron lugar a una gran asimilación de ideas entre todos los pueblos de aquella región.

ALEJANDRO MAGNO DESEMPEÑÓ UN IMPORTANTE PAPEL EN EL PROGRESO DE LA ASTROLOGÍA

La conquista de Egipto, Turquía, Mesopotamia, Afganistán, Persia y el norte de India por parte de Alejandro Magno (356-323 a. C.) diseminó la astrología griega por toda esa región, fusionando de modo eficaz Oriente y Occidente. Cuando la astrología babilónica basada en la Luna llegó a Egipto, los egipcios ya tenían una forma de astrología basada en el Sol, la cual se cree que se originó hacia el 1200 a. C. A los egipcios les cabe el mérito de haber desarrollado nuestro actual calendario solar de 365 días, diferente del calendario mesopotámico, que estaba basado en la Luna. A partir de entonces, la astrología utilizaría el Sol como objeto clave en la carta astral, considerándolo ligeramente más importante que la Luna. Los egipcios, a pesar de sus conocimientos matemáticos, no empleaban la astrología que se basa en el horóscopo. Los caldeos introdujeron sus métodos de adivinación basados en las tradiciones populares utilizando el simbolismo de los planetas en los signos, mientras que los egipcios aportaron su habilidad para calcular el grado del ascendente.

La práctica egipcia de alinear sus monumentos y tumbas para que se correspondiesen con las posiciones de las estrellas fijas era de una exactitud asombrosa. Las pirámides no son más que un ejemplo. Se supone que los egipcios lo hacían así para crear una mayor armonía entre su mundo y el de los cielos. Robert Hand señala que los egipcios no disponían aún de las técnicas matemáticas apropiadas para construir un horóscopo; eso llegaría mucho más tarde, con los árabes, que añadieron el cero y los decimales.

LA ASTROLOGÍA EN GRECIA

Alrededor del 250 a. C. tuvo lugar otro acontecimiento importante para el desarrollo de la astrología. Beroso, un astrólogo y erudito caldeo, fundó la primera escuela de astrología en la isla griega de Cos, y al hacerlo puso esta disciplina a disposición de un público más amplio. A lo largo de los siguientes cuatrocientos años, los griegos adecuaron, con gran entusiasmo, la forma caldea de la astrología a sus propias tradiciones.

Hacia el 200 a. C., dos egipcios llamados Petosiris (un sacerdote) y Nechepso (un faraón) compilaron lo que para ese entonces se había descubierto en astrología en lo que tal vez sea el manuscrito astrológico de mayor antigüedad. El zodíaco tal como lo conocemos, originalmente llamado Círculo de Animales y ahora denominado Círculo de la Vida, era ligeramente distinto en aquellos tempranos documentos astrológicos, pero fue evolucionando gradualmente. A medida que las constelaciones iban reduciéndose hasta los doce signos clásicos del zodíaco, algunos de los rasgos de las constelaciones suprimidas se combinaron con las restantes. Por ejemplo, las cualidades del oso (comida, hibernación y buena memoria), en otro tiempo situado junto al cangrejo, se combinaron con las demás características del cangrejo en la descripción de Cáncer, un signo cauto y autoprotector.

PTOLOMEO, MATEMÁTICO GRIEGO

Para el año 170 de nuestra era la astrología había dado un gran salto científico hacia delante, debido a las teorías, los escritos y las enseñanzas de Ptolomeo (o Claudius Ptolemaeus), una figura clave de la astrología. Ptolomeo era un matemático, geógrafo y astrónomo griego que escribió lo que se considera el primer manuscrito de astrología «moderna», el *Tetrabiblon*. Se convirtió en el portavoz de la astrología de su época explicándola en términos concretos que pudieran entender los científicos de entonces. Como miembro respetado de la comunidad, dio credibilidad al sistema de aspectos astrológicos basados en ángulos geométricos que constituye la base de la astrología moderna. Ptolomeo, como otros astrólogos de su tiempo, comenzó a experimentar con el sistema de casas del horóscopo superponiendo una partición matemática de la carta astral a los doce signos del zodíaco. Esta fue una de las primeras modificaciones que sufrió el método primitivo que se usaba por entonces.

EL SISTEMA ASTROLÓGICO DE CASAS

El sistema de casas, con un horóscopo que define diversas áreas de la vida, es actualmente una parte básica de la astrología. Específicamente, Ptolomeo escribió que la primera casa se refiere al yo, la vida y la vitalidad; la segunda casa, al dinero o la pobreza, y la tercera casa, a los hermanos (hoy en día incluye también los viajes cortos y las comunicaciones). La cuarta casa regía, igual que hoy, el hogar y los padres, así como «el final de todas las cosas», probablemente porque esta casa se encuentra en la parte inferior (los cimientos) de la carta astral. La quinta casa tenía que ver con los niños y los amantes (más tarde los astrólogos agregaron la creatividad y las actividades de ocio). La sexta casa se refería a los sirvientes (ahora llamamos a estas personas ayudantes y colegas) y a las cuestiones de salud. La séptima casa regía (y aún rige) todas las relaciones que implican un compromiso, como las que se tienen con el cónyuge o incluso con socios comerciales. La séptima casa regía también a los «enemigos declarados» (en contraposición con los que permanecen escondidos, que son un asunto de la duodécima casa).

En la época de Ptolomeo, la octava casa regía la muerte, pero se fue redefiniendo paulatinamente para incluir aspectos como herencias (dinero procedente de los muertos) y operaciones comerciales que requieren el dinero de otras personas. En la actualidad, también se incluyen en esta casa el sexo y la cirugía, pues esta es la zona de la carta astral dedicada a la regeneración y la transformación de la energía. En cuanto a la novena casa, en otro tiempo dedicada exclusivamente a la religión, incluye ahora los viajes largos, las publicaciones y los asuntos morales y jurídicos, así como la educación superior. La décima casa tenía que ver con las «dignidades», y es conocida en la actualidad como la casa de la fama, la carrera, los honores y el progreso. La undécima casa era la de la «buena fortuna». Regía las relaciones platónicas y las amistades (ahora se incluyen en ella todas las actividades de grupo y las obras de caridad). La duodécima casa se conocía antes como la de los enemigos ocultos. Ahora ese significado se ha ampliado e incluye también el subconsciente, la intuición, determinados tratamientos médicos, los esfuerzos por curar el cuerpo y la mente, los secretos y todas las cosas confidenciales que suceden entre bastidores, además de lo que los antiguos llamaban «la propia perdición» y que aún es válido hoy en día.

EL RENACIMIENTO DE LA ASTROLOGÍA A PESAR DE LA CAÍDA DE ROMA

Cuando los romanos conquistaron Grecia, la astrología griega fue fervientemente absorbida por la sociedad romana durante los reinados de Octavio Augusto (27 a. C. - 14 d.C.), Tiberio (14-37) y Adriano (117-138), y fue utilizada tanto por los pobres como por los ricos. Durante ese período, el poeta latino Manilio escribió *Astronomica*, una obra literaria en varios volúmenes que ofrecía información astrológica en verso.

En el año 395 de nuestra era, el emperador romano Constantino estableció Constantinopla como una segunda sede de poder del Imperio Romano. Cuando Roma entró en declive a partir del año 410, esta región evolucionó y se convirtió en el Imperio Bizantino, con Constantinopla como centro. En la época de la decadencia de Roma, la Iglesia atacó el temporal estado de corrupción de la astrología y su énfasis en la superstición, con lo cual decayó también el estudio de esta disciplina. No obstante, los escritos astrológicos griegos se conservaron a salvo en Constantinopla, donde se hablaba por regla general el griego, además del latín. El Imperio Bizantino empezó a decaer en el siglo VIII, cuando se alzó la cultura islámica para dominar Oriente Medio y el norte de África. En el siglo IX, Constantinopla entregó la totalidad de la biblioteca de escritos griegos, incluida la obra completa de Ptolomeo, al califa de Bagdad como parte de un tratado de paz.

En lugar de resentirse o incluso morir del todo cuando llegó a Persia, a la astrología le ocurrió lo contrario: de hecho floreció, principalmente porque resultaba atractiva para el gusto islámico debido a la alegoría y el simbolismo, y porque esta cultura estaba muy avanzada en el estudio de las matemáticas. La cultura islámica tradujo rápidamente las obras griegas al árabe y aplicó con entusiasmo la astrología al uso personal, como por ejemplo para escoger la fecha apropiada para iniciar un negocio o para casarse. Así pues, cuando la astrología llegó a la cultura islámica, las predicciones se volvieron mucho más exactas y objetivas. El empleo de los números árabes, incluido el reconocimiento del concepto del cero, fue el responsable de la creciente precisión de esta disciplina. Algunos expertos opinan que la supervivencia de la astrología se debió en gran medida a las nuevas aportaciones de las avanzadas culturas islámicas del norte de África, así como de las situadas en la parte oriental del Mediterráneo, que venían haciendo uso de la astrología desde el siglo VIII.

LA ASTROLOGÍA FLORECE EN EUROPA... DE NUEVO

La astrología de inspiración griega regresó a Europa por medio del famoso astrólogo islámico del siglo IX Abû Ma'schor (805-850), que escribió el importante documento *Introductorium in Astronomiam* y al que corresponde el mérito de haber revivido la astrología en la Edad Media. Unos tres o cuatro siglos más tarde, su obra fue llevada a la España mora, donde se tradujo al latín. Escribió Abû Ma's-chor: «Así como los movimientos de estas estrellas errantes [es decir, los cinco planetas conocidos más el Sol y la Luna] nunca son interrumpidos, de igual manera las generaciones y alternancias de las cosas terrenales nunca tienen fin. Sólo observando la gran diversidad de los movimientos planetarios podemos comprender las innumerables variedades de los cambios en este mundo».

Más tarde, en el siglo XVI, la astrología experimentó un fuerte resurgimiento con la llegada del Renacimiento en Italia. Ya en el año 1125 se enseñaba astrología como parte del programa de estudios de muchas universidades, incluida la de Bolonia, en la que estudiaron Dante y otras lumbreras del Renacimiento. Ciertamente, la astrología estaba tan bien considerada en aquella época, que esa universidad creó una cátedra de astrología. Otras universidades europeas mostraron también un respeto similar por esta disciplina.

JOHANNES KEPLER, MATEMÁTICO ALEMÁN

La astrología cambió poco hasta que Johannes Kepler, nacido en Alemania (1571-1630), realizó cálculos matemáticos de las órbitas de los planetas cuando fue nombrado Matemático Imperial de la corte de Rodolfo II en 1601. Kepler introdujo además importantes modificaciones en la versión ptolemaica de la astrología. Situó el Sol en el centro del sistema solar, de acuerdo con la teoría de Copérnico, que se había publicado en 1543. En los círculos modernos, Kepler goza de una alta consideración por sus trabajos.

ISAAC NEWTON, DEFENSOR BRITÁNICO DE LA ASTROLOGÍA

Cuando el erudito británico sir Isaac Newton publicó *Philosophiae Naturalis Principia Mathematica* en 1687, inauguró la era de la astronomía moderna. Muchos críticos señalan los descubrimientos de Copérnico y los progresos de Newton en astronomía como causantes del declive de la astrología del siglo XIX. Si bien es cierto que la astrología cayó en una etapa de decadencia temporal, no es verdad que Newton la rechazara totalmente. Newton contaba con una sólida base en técnica astrológica, y existen datos que indican que nunca perdió el respeto hacia las verdades inherentes a los preceptos de la astrología. En la actualidad, todos los movimientos y posiciones de los planetas se calculan según su relación con la Tierra, y la astrología continúa siendo fiel a los fundamentos establecidos por Ptolomeo, que consisten en que el horóscopo es lo que vemos cuando miramos al cielo desde la Tierra. También existen ramas de la astrología basadas en el Sol (heliocéntricas), de manera que de nuevo esta disciplina demuestra ser lo bastante flexible para hacer frente a los asombrosos cambios habidos en nuestra comprensión del universo que nos rodea.

LA ASTROLOGÍA EN EL SIGLO XX Y DESPUÉS

En el siglo XX, el psiquiatra Carl Jung escribió con cierta extensión acerca de la astrología, y está bien documentado que la utilizó en su estudio de la personalidad y de las motivaciones humanas. Hoy en día son muchas las revistas y los periódicos que incluyen columnas con el horóscopo, llevando así la astrología al gran público. Actualmente, la mayoría de las personas conocen su signo solar, y muchas saben todavía más acerca de su horóscopo. La proliferación de los ordenadores personales y de Internet ha generado un poderoso resurgimiento de la astrología. Si el credo del nuevo siglo es «la información ha de ser libre», este objetivo se está logrando en la actualidad, pues traspasa los límites de sexo, fronteras geográficas y estratos económicos y sociales. Son cada vez más las personas que pueden permitirse disponer de su carta astral (aunque sólo sea por ordenador) y, a cambio del pequeño coste mensual que supone el servicio de Internet, tener un acceso fácil y rápido a una mayor variedad de escritos astrológicos exhaustivos. La astrología a comienzos del siglo XXI está más viva que nunca, y es verdaderamente accesible a todo el mundo.

Mapa para entender los fundamentos de la astrología

¿QUÉ ES LA ASTROLOGÍA?

La astrología, tal como se considera en este libro y en todas partes, es el estudio de los planetas y las estrellas con la ayuda de ciertas tablas matemáticas para construir un horóscopo. El estudio de presagios sin el uso de un horóscopo no se considera astrología.

LOS PLANETAS Y LOS MITOS SON LAS CLAVES DE LA ASTROLOGÍA

Si se observa el cielo en una noche despejada y lejos de las luces de las ciudades, se verá lo mismo que veían los antiguos: estrellas que parecen permanecer fijas, mientras que otras se mueven siguiendo una trayectoria especial. Los antiguos llamaban a estos cuerpos en movimiento *planetas*, que significa «errantes». Cuando conozcas algo más de tu carta astral aparte de tu signo solar, empezarás a darte cuenta de que el simbolismo de cada signo del zodíaco procede de su planeta regente.

AL PRINCIPIO, LOS SIGNOS ESTABAN REGIDOS POR LOS DIOSES DEL OLIMPO, Y NO POR LOS PLANETAS

Al principio, cuando la astrología se estaba formando en Grecia, los signos zodiacales no estaban regidos por planetas, sino por los dioses y diosas mitológicos que formaban el panteón griego. Es importante estudiar los mitos para aprender los arquetipos que forman parte de la génesis de dichos signos.

El astrólogo y matemático griego Ptolomeo, en el año 150, estableció un sistema de cinco planetas (los que se conocían por aquel entonces) más el Sol y la Luna, designados como los regentes de los diversos signos.

En la época de Ptolomeo, no se conocían los suficientes cuerpos celestes para abarcar todo el zodíaco, de modo que algunos signos compartían planetas, y aunque desde entonces la ciencia ha descubierto tres planetas más, algunos signos continúan compartiendo un mismo planeta regente.

Para entender algunos de los matices de los signos de una manera viva y memorable, resulta esencial conocer los mitos griegos y romanos. Por ejemplo, si eres Aries, has de saber que recibes una intensa influencia de Marte. Adecuadamente llamado «el planeta rojo» por los científicos y «el planeta guerrero» en la mitología, Marte confiere a Aries valor, audacia y una naturaleza inquieta para acometer constantemente empresas nuevas. Si eres Aries, verás que el capítulo que te co-

---

Los regentes de los signos

Aries	está regido por Marte.
Tauro	está regido por Venus.
Géminis	está regido por Mercurio.
Cáncer	está regido por la Luna.
Leo	está regido por el Sol.
Virgo	está regido por Mercurio.
Libra	está regido por Venus.
Escorpio	está regido por Plutón (Marte es su segundo regente).
Sagitario	está regido por Júpiter.
Capricornio	está regido por Saturno (en otro tiempo, estaba regido por la «casa nocturna» de Saturno).
Acuario	está regido por Urano (en otro tiempo, estaba regido por la «casa diurna» de Saturno; Saturno se sigue considerando su segundo regente).
Piscis	está regido por Neptuno (Júpiter es su segundo regente).

rresponde incluye el mito de Jasón y los Argonautas. Dicho mito no significa necesariamente que Jasón fuese Aries, sino que personificaba las características de Aries de un modo especialmente impresionante. Los actos de Jasón resumen la personalidad intrépida y valiente que rezuma tu signo. Si reflexionas sobre ello, tal vez puedas añadir a las características de tu signo una

> **¿Lo sabías?**
> *El nombre de tu signo es simplemente un modo de referirse a los grados de la rueda.*
>
> *Mucha gente se sorprende al caer en la cuenta de que los nombres de los signos son simplemente una manera cómoda de hacer referencia a partes concretas del cielo. Por ejemplo, en vez de decir «la parte del cielo que se encuentra entre los 330 grados y los 360 grados», decimos sencillamente «Piscis», o en lugar de «la parte del cielo que se encuentra entre los 0 grados y los 30 grados», decimos «Aries».*

nueva interpretación o un matiz ligeramente distinto que puede habérseles escapado a los demás.

EL HORÓSCOPO ES COMO UN MAPA DE NUESTRA VIDA Y UN ESPEJO DE LA EVOLUCIÓN DE LA HUMANIDAD HACIA LA MADUREZ

Según el diccionario, la palabra «horóscopo» proviene del término griego *horoskopos*, que quiere decir «el que observa la hora del nacimiento con fines astrológicos». (*Hora* significa «hora», y *skopos* significa «observador», de *skopein*, «mirar».) Concretamente, un horóscopo busca la posición de los planetas y las estrellas en relación unos con otros en un momento y lugar dados, normalmente el instante del nacimiento de una persona (pero no siempre; también tienen cartas astrales las empresas y otras iniciativas), y se emplea para adivinar circunstancias actuales y futuras.

DESTINO Y LIBRE ALBEDRÍO

La cuestión del destino frente al libre albedrío se empezó a discutir muy pronto, de manera notable por parte de Plotino (c. 205-270), un neoplatónico, en su obra *Enneadas*. Según Plotino: «Los movimientos de las estrellas anuncian el futuro de todas las cosas, pero no dan forma al futuro. [...] Los movimientos celestes son indicaciones, no causas», lo cual es un punto de vista con el que concuerdan los astrólogos de hoy en día. La astrología no sugiere que los acontecimientos sean inevitables o estén predestinados, sino que existen tendencias positivas o negativas que nos ofrecen varias alternativas entre las cuales podemos escoger. Todo el mundo posee libre albedrío. Asumir la responsabilidad de nuestros actos constituye una parte muy importante, fundamental, del foco de atención de la astrología en el siglo XXI.

Lo especial del número doce

¿Te has fijado en cuán a menudo aparece el número doce relacionado con un significado especial en la vida? Los apóstoles eran doce, las tribus de Israel también eran doce, así como las puertas que tenía Jerusalén. En mitología había doce titanes, de una familia de gigantes que nacieron del caos y fueron los padres de los doce dioses y diosas del Olimpo. Se dice que Hércules tuvo que realizar doce trabajos. Los alcohólicos se recuperan siguiendo un programa de doce pasos. Existen doce tonos cromáticos en la escala musical occidental. El duodécimo día de Navidad seguido por la Epifanía se llama la Duodécima Noche. En algunos lugares es tradición enviar doce rosas a la persona amada. El año tiene, por supuesto, doce meses, y el día abarca dos partes iguales de doce horas cada una. El número doce sugiere la idea de compleción de todas las cosas, algo que requiere un viaje o una serie de trabajos antes de poder alcanzar la totalidad. Esto se cumple con la rica complejidad del horóscopo, que refleja toda nuestra vida.

EL ZODÍACO COMO CÍRCULO DE LA VIDA

La palabra «zodíaco» procede de la raíz griega que significa «círculo de animales», pues *zo* significa «animal». A pesar de su nombre, el zodíaco no está compuesto sólo de animales; también contiene tres signos plenamente humanos y, un dato interesante, son los tres signos intelectuales, de «aire»: Géminis (los gemelos), Libra (la balanza) y Acuario (el aguador). También se podría añadir Sagitario, el centauro, que es medio hombre, medio caballo. Así pues, muchos astrólogos prefieren denominar al zodíaco Círculo de la Vida.

¿QUÉ SUCEDE CUANDO SE DESCUBRE UN PLANETA NUEVO?

Cuando se descubre un planeta nuevo, los astrólogos juzgan su influencia examinando los sucesos que están teniendo lugar en el mundo en el momento de su descubrimiento. El razonamiento consiste en que los planetas se descubren en un momento en que la sociedad se encuentra más preparada para ampliar o modificar su conciencia y es capaz de asimilar totalmente la nueva información. Por ejemplo, Plutón fue descubierto en 1930, cuando se aproximaban la invención de la bomba atómica, la Segunda Guerra Mundial y el Holocausto, así que los astrólogos relacionaron la influencia de Plutón con la muerte y la destrucción, y en última instancia con la transformación total. Dichas influencias ya estaban asociadas a Escorpio, de manera que Plutón pasó a ser el regente de Escorpio, y Marte quedó como su segundo regente. Decisiones similares se tomaron cuando se descubrieron Urano y Neptuno, y fueron asignados a Acuario y Piscis respectivamente.

¿QUÉ PASA CON LOS ASTEROIDES Y CON QUIRÓN (LA LUNA DE PLUTÓN)?

En los últimos años tal vez hayas notado que algunos pronósticos citan asteroides recientemente descubiertos o Quirón, la luna de Plutón. Yo no incluyo esos cuerpos celestes en este libro ni en mi columna de Internet. Soy una purista y opino que, aunque Quirón es importante, no se puede considerar que tenga la misma influencia que un planeta. En un horóscopo, el Sol, la Luna y los planetas son los que ejercen la mayor influencia. Comprendo que este punto de vista pueda resultar algo polémico.

¿POR QUÉ EL SOL IMPORTA MÁS QUE LOS PLANETAS?

El Sol ocupa un lugar especial en el horóscopo porque es el centro de nuestro sistema solar, la brillante estrella que crea y sustenta la vida en la Tierra. Todos los planetas de nuestro sistema solar orbitan a su alrededor. El Sol es el reflejo del ego y la determinación, y muestra en una carta astral dónde va a brillar la persona. Así pues, normalmente nos centramos en los «signos solares» por una buena razón: el Sol es la clave en la que primero se fija un astrólogo cuando traza una carta astral.

¿Qué diferencia hay entre los planetas personales y los planetas exteriores?

Los llamados planetas personales son los que están más cerca del Sol, es decir, Mercurio, Venus, la Luna, Marte, Júpiter y Saturno. Son los que veían los antiguos a simple vista, y también son los que se mueven más deprisa. Dichos planetas ejercen una influencia muy directa, aunque breve, en nuestra vida.

Los planetas distantes, es decir, Urano, Neptuno y Plutón, ejercen una influencia mayor y más prolongada, porque tardan más tiempo en orbitar alrededor del Sol. A medida que van recorriendo lentamente el cielo grado por grado, permanecen mucho tiempo en cada signo del zodíaco, con lo cual ejercen sobre nosotros una influencia más profunda y duradera. Los tres planetas exteriores afectan a generaciones enteras, planteando preguntas y temas que las sociedades estudian globalmente. Pero también tienen un importante impacto a largo plazo sobre nuestra vida personal. Son los «pesos pesados» del zodíaco, y afectan tanto a las personas individualmente como a la sociedad en su conjunto.

¿QUÉ OCURRE SI HE NACIDO CON EL SOL EN LA CÚSPIDE ENTRE DOS SIGNOS?

Recibo cientos de cartas de lectores que me preguntan qué sucede cuando no saben de qué signo son porque nacieron entre uno y otro, en medio de dos signos contiguos. «¿A qué signo pertenezco en realidad?», me preguntan. La respuesta es que en el cielo no existen divisiones exactas. Si has nacido con el Sol en la cúspide entre dos signos tienes bastante suerte, porque serás una auténtica combinación de ambos. Por ejemplo, si eres un Géminis-Cáncer, poseerás el brillante razonamiento de un periodista, pero también el corazón de un romántico, y serás bastante intuitivo. Así pues, esta mezcla de signos debería ayudar a tu lado Géminis a descubrir «toda la verdad y nada más que la verdad» dejando que las corazonadas y los sentimientos te guíen hasta ese pleno descubrimiento. Muchas personas como tú poseen lo mejor de dos signos.

Probablemente el único modo de saber con seguridad con qué signo tienes más afinidad es haciéndote la carta astral. Ten en cuenta que Mercurio, Venus y el Sol a menudo viajan muy cerca unos de otros, de manera que puede que tengas más planetas en un signo que en el otro. Eso también debería inclinar la balanza hacia uno u otro lado. La mejor forma de saber a qué signo «perteneces» en realidad sin hacerte la carta astral es examinar las descripciones de los dos signos y ver cuál de ellos encaja mejor con tu personalidad.

Ten en cuenta que las fechas de demarcación de los signos pueden variar muy ligeramente de un año a otro, dependiendo del momento exacto en que el Sol entre en el grado 0 de un determinado signo. En un libro puede decirse que Acuario comienza el 20 de enero, y en otro que empieza el 19. La razón de esta discrepancia es que aunque el año tiene 365 días, el Sol tarda 365 días, 4 horas, 35 minutos y 12 segundos en realizar una rotación completa a través de los doce signos del zodíaco. Cada cuatro años corregimos esta ligera desviación con un año bisiesto, y además está estipulado que el último año de cada siglo que no sea divisible por cuatrocientos no puede ser un año bisiesto. De manera que un signo solar podría comenzar a las 11.55 de la noche, pero al año siguiente podría no comenzar hasta las 12.01 de la madrugada del día siguiente. (Esto incluso puede variar según las zonas horarias.) Los editores de revistas y periódicos simplemente toman la fecha de demarcación más común porque es la única manera razonable de hacerlo. No obstante, no te obsesiones demasiado con las fechas de los signos, averigua qué signo se parece más a ti y razona más desde tu interior. No existen respuestas correctas ni incorrectas.

Por último, recuerda lo bien que suena la expresión «encontrarse en la cúspide» referida a cualquier cosa en la vida. En el lenguaje cotidiano, la empleamos para indicar que estamos en el apogeo de algo, y eso por sí solo denota abundancia de energía y vitalidad. ¡Probablemente, esa es una buena descripción de ti!

¿QUÉ ES EL ASCENDENTE?

Es el signo de la constelación situada en el horizonte oriental en el momento en que tú naciste. Algunas personas conocen su ascendente porque alguien les ha hecho su carta astral tomando el año, el mes, el día y la hora exacta (al minuto) de su nacimiento y convirtiendo esa información a la Hora Media de Greenwich. Todos los astrólogos necesitan saber el lugar de nacimiento de una persona para poder convertir su carta astral al mismo punto de la Tierra, como denominador común. A causa de la rotación de nuestro planeta, aproximadamente cada dos horas asciende un signo nuevo por el horizonte este, de modo que también tiene importancia el grado exacto del ascendente.

El ascendente explica la razón por la que las personas de un mismo signo no son todas iguales. Todos nosotros somos una combinación de nuestro signo solar y nuestro ascendente, y es importante que sepamos cuáles son los dos. Por ejemplo, si has nacido a principios de agosto, tu signo solar siempre será Leo, y deberás leer el capítulo dedicado a este signo, pero si tu ascendente es Escor-

---

¿Qué sucede si no sé la hora exacta de mi nacimiento?

Si no sabes la hora exacta en que naciste, el astrólogo hará una carta astral a la salida del sol, lo cual situará el Sol sobre el ascendente. Esto es lo mejor que puede hacer hasta que averigües la hora real de tu nacimiento (lo más exacta posible al minuto). Si eso resultara imposible, existe lo que se llama «rectificación de la carta astral»: el astrólogo se vale de sucesos importantes ocurridos en tu vida para determinar la verdadera hora de tu nacimiento, trabajando la carta astral hacia atrás en el tiempo. Como dicha carta se basa en las matemáticas, cualquier astrólogo puede avanzar o retroceder en el tiempo estudiando las efemérides, o libro de tablas de las órbitas planetarias.

pio, siempre serás Escorpio en parte, y también deberás leer el capítulo dedicado a este signo. Esto es una simplificación excesiva, ya que hay que tener en cuenta todos los planetas de una carta astral (sobre todo la Luna, depositaria de las emociones), pero el ascendente tiene una importancia vital, y una vez que sepas cuál es el tuyo, ya no debes olvidarlo nunca. Recuérdalo tan fielmente como recuerdas tu número de teléfono, porque obtendrás una visión mucho más tridimensional de tu carta astral al leer el perfil de personalidad y las previsiones de tu signo solar y tu ascendente. Dicen que el ascendente refleja las características que hemos aceptado de forma natural y que se combinan con nuestro signo solar.

¿CUÁL ES MI PLANETA REGENTE?

Cada persona tiene dos planetas regentes: el que rige el signo solar y el que rige el ascendente. (La única excepción a esto es cuando el signo solar y el ascendente son el mismo.) Ambos planetas ejercen una fuerte influencia sobre nuestra personalidad. Cuando el astrólogo hace una previsión de las tendencias actuales, debe tener en cuenta los movimientos de los planetas, así como los encuentros y contactos entre los planetas regentes y otros planetas. Sea lo que sea lo que nuestro planeta regente esté haciendo, tiene un efecto especial en nuestra vida.

Todos los planetas se mueven continuamente, y cuando están situados en ángulos especiales en relación unos con otros (dentro de una banda muy estrecha de grados matemáticos especificados), empiezan una «conversación» que dura un determinado período de tiempo. Esto es lo que llamamos «aspecto planetario», y puede prolongarse durante un día o varias semanas, hasta que los dos (o más) planetas terminan separándose y prosiguen su trayectoria. Si la conversación establece una tendencia positiva, el astrólogo nos instará a actuar durante ese determinado período de tiempo.

¿POR QUÉ ES MÁS DIFÍCIL TENER UN ASCENDENTE ACUARIO QUE UN ASCENDENTE LIBRA?

El concepto de ascensión corta y larga del ascendente es bastante fascinante. Cabría suponer que hay las mismas posibilidades de que uno tenga cualquiera de los doce signos como ascendente; sin embargo, debido a la curvatura de la Tierra y al ángulo de su eje, los signos de ascensión larga necesitan más tiempo para elevarse sobre el horizonte que los signos de ascensión corta. En el Hemisferio Norte, los signos de ascensión corta son Capricornio, Acuario, Piscis, Aries, Tauro y Géminis; por lo tanto, es menos probable que estos signos sean ascendentes, en comparación con los demás. En el Hemisferio Sur, los signos de ascensión corta son Cáncer, Leo, Virgo, Libra, Escorpio y Sagitario.

¿QUÉ SIGNIFICA QUE UNA PERSONA DIGA QUE ES UN DOBLE PISCIS O UN TRIPLE ESCORPIO?

Cuando una persona dice que es un doble Piscis, significa que su signo solar y su ascendente son Piscis. Dicho de otro modo, su signo solar y su ascendente son el mismo. Cuando alguien dice que es un triple Escorpio, eso significa que su signo solar y su ascendente son Escorpio y que también tiene la Luna en este signo, lo cual es bastante insólito.

¿CÓMO PUEDO ENTENDER MEJOR MI CARTA ASTRAL?

No existen signos buenos ni malos. Todo el mundo es una combinación de diez cuerpos celestes, una compleja mezcla de simbolismo en un horóscopo que desafía las interpretaciones precipitadas o estereotipadas. Cuando conozcas las descripciones básicas y las mitologías de los diversos signos y te hayan hecho tu carta astral, podrás fusionar tus conocimientos de los signos con tu comprensión de cada planeta. Aprender astrología constituye un proceso largo y agradable en el que no conviene precipitarse; va desplegándose hasta mostrar la gran belleza subyacente en las matemáticas del universo.

¿CÓMO PUEDE SER QUE UN CAPRICORNIO SE PAREZCA MÁS A UN TAURO? (TRADUCCIÓN: ¿POR QUÉ ALGUNAS PERSONAS NO SON TÍPICAS DE SU SIGNO?)

La rueda del horóscopo representa los signos del zodíaco junto con doce particiones denominadas «casas», que abarcan diversas áreas de la vida. Cada casa pertenece a un signo diferente del zodíaco, o sea, es propiedad de ese signo. La primera casa (que se encuentra donde estaría el número nueve en la esfera de un reloj y que simboliza el horizonte este) está regida por Aries. Avanzando en sentido contrario al de las agujas del reloj, llegamos a la segunda casa, que pertenece a Tauro. La tercera pertenece a Géminis, y así sucesivamente, recorriendo todos los signos en el mismo sentido y terminando con Piscis, el signo que está situado al final mismo del invierno.

A modo de demostración, digamos que eres Capricornio pero que tienes varios planetas en la segunda casa. Esta configuración indicaría un fuerte matiz de Tauro en tu personalidad, simplemente porque tienes una gran concentración de planetas en la parte del horóscopo que se considera la casa natural de Tauro. (Es importante tener esto en cuenta cuando te hagan la carta astral.) Este es un ejemplo del modo tan inteligente en que funciona la astrología. No tienes que haber nacido en mayo para tener una personalidad muy similar a la de Tauro, y esto puede aplicarse a todos los signos, lo cual explica que algunas personas afirmen que no son típicas de su signo.

UNA MIRADA A LA RUEDA DEL HORÓSCOPO: OBSERVA SI LA MAYORÍA DE LOS PLANETAS SE ENCUENTRAN POR ENCIMA O POR DEBAJO DEL HORIZONTE, Y AL ESTE O AL OESTE DE LA CARTA

Cuando un astrólogo observa una carta astral, una de las primeras cosas en que se fija es si la mayoría de los planetas se encuentran por encima o por debajo de la línea del «horizonte». (Si el horóscopo fuera la esfera de un reloj, el horizonte sería la línea que iría del 9 al 3.) Los planetas situados por encima del horizonte están «a la luz del día». Las personas que tienen la mayoría de los planetas por encima del horizonte tienden a interesarse más por desarrollar sus cualidades de líder y son ligeramente más extravertidas y objetivas. Las personas que tienen la mayoría de los planetas por debajo del horizonte se sienten más cómodas en el mundo de la intuición y del instinto, se interesan más por desarrollar su creatividad y tienden a ser ligeramente más reservadas. Esta división de la rueda del horóscopo va unida a los signos del zodíaco: de Aries a Virgo quedan por debajo del horizonte, y de Libra a Piscis quedan por encima del mismo.

La carta astral se divide de nuevo en dos mitades en sentido vertical (si fuera la esfera de un reloj, imagínate una cuerda extendida desde el 12 hasta el 6). Los planetas situados en el lado izquierdo de la rueda se dice que están en el sector oriental y que generan más independencia, mientras que los que están situados en la derecha se dice que están en el sector occidental y que aportan a la persona talento para desenvolverse en situaciones de colaboración y en el trabajo en equipo.

UN MAPA DE LA VIDA: LOS CUATRO CUADRANTES DE LA RUEDA

Si se miran los cuatro cuadrantes de la carta astral, se verá en ellos un espejo de la evolución del ser humano. La cruz en sí es un símbolo de algo que se manifiesta; así pues, el horóscopo es una rueda de la vida.

El primer cuadrante está representado por Aries, Tauro y Géminis, y fomenta el desarrollo personal y la comprensión de la percepción del yo, al tiempo que procura un sentimiento de posesión y un manejo del lenguaje y de la comunicación. El segundo cuadrante, situado todavía en la parte in-

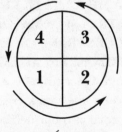

HORÓSCOPO

ferior del horóscopo, pero ahora en el lado derecho u occidental, está representado por Cáncer, Leo y Virgo, y abarca las relaciones importantes de los seres humanos cuando comenzamos a madurar, tales como la interrelación con los padres, los hijos, los profesores y los compañeros de trabajo, incluso nuestra forma de experimentar el primer amor al aventurarnos en el mundo.

Avanzando en sentido contrario al de las agujas del reloj, llegamos al tercer cuadrante, y aquí es donde por primera vez estamos por encima del horizonte. Este cuadrante señala un punto en el tiempo en el que «salimos de nosotros mismos» y ya somos más conscientes de nuestras responsabilidades para con los demás: el cónyuge, los socios o colegas, los comerciantes, los profesores y aquellos a quienes conocemos cuando viajamos lejos de casa. Esta zona de la carta astral representa la colaboración frente a frente y marca una etapa especial en el desarrollo de la humanidad y en el de la persona.

Por último, en el lado izquierdo de la parte superior de la carta astral, llegamos al cuarto cuadrante, representado por Capricornio, Acuario y Piscis. Cuando la rueda ha girado hasta el cuarto cuadrante, el ser humano es consciente de que forma parte de un todo más grande, es consciente de la sociedad o el grupo al que pertenece, y crece cada vez más en su interior la conciencia de la necesidad de devolver algo al mundo, ya sea para mostrar su agradecimiento o para dejar huella. Este cuadrante requiere que devolvamos algo a la sociedad por medio de obras de caridad, liderazgo en el trabajo, obras artísticas, o bien constituyendo un buen ejemplo.

EN LO QUE SE REFIERE A LOS SIGNOS SOLARES, LOS OPUESTOS ESTÁN UNIDOS

Cada uno de los signos del zodíaco está también unido de un modo especial a su signo opuesto en el mismo eje. Por ejemplo, si eres Cáncer, tus rasgos de carácter son un complemento de los de Capricornio, que es el signo situado a seis meses de tu fecha de nacimiento. Aunque a primera vista estos dos signos puedan no tener nada en común, si se mira más de cerca se verá que ambos están centrados en cuestiones muy similares. Por ejemplo: Cáncer comienza la vida, y su polo opuesto, Capricornio, la sustenta. (Cáncer es el cangrejo que surge del mar de la creación, mientras que Capricornio es la cabra trabajadora y ambiciosa que tiene grandes metas y consigue muchas cosas, una figura paterna capaz de dar sustento a su familia y a la comunidad.)

Los astrólogos llaman al signo contrario «polo opuesto». Ese signo contrario representa algunas de las cualidades no realizadas o no manifestadas que uno desea desarrollar, ya sea de forma consciente o inconsciente. Carl Jung, uno de los mayores pensadores modernos en los campos de la psicología y la astrología, escribió acerca de los lados luminoso y oscuro que forman el conjunto de la personalidad. Cada signo tiene algo que ganar aprendiendo de su polo opuesto. Aries simboliza la fuerza vital y se ve necesariamente absorbido por sí mismo, para vivir aventuras. Libra, su opuesto, está orientado hacia el exterior y pone por delante los deseos y sentimientos de los demás. Aries ha de estar absorbido por sí mismo para materializar sus sueños, pero sería sensato que tomase nota de Libra en lo que se refiere a compartir, ya que los nativos de este signo solar son excelentes colaboradores. Por otra parte, Libra antepone tan a menudo los deseos de otras personas que haría bien en ser más consciente de sus propias necesidades, tal como los nativos de Aries pueden enseñarle. Así que, como ves, cada signo tiene algo que aportar. Si aprendemos de nuestro signo contrario, completaremos nuestra personalidad de manera especialmente eficaz.

LOS SIGNOS SOLARES ADYACENTES CONTRASTAN UNO CON OTRO Y COMPENSAN LO QUE FALTA

Existe aún una mayor elegancia en el zodíaco. Cada signo compensa las características de los signos que lo preceden y lo siguen. Por ejemplo, Sagitario equilibra la imponente intensidad de Escorpio a la hora de hacer negocios mostrando curiosidad por iniciativas más académicas en el terreno de la educación superior, las publicaciones y los viajes. Los Escorpio son capaces de aplicar concentradamente su asombrosa energía, pero no son muy sociables. De hecho, a Escorpio le encanta estar solo. Sin embargo, el signo que lo precede, el encantador y afable Libra, es uno de los más sociables del zodíaco. A los Libra les gusta colaborar con otras personas y poner en contacto a la gente. Cada uno de los signos se acerca a la mesa con sus propios dones para compartirlos con los demás, y cada signo aporta una visión importante y necesaria. Cuando leas el capítulo dedicado a tu signo, ten en cuenta que todo el mundo posee un amplio espectro de rasgos, y que los que describimos astrológicamente son los dominantes, los que los amigos y la familia tal vez señalarían en primer lugar al hablar de nuestro carácter. Esos rasgos dominantes aparecen reflejados con más intensidad en el signo solar y el ascendente, y también en el signo lunar.

LA ASTROLOGÍA SE BASA EN EL SIMBOLISMO DE LAS ESTACIONES DEL HEMISFERIO NORTE

En la descripción de tu signo encontrarás referencias a los estados de la naturaleza del Hemisferio Norte. Por ejemplo, los colores suaves y la verde fertilidad que vemos en mayo aparecen reflejados en el gusto de Tauro por la comodidad y la sensualidad. Otro ejemplo: el paisaje duro y helado y los cielos despejados y luminosos de enero estimulan el sólido realismo de Capricornio y su determinación para superar los obstáculos. A gran escala, el Sol se mueve a tra-

Hemisferio Norte frente a Hemisferio Sur
Si has nacido (o vives) en el Hemisferio Sur, tu carta astral y las previsiones de un astrólogo, ¿serán las correctas para tu signo?

Con independencia del lugar del planeta en que hayas nacido (o en el que vivas ahora), los perfiles de personalidad de los diversos signos y las previsiones para todos ellos siguen siendo aplicables a ti. En la comunidad astrológica existe un gran consenso acerca de este punto. Ya vivas en India, en América, en África, en Nueva Zelanda o en el Polo Sur, la descripción de tu signo (así como mis previsiones en Internet) es la que te corresponde.

vés de los meses del año, y las estaciones simbolizan las etapas por las que pasa el ser humano.

En los equinoccios de primavera y otoño (*equinox* es una palabra latina que significa «igual» o «equilibrado»), los días tienen el mismo número de horas de luz y de oscuridad. En primavera los días se alargan, y después del equinoccio de otoño empiezan a acortarse. En astrología, la luz diurna simboliza la individualidad y la singularidad, mientras que la noche representa nuestro vínculo con la comunidad y con el pensamiento universal. Las personas nacidas bajo el signo de Aries (en el equinoccio de primavera) se preocupan más de desarrollar su sentido del yo o del ego, mientras que los Libra, nacidos en la época del año opuesta, el equinoccio de otoño, están más armonizados con su álter ego y se interesan sobre todo por establecer asociaciones productivas. Sin embargo, tanto unos como otros han nacido en una época del año en que el día y la noche tienen la misma duración (igual que los nacidos en la última parte de los períodos correspondientes a Piscis y Virgo). Esto quiere decir que estos cuatro signos podrían tener un dedo en el pulso de la conciencia colectiva y poseer una extraordinaria sensibilidad con respecto a lo que la gente valora y necesita. Un signo como Géminis se inclina ligeramente hacia la individualidad. Su signo opuesto, el filosófico Sagitario, se interesa por aprender, reflexionar y conservar la información que recoge Géminis (en sentido figurado). Así, los Sagitario están más inmersos en la comunidad mundial (el todo) y se ocupan de proteger la información que se guarda en las bibliotecas y otros lugares. En astrología hay una elegante simetría en todos los niveles.

SIGNOS MASCULINOS Y FEMENINOS: DESCUBRE SI ERES DEL TIPO «AMANTE» O DEL TIPO «AMADO»

Los signos alternan entre la energía masculina y la femenina. El término «masculino» en astrología es sinónimo de positivo, agresivo y pionero. El término «femenino» es sinónimo de negativo, receptivo y más pasivo. El primer signo del zodíaco, Aries, es masculino; el segundo es Tauro, que es femenino; luego viene Géminis, otro signo masculino, y así sucesivamente a lo largo de todo el zodíaco hasta llegar a Piscis, que es un signo femenino, receptivo y magnético (en vez de asertivo y pionero). Ten en cuenta que si eres un hombre con un signo solar femenino, como Capricornio, no por eso eres menos hombre. Estas influencias son muy sutiles, y eso simplemente significa que posees un encanto que te permite atraer a los demás en lugar de tener que salir a vender tus ideas de forma agresiva. Si eres una mujer con un signo solar masculino, sencillamente tendrás abundancia de iniciativa, y te gustará controlar tu destino más enérgicamente que a algunos otros signos. El mundo está dividido en «amantes» (los que se esfuerzan por imponer sus ideas al mundo) y «amados» (los que recogen las ideas que se les ofrecen y eligen entre ellas). Todo el mundo se siente más cómodo con una actitud que con la otra. Tu horóscopo, que incluye tu signo solar, te dirá cómo eres tú. No olvides que es necesario tener en cuenta todos los planetas de la carta astral, pero el signo solar y el ascendente son de gran importancia.

POR QUÉ FUNCIONA LA ASTROLOGÍA

Nadie sabe por qué funciona la astrología... aún. Sabemos que el mundo y nuestro cuerpo siguen diversos ciclos, y que la Luna rige las mareas, y que ciertas especies parecen estar muy influidas por el Sol y la Luna. Por ejemplo, las ostras se abren y se cierran a intervalos regulares, lo cual en otro tiempo se suponía que se correspondía con las mareas. Recientemente, el científico J. R. Brown llevó a cabo un experimento: transportó ostras en depósitos herméticos hasta su laboratorio de Evanston, Illinois (cerca de Chicago), aproximadamente a 1.500 kilómetros del mar. Las ostras se comportaron como si aún estuvieran en el océano, y abrían y cerraban las valvas siguiendo el ritmo de las mareas en su lugar de origen. Sin embargo, dos semanas más tarde habían reajustado su reloj interno para que coincidiera con las fases de la Luna en el lugar en el que vivían ahora, lo cual demuestra que la Luna, y no las mareas, controlaba su ciclo. Los científicos saben también que las erupciones y tormentas solares interfieren en las transmisiones de radio de la Tierra, y han descubierto asimismo que justo antes de esas tormentas se produce un incremento de los accidentes de tráfico, que son hasta cuatro veces superiores a lo normal.

Una teoría interesante del modo en que las circunstancias del universo influyen en nuestra personalidad apunta a que existen campos magnéticos que pueden verse intensificados por el Sol y después dejar huella en el sistema nervioso de un bebé, que actúa como una antena que capta las frecuencias que prevalecen en el instante de su nacimiento. La mayoría de los astrólogos suscriben el axioma de la astrología que establece la sincronicidad del universo. El universo está vivo, y por eso las cosas que ocurren en la Tierra no son sino un microcosmos de lo que ocurre en los cielos.

¿QUÉ SIGNIFICA QUE ESTAMOS EN LA ERA DE ACUARIO? ¿HA HABIDO OTRAS «ERAS»?

Actualmente, el mundo está entrando en la Era de Acuario, un fenómeno que se relaciona con la órbita de la Tierra y su movimiento hacia atrás (retrógrado) a través de las constelaciones, en estos momentos hacia la constelación de Acuario. La Tierra pasa largo tiempo en cada una de las constelaciones. Desde el nacimiento de Cristo hasta ahora, ha estado en la Era de Piscis, y antes estuvo en la de Aries. La Tierra tarda 25.868 años en visitar los doce signos. Si dividimos 25.868 por doce, resulta aproximadamente 2.100 años para cada «era». Así pues, permaneceremos en la Era de Acuario durante unos 2.000 años.

La «precesión de los equinoccios» que sirve de base a este principio fue descubierta por el astrónomo griego Hiparco de Nicea (c. 160-125 a. C.), y se debe a un ligero bamboleo en la rotación de la Tierra. Esto quiere decir también que las fechas que abarcan los signos han variado ligeramente desde las originales. La precesión de los equinoccios es una expresión que describe la constelación que se encuentra detrás del Sol en el punto vernal o equinoccio de primavera, y que va cambiando gradualmente con el tiempo. En lugar de negar las fechas de los signos solares, esta precesión añade un tono singular a cada uno de los signos; parece anunciar una nueva y sutil mezcla de características de la personalidad. Los astrólogos clásicos no creen que la precesión de los equinoccios modifique las características inherentes a los signos. De igual modo que se observa lo que acontece en el mundo a la hora de determinar la influencia de planetas nuevos y eso no cambia, es posible que debido a que la astrología fue descubierta en un lugar y un momento determinados, las descripciones de los signos estén destinadas a durar y permanecer sin cambios.

¿CUÁNDO, APROXIMADAMENTE, EXISTIÓ LA ERA DE PISCIS Y CUÁL ES SU SIMBOLISMO?

Durante aproximadamente los últimos dos mil años, el mundo ha atravesado lo que llamamos la Era de Piscis, porque la Tierra ha estado girando de manera retrógrada a través de esa constelación. Los astrólogos no se ponen de acuerdo en la fecha exacta en la que termina una era y comienza la siguiente (algunos opinan que estamos ya en la Era de Acuario, otros dicen que aún faltan varios cientos de años). De todos modos, todo el mundo está de acuerdo en que el último millar de años ha transcurrido dentro de la era de Piscis, la época en la que nació el cristianismo.

Cuando los astrólogos hablan de una era, como la de Piscis o la de Acuario, se refieren al tiempo durante el cual la Tierra se mantiene, moviéndose hacia atrás (el movimiento llamado «retrógrado»), en uno de los doce signos del zodíaco. Tal como ya he dicho, cada «era» dura unos 2.100 años.

Dado que la Tierra se mueve hacia atrás a través de las constelaciones, la era que acabamos de dejar (o que estamos a punto de dejar) es la de Piscis, que ha marcado los años del 1 al 2000, y que coincide con la era de Cristo y del cristianismo. Piscis se considera el último signo del zodíaco, una compilación de todos los signos anteriores a él. Conocido como el signo del amor universal, de la compasión y del altruismo, conoce la verdad del universo, pero no sabe decir por qué. Los nativos de este signo saben que el concepto de «la verdad» está siempre cambiando; para Piscis, un signo introspectivo, lo que reside en el interior del corazón humano es algo fiable, porque los sentimientos revelan el alma. Este modo de ver el mundo influyó en todo lo nuevo que la gente descubrió durante ese período, y una parte de la Era de Piscis fue denominada también la Edad de la Fe.

El énfasis que se ponía en el lavado de los pies como un ritual que significaba la purificación del espíritu va unido al simbolismo de Piscis, ya que Piscis rige los pies. Los Piscis «cargan» con el cuidado de los demás, y a menudo tienen los pies doloridos. Cristo hablaba de su papel como siervo de su rebaño. Una vez más, vemos en esto una idea muy propia de Piscis, que dice: «Creo» (mientras que Acuario, la era en la que nos encontramos ahora o nos encontraremos pronto, dice: «Demuéstramelo científicamente»).

María, la madre de Cristo, personificó todas las cualidades de la polaridad de Piscis y Virgo, es decir, la modestia, el compromiso de servir y la aceptación pasiva de lo que no debe cambiar. En Piscis existe una fuerte necesidad de apartarse del mundo, y el cristianismo concede mucho valor a los retiros, los conventos, los claustros y las peregrinaciones espirituales, es decir, a los lugares habitados o frecuentados por monjes y monjas o por otras personas profundamente religiosas. Por el contrario, al trasladarnos hacia la Era de Acuario, vamos poniendo un mayor énfasis en las actividades de grupo y en la comunidad, y así tenemos Internet y esas vistas de la aldea global que nos ofrece la televisión. Acuario es muy sociable. A Piscis también le gusta la gente, pero necesita disponer de vez en cuando de tiempo para liberarse de los problemas de los demás, que ha ido recogiendo de manera inconsciente.

Tal como se indica en el capítulo dedicado a la personalidad de Piscis, la abstinencia es apropiada en el momento del nacimiento de un Piscis, ya que se trata de una época en la que la Tierra se está preparando para la primavera. La provisión de alimentos, que era abundante durante la cosecha de otoño, al llegar marzo se encuentra en su punto más bajo, puesto que estamos al final del invierno.

Otra prueba más de la relación de Piscis con la espiritualidad es el hecho de que los cristianos escogieron el pez como símbolo secreto que los identificase como seguidores de Cristo. (Piscis, como regente de la duodécima casa, también rige los secretos y las actividades clandestinas.) Jesús pidió a sus seguidores que fueran «pescadores de hombres», y la palabra Belén significa, literalmente, «Casa del Pan». En cierta ocasión, Jesucristo le lavó los pies a María Magdalena, y los cristianos creen que eso demuestra la humildad de Jesús y conlleva el mensaje de que todo el mundo es bienvenido en el reino de Dios.

Neptuno, el regente de Piscis, siempre será el planeta que señale áreas de la carta astral en las que hay fe, amor, caridad y esperanza, porque cada uno de nosotros tiene a Neptuno en algún lugar de la carta astral. También señalará los bordes imprecisos o las líneas desdibujadas, incluso una disolución y el esclarecimiento general de una situación. Los efectos de Neptuno son, como los del agua, graduales y lentos. Piensa en cómo el agua va desgastando poco a poco los afilados bordes de una roca hasta volverla suave al tacto. Neptuno aporta a Piscis, y en un sentido más amplio a cada uno de nosotros, creatividad e inspiración. Al ser la «octava mayor» de Venus, nos enseña a llevar el amor a un reino superior, más espiritual. Me pregunto cómo sería la Tierra sin este encantador e inspirador planeta que nos enseña no sólo a intentar alcanzar las estrellas, sino también a tendernos la mano los unos a los otros en tiempos de necesidad.

A medida que vayamos adentrándonos en la Era de Acuario, no desecharemos sin más lo que hemos aprendido en los dos mil últimos años, sino que cabe esperar que lo llevemos con nosotros y lo utilicemos conforme vayamos convirtiéndonos en seres más desarrollados e iluminados. Con independencia de la religión o el modo de vida que escojamos, Piscis insta a la humanidad a creer, simple y profundamente, en el poder universal del amor.

¿LOS ACUARIO SE SIENTEN ESPECIALMENTE FELICES EN SU PROPIA ERA?

Es posible que los nativos de este signo se sientan fuertemente en concordancia con los acontecimientos, estados de ánimo y modas de esta época. (Ese es siempre el caso cuando varios planetas entran en nuestro signo; tenemos una sensación de mayor apoyo cósmico, y son más numerosos los planetas que tienden a estar en nuestro signo cuando se acerca la fecha de nuestro cumpleaños.) Acuario es el signo de los inventos, la alta tecnología y los avances científicos, y también de una fuerte justicia social y la sensación de formar parte de una comunidad, áreas todas ellas que experimentarán un gran desarrollo en los años venideros. No obstante, ten en cuenta que la influencia es sutil, igual que una suave música de fondo, porque el signo de una era afecta al centro de atención y la dirección globales de la sociedad.

Durante la Era de Aries, aproximadamente desde el 2000 a. C. hasta el año 7 d. C., el hombre aprendió a defenderse, mientras que durante la Era de Piscis, que transcurrió más o menos desde el nacimiento de Cristo hasta el año 2000, el centro de atención ha sido la religión. ¿Se pierde lo aprendido cuando se deja una era atrás y se entra en otra? Esperemos que no; nuestros conocimientos y nuestra sensibilidad siempre continúan creciendo y evolucionando hacia algo mejor.

¿LOS PLANETAS PROVOCAN O REFLEJAN LO QUE SUCEDE?

¿Es la astrología el estudio de la influencia que pueden ejercer los planetas en nuestra vida, o es el estudio del modo en que los planetas reflejan, igual que un espejo, lo que sucede en nuestra vida? La respuesta sería que la astrología es un poco de ambas cosas y en realidad ninguna de las dos, pues somos nosotros quienes tomamos al final las decisiones. El estudio del horóscopo muestra el comportamiento de los planetas, es decir, cómo contactan unos con otros en determinados momentos. No todos esos contactos son igual de importantes: unos resultan más cruciales que otros. El movimiento de los planetas crea circunstancias que suponen una recompensa o un desafío. La astrología es el estudio de los ciclos que se repiten de manera regular en el tiempo a intervalos diferentes, si bien algunos de dichos ciclos se dan una sola vez en la vida y otros tienen lugar con mucha frecuencia. Resulta fascinante que ciertos aspectos nos ayuden a revisar una y otra vez cuestiones con las que nos enfrentamos desde hace mucho tiempo, de forma que, aunque el problema parezca nuevo, en realidad hunde sus raíces en una circunstancia parecida que se dio en el pasado. Estudiando el ciclo podemos obtener pistas acerca del núcleo del problema, al examinar lo que ya sucedió anteriormente. Una vez hecho esto, podemos valernos de nuestra experiencia para aplicar lo que hemos aprendido a lo nuevo, y así poder enfrentarnos mejor al presente.

Como los planetas se envían señales entre sí al rotar siguiendo su trayectoria, constantemente están modificando pautas y circunstancias. Lo mismo que ocurre en los cielos sucede aquí abajo, en la Tierra. Somos un microcosmos de lo que sugieren esas vibraciones. Sin embargo, el estudio de la astrología es el estudio de las circunstancias a las que nos enfrentamos, no de las decisiones que tomamos. Estas siempre dependerán de nosotros mismos.

La «fotografía» planetaria del día (mencionada en cualquier predicción astrológica) será siempre única. Los grados y lugares exactos de cada uno de los diez cuerpos celestes no volverán a repetirse del mismo modo. Esto sirve para el día de nuestro nacimiento: las circunstancias planetarias que se dieron cuando nacimos no volverán a existir de la misma manera, ya que también forman parte de la ecuación la longitud y la latitud. Esto nos adjudica una enorme responsabilidad a la hora de utilizar nuestros dones de la mejor forma posible. Todo el que haya tenido un hijo sabe que los rasgos y dones concretos que ha recibido ese niño son sagrados; el niño ha de ser respetado y valorado por su preciosa individualidad.

EL VALOR DE PENSAR A LARGO PLAZO

El hecho de oír las predicciones sobre mi vida cuando era pequeña creó en mí ciertas expectativas y una sensación de posibilidad. Ver la imagen global resultó importante, porque me ayudó a visualizar el futuro tal como deseaba que fuera.

Hasta ahora, mi trayectoria y mi búsqueda han sido incluso más emocionantes que el hecho de oír esas predicciones, porque ni mi madre (que fue quien hizo dichas predicciones) ni yo podíamos imaginar con precisión de qué forma iban a manifestarse aquellas influencias planetarias. ¿Por qué? Porque yo, igual que tú, tengo la capacidad de decidir en última instancia lo que ocurra y la dirección que tome mi vida. Debo admitir que hasta ahora ha sido interesante abrirse paso a través de las dificultades de la vida, incluso en los momentos en que esta resultaba dura y no tenía nada de divertida.

Si un astrólogo te dice, por ejemplo, que tal vez te irás a vivir a Europa, tú puedes pararte a pensar en esa posibilidad. Podrías decirte, por ejemplo: «No, gracias. Me gusta vivir aquí». No pasa nada, has meditado sobre ello y has rechazado la idea. También podrías decirte: «¡Qué interesante! Siempre he deseado hacerlo, pero jamás me había dado cuenta de lo mucho que significaba para mí. ¡Lo tenía descartado porque me parecía un sueño imposible!». Entonces te sentirás más estimulado a hacer algo al respecto. En el caso de que tu carta astral sugiera que en tu persecución de ese sueño vas a encontrarte con oportunidades favorables, te será más fácil cumplirlo si cuentas con buenos aspectos que si no dispones de ellos.

En resumen, los aspectos sugieren, pero eres tú quien decide. El hecho es que nos corresponde a nosotros hacer las cosas, y no podemos eludir esa responsabilidad. Las estrellas nos ofrecen beneficios, igual que una fruta madura en un árbol, que nosotros podemos tomar o dejar, y lo mismo ocurre con los desafíos: podemos afrontarlos o evitarlos.

LA FUERZA DE LA PERSONALIDAD LO ES TODO

Lo importante es que la fuerza de nuestra personalidad determina todo lo que hacemos y el resultado de todas nuestras empresas y relaciones. La astrología nos lo deja bien claro, ya que la primera casa del horóscopo dirige toda la carta astral en la dirección en que la persona desea llevarla. Si has escrito alguna vez un cuento o un poema, has cocinado un plato nuevo, has tomado fotografías, has compuesto una canción o has pintado un cuadro, has aprendido un poco más acerca de ti por medio de ese proceso creativo. Esa sensación de descubrimiento puede ser emocionante y embriagadora. También el proceso de vivir es enormemente creativo, ya que estamos constantemente aprendiendo quiénes somos y qué somos capaces de hacer y de aportar al mundo, no sólo en el aspecto profesional, económico o solidario, sino también en cuanto a las relaciones personales.

Nuestro carácter se revela a través de las decisiones que tomamos, así como a través de las personas y las cosas que valoramos a lo largo del camino. Si actuamos de acuerdo con el universo, aprendemos a disfrutar y a regocijarnos por las diferencias que vemos en nosotros mismos y en los demás. Si no hacemos bien las cosas, el universo nos empuja a volver al camino correcto. Lo importante es que el viaje es fascinante y hermoso, y desde luego no está predeterminado.

¿CUÁLES SON LOS ELEMENTOS? TIERRA, FUEGO, AIRE Y AGUA

Todos los signos astrológicos se distribuyen equitativamente entre cuatro elementos fundamentales: tierra, fuego, aire y agua. Saber cuál de ellos nos rige nos ayudará a explicar algunas de las características básicas de nuestro temperamento. Saber qué elemento predomina en otras personas nos ayudará a entenderlas y a comunicarnos mejor con ellas. Ten en cuenta que estamos estudiando sólo los signos solares. Un astrólogo profesional tiene en consideración todos los elementos de los planetas de cada persona, incluyendo el del ascendente. Sin embargo, el Sol es muy importante en el horóscopo, ya que es el principal luminar de nuestro universo, alrededor del cual giran todos los planetas, de modo que merece una atención especial.

Tierra: Tauro, Virgo y Capricornio

Cada signo de tierra posee el don de hacer reales y tangibles los sueños y planes. Sumamente ambiciosos, los nativos de signos de tierra tienen los pies firmemente plantados en el suelo y saben lo que hace falta para lograr hacer las cosas. Comprenden los plazos de entrega, el trabajo en equipo y los presupuestos, y son maravillosos productores y constructores de cosas, porque siempre obtienen resultados. Si bien pueden no sentirse atraídos por la idea de empezar cosas, como les ocurre a los nativos de signos de fuego, su increíble talento radica en hacer más fuertes, sólidas y seguras las estructuras ya existentes, y a menudo llevan las iniciativas hasta el siguiente nivel. También entienden el poder y la influencia. Son bastante sensuales, y emplean sus cinco sentidos de forma poderosa. Por regla general les gustan los objetos hermosos y cuidan muy bien de ellos. Por otro lado, son reservados y no necesitan las luces de los focos; de hecho, con frecuencia prefieren trabajar entre bastidores, porque saben que es muy probable que sea allí donde de verdad puedan ejercer su influencia.

Fuego: Aries, Leo y Sagitario

Los nativos de signos de fuego son sumamente creativos y disfrutan experimentando con conceptos nuevos. Poseen un corazón cálido y les gusta ser el centro de atención. Los estimula estar en compañía de otras personas. Su energía suele arder con más intensidad cuando intercambian ideas con los demás, y como el fuego necesita espacio para respirar, les gusta ser sus propios jefes. Son famosos por ser impulsivos, espontáneos, en ocasiones incluso un tanto excéntricos. También son entusiastas, y enseguida «se encienden» con ideas y planes nuevos. A menudo son líderes natos, no les importa ser los primeros en probar algo nuevo. Los signos de fuego son los signos del zodíaco que establecen tendencias.

Aire: Géminis, Acuario y Libra

Los nativos de signos de aire son muy inteligentes. Les encanta analizar los hechos y juzgarlos. Son curiosos, juguetones y muy verbales; son los comunicadores puros del zodíaco. Brillan en medio de una multitud porque conocen montones de jugosas noticias e informaciones. Su sitio está en el exterior, relacionándose con la gente; parecen conocer a todo el mundo e incrementan su energía cuando están rodeados por los demás. Joviales y fáciles de tratar, se llevan bien con muchos tipos distintos de personas. Rara vez guardan resentimiento; más bien dicen lo que tienen que decir para «despejar la atmósfera» y luego se olvidan completamente del asunto. Son las personas más sociables del zodíaco; de verdad les interesan los demás. Son capaces de establecer relaciones personales muy íntimas y con frecuencia tienen amigos de por vida.

Agua: Cáncer, Escorpio y Piscis

Los nativos de signos de agua son más emocionales e intuitivos que los demás, y a menudo muestran capacidades psíquicas. El hecho de tener los sentimientos muy agudizados los vuelve compasivos, afectuosos y bondadosos. El agua limpia y purifica, y también puede ser incluso un poco misteriosa, por eso estos nativos se revelan más despacio que los demás. Siempre tienen algo dentro que deben pensar un poco más antes de estar preparados para compartir esos pensamientos. «Sienten» los sucesos que los rodean, y ese sentimiento instintivo suele ser correcto. Su habilidad para leer el lenguaje corporal es muy notable. Captan con facilidad los verdaderos sentimientos y estados de ánimo de otras personas. Ser tan entregado y sensible puede resultar a veces agotador, por eso los amables nativos de signos de agua necesitan estar a solas de vez en cuando para recargarse de energía antes de regresar al mundo. Suelen ser, igual que los nativos de signos de fuego, muy creativos.

¿CON QUIÉN TE LLEVAS MEJOR?

Si perteneces a un signo de tierra (Tauro, Capricornio o Virgo), te llevarás bien con los nativos de otros signos de tierra y también con los de agua (Piscis, Cáncer y Escorpio). El fuego y la tierra no hacen buenas migas, ya que la tierra apaga el brillo del fuego. La tierra y el aire simplemente coexisten, pero la relación no tiene nada de especial.

Si perteneces a un signo de aire (Géminis, Acuario o Libra), te llevarás bien con los nativos de otros signos de aire y también con los de agua (Piscis, Cáncer y Escorpio), incluso con los de fuego (Sagitario, Leo y Aries). Sin embargo, la tierra te asfixiará.

Si perteneces a un signo de fuego (Leo, Sagitario o Aries), congeniarás con los nativos de otros signos de fuego y también con los de aire (Géminis, Libra o Acuario). Los de agua apagarán tu luz, igual que los de tierra.

Si perteneces a un signo de agua (Piscis, Cáncer o Escorpio), encajarás con los nativos de otros signos de agua, y también con los de aire (Géminis, Libra o Acuario) y con los de tierra (Tauro, Virgo o Capricornio). El fuego y el agua no forman una buena mezcla.

Si el signo de la persona especial que te gusta no es compatible con el tuyo, no desesperes; tenemos todos los planetas en nuestro horóscopo, de manera que el Sol es tan sólo uno de los muchos astros que necesitan encontrarse en la misma longitud de onda. Todavía hay muchas posibilidades de que esa persona pueda resultar adecuada para ti.

¿CUÁLES SON LAS CUALIDADES?
LOS SIGNOS CARDINALES, FIJOS Y MUTABLES

A medida que vayas profundizando en la astrología, descubrirás que los atributos humanos se basan en los ritmos naturales de la naturaleza. Así que cada signo está colocado en una categoría a la que se adjudica un papel especial que desempeñar en relación con el lugar que ocupa dentro de su estación. Estas cualidades o modos han formado parte de la astrología desde que Ptolomeo escribió sobre ella en la antigua Grecia. Al igual que los elementos, por lo visto las cualidades son un descubrimiento de los griegos; no se ha encontrado ninguna mención a ellas con anterioridad. El número doce, que es tan dominante en astrología, también aparece aquí, cuando se considera que existen cuatro elementos y tres cualidades o modos (cardinal, fijo y mutable); tres por cuatro es igual a doce, y representa el equilibrio total de las energías masculina y femenina.

Los signos cardinales: Aries (primavera), Cáncer (verano), Libra (otoño) y Capricornio (invierno)
Si perteneces a un signo cardinal, tu misión consiste en iniciar la estación, ser el signo líder que la «da a luz». En realidad, la palabra «cardinal» significa «primero» o «principal» y procede del término latino *cardinalis*, que quiere decir «principal» o «fundamental» y que, como detalle interesante, se relaciona con la palabra *cardo*, una raíz que significa «gozne».

Los nativos de signos cardinales son pioneros y emprendedores. Necesitan una causa o una empresa para canalizar su exceso de energía, o de lo contrario se inquietan e incluso se frustran. Poseen iniciativa y reaccionan favorablemente a los cambios. Les gusta comenzar proyectos y también están muy volcados hacia la consecución de objetivos. Algunos astrólogos han comparado los signos cardinales con un niño recién nacido, porque producen excelentes líderes. A estos nativos les gusta tomar la iniciativa porque han nacido con una fuerte sensación de urgencia.

Los signos fijos: Tauro (primavera), Leo (verano), Escorpio (otoño) y Acuario (invierno)
Si perteneces a un signo fijo, tu misión consiste en mantener y hacer indelebles las cualidades de la estación en la que naciste. Los na-

tivos de signos fijos consolidan y hacen permanente lo que empezaron los nativos de signos cardinales, y poseen una gran determinación y la capacidad de concentrarse a la perfección. Son básicamente individualistas y solitarios y cuentan con grandes dosis de seguridad en sí mismos. Su desventaja es que por lo general no les gusta cambiar su punto de vista ni su estilo de vida. Con todo, terminan consiguiendo grandes éxitos debido a su enorme perseverancia y su fuerte persistencia.

La palabra «fijo» procede del término latino *fixus*, el participio pasado de *figere*, que significa «sujetar» o «agarrar». Los signos fijos siguen a los cardinales y, al ser los que se encuentran en medio de la estación, expresan lo más auténtico, quizá lo más puro, de cada estación. Concentran la energía y cristalizan las ideas. Son enormemente estables.

A comienzos de la era cristiana, se asoció a los cuatro evangelistas con los signos fijos. Mateo representaba al hombre (un hombre es también el símbolo de Acuario); Marcos era el león (su símbolo era el león de San Marcos, emblema de Venecia, y también es la imagen tradicional de Leo); Lucas personificaba el buey, símbolo también de Tauro, y por último Juan era el águila, el símbolo de Escorpio. Los signos fijos son conocidos por su gran resistencia y su fortaleza frente a la adversidad.

Resulta interesante observar que el grado intermedio de los signos fijos (como cada signo consta de treinta grados, el punto medio es el quince) es el más fuerte y representa la máxima intensidad del poder. (Esto se aplicaría a los nativos de signos fijos nacidos aproximadamente el día 6 del mes.) Cuando el planeta regente de un signo fijo entra en ese grado decimoquinto, se considera un hecho muy significativo, porque es entonces cuando surgen ideas importantes o promesas relacionadas con algo que se está estructurando.

Los signos mutables: Géminis (primavera), Virgo (verano), Sagitario (otoño) y Piscis (invierno)

Por último, tenemos los signos mutables. Si perteneces a uno de ellos, habrás nacido en el tercer (y último) mes de la estación. La palabra «mutable» proviene del término latino *mutabilis*, que proviene a su vez de *mutare*, «cambiar». El papel que desempeñan estos signos es el de prepararse para la transición a la estación siguiente.

Los nativos de signos mutables son grandes comunicadores y maestros. Son personas sumamente flexibles, visionarias, llenas de ideas y conceptos innovadores. Los signos mutables nos preparan para la estación siguiente, nos apremian y nos tranquilizan asegurándonos que no debemos preocuparnos por lo que se avecina. A estos nativos les gustan los cambios y tienen la atención puesta en lo que viene a continuación.

Los signos mutables, a los cuales pertenecen las personas nacidas al final de cada estación, después de los nativos de signos cardinales y fijos, señalan el fin de lo viejo y el comienzo de lo nuevo, y son los más flexibles de todos los signos. Muy verbales, analíticos e intelectuales, estos nativos triunfan en las situaciones sociales. Cuando se sienten molestos, expresan su opinión abiertamente. Son excelentes en caso de crisis, ya que perciben rápidamente lo que hay que hacer, y como son muy adaptables, saben reaccionar a las circunstancias cambiantes. Poseen talento y se les ocurren métodos alternativos para superar los obstáculos. Tienen la capacidad de arreglárselas con muy poco en épocas de dificultades, un rasgo muy necesario para sobrevivir y triunfar. Comprenden que nada es más constante que el cambio, y ahí es donde radica su fuerza.

¿LA ASTROLOGÍA ES UNA CIENCIA O UN ARTE?

La astrología es una bella combinación de ciencia y arte. En su uso de las matemáticas, los ciclos y las pautas, actúa como ciencia, y al poner el énfasis en la interpretación de los símbolos planetarios y de los mitos de la Antigüedad actúa como un arte. De ahí que utilice los dos hemisferios del cerebro, tanto el derecho como el izquierdo, y que nos obligue a integrarlos. En astrología, el éxito depende tanto de la capacidad técnica como de la artística, y se necesitan años de estudio para llegar a dominar de manera correcta esta disciplina. Aun así, constantemente surgen conocimientos nuevos. Como la astrología es un arte, el astrólogo ha de poseer la suficiente experiencia para considerar muchos aspectos al mismo tiempo, a diferencia de los ordenadores, que se fijan sólo en un aspecto cada vez y en muchas ocasiones llegan a interpretaciones contradictorias. Un ser humano puede sopesar mejor todos los aspectos e integrarlos en un todo coherente.

El astrólogo dedica sus esfuerzos a señalar tendencias que se avecinan y prever la mejor manera de sacar provecho de ellas, y también, en épocas de estrés, a reducir al mínimo el malestar y aumentar las opciones y el crecimiento. Asimismo, se esfuerza por delinear los delicados matices de la personalidad, procurando entender la psicología de la persona que está estudiando para que puedan surgir nuevas revelaciones. El horóscopo tiene ciclos que se superponen, es verdaderamente tridimensional, y por esa razón todas las cartas astrales son complejas y esconden algunos misterios. El hecho de interpretar una carta astral constituye un proceso fascinante.

NUESTRA HISTORIA NO ACABA NUNCA

Cuando tenemos la impresión de haber vivido nuestro peor momento —y nadie se libra de sufrir penurias y tristezas en la vida—, lo mágico de este proceso consiste en saber que mientras estemos vivos, nuestra historia no habrá terminado aún. En todo momento pueden ocurrir —y ocurren— milagros. Siempre prevalecerá nuestro espíritu indomable, porque revela nuestra voluntad, la pura energía que impulsa nuestra vida.

Cómo utilizar la astrología

Casi todas las personas sienten curiosidad por el futuro, y esto ha sucedido en todas las edades del hombre, a través del tiempo y de la geografía. Es muy importante encarar cada día con una sensación de esperanza y optimismo, pues una actitud alegre nos ayuda a controlar nuestra vida de modo más eficaz, activo y enérgico.

Al igual que las decenas de generaciones que nos han precedido, nosotros anhelamos tener una mejor comprensión y perspectiva de los desafíos que nos plantea la vida. Ansiamos saber cuándo terminarán las dificultades, y la astrología puede proporcionarnos ciertas pistas. No obstante, eso no nos impide actuar, y por otro lado, no hacerlo ya es una decisión en sí misma. Para responder a las preguntas más acuciantes, sal de ti mismo; considérate como la estrella de una historia muy importante, la historia de tu vida.

La astrología no es predestinación, ni tampoco existe ningún astrólogo que persiga saber con exactitud qué vas a decidir hacer. Como estudiosos de la astrología, tenemos en cuenta la probabilidad matemática, no los absolutos, y esa probabilidad tiene que ver con las tendencias, no con el resultado final. La astrología no es decir la buenaventura, y los astrólogos no hablamos de que la vida esté predestinada. Nosotros somos seres con libre albedrío, y siempre podemos elegir. Necesitamos orientar nuestra vida en la dirección que·escojamos, o de lo contrario corremos el riesgo de que los sucesos de la vida nos controlen a nosotros. Por regla general disponemos de más alternativas de las que creemos tener; nuestro horóscopo puede sugerir fácilmente posibilidades que tal vez hayamos pasado por alto.

Todos queremos tener una vida interesante y repleta de experiencias positivas y enriquecedoras, y que se nos abran de vez en cuando caminos nuevos que nos deleiten y nos fascinen. También deseamos tener abundancia de amor en nuestra vida, tanto del tipo romántico proveniente de una persona especial como el amor auténticamente platónico que recibimos de la familia y los amigos. En el proceso de vivir también albergamos la esperanza de ser confirmados como personas únicas que tienen un propósito y un lugar en este mundo. En nuestro empeño por vivir de un modo armonioso, buscamos una revelación.

Las creencias religiosas tradicionales pueden ser fuente de inspiración y revelación para saber cómo vivir en el sentido ético y moral, y las personas religiosas pueden encontrar en la oración una gran esperanza y un enorme consuelo. Yo creo profundamente en el poder de la oración, y mi religión siempre desempeñará un papel importantísimo en mi vida. La astrología no pretende ser un sustituto de la religión o de la espiritualidad. De hecho, esta parte de la vida aparece reflejada en la novena casa de la rueda del horóscopo.

La astrología nos ayuda a pensar y a comprender los misterios de la vida haciendo que nos planteemos preguntas como: ¿Qué puedo hacer para sentirme más seguro y protegido? ¿Qué clase de talentos podría aportar al mundo a lo largo de mi vida? ¿Qué tengo yo de especial? ¿Soy una persona digna de ser amada? ¿Cómo puedo ser más generoso, atento o entregado? ¿Puedo obtener una mejor perspectiva de esta situación que me ha resultado dolorosa? ¿Ha habido en mi vida pautas recurrentes que no he reconocido? ¿Puedo tener relaciones más felices?

Si bien la astrología no puede responder a estas preguntas directamente, sí puede ayudarnos a encontrar muchas de ellas sirviendo como herramienta para descubrirnos a nosotros mismos. Al ponernos en contacto con nuestro yo y tener un conocimiento más firme y seguro de quiénes somos, podemos trazar mejor nuestros planes para el futuro. La astrología nos proporciona un sistema organizado para enfrentarnos de manera creativa a las grandes preguntas de la vida. Cuando llega el momento de actuar, puede ofrecernos la cantidad de confianza que necesitamos para dar el primer paso.

La mejor manera de utilizar la astrología es como herramienta creativa que nos ayude a pensar, a estudiar posibilidades nuevas. Cuando estamos centrados en los detalles de nuestra vida, la mayoría de nosotros seguimos repitiendo de modo inconsciente nuestras viejas fórmulas para el éxito. Si aplicamos las mismas soluciones a los mismos problemas, obtendremos los mismos resultados. Para lograr un cambio de verdad, necesitamos estudiar soluciones nuevas, a veces más bien aleatorias. Abrirnos a nuevas líneas de pensamiento nos llevará a explorar mundos totalmente nuevos. Apunta bien lejos haciéndote esta pregunta: «¿Y si...?», o esta otra: «¿Por qué no?». Deja que tu horóscopo te hable en voz alta y te muestre todas las alternativas que tienes a tu disposición.

La astrología puede ayudarnos a actuar en armonía con los ciclos del universo. La belleza de los ciclos matemáticos que forman el sostén del universo y de la astrología son fascinantes e inspiran un enorme respeto. Se ha dicho que cuanto más estudiamos las matemáticas, más nos acercamos a la religión. Para mí, Dios creó los planetas con un propósito, porque nada en la naturaleza es ajeno a él; además, la naturaleza es muy conservadora con respecto al uso de la energía.

Al igual que la acupuntura, la astrología nos ayuda a trabajar de modo más eficaz con el flujo de energía del universo. Acepta la sabiduría del universo, trabaja con sus ritmos, cambia lo que puedas y acepta lo que no puedas cambiar. Recuerda que por muy difícil que pueda resultar un período, en una carta astral siempre hay áreas de oportunidades. Pocas situaciones son negativas del todo. A menos que encaremos nuestra vida de un modo activo, muchas oportunidades nos serán quitadas de las manos y otros escogerán por nosotros. Toma una decisión, cualquier decisión. No seas pasivo.

En lo que se refiere a nuestra personalidad, la astrología puede hacernos conscientes de nuestros singulares dones y ayudarnos a tener una idea clara de nuestra individualidad. Nuestra carta astral incluso podría sugerir talentos que deberíamos desarrollar. Todos queremos que se nos considere seres únicos y valiosos, y la astrología puede asegurarnos que lo somos. Desde luego, todos nacemos distintos unos de otros, ya que los planetas, el Sol y la Luna nunca estarán configurados exactamente del mismo modo dos veces. (Hasta los gemelos nacen con unos minutos de diferencia, lo cual significa que los grados de sus planetas son distintos.) La astrología puede volvernos optimistas, tranquilos, centrados y desde luego mucho más reflexivos.

Hay algunas circunstancias que se pueden cambiar; otras hay que aceptarlas. Es importante conocer la diferencia, y aquí, una vez más, la astrología puede aportarnos pistas no sólo para conocer esas circunstancias, sino también para saber cuál es nuestro estado psicológico actual. A veces nos creamos problemas nosotros mismos, y cuando eso sucede, necesitamos reconocer nuestros errores y corregir el rumbo, pero también debemos evitar quedar tan paralizados por el sentimiento de culpabilidad o el arrepentimiento que no podamos continuar avanzando. La astrología puede sugerirnos una serie de maneras favorables de actuar que podemos adoptar para empezar otra vez desde cero.

La astrología nos proporciona una visión global de nuestra vida que normalmente no tenemos tiempo de considerar. Su estudio puede aportarnos la seguridad necesaria para probar nuestras alas y experimentar con ideas y conceptos nuevos. La astrología puede ayudarnos a ver el pleno florecimiento de nuestras capacidades asegurándonos que siempre podemos dejar nuestra huella en el mundo. Sin embargo, para empezar, tenemos que hacer el esfuerzo. Si lo hacemos, el universo nos ayudará en todas las etapas del camino.

LOS CUERPOS CELESTES

**Lo que nos dice la ciencia
y lo que nos dice la astrología**

El Sol

LO QUE NOS DICE LA CIENCIA SOBRE EL SOL

El Sol, que se encuentra situado en la parte exterior de la Vía Láctea, constituye la fuente de energía de la Tierra, le aporta calor y luz y es el sostén de la vida. Los nueve planetas conocidos de nuestro sistema solar giran alrededor del Sol: Mercurio, Venus, la Tierra, Marte, Júpiter, Saturno, Urano, Neptuno y Plutón, junto con sus respectivas lunas. Clasificado como estrella, el Sol es una gran masa de gas que se mantiene unida gracias a su tremenda gravedad. La fuerza de la gravedad empuja hacia dentro, y la presión que hay en el centro del Sol es lo bastante intensa para soportar su propio peso y evitar que se colapse sobre sí mismo. Formado a partir del material transformado dentro de una supernova, el Sol desprende luz y calor procedente de la conversión termonuclear de hidrógeno en helio que tiene lugar en su interior. Internamente, las continuas reacciones nucleares convierten aproximadamente cinco millones de toneladas de materia por segundo, una parte insignificante de la masa total del Sol. Dicho de otro modo, la energía que libera nuestra estrella es igual a cien mil millones de bombas de hidrógeno de un megatón que explotaran cada segundo.

Curiosamente, el Sol es una fuente estable de energía, puesto que la luz y el calor que irradia no varían más que un uno por ciento en cualquier momento dado, y probablemente seguirá brillando con la misma intensidad durante otros seis mil millones de años. Esta estabilidad es la razón por la cual la vida florece en la Tierra, ya que, ciertamente, todos los alimentos y combustibles que se encuentran en ella dependen en última instancia de las plantas, que obtienen su energía de la luz solar.

LO QUE NOS DICE LA ASTROLOGÍA SOBRE EL SOL

Cuando surgió la astrología, alrededor del 2000 a. C., la opinión que prevalecía en el mundo era que los planetas giraban alrededor de la Tierra. Sin embargo, los astrólogos antiguos decidieron otorgar al Sol un papel central, y convirtieron este brillante luminar en un elemento clave de la carta astral. Es el cuerpo celeste en que primero se fija un astrólogo, porque revela pistas interesantes sobre los aspectos en que una persona va a brillar más en su vida. Nuestro signo solar se refiere a la constelación en la que se encuentra el Sol en el instante de nuestro nacimiento. En un horóscopo, el Sol describe la personalidad, el espíritu, el ego, los talentos y la individualidad. Es la cara que mostramos al mundo, la forma en que se nos conoce. Revela también nuestro temperamento y nuestra actitud global ante la vida, la seguridad en nosotros mismos, la sensación de nuestra valía personal y nuestra capacidad de ser autosuficientes. Los astrólogos descubren pistas sobre las ambiciones de una persona observando cómo encaja el Sol en su carta astral o cómo se relaciona con otros planetas. Por ejemplo, si una persona tiene al Sol en la décima casa, la de la fama y los honores, para ella la carrera profesional será muy importante a lo largo de toda su vida. El ego y el sentido de identidad de esa persona irán unidos a sus logros profesionales. Por el contrario, si una persona tiene al Sol en la cuarta casa, la que corresponde al hogar y la familia, dará mucha más importancia al estilo de vida y la unidad familiar. Para ella, el hogar no es sólo donde está su corazón, sino también donde reside su ego. La fuerza de voluntad, la determinación, la fortaleza, la resistencia frente a la adversidad y la capacidad de conquistar metas son todas características reveladas por el Sol en una carta astral.

El emplazamiento del Sol en una carta astral indica también las cualidades de líder, el grado de deseo de poder y autoridad, la relación con las figuras de autoridad, la fama y el sentimiento de orgullo y de honor (además de los honores concedidos). También muestra el deseo de divertirse, experimentar y crear; la capacidad de dar lugar a ideas y formas nuevas; la capacidad para el placer, la alegría y la felicidad, y la salud, concretamente el vigor y la fuerza de una persona, así como su poder de recuperación. Y por último, el Sol rige también la masculinidad y los hombres importantes en la vida de la persona, como el padre, el marido o el novio en la carta astral de una mujer, o bien un jefe varón u otra figura masculina de importancia en la vida de cualquiera.

La parte del cuerpo que rige el Sol es el corazón y la sangre, dadores de vida. El símbolo del Sol es un círculo de potencial ilimitado con un punto en el centro que representa la concentración. Leo, simbolizado por el león, está regido por el Sol.

La Tierra

LO QUE NOS DICE LA CIENCIA SOBRE LA TIERRA

Desde una distancia de 150 millones de kilómetros, la Tierra es el tercer planeta que gira alrededor del Sol y es el quinto más grande en cuanto a su diámetro. No es perfectamente esférica, sino ligeramente oblonga (achatada en los polos). Rotando a aproximadamente 1.600 kilómetros por hora, gira sobre su eje una vez cada 23 horas y 56 minutos. Viaja por el espacio a unos 106.000 kilómetros por hora y describe una órbita completa de más de 938 millones de kilómetros alrededor del Sol cada 365 días.

LO QUE NOS DICE LA ASTROLOGÍA SOBRE LA TIERRA

La Tierra no aparece en un horóscopo clásico, porque nosotros vivimos en ella. (La astrología heliocéntrica sí coloca la Tierra en la carta astral, pero es practicada por muy pocos astrólogos.) No obstante, es sencillo encontrar el sitio correcto que ocuparía la Tierra en el gráfico. Para encontrarla en un horóscopo, cuente seis meses desde su fecha de nacimiento —180 grados— y allí será donde se encuentra la Tierra, en perfecta oposición al signo solar. (Así pues, si has nacido el 7 de marzo, bajo el signo de Piscis, tendrás el Sol a dieciséis grados de Piscis y la Tierra estará situada a 182,5 días, a dieciséis grados de Virgo.) Los efectos de la Tierra en una carta astral todavía son objeto de estudio.

Los astrólogos de la Antigüedad crearon un símbolo para la Tierra: una cruz inscrita en un círculo. La cruz sugiere la partición del universo, que separa la humanidad de lo divino y el mundo interior del mundo exterior, el mundo que llamamos «real». Por lo tanto, la cruz representa nuestro plano de existencia, el mundo material. El círculo representa el espíritu humano que rodea ese mundo material, y significa que el espíritu influye en la visión del mundo en su conjunto. Este símbolo encarna la opinión de la astrología de que la persona es la dueña de su entorno y debe asumir la responsabilidad de sus actos.

La Luna

LO QUE NOS DICE LA CIENCIA SOBRE LA LUNA

La Luna es el satélite natural de la Tierra y tiene dos ciclos principales. El primero es el período sidéreo (su relación con las estrellas), los 27 días, 7 horas y 43 minutos que tarda en dar una vuelta completa a través de las constelaciones del zodíaco. El segundo ciclo es el período sinódico, y se refiere al tiempo transcurrido entre una luna nueva y la siguiente, en el que se completa un ciclo lunar; es un período ligeramente más largo: 29 días, 12 horas y 44 minutos, y se lo llama comúnmente «mes lunar». Debido a la rotación diaria de la Tierra y a su movimiento anual alrededor del Sol, la Luna siempre parece desplazarse hacia el oeste, aunque en realidad se mueve lentamente hacia el este, saliendo más tarde cada día y atravesando sus cuatro fases: nueva, cuarto creciente, llena y cuarto menguante. Al igual que la Tierra, una mitad de la Luna está siempre iluminada por el Sol y la otra mitad está siempre oscura. Según la fase de la Luna, no se puede ver casi nada del lado iluminado en un instante cualquiera. Aunque la Luna parezca brillar mucho, refleja tan sólo un siete por ciento de la luz que recibe. Pero en la fase de luna nueva está oscura. Una semana después, avanza hasta el cuarto creciente y se ve un semicírculo bellamente iluminado. Dos semanas después de la luna nueva (y una semana después del cuarto creciente), aparece la luna llena en forma de un círculo blanco plateado. Durante esa fase, la Luna está situada en el punto más alejado del Sol. En el cuarto menguante, una semana más tarde, vuelve a presentar un semicírculo. Se dice que la Luna crece conforme se va agrandando desde la fase de luna nueva, y que mengua cuando va pasando de luna llena a luna nueva.

LO QUE NOS DICE LA ASTROLOGÍA SOBRE LA LUNA

La Luna es muy importante en el horóscopo, el segundo astro en importancia después del Sol, porque se cree que refleja la verdadera naturaleza del alma. La Luna rige nuestra parte interna, que puede verse sólo cuando se nos conoce bien. Al ser un cuerpo celeste que se avista sobre todo por la noche, los astrólogos antiguos determinaron que era la encargada de la vida «interior», incluidos los sueños y el subconsciente, además de las costumbres, la intuición y los actos instintivos.

Mucho antes de que se descubriera que la Luna regía las mareas en la Tierra, los antiguos le concedieron el dominio sobre todas las aguas, así como sobre las emociones y los sentimientos más íntimos de la persona. La Luna no posee luz propia, pero en cambio refleja la luz, lo cual sugiere que nos aporta la capacidad de ser influidos por los sentimientos de los demás.

La Luna es también la depositaria de los recuerdos. En una carta astral, representa la imaginación y el lado femenino, receptivo, así como el impulso de nutrir, los instintos maternales, la fertilidad, el posible embarazo, el parto y el amamantamiento (en el caso de un varón, se refiere a la capacidad de su esposa para concebir y cuidar de los hijos). Asimismo ejerce su influencia sobre otros proyectos creativos de gran importancia, como le sucede al Sol. Rige nuestro lado sensible, pero también agudiza la imaginación por medio de su estrecho vínculo con el subconsciente. En relación con esto, la Luna revela en una carta astral lo que necesitamos emocionalmente para sentirnos seguros, el estado de nuestras circunstancias domésticas (nuestra vida privada e íntima) y sobre todo la relación que tuvimos en la infancia con nuestra madre. A medida que la persona va creciendo, la Luna sugiere también la estrecha relación con la novia o la esposa (en la carta astral de un hombre) o la relación futura (o presente) con los hijos. De hecho, nuestro satélite gobierna las figuras femeninas importantes en la vida de una persona, como la novia o la esposa, cuando se trata de la carta astral de un hombre, o una jefa o una clienta importante en cualquier horóscopo. La Luna puede incluso ofrecer alguna indicación acerca del estilo personal de ser padre, tanto en el presente como en el futuro.

En la vida cotidiana, hay que tener en cuenta las fases de la luna nueva y la luna llena, pues constituyen momentos adecuados para aprovechar importantes energías. Cuando la luz de la luna nueva va aumentando, la astrología considera que es un buen momento para plantar la semilla de nuevos comienzos. Una semana más tarde, el cuarto creciente sugiere un período de superación de obstáculos y de continuación por la senda que conduce al crecimiento. Dos semanas después de la luna nueva, la luna llena es una época de culminación y logros. La energía es especialmente abundante entonces, lo cual deja espacio para una enorme productividad y es un momento propicio para la conclusión de los proyectos en curso. La luna creciente (la que está pasando de luna nueva a luna llena) acentúa las cuestiones cotidianas de la vida e indica una buena época para actuar de manera instintiva y espontánea y para experimentar un sólido crecimiento.

La luna menguante (la que viene después de la luna llena y avanza hacia la luna nueva) acentúa los impulsos creativos subconscientes y ayuda a esclarecer los valores internos por medio de la reflexión sobre los sucesos recientes. La luna creciente conlleva una gran actividad, mientras que la menguante (que llega inmediatamente después de la frenética luna llena) invita al descanso, a asimilar lo que ha sucedido y a acumular energía para la siguiente luna nueva.

El símbolo de la Luna es el de su imagen en cuarto creciente en el hemisferio norte, que fue elegido por los astrólogos antiguos para expresar el alma de una persona. Dicha representación sirve de complemento a la del Sol, que indica el espíritu o la manifestación externa de la personalidad.

La Luna gobierna el estómago (y en las mujeres, los senos) y siempre ha sido considerada un cuerpo celeste fructífero que fomenta la reproducción y el cuidado de los hijos. La Luna rige el signo de Cáncer.

Mercurio

LO QUE NOS DICE LA CIENCIA SOBRE MERCURIO

Descubierto hace 5.000 años, Mercurio es un planeta pequeño, de tan sólo 4.900 kilómetros de diámetro, que posee una densidad similar a la de la Tierra. Difícil de ver, su superficie es áspera, de color oscuro, porosa y rocosa, y aunque es el planeta que está más cerca del Sol, no refleja bien la luz. Se lo llama «lucero del alba» o «lucero del atardecer», dependiendo de si se ve antes de que salga el sol o justo antes del ocaso. Mercurio da una vuelta alrededor del Sol cada 88 días a una velocidad media de 48 kilómetros por segundo.

LO QUE NOS DICE LA ASTROLOGÍA SOBRE MERCURIO

Mercurio, el «mensajero de los dioses», que recibió su nombre del dios romano equivalente a Hermes en la mitología griega, se considera el planeta más objetivo de la carta astral. Es el único que no tiene una connotación masculina (positiva) ni femenina (negativa), por lo que es completamente neutral. Cuando se encuentra formando un ángulo determinado con otro planeta, ayuda a expresar la sabiduría de ese planeta de un modo más exacto y lúcido. Una persona es considerada rápida, adaptable o inteligente cuando Mercurio ocupa una posición destacada en su carta astral, como por ejemplo si está situado en Géminis o Virgo —rige estos dos signos—, aunque Mercurio también puede destacar en la carta por otras diversas razones.

Mercurio rige la inteligencia, la manera en que funciona la mente, la lengua y toda comunicación e interpretación. También gobierna la capacidad de razonamiento, la adaptabilidad y la versatilidad. Las normas y los procedimientos, así como la enseñanza, la investigación, la información, las respuestas y las reacciones, todo eso se encuentra dentro del dominio de Mercurio. También están regidos por este planeta los documentos raros, tanto viejos como nuevos, los autógrafos, la escritura, los discursos, los acuerdos y los contratos. Mercurio nos anima a escuchar y responder, aprender y reflexionar. Otras funciones influidas por este planeta son los viajes, el comercio, las ventas, el trueque, la importación y la exportación.

Si una carta astral muestra mucha influencia de Mercurio, las habilidades manuales aumentan de modo espectacular. Este planeta rige las manos y los dedos, de modo que esas personas poseerán talento para la carpintería, la restauración de muebles, el dibujo y la ilustración, la costura, el ganchillo, el punto, el piano, la mecanografía y otras habilidades y actividades artísticas en las que se utilicen las manos. Quienes tengan un Mercurio destacado en su carta astral incluso hablarán vívidamente con las manos. Otras personas mostrarán una acusada habilidad mecánica, o escribirán con una bonita letra.

☿ El símbolo de Mercurio es similar al de Venus, un círculo con una cruz debajo y una media luna encima. Esta imagen sugiere un espíritu (círculo) manifiesto (la luna creciente) sobre la materia (cruz), y ciertamente, la misión de Mercurio es unir el espíritu a las cuestiones cotidianas para facilitar el proceso.

Venus

LO QUE NOS DICE LA CIENCIA SOBRE VENUS

Venus es el segundo planeta partiendo del Sol, después de Mercurio, y debido a la distancia que separa las órbitas de Venus y la Tierra del Sol, puede verse sólo tres horas antes del amanecer o tres horas después del ocaso. Por regla general, Venus transita por delante de la cara del Sol sólo dos veces en un siglo. Las próximas ocasiones serán el 2004 y el 2012. Cuando se lo puede ver, es el objeto más brillante del cielo aparte de la Luna y el Sol.

Venus está situado a 108 millones de kilómetros del Sol, con una órbita que tarda 225 días en completarse. A diferencia de otros planetas, que están un poco achatados en los polos, Venus es casi una esfera perfecta. Necesita 243 días para completar una revolución. Esta lenta velocidad de rotación le permite conservar una trayectoria casi perfectamente circular (en vez de elíptica), más que ningún otro planeta. También gira en un sentido distinto al de los demás planetas. Si pudiéramos situarnos en su polo norte, veríamos que en lugar de rotar en el sentido contrario al de las agujas del reloj, como los demás planetas de nuestro sistema solar (excepto Urano), Venus rota en el mismo sentido que las agujas del reloj. Esto quiere decir que si pudiéramos ver a través de las densas nubes que cubren su superficie, podríamos comprobar que allí el Sol sale por el oeste y se pone por el este. El diámetro de Venus es el 94,9 por ciento del de la Tierra, y su masa es un 81,5 por ciento de la terrestre. Su densidad es de 5,24 gramos por centímetro cúbico; la de la Tierra es de 5,52. Venus orbita de tal modo que siempre muestra la misma «cara» a la Tierra en su posición más próxima. La razón de esto no se entiende aún del todo, pero es muy posible que se esté relacionando con la influencia de la gravedad de la Tierra sobre Venus.

LO QUE NOS DICE LA ASTROLOGÍA SOBRE VENUS

Venus, regente de Tauro y de Libra, era uno de los cinco planetas conocidos en los tiempos antiguos. Descubierto por los babilonios cerca del 3000 a. C., aparece en los datos astronómicos de varias otras civilizaciones: China, Egipto, Grecia y América Central. En la Antigüedad, cuando Venus brillaba en el este a la salida del sol, lo llamaban Lucífero o Fósforo, y cuando se veía al atardecer, lo llamaban Véspero o Héspero.

El papel de Venus en una carta astral consiste en agregar amor, amistad y belleza a la mezcla. Sin este planeta, la vida sería una existencia triste y monótona, ya que es el que rige la ternura, la alegría y la armonía, y hasta el sentido del humor. También gobierna el gusto estético y todas las relaciones sociales en todos los niveles. Venus nos muestra que los seres humanos fuimos hechos para divertirnos en este mundo, y también puede ayudarnos a adquirir autoestima y confianza en nosotros mismos, estimulándonos así no sólo a amar abiertamente, sino también a recibir amor. Cuando Venus destaca de forma positiva en una carta astral, nos está indicando el nativo recibirá beneficios procedentes de las mujeres, porque este planeta simboliza en la carta astral la feminidad o las relaciones con las mujeres.

Los beneficios económicos son otro aspecto positivo de Venus, pues este encantador planeta rige el dinero y los regalos, además de la satisfacción de los sentidos, por medio de cosas como las joyas, el buen vino, las delicias gastronómicas, el chocolate de importación, las sedas, los perfumes, la música o la pintura. Venus posee hermosura y elegancia, y le gustan la abundancia y el lujo. Además, este planeta está relacionado con la creación, la reproducción y la fertilidad. (La concepción de un niño siempre tendrá que incluir también a la Luna.) De ahí que la finalidad de Venus sea otorgar creatividad y una nueva vida, así como aportar más placer al mundo.

Sin embargo, donde Venus desempeña el papel más importante es en el campo del amor y el romance, como guía hacia las capas más profundas de nuestro inconsciente para buscar la clase de amor que ansía nuestra psique. Venus nos proporcionará pistas para saber qué cualidades generales deberá poseer nuestra pareja ideal y cómo habrá de avanzar nuestra historia de amor. En realidad, el papel fundamental de este planeta es enormemente importante: garantizar que la chispa inicial del amor prevalecerá, y luego fomentar el disfrute a largo plazo de los amantes, si son verdaderamente compatibles.

En el caso de un hombre, Venus indica el tipo de mujer a la que le gustaría amar, así como la naturaleza de su relación romántica. Para una mujer, Venus indica la clase y la intensidad de las relaciones románticas que necesita, y el tipo de equilibrio entre independencia e intimidad que busca intuitivamente. El hombre al que le gustaría amar y/o con quien le gustaría casarse, probablemente venga indicado por Marte, y no por Venus. En otro nivel, se dice que Venus hace que una amistad sea más profunda, o que refuerza el vínculo existente entre un hijo y su padre o su madre, o que da popularidad a un gobernante. Este feliz planeta influye en la amistad, y su emplazamiento indica si necesitamos tener muchas personas o pocas en nuestro círculo de amigos.

♀ En las pinturas de los Antiguos Maestros, Venus aparece a menudo como una diosa desnuda, recostada sobre una cama de sábanas de satén, mirándose en un espejo de mano, mientras se ciernen los querubines sobre ella sosteniendo arcos hechos de rosas rojas y rosadas. La imagen del espejo en la mano resulta irónica. Se parece al símbolo de Venus, un círculo con una pequeña cruz debajo, y hay quien ha señalado que dicho símbolo parece un espejo.

En realidad, el símbolo de Venus es el círculo encima de una cruz, representa lo femenino, y connota el espíritu (el círculo) sobre la materia (la cruz). Es la quintaesencia de Venus; la belleza, la elegancia, el deseo, el lujo, el adorno, el amor y la armonía, todo eso cae dentro del dominio de este encantador y alegre planeta. ¿Qué sería de la vida en la Tierra sin Venus?

Marte

LO QUE NOS DICE LA CIENCIA SOBRE MARTE

Marte es el cuarto planeta desde el Sol y se encuentra a 227 millones de kilómetros de nuestro astro rey. Tarda casi dos años en recorrer todas las constelaciones. Relativamente pequeño en comparación con los demás planetas, su diámetro es aproximadamente la mitad del terrestre, y su masa es una décima parte de la de la Tierra. Visto a través del telescopio, es de un rojo anaranjado, de ahí que se lo conozca como «el planeta rojo». Recibió su nombre del dios romano de la guerra, porque siempre se lo ha visto brillar con su intensa luz de un fogoso rojo vivo en el cielo nocturno. A causa de los movimientos relativos de la Tierra y de Marte alrededor del Sol, Marte parece desplazarse hacia atrás en el cielo durante un corto período de tiempo. Cuando tiene lugar este fenómeno, los astrólogos decimos que Marte está retrógrado.

Este pendenciero planeta cuenta con una característica geológica muy interesante: alberga el volcán más grande del sistema solar, el Monte Olimpo, que tiene el doble de tamaño que el Everest. Cerca de él se encuentran otros tres volcanes que son casi igual de grandes pero que parecen estar inactivos, si no extinguidos. Marte posee estaciones, pero, a diferencia de las nuestras, son desiguales en duración debido a la rotación de su eje. Tiene también pequeños casquetes polares perpetuos que aumentan de tamaño cuando es invierno en uno u otro de los hemisferios del planeta.

Durante más de cien años, la gente se ha preguntado si hubo

vida en Marte. Esto ha llevado a los científicos a enviar las misiones espaciales *Viking* (1975) y *Pathfinder* (1996) para investigarlo. Hasta el momento no se ha encontrado materia orgánica en Marte; no obstante, existe la teoría de que un meteorito hallado en la Antártida en 1984 contiene bacterias fosilizadas que se originaron en Marte hará unos cuatro mil millones de años. También existen pruebas recientes de que es posible que en Marte haya existido agua. La búsqueda de la verdad continúa ahora que se inicia el siglo XXI. Ciertamente, Marte ha espoleado la imaginación de gente de todas partes, en esta era moderna.

LO QUE NOS DICE LA ASTROLOGÍA SOBRE MARTE

Agresivo, autoafirmativo, apasionado, fuerte, enérgico, valeroso, intrépido, competitivo y osado, el Planeta Rojo rige todo el espectro de las actividades tradicionalmente «masculinas», desde el sexo hasta el combate, las actividades atléticas agotadoras y los riesgos que exigen tener los nervios de acero. No es nada sorprendente que Marte sea conocido también como «el planeta guerrero», debido a su coraje y su fuerza, así como a su capacidad para dejar atrás a sus adversarios y sobrevivir más que ellos.

A Marte se lo llama también «el cronómetro del zodíaco», porque señala dónde se puede aplicar la mejor energía de que disponemos, dependiendo de la zona que esté atravesando en un horóscopo.

Otra faceta de Marte revela nuestro impulso sexual. Este planeta es atrevido, vigoroso, experimental y excitante, símbolo de un amante apasionante. Hace que «ocurran» las cosas. Como aporta resistencia, ambición, determinación e instinto de supervivencia, la energía de Marte puede permitirnos seguir adelante incluso cuando las cosas se ponen feas.

Ciertamente, este planeta produce ruido, movimiento y una abundante actividad en la casa del horóscopo que visita. Si hay demasiada energía proveniente de Marte, existe el peligro de sufrir accidentes. También pueden darse estallidos de mal genio cuando

Marte se encuentra en un ángulo difícil con otro u otros planetas. Marte rige los instrumentos afilados, el fuego y todo lo que sea
combustible. Por medio de la fuerza, puede destruir la materia. Sin
embargo, también puede aportar pasión, vehemencia, fervor y
energía a todo lo que toque. Al final, es una cuestión de proporción
y de la forma en que se exprese el nativo que está recibiendo la influencia de Marte, una influencia que algunas personas aprenden a
aprovechar y dirigir muy bien.

♂ Marte tarda aproximadamente dos años en dar una vuelta
completa alrededor del Sol, y normalmente permanece seis
semanas en cada signo, pero si está retrógrado (cuando parece desplazarse hacia atrás en el cielo), puede quedarse hasta siete u ocho
meses. Cuando un planeta está retrógrado, se dice que su poder disminuye. El símbolo de Marte es la masculinidad, un círculo con una
flecha que apunta hacia arriba, lo que indica que este planeta trabaja en un plano casi completamente material. No hay medias lunas
que indiquen espíritu; Marte trata con el aquí y ahora. La flecha indica acción y sexualidad; el pensamiento y la reflexión quedan para
Mercurio, ya que Marte no quiere cargar con el peso de una excesiva reflexión que frene su ritmo. Es el regente natural de Aries, y el
segundo regente de Escorpio.

Júpiter

LO QUE NOS DICE LA CIENCIA SOBRE JÚPITER

Siendo el quinto planeta, y con mucho el más grande, que orbita alrededor del Sol, Júpiter recibió un nombre apropiado. Su diámetro es de 142.650 kilómetros; de hecho, es más grande que todos los demás planetas de nuestro sistema solar juntos. Después del Sol, la Luna y Venus (y a veces Marte), Júpiter es el siguiente objeto más brillante del cielo, más del triple que Sirio, la estrella más brillante de la noche. Situado a 778 millones de kilómetros del Sol, tarda 11,9 años en dar una vuelta completa alrededor de nuestro astro rey pasando por todas las constelaciones del zodíaco.

Los científicos postulan, basándose en el aspecto de Júpiter, que se formó de la misma nube de materia que el Sol. Su pequeño núcleo está formado por roca y hierro. Sin embargo, no posee una superficie sólida, sino que es más bien una densa bola de gas compuesto por los elementos más ligeros: el hidrógeno y el helio. Como consecuencia, cuenta con una cuarta parte de la densidad de la Tierra, con un diámetro 11,2 veces mayor que el terrestre y un volumen más de 1.300 veces superior al de nuestro planeta.

Fáciles de ver desde la Tierra son los cuatro brillantes satélites de Júpiter: Ío, Europa, Ganímedes y Calisto, bautizados con nombres de figuras mitológicas asociadas con Júpiter. Ío procede del término griego *ion*, que significa «errante» o «viaje», y es un nombre que le resulta de lo más apropiado, ya que influye de manera indirecta en la ionosfera de Júpiter (dato que desconocían los antiguos astrónomos que le pusieron ese nombre). El satélite Europa está cubierto con una manta de hielo que se agrieta y deja escapar calor. Los exobiólogos, que son los científicos que estudian la posibilidad de vida en otros planetas, creen que dichas grietas podrían albergar formas de vida primitivas. Ío y Europa parecen ser densos y rocosos, igual que Mercurio, Venus, Marte y la Tierra, mientras que los otros dos grandes satélites de Júpiter, Ganímedes y Calisto, situados más lejos, están compuestos de materiales menos compactos, de modo similar a Neptuno y Urano.

Por último, los científicos han descubierto que Júpiter posee un sistema de anillos (igual que Saturno) y su propia fuente interna de calor, que de hecho emite más energía de la que recibe del Sol. (Siempre se había creído que las estrellas eran los únicos cuerpos celestes que generaban energía.) Además, tiene un campo magnético más fuerte que el de ningún otro planeta de nuestro sistema solar. Y una nota más de interés: Júpiter es una fuente de intensas emisiones de radiaciones electromagnéticas, y algunas de esas frecuencias irradian ocasionalmente más energía que la del Sol.

LO QUE NOS DICE LA ASTROLOGÍA SOBRE JÚPITER

Cuán apropiado resulta que el planeta más grande de nuestro sistema solar, el planeta que los científicos creen que tal vez estuvo a punto de convertirse en un sol él mismo, rija nuestra suerte y nuestra felicidad. Júpiter nos aporta esperanza, honradez, espiritualidad y compasión, y es conocido como «el gran benéfico», porque amplía o crea oportunidades en el ámbito de la vida representado por el sector del horóscopo que está visitando. Además, nos proporciona amplitud de miras, un sentimiento de inclusión con respecto a los demás, fe, optimismo, lealtad, justicia, confianza e incluso sabiduría, en relación con el sector de la carta astral que visite. Júpiter tiene una visión de conjunto y hace que deseemos hacer grandes cosas.

De entre sus variadas propiedades científicas, la naturaleza de Júpiter puede definirse como radiación de energía. Este planeta expande todo lo que toca. También rige la riqueza y las ganancias económicas tangibles, sólidas, ya que es el dador de bienes y de suerte. Al mismo tiempo, rige la filosofía, la filantropía, la erudición y todos los logros académicos, la ética y la moralidad, las religiones de todas las culturas, la medicina (a Júpiter también se lo llama «el gran sanador») y el servicio al gobierno con el fin de establecer normas y trabajar por el bien de toda la comunidad. Encontrar el propósito más elevado del hecho de estar vivo también se considera un asunto jupiterino. Este curioso e ilimitado planeta estimula la creación de ideas en todas las naciones, razas e incluso épocas, y rige la industria editorial y el sistema judicial. Por último, Júpiter fomenta los viajes largos y la investigación de diversas culturas.

♃ Aunque los romanos pusieron a Júpiter el nombre del principal de sus dioses, y los griegos lo llamaron Zeus por la misma razón, los atributos astrológicos de este planeta no son un reflejo de esa temible imagen. El símbolo de Júpiter es el semicírculo encima de la cruz, que significa el triunfo del espíritu sobre la materia. Júpiter tarda doce años en recorrer todo el zodíaco, de modo que aunque es el regente natural de Sagitario, ofrece por turnos a cada signo su caudal de suerte y abundancia durante un año.

Saturno

LO QUE NOS DICE LA CIENCIA SOBRE SATURNO

Saturno, el sexto planeta a partir del Sol, lleva siendo observado a simple vista desde la Tierra desde la época prehistórica. Situado a 1.427 millones de kilómetros del Sol, una órbita completa de Saturno requiere 29,46 años. Es el segundo planeta más grande del sistema solar después de Júpiter —120.539 kilómetros de diámetro—, y sin embargo es importante señalar que, aunque es enorme, su masa es tres veces más pequeña que la de Júpiter; por lo tanto, su densidad es más baja. Con todo, si se compara con la de la Tierra, la masa de Saturno es 95,13 veces mayor y su volumen 766 veces más grande.

El peso de la atmósfera de Saturno hace que la presión atmosférica aumente hacia su interior, donde el hidrógeno se condensa y se vuelve líquido. Más cerca del centro del planeta, el hidrógeno líquido se comprime hasta convertirse en hidrógeno metálico, que es un conductor de la electricidad. Las corrientes eléctricas que se producen en ese hidrógeno metálico son las responsables del campo magnético del planeta.

La propiedad más notable de Saturno son sus anillos, los más impresionantes del sistema solar. Dichos anillos constan de partículas de roca, gases congelados y hielo, cuyo diámetro va desde 0,05 milímetros hasta diez metros. Además de sus siete anillos principales, la sonda espacial *Voyager 2* descubrió más de 100.000 anillos menores muy delgados. Mucha gente opina que Saturno es el planeta más bello de todos.

LO QUE NOS DICE LA ASTROLOGÍA SOBRE SATURNO

Saturno es el planeta de la seria concentración, la permanencia, las recompensas tangibles, la tenacidad, la ambición y la productividad. Este severo planeta rige también la precaución, los retrasos, la restricción, la limitación, la responsabilidad, las normas y disposiciones, el dolor, el miedo, la separación, la ansiedad, el duro aprendizaje, la autoridad, la disciplina, el control y la negación. Antes de decir «¡Uf!», piensa en lo siguiente: sin Saturno probablemente no existiría el progreso, porque no habría disciplina, ni controles, ni normas ni resultados tangibles del trabajo duro, sino sólo el caos.

Bautizado con el nombre del dios romano de la agricultura, conocido por los griegos como Cronos, padre de Zeus, Saturno es un planeta que no tolera los atajos y que no nos permite salirnos con la nuestra en todo. Nos agarra de la solapa y nos obliga a enfrentarnos a las cosas, sobre todo a las que hemos estado evitando. Sea lo que sea lo que esté tocando Saturno en una carta astral, pasará por una especie de ralentización o paralización. Saturno rige el plomo, el elemento más pesado, así que ya puedes hacerte una idea. Pero a causa de su naturaleza lenta, este planeta enseña el valor de la madurez, la paciencia, la prudencia y el sacrificio, ya sea para obtener posteriormente una gratificación o por el bien de los demás. Saturno es también serio, maduro, reservado, moderado y fiel. Aporta longevidad y un verdadero compromiso a todo lo que toca, y rige las cosas valiosas del pasado (históricas, artísticas o arqueológicas). Este planeta rige los dientes y los huesos, la estructura básica del cuerpo humano. De hecho, rige todos los cimientos, desde el esqueleto del cuerpo hasta la organización jerárquica de una empresa.

Cuando una persona experimenta el llamado «retorno de Saturno», eso quiere decir que este planeta ha regresado al lugar que ocupaba en el momento de su nacimiento, algo que sucede cada veintinueve años. Durante ese período la persona «crece». Así pues, en astrología, la edad de la verdadera madurez son los veintinueve años, y la gran sabiduría se alcanza a los cincuenta y ocho, momento en que Saturno ha dado dos veces la vuelta a la rueda del horóscopo de esa persona. (Hay quienes tienen la suerte de llegar al tercer retorno de Saturno, que ocurre a los ochenta y siete años y conlleva una enorme experiencia, sagacidad y comprensión intuitiva.) Cuando tiene lugar un retorno de Saturno, la persona toma una decisión adulta: casarse, tener un hijo, aceptar un trabajo importante, comprar una casa o cualquier otra que contribuya a que eche raíces y proporcione estabilidad a su vida. También es cierto que cuanto más necesitemos que Saturno nos enseñe algo, más dura será la lección de la vida. Una vez que hayamos aprendido mucho, este planeta nos enseñará cada vez menos, a cada vuelta de la rueda. Así pues, Saturno rige la vejez, mientras que Urano rige la juventud. A medida que vamos envejeciendo, nos resultan más duros los tránsitos de Urano, pero más agradables los de Saturno. Lo contrario le sucede a la gente joven.

ħ El símbolo de Saturno es una cruz encima de un semicírculo, y representa el mundo material que domina la mente, así como la capacidad de este planeta para materializar y estabilizar todo lo que toca. La misión de Saturno es convertir las ideas en realidad. Este planeta tarda veintinueve años en recorrer todo el zodíaco, y permanece dos años y medio en cada signo. Es el regente de Capricornio.

Urano

LO QUE NOS DICE LA CIENCIA SOBRE URANO

El séptimo de la fila a partir del Sol es Urano, un planeta de color verde azulado, de baja densidad y gran tamaño, que se cuenta entre los cuatro planetas gigantes. Está compuesto fundamentalmente por hidrógeno y helio, junto con agua y otros componentes volátiles. Situado a 2.864 millones de kilómetros del Sol, tiene un diámetro de 51.130 kilómetros y tarda ochenta y cuatro años en dar una vuelta completa alrededor del Sol.

Tal vez la característica más interesante de Urano sea que su eje de rotación se encuentra inclinado en un ángulo de 98 grados en relación con el eje de su órbita, de manera que gira sobre un costado. No sólo eso, sino que además rota de modo distinto que todos los demás planetas excepto Venus. Gira en el sentido de las agujas del reloj, mientras que los demás (a excepción de Venus) lo hacen en el sentido contrario. En cuarenta y dos años, la mitad del ciclo de Urano, el Sol pasa de estar situado encima de un polo a colocarse encima del otro. Esta insólita circunstancia tal vez se deba a una violenta colisión sufrida hace miles de millones de años, durante la formación del sistema solar.

LO QUE NOS DICE LA ASTROLOGÍA SOBRE URANO

La inusual rotación de Urano puede explicar los sorprendentes atributos que tiene en astrología. Innovador, inventivo y siempre dispuesto a experimentar, aporta creatividad, sorpresa e incluso genialidad a todo lo que toca. Este planeta rompe las pautas de pensamiento establecidas, creando cambios súbitos, incluso radicales, sustituyendo lo viejo por algo nuevo y mejor. Urano es el planeta del futuro, y entran en su dominio las nuevas tecnologías.

Urano rige la exploración espacial, Internet, los ordenadores, las telecomunicaciones, la aviación, las emisiones de radio y televisión, el vídeo y la fotografía digital. Este revolucionario planeta promueve también toda clase de investigaciones y técnicas médicas innovadoras, desde los trasplantes hasta la clonación, la biología y la biofísica, así como los rayos X, el láser y la tecnología electromagnética. La astrología, las experiencias psíquicas, la acupuntura y otras formas de curación holista, como la homeopatía, también están regidas por Urano.

Las personas que tienen una fuerte influencia de Urano en la carta astral son pioneras, reformadoras y precursoras. El ímpetu necesario para los cambios sociales y el bien de la sociedad surge de Urano, ya que su dominio cubre las cuestiones sociales de consecuencias globales: las humanitarias, las filantrópicas, las solidarias, las sociológicas y las medioambientales. Además de estos valiosos atributos, Urano genera un fuerte impulso a la rebelión, la independencia y hasta la conmoción. Excitante, liberador, vigorizante, excéntrico, insólito y raro, está claro que este planeta no es rutinario ni previsible. Es intuitivo, instintivo, imaginativo, inventivo, indagador, curioso, inconformista, voluntarioso e intelectual.

A pesar de su carácter inconformista, Urano es científico, objetivo, racional y nada emotivo, el eterno buscador de la verdad. Este planeta es considerado la «octava mayor» de Mercurio. Mientras que Mercurio representa los procesos mentales normales, como mirar, percibir, leer, escribir, hablar y escuchar, Urano pasa a un nivel superior y emplea la intuición proporcionada por la sabiduría que se obtiene de la experiencia. Aunque Urano ha sido llamado «el Gran Despertador» porque ve deficiencias de la sociedad que otros están demasiado ciegos para ver, también se denomina «el Gran Sintetizador», porque su misión consiste en mezclar la información recopilada por los otros planetas y formar un todo nuevo y sólido. Este planeta proporciona la capacidad de personalizar e individualizar conceptos e ideas.

Urano es como un relámpago en sus efectos: repentino, sorprendente e inesperado. Por este motivo, se dice que rige la juventud (mientras que Saturno rige la vejez). Cuando llegamos a la mitad del ciclo de Urano, a los cuarenta y dos años (en realidad ocurre en cualquier momento entre los treinta y ocho y los cuarenta y dos, dependiendo de la rapidez con que este planeta orbite en nuestra carta astral), experimentamos una importante crisis vital. De hecho, lo que sucede es que Urano se encuentra en el lugar opuesto al que ocupaba en el momento en que nacimos. Esta crisis de los cuarenta de la que se habla desde hace tanto tiempo, se da en la carta astral de todas las personas durante esos años, y ayuda a esclarecer las metas personales y a reforzar la sensación de propósito e individualidad.

El símbolo de Urano está formado por dos semicírculos a uno y otro lado de una cruz que descansa sobre un círculo. La cruz, situada en el centro del símbolo, es la materia, y los semicírculos de los lados representan el espíritu. Este planeta permanece siete años en cada signo, por lo que tarda ochenta y cuatro años en recorrer todo el zodíaco. Urano rige el signo de Acuario.

Neptuno

LO QUE NOS DICE LA CIENCIA SOBRE NEPTUNO

Neptuno es el octavo planeta desde el Sol, y tarda 164,8 años en completar su órbita alrededor de nuestro astro rey. Tiene un tamaño similar al de Urano, con un diámetro de 49.406 kilómetros, y es casi cuatro veces más grande que la Tierra. Al igual que Júpiter, Saturno y Urano, es un planeta gaseoso formado por hidrógeno, helio y, en un grado mucho menor, metano (3 por ciento), responsable este último del intenso color azul del planeta. Su órbita es casi circular (similar a la de Venus). El descubrimiento de Neptuno en 1846 se considera uno de los triunfos de la astronomía matemática. Las perturbaciones en la órbita de Urano indicaban que había una masa enorme que estaba influyendo en ella; esa misteriosa fuerza resultó ser Neptuno.

Como Neptuno está tan lejos de la Tierra, nunca brilla lo suficiente para poder verlo sin ayuda de un telescopio, y por eso era tan difícil de estudiar. Sólo recientemente los científicos han podido saber algo más de él.

LO QUE NOS DICE LA ASTROLOGÍA SOBRE NEPTUNO

Cada vez que se descubre un planeta, los astrólogos se fijan en lo que está sucediendo en el mundo en ese momento y en cuál es la naturaleza de la época para discernir las características de ese planeta. Neptuno fue descubierto en el período del Romanticismo, un movimiento que se contrapuso a la Ilustración, con su acentuado énfasis en la lógica y el método científico. Así pues, este planeta representa el idealismo, el altruismo, el autosacrificio y los sueños, y todo lo que la lógica y la ciencia no pueden explicar, confirmar ni dictar. La misión de Neptuno consiste en ayudarnos a trascender la realidad de todos los días, y llevarnos a un lugar más meditativo y espiritual en el que las ideas tienen alas y los sueños parecen tan reales que incluso podríamos tocarlos. La compasión, la amabilidad, la empatía y una forma de ser generosa y abnegada son los dones más importantes de Neptuno. La fuerza de este planeta proviene de su misma falta de precisión. A través de su neblina vemos el esbozo, la visión general o el concepto del sueño más que los detalles. Al enmascarar los detalles concretos, Neptuno pone el énfasis en lo universal y en los elementos más amplios de todo lo que toca. Nos ayuda a recibir información del lado derecho del cerebro, sede de lo imaginativo y lo visual, pasando por encima del intelecto y hablando directamente a la intuición, al alma, al corazón o al inconsciente, utilizando escenas, imágenes, música, danza, fotografía, pinturas, poesía o ilustraciones en vez de un lenguaje más concreto. Neptuno susurra «yo creo», en lugar de afirmar «yo sé», dado que la verdad se encuentra dentro del corazón. Este planeta tiene la mirada puesta en la eternidad.

Al ser la «octava mayor» de Venus, Neptuno expande el aprecio que siente Venus por la belleza y el amor. Allí donde Venus disfruta de la ligereza del amor erótico y la sexualidad, Neptuno ama con tal profundidad que está dispuesto a sacrificarse por ese amor y pasa el énfasis del «yo» al «tú», agregando así el carácter desinteresado del amor a la definición más estricta que hace Venus de la belleza y el placer. Venus quiere disfrutar de la vida, mientras que Neptuno reconoce las responsabilidades que trae consigo el amor. Puede que Venus defina determinadas normas de belleza, pero Neptuno las eleva por encima de las culturas, las modas y las épocas.

Neptuno actúa de forma abstracta y conceptual, no concreta, y por lo tanto añade un matiz poético, creativo, artístico, esquivo, idealista y etéreo a todo aquello sobre lo que ejerce su influencia. Psíquico, clarividente, intuitivo, instintivo, sutil y misterioso, este encantador planeta amplía la imaginación construyendo realidades alternativas. Neptuno rige el subconsciente, lo psicológico y todo lo místico.

Las aguas de Neptuno lavan a cualquier planeta con el que «contacte» (lo que se denomina «formar un aspecto» o, dicho de otro modo, llegar a cierto grado matemático), y lo dejan más puro de lo que estaba antes. Al igual que Urano y Plutón, los otros dos poderosos planetas «exteriores», Neptuno provoca grandes cambios. Sin embargo, los suyos son tan sutiles que resultan imperceptibles, pues actúa de manera casi invisible, lenta y gradual, como el agua que se desliza despacio sobre las rocas, continuamente, metódicamente, rítmicamente. El agua lo disuelve, lo lava, lo oculta y lo difumina todo en su reino amorfo.

Neptuno no puede soportar nada que sea demasiado impetuoso, demasiado tosco o trivial, pues eso heriría su delicada sensibilidad y su gran concentración en lo ideal. Mantiene vivos sus sueños con gran cuidado y vive en lo que puede ser más que en lo que es. Cuando la realidad se vuelve demasiado cruel, crea un refugio, una salida, una fantasía a la que agarrarse hasta que mejoren las cosas. Irónicamente, Neptuno nos enseña que las cosas no son tan buenas ni tan malas como parecen, pero no nos abandona ahí, sino que nos inspira a construir una versión mejor del mundo por medio de nuestras fantasías. Neptuno rige las bases del conocimiento sobre el mundo que nos rodea, y sin embargo, durante ese proceso nos sigue permitiendo creer en los milagros y en la magia.

♆ El símbolo de Neptuno es el tridente de Poseidón (el dios griego precursor del romano Neptuno), utilizado para atravesar a los esquivos peces. Muy apropiadamente, Neptuno es el regente de Piscis, y viaja durante 146 años a lo largo del zodíaco, permaneciendo unos catorce años en cada signo.

Plutón

LO QUE NOS DICE LA CIENCIA SOBRE PLUTÓN

Situado a 5.900 millones de kilómetros del Sol, Plutón, el noveno planeta, tarda casi 248 años en completar su órbita. Es el planeta más pequeño del sistema solar. Con un diámetro de tan sólo 2.317 kilómetros, tiene la mitad del tamaño de Mercurio y apenas dos tercios del de la Luna. Al ser el planeta que está más alejado del Sol, es muy oscuro. Su órbita es tan elíptica que en ocasiones cambia su puesto con el de Neptuno (cuya órbita es casi circular), y se acerca al Sol más que él.

En 1905, Percival Lowell planteó la hipótesis de la existencia de Plutón e inició su búsqueda después de notar alteraciones en los campos gravitatorios de Urano y Neptuno. Sin embargo, murió antes de haber encontrado a Plutón. De forma increíble, en 1930, después de que el astrónomo Clyde Tombaugh descubriese el planeta, se vio que, debido a su pequeño tamaño, no podía haber sido la causa de esas alteraciones gravitacionales de forma habitual, y por lo tanto se consideró una notable coincidencia el hecho de haberlo descubierto.

LO QUE NOS DICE LA ASTROLOGÍA SOBRE PLUTÓN

Plutón recibió el nombre del dios del mundo subterráneo de la mitología romana. (En la mitología griega, ese dios se llamaba Hades.) Este planeta está tan alejado en el espacio profundo que la luz del sol tarda cinco horas en llegar a él. A modo de comparación,

Plutón obtiene sólo 1/1.600 de la luz solar que recibe la Tierra. De modo que su nombre resulta apropiado. Cuando se descubrió en 1930, el mundo estaba atravesando una época muy difícil. Para descifrar el significado de Plutón, los astrólogos se fijaron en los acontecimientos mundiales de aquella época y vieron la Depresión, el fascismo y el comunismo, y también la Segunda Guerra Mundial y la bomba atómica en un futuro muy cercano. Obviamente, a Plutón se le asignaron unos significados muy duros.

Frío, helado y oscuro, Plutón parece enormemente distante y enigmático; sin embargo, también se lo asocia con el renacimiento, la regeneración, el rejuvenecimiento y básicamente todo tipo de metamorfosis. Nos permite reinventarnos a nosotros mismos de una manera nueva, de una forma tan drástica, y sin embargo tan gradual, como una oruga se transforma en mariposa. Plutón está asociado con la muerte como última transformación de la energía vital. No obstante, rige también otras «muertes» de la vida, como los finales importantes o incluso la cirugía (para curar, el cirujano extirpa una parte que el cuerpo no necesita).

Si bien Plutón pone fin a las cosas, a menudo también muestra las razones ocultas de dicho fin y suele proporcionar un camino hacia un nuevo crecimiento. Su influencia es a veces tan intensa y abrumadora que puede hacernos sentir que hemos perdido el control, y en ocasiones, cuando experimentamos una cierta vibración de Plutón, simplemente tenemos que aceptar lo que se presente. Sin embargo, como ya he dicho, Plutón nos ayuda a reinventarnos a nosotros mismos cuando más necesitamos un cambio, no un cambio súbito (como el de Urano), sino más bien gradual.

Si Plutón es tan poderoso es porque es el planeta más lento del sistema solar: permanece entre trece y veinticinco años en un mismo signo y ejerce una poderosa influencia sobre él. En astrología, cuanto más lejos del Sol se encuentra un planeta, más poderoso es. La razón de ello es que los planetas exteriores tardan más tiempo en orbitar alrededor del Sol, y a consecuencia de ello, estos planetas lentos (Plutón, Neptuno y Urano) van recorriendo poco a poco el cielo, grado por grado, y cuando ocupan cada una de las constelaciones del zodíaco permanecen allí mucho más tiempo que los demás planetas. Esto proporciona una experiencia más profunda e indeleble que la de los planetas que se mueven velozmente a través de los signos (como la Luna, Venus o Mercurio). Plutón afecta de modo particular a los miembros de generaciones enteras, planteando cuestiones y temas de los que se ocupa la sociedad en su conjunto.

Este planeta rige también los aspectos psicológicos y subconscientes de la vida (sobre todo las obsesiones), conocidos o desconocidos, incluyendo los miedos y las fobias, además de los sentimientos de alienación, aislamiento y separación. De hecho, el planeta que está más cerca de Plutón, Neptuno, se encuentra a una distancia de 1.377 millones de kilómetros. Su vínculo con la reproducción hace que Plutón sea también el planeta de la sexualidad, no sólo en lo que se refiere al aspecto reproductivo y al placer, sino también en cuanto a los tabúes y las dificultades.

Apropiadamente, el enigmático Plutón es el señor de Escorpio, cuya casa natural del horóscopo es la octava, una casa que no es sólo de muerte, sino también de regeneración, e incluye las deudas, los impuestos, los seguros, los préstamos y otros recursos compartidos. En este sector también encontramos al dinero, lo cual no debe sorprendernos, ya que es algo que puede heredarse después de una muerte. Antes de que se descubriera Plutón, la octava casa estaba regida por Marte, que todavía conserva cierta influencia sobre ella. No obstante, se consideró que Plutón era un regente más adecuado, porque gobierna todo tipo de transformación y mutación: el dinero se gana mediante el trabajo o se obtiene por herencia; la expresión sexual conduce al nacimiento. Todas estas actividades son propias de la octava casa y están regidas por Plutón.

La influencia a gran escala de Plutón explica la razón por la que también rige las bases de poder de todo tipo, ya se trate del gobierno de una nación o de la administración de una gran empresa.

Cuando la gente tiene la sensación de estar «luchando contra el Ayuntamiento», probablemente es que Plutón está ejerciendo una fuerte influencia en su horóscopo.

Además, este planeta indica también lo que hay que sacar a la luz y posiblemente descartar (Plutón rige los desperdicios y la eliminación, entre otras cosas), para que podamos continuar avanzando con más fuerza y energía. La asociación de Plutón con el mundo subterráneo lo capacita para ser el planeta de los secretos, las estrategias y los complots, así como del periodismo de investigación y del espionaje.

Plutón posee una inusual fuerza y la capacidad de salir airoso de todas las dificultades. Más que ningún otro planeta, simboliza la milagrosa capacidad de la voluntad humana para triunfar frente a la adversidad, como el ave Fénix de la mitología que resurge, renacida y renovada, de las cenizas de la derrota. Mientras que Marte aporta energía, Plutón, que es su «octava mayor», dirige esa energía hacia dentro para el crecimiento espiritual y la iluminación. Además, Marte destruye la materia, mientras que Plutón causa una transformación, un renacimiento, un concepto que está fuera del alcance de Marte.

El símbolo de Plutón es una cruz (la materia) con un semicírculo (el alma) encima, y sobre todo ello un círculo (el espíritu). Esto significa el espíritu contenido por el alma, como si «flotase» dentro de ella, y ambos están situados encima de la cruz. Dicho de otro modo, alma y espíritu triunfan sobre la materia cotidiana, lo cual hace de este un símbolo bastante alegre y optimista.

LOS SIGNOS SOLARES

Personalidad y mitos

La personalidad de Aries

Principio guía
«Quiero»

Cómo disfruta este signo
Disfruta adoptando un enfoque activo, enérgico, e imponiendo su voluntad a su entorno.

En el nuevo milenio, tu contribución al mundo será...
Tu espíritu aventurero y emprendedor se verá estimulado y recompensado. Tu manera habitual de poner en práctica las iniciativas con audaz energía demostrará, por ejemplo, que el cambio es bueno. También encontrarás formas innovadoras de aportar tu talento a las causas humanitarias.

Cita que te describe
«Un líder no merece este nombre hasta que esté dispuesto a estar solo.»

HENRY KISSINGER, un *Géminis*

Afortunado tú, Aries, por haber recibido el don cósmico de la energía pura, una enorme reserva de fuerza dadora de vida, lista para que la aproveches y la emplees de la manera que quieras. Nacido al comienzo de la primavera, Aries es la personificación de todos los comienzos. Tu signo está siempre bullendo de ideas nuevas y buscando modos de empezar otra vez desde cero. Por este motivo, muchos Aries se vuelven empresarios o líderes de especial eficacia, pioneros en territorios nuevos y sin explorar. Para ti es muy importante ganar. Te encanta ser el primero, el más rápido y, sobre todo, te encanta que se sepa que eres bueno, o el mejor. Sencillamente, no aceptas un no por respuesta. Aries gobierna la primera casa del zodíaco, que rige la identidad, el yo, la seguridad en uno mismo y la autoestima, cualidades todas ellas que a ti se te han concedido en abundancia.

Cuando avanzas hacia un objetivo, no caminas a pasitos cortos, sino a grandes zancadas. Generas un potente torbellino de energía a tu alrededor en todo lo que haces. Tu signo encarna la primera descarga de energía necesaria para iniciar cualquier proyecto nuevo. Aries inicia el proceso de poner en movimiento algo, sea lo que sea. Al cabo de un tiempo, tus empeños adquieren una vida y un impulso propios. Ese impulso hacia la acción que tienes en tu interior forma parte de la primitiva fuerza vital que te creó a ti y creó todo lo demás que existe en la Tierra, y te empuja siempre hacia delante. Tu enorme entusiasmo proporciona la primera chispa que prende tu hoguera. No subestimes tu carismático y poderoso magnetismo, Aries. Los demás lo perciben y desean que compartas con ellos tu centelleante luz. Es una de tus cualidades más adorables e irresistibles.

SÍMBOLOS

Aries es el carnero —una oveja macho—, que asciende a los picos más altos, un desafío que tú eliges con frecuencia precisamente porque está ahí. Tu símbolo son los cuernos del carnero, de los que dispones para utilizarlos si necesitas protegerte durante tu arduo ascenso a la cumbre. Tú disfrutas con el desafío que supone subir la montaña tanto como recibir la recompensa: contemplar el paisaje. Para ti constituye un disfrute cada parte del esfuerzo, y eso te empuja a seguir subiendo más cumbres.

♂ El símbolo de tu planeta regente, Marte, es un círculo y una flecha que señala hacia arriba de manera optimista, indicando tu necesidad de imponer tu vivificante voluntad sobre el mundo.

INFLUENCIAS PLANETARIAS

Originalmente, Marte era el regente de dos signos: Aries y Escorpio. Sin embargo, en 1930, cuando se descubrió Plutón, los astrólogos decidieron que este sería un regente más apropiado para Escorpio, de modo que Marte se quedó como el segundo regente de este signo y el principal regente del tuyo, Aries. Es interesante señalar las diferencias y similitudes entre Aries y Escorpio. Ambos están rebosantes de energía, si bien cada uno la utiliza de manera distinta. Aries posee la energía rápida y breve del veloz corredor que sale disparado al instante, mientras que Escorpio tiene la de un corredor de maratón, que empieza con menos fuerza pero dura más, porque la potencia de este signo suele ir dirigida desde el interior. Aunque Escorpio posee una mayor resistencia, Aries dirige su fuerza y la emplea toda a la vez de una manera muy potente.

Aries rige la primera casa del horóscopo, que simboliza el individuo. El Sol en Aries fomenta la expresión exterior de energía; por lo tanto, para este signo es muy importante dejar huella en el mundo. Aries es bastante gregario, y se siente estimulado al tener gente alrededor. Su abundante y generoso idealismo lo convierte en un líder de enorme popularidad. Posee un encanto carismático que hace que la gente desee seguirlo, a diferencia de un Escorpio regido por Marte, que tiene un carácter profundo, misterioso y silencioso, y es mucho más emocional. A veces Escorpio parece estar tramando o urdiendo algo. Los nativos de este signo pueden resultar difíciles de interpretar. Al contrario, los Aries son fáciles de interpretar, pues este es un signo extravertido que dice lo que siente y deja que la gente sepa cuál es su postura respecto de cualquier asunto. Perteneces a un inteligente, impetuoso y creativo signo de fuego, que es capaz de generar con facilidad ideas que deslumbran como diamantes (tu piedra natal) al salir disparadas de su fértil mente.

Al estar regido por el planeta guerrero, Marte, Aries es capaz de soportar un sufrimiento considerable, ya sea emocional, físico o económico, en su camino hacia la gloria y la fama. De hecho, el honor de la victoria significa para ti más que la compensación económica. Para ti, la gloria es la recompensa en sí misma, y aunque el dinero es agradable, lo que realmente te motiva es la emoción del logro. Posees una voluntad de hierro, y no tienes ningún problema en sacrificarte por una meta. Aries posee el doble de energía que la mayoría de los signos y puede lograr lo mismo en la mitad de tiempo. Estás muy ocupado en «tenerlo todo»: carrera profesional, matrimonio, hijos, amigos, viajes, aficiones y cualquier otra cosa que te apetezca, confundiendo a todos los que te conocen.

DONES CÓSMICOS

En ti nada es vacilante, querido Aries. El cosmos te ha otorgado los importantes y preciosos dones de la decisión y las fuertes convicciones. Sin estas cualidades, estarías lleno de buenas ideas, pero carecerías de fuerza para llevarlas a cabo. Tú sabes que para llevar a cabo algo importante, hace falta una cierta audacia, incluso en momentos de enorme adversidad; tal vez, sobre todo en momentos de adversidad.

En el interior de tu pecho late el valiente y apasionado corazón de un auténtico héroe, una persona capaz de encontrar la resolución necesaria para volver a la lucha cuando los demás apuestan a que ya te han vencido. He visto a algunos Aries alzarse contra toda esperanza cuando hacía falta un milagro para dar la vuelta a las cosas, física, económica, profesional o emocionalmente. Aries nunca permanece vencido durante mucho tiempo. Quizá sea tu persistente optimismo lo que actúa como una profecía que lleva en sí su propio cumplimiento, pues te permite caer siempre de pie, a veces inmediatamente y a veces más tarde; el momento no importa. Tanto si eres totalmente consciente de ello como si no, cuentas con una reserva mágica de energía de la que puedes echar mano cada vez que lo necesites. Sin embargo, esa asombrosa energía constituye al mismo tiempo una ventaja y una responsabilidad, pues para usar bien tus talentos has de dirigir tus energías con disciplina. Sería demasiado fácil despilfarrar un recurso natural tan valioso. Siendo impetuoso y espontáneo por naturaleza, podrías dispersarte en demasiadas direcciones. Pon riendas a tu enorme fuerza y podrás hacer una sustancial aportación al mundo.

Como primer signo del zodíaco, Aries simboliza el nacimiento del hombre. Imagina a Aries como un niño recién nacido. ¿Quién tiene un instinto de supervivencia más puro que un recién nacido? Los bebés no piensan en su vulnerabilidad; se limitan a pedir a gritos lo que quieren. Al igual que un recién nacido, Aries hace saber a los demás lo que han de hacer para que algo avance. Utilizas tu encanto, tu capacidad de persuasión o tu persistencia, o te vuelves lo bastante irritante como para que los demás hagan exactamente lo que tú quieres que hagan, con tal que dejes de molestarles. Se te da bien idear métodos ingeniosos para salirte con la tuya.

Aries es un signo cardinal. Los signos cardinales son los que encabezan cada estación del año y nos preparan para el nuevo entorno que se aproxima (cardinal significa, literalmente, «primero»). Aries, el primer signo del zodíaco, inicia la primavera. (Los otros signos cardinales son Cáncer, Libra y Capricornio, iniciadores respectivamente del verano, el otoño y el invierno.) Tu misión es la de ser siempre un pionero de nuevos horizontes, incluyendo aquellos territorios tan peligrosos y traicioneros que sólo el líder más valeroso se aventuraría a explorarlos antes que nadie.

Eres sumamente competitivo, sobre todo cuando puedes rivalizar con otras personas a las que consideras tus iguales o superiores a ti. (Para ti, enfrentarte a un competidor carente de valía representa una pérdida de tiempo.) Constantemente pones a prueba tu fuerza moral, física y emocional, incluso de modo inconsciente. Algunos Aries convierten su amor por la competición en un contratiempo, ya sea en los negocios, jugando al juego del Monopoly en la vida real, o en el plano personal; por ejemplo, compitiendo en deportes difíciles y apuntándose a programas de gimnasia agotadores.

Tu capacidad para asumir riesgos es legendaria, y comprendes que la única manera de llegar a altas metas es metiéndote en empresas arriesgadas pero sensatas, respaldado por un intenso y entusiasta esfuerzo. No son sólo los intereses profesionales lo que atrae a ese espíritu tuyo dispuesto a probarlo todo; también juegas duro, y con frecuencia eres el primero de tu grupo de amigos en subirte a una nueva montaña rusa, hacer «puenting» o bajar en balsa por aguas bravas. Todo Aries lleva un temerario dentro, que acaba saliendo en un momento u otro. Cuando estás asustado, compensas excesivamente tu miedo levantando un muro de especial fortaleza. (Al fin y al cabo, tú puedes sentirte tan vulnerable como el resto de nosotros. Siempre es de agradecer algún que otro consolador elogio procedente de los demás, ¿no es así, Aries?) Más que la mayoría de los nativos de los otros signos astrológicos, entiendes la ventaja de «derrotar psicológicamente» a tu adversario. También crees que la mejor defensa es un buen ataque, y atacarás para desviar la atención de cualquier debilidad que creas tener. Eres un genio del ataque por sorpresa en los negocios, el deporte, el combate o siempre que necesites sacarle partido a algo.

¿Puedes ser un poco jactancioso a veces? Seguro que sí, pero también eres lo bastante inteligente para saber que debes observar las circunstancias. Los Aries más inteligentes y evolucionados saben que no les conviene distanciarse de otras personas mostrándose arrogantes, así que se tragan las ganas de declarar sus logros a voces.

Espero que, conforme fuiste creciendo, nadie intentase disminuir tu seguridad en ti mismo. Si tuviste unos padres que te apoyaban, ya en tu niñez empezaste a darte cuenta de la fuerza de tu autosuficiencia y tu talento para encontrar oportunidades en situaciones que otros pasaban por alto. Aunque en la infancia no hayas contado con el apoyo de tus padres, todavía puedes restablecer tu autoestima a lo largo de tu vida. Esto forma parte de ti, Aries, igual que tu ADN. Los nativos de Aries suelen tener una vida muy interesante, porque son lo bastante valientes para lanzarse a situaciones nuevas en las que a otros les daría miedo sólo pensar.

Pensar a lo grande es una de tus cualidades más atractivas. Tu inocente optimismo te permite dar comienzo a esos grandes y audaces proyectos. Tú proclamas: «Quiero ser el presidente de Estados Unidos, o, si eso no puede ser, el presidente de mi propia empresa». Un Aries nunca dirá que desea ganar justo el dinero suficiente para pagar el alquiler, sino más bien: «Quiero ganar mi primer millón de dólares antes de cumplir los treinta años». Incluso aunque se encuentre al frente de una organización benéfica, no cruza los dedos y dice en tono dócil que espera alcanzar la cifra del año pasado. No, se arriesga y declara: «No sólo vamos a conseguir más donaciones que el año pasado. ¡Vamos a duplicarlas!». ¿Comprendes a qué me refiero? ¿Cómo puede resistirse alguien a seguirte? Tu entusiasmo y tu enorme seguridad te ayudan a lograr el éxito. Y eres lo bastante resistente como para recuperarte de inmediato, si es necesario, después de cualquier tropiezo, y empezar otra vez.

En ocasiones, los amigos o la familia te dicen que eres un poco egocéntrico, incluso egoísta, porque siempre estás hablando de tu tema favorito: ¡tú mismo! Quizás el universo haya querido que seas así. Tus empresas y proyectos necesitan enormes cantidades de energía para despegar, y te exigen valor y capacidad en abundancia. El hecho de estar plenamente centrado en tus metas y seguro de tus capacidades te ayuda a triunfar, porque así puedes concentrarte con empeño en tu objetivo. Entiendes que tienes que centrar toda tu atención en ello y no desperdiciar tu energía. Ser egocéntrico te ayuda a mantener la vista firmemente enfocada en tu meta mientras les tomas el pelo a los demás. No lleves eso al extremo, querido Aries, o te quedarás sin amigos.

En ocasiones, puede resultar muy solitario el ascenso hasta la cumbre de tu Everest personal. Es posible que sientas la presión de ser un líder junto con una buena parte de la responsabilidad de tener ideas originales constantemente y la tensión que supone luchar contra los obstáculos siempre presentes que surgen de modo natural en el camino que te lleva a conseguir tus metas. El aislamiento te hace mucho bien, sobre todo a la hora de trazar nuevos planes y sueños. Pero siendo la persona sociable y cálida que eres, es posible que no encuentres tiempo para estar a solas con tanta frecuencia como querrías. Procura reservarte un poco de tiempo de forma regular para soñar y fantasear; aunque te dé la impresión de que eso no es más que jugar, podrían ser los momentos más productivos que te dediques a ti mismo.

Como nativo de un signo de fuego, confías en tu magnífico instinto y en tu gran intuición para saber qué empresas merece la pena acometer y cómo enrolar en ellas a otras personas. No obstante, la gente conservadora que te rodea no querrá saber cómo funcionas a base de pálpitos y corazonadas; querrá ver la investigación documentada de tus últimas inspiraciones e impondrá ciertas estructuras que tal vez te frustren al principio. Es una pena que no le concedan tanta credibilidad a tu intuición como le concedes tú; deberían hacerlo. A veces tus ideas son demasiado revolucionarias para ser probadas con precisión mediante la investigación de mercado, porque el resto del mundo suele ir por detrás de ti. Cuando esto ocurra, aférrate a tu sueño, querido Carnero. Por suerte, cuentas con una reserva inagotable de entusiasmo. No recompenses su pedante escepticismo; en lugar de eso, ¡demuéstrales lo equivocados que están!

Las normas te irritan, pero el mundo insistirá en que sigas ciertos procedimientos. Tu lema es: «Las reglas están para infringirlas». A ti te encanta ser la excepción, y convences con facilidad a la gente, pero puede ser que tu pasión y tu encanto arianos no sean suficientes. Sé tenaz, disciplinado, concienzudo y listo... y entonces ganarás.

Debes darte cuenta de que tu personalidad de Aries incluye una propensión a presentar batalla a casi cualquier obstáculo. Incluso cuando no existe ninguna amenaza seria, tú te aprestas a situarte en el modo defensa/ataque. Algunas veces Aries revuelve las cosas para ver qué sale de ahí. También te encantan los momentos en que la vida aumenta su sonido al máximo. Para ti, la vida a menudo es como una ópera, y, al igual que el niño que hace travesuras en el colegio simplemente para aliviar la monotonía de la rutina, tú sueles necesitar más drama en tu vida que la mayoría de la gente.

Por extraño que parezca, la inactividad puede crisparte los nervios, y la acción puede calmarte. Cuando te enfrentas a una mala situación —personal o profesional—, lo más difícil para ti sería no hacer nada mientras esperas un resultado. En vez de eso, con frecuencia descubres que has de hacer algo. Esta es una buena cualidad de Aries, porque si te enfrentas con un revés, puedes capear el temporal en un abrir y cerrar de ojos. Mientras los demás todavía están debatiendo las alternativas, tú estás muy ocupado sorprendiendo a todo el mundo con tus actos audaces y decisivos. Tu talento para llegar al meollo de un problema deja a todos mudos de admiración. Tú prefieres la sencillez y no tienes paciencia para teorizar y discutir sin fin. El hecho de vivir en el mismísimo momento presente y de contar con un gran fervor te impulsa a abrirte paso por entre las complejidades de la vida y actuar. Para Aries, el autodescubrimiento se da siempre por medio de la acción.

Este impulso a actuar lleva a la gente a tacharte de impetuoso, atrevido, falto de dirección, impaciente, indisciplinado y, en ocasiones, temerario o autodestructivo. Hasta tú podrías estar de acuerdo en que posees algunas de esas características. No des ningún paso cuando no estés preparado, cuando te veas demasiado impelido por la emoción o sin ser prudente. Aries haría bien en cultivar un poco la meditación reflexiva y la actitud filosófica. Si aprendes a parar, mirar y escuchar, con ese instinto que tienes, esa inteligencia para la supervivencia y esa energía, podrías conquistar el mundo. Sin embargo, algunos Aries tienen que pasar por un período de locura juvenil y derrota antes de dar por fin con la fórmula que mejor se adapte a ellos para alcanzar el éxito.

Una de tus mejores cualidades es tu completa falta de fingimiento. Eres de los que hablan con franqueza; los Aries que se dan aires son muy raros. No te va eso de andarte con rodeos. No tienes ni un pelo de embustero, y la gente enseguida aprecia tu sinceridad llana y lisa. Además, esconder tus sentimientos o actuar a hurtadillas requeriría una astucia o una paciencia que tú no tienes. No obstante, cuando alguien te saca de quicio, ¡cuidado! Tienes muy mal genio, Aries, y lo manifiestas gritando, dando portazos e incluso rompiendo platos. Tu regente, Marte, no tiene el apodo de Planeta Rojo por nada. Los que te conocen y te quieren, saben que tu furia, igual que tu elemento, el fuego, se inflama rápidamente. Pero desde luego, no eres vengativo, porque consume demasiada energía conservar antiguos rencores. Una buena válvula de escape para ti es el deporte, cuanto más agresivo y extenuante, mejor. Es una buena idea que encauces tu energía mediante una actividad regular.

RELACIONES

En tus relaciones románticas más íntimas muestras ese mismo entusiasmo que tus amigos y compañeros de trabajo encuentran tan atractivo. La mayoría de los hombres Aries prefieren una mujer moderna y autosuficiente que sea una compañera segura de sí misma y esté a su misma altura, en lugar de una que se le pegue como una lapa. Aun así, al nativo varón de este signo le gusta ser el héroe de la vida de su dama y buscará formas de salvar a su damisela en apuros (aunque ella no necesite que la rescate nadie). Nunca dejes que tu pareja Aries sepa que no da la talla del héroe de tus novelas góticas; ¿qué tiene de malo dejar que continúe creyendo que sí? Muchísimas mujeres Aries se descubren a sí mismas gravitando de forma natural alrededor de atletas o de hombres que han salido adelante por sí solos gracias a su fuerza y a su valor. Sin embargo, no nos engañemos, la mujer Aries se siente bastante realizada por sí misma. Es moderna, independiente y poco propensa a sentarse al lado del teléfono a esperar pacientemente que él la llame. Sabe que hay más peces en el mar. O, si él es lo bastante especial, será ella quien coja el teléfono y lo llame.

Tanto para los hombres como para las mujeres de este signo, la necesidad de experimentar diversos desafíos puede retrasar el matrimonio. El gusto por la caza resulta embriagador, pero una vez que un Aries establezca una relación seria, amará con una pasión increíblemente profunda. Aries es un amante vehemente. El rojo es su color, y también es el color de la pasión y la lealtad. Tu intenso magnetismo se relaciona con tu impulso erótico-sexual, primitivo y desnudo. Al hacer el amor tiendes a experimentar, para regocijo de tu pareja. Como tu signo rige la fuerza pura de la vida, resulta fácil imaginar lo mucho que te gusta el sexo.

Un consejo para esos admiradores o esas admiradoras que anhelan conquistar tu corazón: tú no quieres que te comparen con otros u otras amantes; se resentiría tu sentido ariano de la individualidad. Lo que quieres es que tu pareja te considere una persona completamente única en el mundo. Además, Aries prefiere estar en pie de igualdad con su pareja o ser la parte dominante, sobre todo en el caso de los varones. Cuando empiezas a salir con alguien, te decepcionas si una relación nueva se desarrolla con demasiada facilidad, porque tu eterno sentido de la competitividad exige una oportunidad de demostrar tu temple, incluso en el amor.

Una vez que hayas entablado una relación de pareja estable, sigues deseando mantener viva esa frescura de antes, esa diversión del gato y el ratón que existía al principio. No puedes soportar que la aburrida rutina se instale en ningún aspecto de tu vida. Valoras el sentido del humor y la espontaneidad, y si la vida se vuelve demasiado previsible te pones cada vez más nervioso. Si consigues mantener una relación animada, tanto tú como tu pareja os beneficiaréis de ello. Aun cuando al principio puedas resistirte a sentar la cabeza, una vez que decidas que has encontrado la pareja adecuada para ti, puedes convertirte en un amante sumamente leal, cariñoso y sexy para toda la vida.

Las actividades que os gustan como pareja incluyen viajar por el extranjero, a lugares nuevos y exóticos, asistir a reuniones y debates políticos, practicar deportes (sobre todo que sean nuevos o emocionantes) o ser espectadores de encuentros deportivos. Te gustaría explorar nuevas aficiones e intereses, porque tu signo tiene mucho que ver con la creación de cosas nuevas. Algunos matrimonios también encuentran divertido montar juntos un negocio nuevo..., pero tienes que tener en cuenta que si tu pareja es Aries, siempre deseará ser el jefe, aunque la idea del negocio haya sido tuya.

Si estás casado o casada (o piensas casarte) con un nativo de Aries, has de ser consciente de que puede ser muy cabezota a veces, de modo que conviene que tengas habilidad para negociar con diplomacia. A menudo Aries es un perro ladrador y poco mordedor, de manera que no te dejes intimidar si se pone a gritar. Durante el matrimonio, si te vuelves una persona demasiado práctica o seria —si permites que tu espíritu se vea aplastado por el peso de las obligaciones de la vida—, eso podría hacer que tu pareja Aries se ponga nerviosa o incluso se vaya con otro o con otra. No a todos los Aries se les van los ojos tras las mujeres (o tras los hombres), por supuesto, pero para mantener tu matrimonio a salvo deberás reconocer la necesidad que tiene tu pareja de estímulo y de una abundante atención por tu parte, además de su ansia de descubrimiento. A cambio, tu recompensa será una vida emocionante repleta de sorpresas y aventuras. Nunca sabrás qué te espera al doblar la esquina; cada día parecerá totalmente distinto.

FINANZAS

En el plano económico, puedes ser tacaño o locamente generoso; puedes convencer con habilidad a tus amigos para que te paguen la comida o la copa, o bien puedes literalmente tirar el dinero por la ventana. Esta propensión a los extremos parece arder en el interior de todos los Aries. Por un lado, tienes el sentido práctico de Tauro, el signo que está en la cúspide de tu segunda casa, la de los ingresos adquiridos por ti, lo cual te hace propenso a conservar hasta el último céntimo. Por otro lado, tu necesidad de emociones y tu carácter emprendedor podrían hacer que asumieras algún disparatado riesgo económico, a veces con resultados terribles. Cuando emprendes una aventura arriesgada, prefieres apostar por ti mismo antes que por otra persona u otra cosa. Pero cuando te lanzas de cabeza a una oportunidad tras otra en el campo de los negocios, siempre corres el peligro de perder dinero. También es posible que te sientas culpable de echar la soga tras el caldero. Tu tenacidad te hará encontrar más capital para mantener vivo tu proyecto durante la difícil etapa de arranque. Jamás renunciarás a tu idea. En lo que se refiere a la gestión de tu dinero, para mantenerlo a salvo ten siempre un asesor económico, quizá para que te frene un poco antes de firmar todos esos cheques.

CARRERA PROFESIONAL

Un don que te ha concedido el cosmos es la fascinación por emprender iniciativas nuevas, y por eso eres, tal como ya he indicado, el clásico empresario. Sin embargo, descubrirás rápidamente que necesitas contratar para tu equipo a ejecutivos prácticos y que cuiden los detalles, gente que sepa construir organizaciones complejas. Tú no deseas liarte con los detalles, no son tu punto fuerte. En vez de empantanarte con las cosas pequeñas, tu misión debe ser la de supervisar las líneas maestras y encabezar constantemente la marcha hacia el futuro. La fase de arranque, la más difícil, requiere puro coraje, determinación y habilidad para sobrevivir, tus mejores atributos. Una vez terminada esa etapa, deberás confiar tu empresa a un práctico signo de tierra en el puesto de presidente, es decir, un Tauro, un Virgo o un Capricornio serían buenos candidatos. Esa persona tendrá la paciencia de la que tú careces y desarrollará tu empresa para convertirla en algo más permanente.

Aries no es un signo sentimental, de modo que probablemente no trabarás un vínculo emocional con tu negocio. Por lo tanto, te resultará fácil dejarlo cuando llegue la hora de pasarlo a manos públicas, fusionarlo, venderlo o incluso entregárselo a directivos más cualificados. Eres objetivo acerca del valor de tus creaciones, y eso te ayuda a generar riqueza. La objetividad de los nativos de Aries les permite concentrarse en su principal talento: iniciar empresas nuevas. Posees un instinto especial para saber cuál es el momento adecuado para vender; no dejas que crezca la hierba debajo de tus pies. Sin duda, ya tienes el ojo puesto en tu próximo gran proyecto, y el capital preparado.

Aries está muy bien dotado para trabajar como autónomo. Si no puede ser el director general de su propia gran empresa, entonces será, a menor escala, un comerciante independiente o el propietario de una pequeña empresa de servicios. La estructura de las grandes empresas no es para ti como empleado, porque consideras que las interminables reuniones que tanto les gustan son sencillamente una pérdida de tiempo. El concepto mismo de una organización jerárquica que esté por encima de ti te resulta inaceptable, porque a Aries le gusta estar al mando. (Tu estilo de dirección está más cerca de la dictadura que de la democracia, pero por alguna razón a ti te funciona.) Para aquellos Aries que son empleados: dentro de vuestra cabeza sois tan listos o más que vuestro jefe. Además, tenéis la impresión de que pronto ocuparéis su puesto. Tenéis que seguir avanzando, no podéis estancaros mucho tiempo en un mismo puesto. Aries sabe que el poder rara vez se regala; hay que hacerse con él.

Además de ser un as de los negocios, a Aries se le suele dar bien hacer carrera en las fuerzas armadas, gracias a que su regente es Marte, el planeta guerrero. Eres hábil en el uso de instrumentos afilados o armas. El necesario pensamiento estratégico te resulta fácil, y podría convertirte en un excelente líder. Y aunque la jerarquía te moleste en el mundo civil, si ingresaras en las fuerzas armadas esperarías ser ascendido con mayor rapidez. Ciertamente, te pasarías el tiempo trabajando para llegar a dirigir tu destacamento o tu división. Nada gusta más a un Aries que un rápido ascenso por el escalafón. Siendo valeroso y fuerte, tal vez te guste ser piloto de combate o policía, detective, agente del FBI u otro funcionario público encargado de velar por la seguridad o de hacer cumplir la ley. Como posees habilidad con los instrumentos afilados, podrías pensar en convertirte en cirujano o dentista, profesiones en las que los Aries también destacan.

Cuando tengas que decidirte por una carrera, piensa en hacer algo que implique un importante esfuerzo físico para aprovechar tu asombrosa fuerza interior. Por ejemplo, Aries suele triunfar en las ventas porque es persistente, posee un magnífico sentido para los negocios y cuenta con la fuerza necesaria para visitar a más posibles clientes que ningún otro vendedor del equipo. También te gusta moverte por ahí, ser el dueño de tu destino, con libertad para ir a ver a quien te apetezca. Otra carrera que requiere una fuerte autodisciplina es la de atleta o bailarín profesional, campos en los que podrías destacar. Ser inteligente y agresivo en el mundo de los negocios es algo natural en ti, al igual que una carrera profesional de estratega o planificador, tal vez en el campo de la publicidad o del marketing. Los Aries son también grandes exploradores y aventureros, porque disfrutan del proceso de descubrimiento. Hacer algo fuera de lo habitual, como trabajar de espía o especialista cinematográfico, también resultaría perfecto.

Algunos Aries se dedican a trabajos técnicos, y en ese caso serías un buen ingeniero, mecánico, diseñador de software, productor o contratista. Aries rige la cabeza, y por lo tanto algunos nativos de este signo se convierten en peluqueros de talento (dueños y directores de su propia peluquería, por supuesto), o diseñadores o fabricantes de accesorios para el cabello o de sombreros. Necesitas expresarte de manera pura, sin trabas, y para ti siempre será de gran importancia gozar de libertad para llevar la voz cantante.

CUERPO, MENTE Y ESPÍRITU

Aries rige la cabeza, y cuando tienes una gran idea te puede doler literalmente la cabeza hasta que la pones en práctica. Como los dientes forman parte de la cabeza, es vital que visites al dentista con frecuencia, porque es muy probable que el dolor de muelas sea uno de los más habituales en ti. Otra posible área de dificultad es la fiebre. Marte, tu regente, es famoso por provocarla a veces, pues el Planeta Rojo puede inflamarte o sobrecalentarte. Por desgracia, algunos Aries sufren también de migrañas.

Aries rige asimismo el cabello. No te engañes: este signo se preocupa mucho por cómo lleva el pelo. Tanto los hombres como las mujeres Aries dicen a su pareja antes de salir: «Tengo que darme un repaso al pelo, ve tú delante (o llama al ascensor, saca el coche, espérame en el restaurante o lo que sea)». Y se sentirán desgraciados hasta que tengan el pelo bien. Si tu pareja Aries te pregunta si debería cortarse el pelo, tú responde que sí rápidamente. Aries concede mucha importancia a llevar el pelo bien arreglado y le encanta comprar productos para el cabello y pasarse una gran cantidad de tiempo peinándose. No subestimes lo importante que es el pelo para tu amigo, amante, compañero, pariente o hijo Aries.

RESUMEN

En astrología, las características de cada signo compensan las cualidades de que carece el signo que lo antecede. Aries, el signo que inicia el zodíaco, simboliza la primavera y viene después de Piscis, el último signo, nacido del invierno, que también rige lo universal; en Piscis no hay fronteras, sólo un amor que lo abarca todo. Por medio de Neptuno, su regente, Piscis es el símbolo de las aguas primordiales de la creación. Del útero de la vida, la mente colectiva de la humanidad, ha de emerger Aries para imponer poderosamente su voluntad al mundo. Esto es parte de tu destino, querido Carnero, así que de ti depende dejar una huella individual y muy precisa «ahí fuera», en el cosmos, de la manera más valiente y pionera que puedas. Tu entusiasmo y tu fuerza nos inspirarán a los demás para pensar a lo grande e intentar hacer cosas de las que jamás nos creímos capaces. Al final, tu mejor papel será siempre el de un visionario apasionado y creativo.

Los mitos de Aries y Marte

En la época del año en la que naciste (entre el 21 de marzo y el 19 de abril), la cantidad de luz diurna y de oscuridad es la misma. Esto ocurre también seis meses después de tu cumpleaños, en octubre, bajo el signo de Libra, pero con una gran diferencia: en primavera, en las latitudes septentrionales el Sol está aumentando su irradiación, mientras que en el otoño los días van siendo cada vez más cortos. En astrología, la fuerza de la luz diurna está simbolizada por el Sol; así pues, a medida que el Sol va creciendo en importancia en tu carta astral, lo mismo ocurre con la importancia de tu individualidad. Por lo tanto, era lógico que los astrólogos antiguos designaran a Aries como el signo que rige el yo y la formación de la personalidad.

La Pascua de Resurrección, una de las fiestas más importantes y alegres del cristianismo, pues simboliza el triunfo del espíritu sobre el cuerpo (la materia), tiene lugar en primavera. Así, tú naciste en la época del año en que muchas civilizaciones distintas celebran el crecimiento, la regeneración y el renacimiento. Lógicamente, el signo de Aries valora la identidad, la autoestima y la independencia de las personas.

ZEUS, METIS Y ATENEA

Aries está simbolizado por el carnero, y rige la cabeza. En la mitología griega existe un mito maravilloso que tiene mucho que ver con tu lado creativo, y con la diosa de la sabiduría, Atenea. Cuando Zeus se enteró de que su amante Metis había quedado encinta y pronto daría a luz un hijo que en última instancia le destronaría, se la comió. Nada contenta al respecto, Metis martilleó dentro de la cabeza de Zeus día y noche para fabricar un yelmo. Esto le provocó insoportables dolores de cabeza, y entonces Zeus rogó a Hefesto, el dios de las herramientas, que le abriese la cabeza en dos. Cuando este así lo hizo, salió Atenea, la hija de Metis y Zeus, vestida de la cabeza a los pies, adulta y tocada con un brillante yelmo. Así, de este mito procede el dicho mitológico que afirma que Aries siempre debe permitir que sus ideas creativas florezcan, porque si permanecen encerradas en el interior de su cabeza, le provocarán literalmente jaquecas hasta que saque esas ideas a la luz.

JASÓN Y EL VELLOCINO DE ORO

Quizás el mito más famoso asociado con Aries sea el de Jasón y el Vellocino de Oro. Frixo y Hele, hijos del rey Atamante e hijastros de Ino, han de ser sacrificados. En el último momento, Zeus envía un carnero alado adornado con un vellocino de oro y los salva. El vellocino es entregado al rey de la Cólquide, el cual lo cuelga de un árbol que hay en el interior de una gruta sagrada guardada por un dragón que nunca duerme. Jasón es elegido por la diosa Hera para recuperarlo.

Jasón representa la quintaesencia de Aries: independiente y aventurero. Reúne a todos los mejores héroes de acción griegos y juntos construyen la nave *Argo*, el primer barco. Después de una travesía cuajada de peligros, Jasón y los Argonautas, con la ayuda de la hechicera Medea, consiguen recuperar el preciado Vellocino de Oro y llevarlo de vuelta a casa.

La historia del Vellocino de Oro es importante porque muestra cómo Jasón, atravesando el peligro y la adversidad, pone en juego su valor, su fuerza y toda su capacidad, atributos que podrá aprovechar para exploraciones futuras. Los Aries son conocidos por ponerse a sí mismos de vez en cuando en situaciones difíciles, exigentes o incluso peligrosas a lo largo de su vida, con el fin de probar su temple en el plano físico, emocional o incluso económico. No sólo compiten con los demás, sino también consigo mismos, siempre con miras a establecer su próximo récord personal.

Un tema que se materializa a menudo en los mitos que tienen que ver con figuras de tipo ariano es la rebelión contra la figura paterna. Algunos astrólogos opinan que un método que emplean muchos Aries, hombres o mujeres, para independizarse es el de acostumbrarse a mantener una relación compleja con su padre. Puede que hayas tenido que preguntarte si debías seguir el camino que tomó tu padre en el trabajo, el matrimonio u otros objetivos, y es probable que, tras reflexionar sobre ello, hayas descubierto que necesitas ser un pionero, aunque eso signifique romper con la tradición de la familia. Este sentido de la rebelión en última instancia te estimula a crecer más. Además, los mitos sugieren que la mujer Aries probablemente creció observando cómo sufría un varón herido de su familia: su padre, su padrastro o quizá su tío favorito. Puede que su determinación a volverse especialmente fuerte e independiente en su propia vida provenga del deseo de evitar algunas de las duras pruebas que tuvo que soportar esa persona.

MARTE EL GUERRERO

El regente de Aries, Marte, cuenta con una rica mitología. Para los romanos, era el dios de la guerra, y gozaba de tanta estima que el único dios que le superaba en importancia era Júpiter. En la mitología griega, Marte se llamaba Ares y era también el dios de la guerra, pero no recibía tanta consideración como en la mitología romana. Los griegos le creían rebelde, impetuoso y un constante alborotador. Sin embargo, le concedían el mérito de tener valentía, pasión y buenas intenciones.

Ares amaba a Afrodita (Venus) pero no la desposó; sin embargo, tuvo cinco hijos con ella, cuatro de los cuales fueron Eros (el deseo y la pasión), Anteros (el deseo no correspondido), Fobos (el pánico) y Deimos (el terror). El último retoño, Harmonía (la armonía), era irresistiblemente hermosa y la hija favorita de Ares. Su dulzura y su gracia aplacaban el ímpetu salvaje del guerrero.

Esto demuestra que Marte necesita la calma y el sosiego tanto como todo el mundo.

Resulta interesante señalar que Ares/Marte no era en realidad el héroe de las películas de acción que cabría esperar. Los mitos explican la determinación que él tenía de triunfar y lo duramente que luchó para lograr el éxito. En un relato, Ares peleó contra Oto y Efialtes, los hijos gigantes de Poseidón, y cuando estos finalmente lo atraparon dentro de una tinaja de bronce, pasó un año hasta que Hermes, el mensajero de los dioses, halló un modo de liberarle. En otra pelea con Hércules, Ares fue derribado cuatro veces y finalmente fue expulsado del campo de batalla. Hay otras historias más, pero lo importante es que la derrota no quitó brillo a la imagen de Ares; continuó siendo respetado como uno de los principales dioses del Olimpo.

También se asociaron con Marte otras actividades. En la antigua Roma, las fiestas en honor de Marte celebraban la agricultura. Algunos especialistas en mitología opinan que la función original de Marte consistía en reinar sobre la tierra, y que más tarde asumió el papel del jefe guerrero y protector. Esto tiene lógica, pues la cosecha era un medio de subsistencia para la comunidad, y era importante que estuviera protegida y defendida. ¿Quién mejor que Marte para realizar esa tarea?

Según otro mito, la antigua ciudad de Roma fue fundada por los hermanos gemelos Rómulo y Remo, hijos de Marte y Rea Silvia. Rómulo y Remo fueron abandonados en la cima de una colina, pero fueron salvados por un pájaro carpintero y amamantados por una loba. Estos animales sagrados los envió Marte, y más tarde los niños fueron recogidos por unos pastores. Este mito explica por qué los descendientes de Rómulo y Remo podían ser llamados «hijos de la loba» o «hijos de Marte».

Como puedes ver, Aries, cuentas con un planeta regente de enorme poder. El papel que desempeña Marte en el zodíaco como un poderoso protector de la comunidad y de la agricultura, lleno de confianza en sí mismo, que recurre a la agresividad o a la inventiva que sean necesarias para lograr el éxito, es la razón por la que se considera que Aries ha sido agraciado con una fuerza, un valor y un optimismo poco comunes. No pierdas nunca de vista tus hermosos sueños, querido Aries, porque sin ellos el mundo sería un lugar muy triste. Tú eres el primer héroe de acción, el Superman del zodíaco, siempre seguro de aterrizar de pie en todo momento. ¡Invariablemente, eso es justo lo que haces!

La personalidad de Tauro

Tauro
20 de abril - 20 de mayo

Principio guía
«Mantengo»

Cómo disfruta este signo
Disfruta con las posesiones materiales, teniendo un capital ahorrado y construyendo estructuras sólidas y seguras, y a menudo reforzando las ya existentes.

En el nuevo milenio, tu contribución al mundo será...
Dado que Tauro es el primer signo de tierra, es el constructor del zodíaco, práctico y paciente. Oscilarás sobre el borde de todo lo que tenga que ver con las tecnologías nuevas y disfrutarás de los cambios sociales que estas aporten. Los demás confiarán en ti para crear estabilidad.

Cita que te describe
«La fuerza no procede de la capacidad física, sino de una voluntad indomable.»

MOHANDAS K. GANDHI, un *Libra*

¿Crees que sólo pocas personas conocen tu verdadero yo? Si tu respuesta es afirmativa, es porque tu carácter es más reservado que el de la mayoría de los nativos de los demás signos, querido Tauro. A diferencia de otros signos que son más habladores, o más vistosos, o que tienen un ego más grande, Tauro se va revelando despacio. Y cuando lo hace, descubrimos una poderosa calma interior en este signo, y también una gran seguridad, un sereno aplomo que resulta terriblemente atractivo. Posees un asombroso talento para fascinar a los demás y atraerlos hacia ti, un encanto erótico tan sutil y al mismo tiempo tan intenso que, con sólo levantar un dedo, con frecuencia el objeto de tu fascinación se ve sin fuerzas para resistirse.

SÍMBOLOS

Los antiguos consideraban al toro una criatura sumamente erótica y sensual, y de una gran fertilidad. Si dibujas en un papel el contorno de la cara de un toro con sus cuernos (parecido a un triángulo invertido con cuernos), tal vez te sorprendas al descubrir la forma de un útero con sus trompas de Falopio, el símbolo mismo de la procreación femenina. Teniendo en cuenta que Tauro antes ocupaba el primer lugar del zodíaco, algunos historiadores especulan con la idea de que la primera letra de nuestro alfabeto, la A (también utilizada en el alfabeto hebreo), quizá provenga de esa imagen de la cabeza de un toro, sólo que invertida. Algunos mitólogos han señalado también que los cuernos del toro se parecen a la luna en cuarto creciente, un antiguo símbolo de crecimiento y regeneración, y, ciertamente, muchos de los monumentos del mundo antiguo representaban los cuernos de un toro. (En Creta, alrededor del 4000 a. C., aparecieron numerosas imágenes de cuernos de toro en piedra, llamadas *bacrania*.) En Egipto, el jeroglífico que significaba «toro» y la palabra *toro* se dibujaban con la misma imagen de un falo. Hoy en día decimos que Tauro rige el cuello, y Escorpio rige los órganos reproductores. Escorpio viene exactamente seis meses después de Tauro, por lo que se encuentra sobre el mismo eje que este, lo cual se considera significativo porque los signos de un mismo eje son complementarios.

♀ En el símbolo astrológico de Venus, regente de Tauro, que se parece un poco a un espejo de mano, se ve un círculo descansando sobre una cruz. La cruz representa la materia, y el círculo es el alma, y eso significa que el alma tiene el poder de transformar la materia en algo más: belleza espiritual.

INFLUENCIAS PLANETARIAS

Una gran parte de lo que eres, Tauro, se debe a tu regente, Venus, un planeta diplomático, delicado, reservado, amante de los placeres y siempre deseable, incluso fascinante. Venus no se esfuerza demasiado porque no es necesario. Siendo tan cautivante como es, simplemente espera a que los demás se acerquen, igual que haces tú, Tauro, ya seas hombre o mujer. Venus obtiene los resultados más efectivos combinando un seductor encanto con una serena compostura, tentando a su víctima dulce y sutilmente, como si utilizara un perfume mágico e imperceptible, pero embriagador. Y te insta explícitamente a dejar espacio para que la otra persona reaccione. Tu regente, Venus, no necesita realizar demasiado esfuerzo; su poderoso atractivo funciona casi en todo momento.

Tu signo se encuentra estrechamente vinculado a la tierra, la agricultura y la fertilidad. Tu personalidad es prácticamente un espejo de la belleza de la naturaleza y de los ciclos de las estaciones. En el momento de tu nacimiento, Tauro, la tierra goza de particular verdor y abundancia. Es un período en el que la Madre Naturaleza prácticamente estalla para celebrar la vida. Así pues, no es de sorprender que tu signo aprecie de modo especial la tierra y todos sus dones.

El toro permanece fijo, con los talones bien afianzados en el suelo, y se niega a moverse a menos que una fuerza exterior lo obligue a hacerlo. Se mueve sólo cuando llega el momento oportuno, y eso también sucede en el caso de las plantas, como saben bien los agricultores y jardineros: hay que plantar la semilla justo en el momento correcto, y abonarla cuando corresponda. No podemos hacer que las semillas crezcan más deprisa gritándoles ni haciendo nada más para acelerar ese proceso. Las semillas crecen y maduran a su propio ritmo, y ninguna fuerza externa puede cambiar eso. ¿Te suena todo esto parecido a tu personalidad, Tauro?

Al llegar el verano, será el momento de que te relajes y goces del fruto de tu trabajo. Tauro no se mueve con rapidez, sino que más bien se desplaza lentamente, tanto con un objetivo en mente como por placer. En el otoño, será la hora de hacer la previsión para el próximo invierno y conservar cuidadosamente la cosecha para asegurarse la supervivencia. Más tarde, Tauro sabe que llegará el momento de vender lo que sobre de esa cosecha para obtener un beneficio, para que tú y tus seres queridos podáis pasar el crudo invierno sin miedo de quedaros sin provisiones o sin dinero. Mejor que la mayoría, Tauro entiende la conveniencia de prever las necesidades futuras. Todo esto está relacionado con su carácter de proveedor y su habilidad para acumular bienes y riquezas, cualidades que tú posees en abundancia. Como Tauro que eres, no despilfarras tus posesiones. Para el invierno, sabes que tendrás que ser prudente y paciente mientras el suelo esté cubierto de hielo. Pocos signos guardan tanta armonía con la tierra y la naturaleza, y cuando miras el año en su conjunto, puedes ver cómo tu personalidad se hace eco del ritmo de la tierra y celebra sus dones.

DONES CÓSMICOS

Una de tus cualidades más atractivas es tu capacidad para escuchar de verdad lo que tienen que decir otras personas. Tus admiradores afirman que tu sincera atención resulta muy halagadora. Tu interés es uno de los mejores cumplidos que podrías ofrecer, y lo haces todo el tiempo. Eres un excelente observador, y se te escapa muy poco de lo que está sucediendo. Además, como eres tan reflexivo por naturaleza, cuando tienes algo que decir impones un poco de atención porque siempre estás seguro de que tu punto de vista tiene mucho que ver con lo que se está hablando. Posees un pensamiento profundo y te formas tus propias opiniones, y como eres tan lento para tomar una firme decisión, por lo general te muestras muy testarudo a la hora de cambiar de opinión. De todos modos, en el entorno en que vivimos, cada vez más ruidoso y en rápido movimiento, tan lleno de alboroto, confusión general y desorden global, tú eres un faro de permanente calma, una fuerza reconfortante y un símbolo de firme lealtad. En el «planeta Tauro» todo es razonable, lógico y cuidadosamente meditado.

¿Que te enfureces a veces? Naturalmente que sí. Después de todo, eres humano. Cuando el Toro ve el color rojo, se pone muy furioso, pero hace falta mucho para que tú pierdas los nervios. Sin embargo, una vez que los has perdido, resulta difícil hacerte frenar. Rabias y despotricas, y haces que a todo el mundo le entren ganas de desaparecer. No obstante, tu estilo es más bien silencioso y reservado, y sueles mostrar tu enfado con una actitud malhumorada o poniendo mala cara. Una vez más, ahí está Venus diciéndote que atraigas a los demás hacia ti en lugar de buscar su atención imponiéndote. Con todo, si alguien ha colmado el vaso de tu paciencia al no respetar tus sentimientos, o si alguno de los miembros de tu familia se muestra irrespetuoso contigo delante de otras personas, puedes llegar a causar verdaderos estragos.

Por el lado positivo, posees una extraordinaria habilidad para simplificar los conceptos complejos con el fin de llegar al meollo de la cuestión, y entonces rara vez pierdes la pista. Al ser un signo práctico, Tauro no se pone demasiado analítico; en tu cabeza, las cosas son bastante sencillas, si no claramente blancas o negras, quizá separadas tan sólo por algún que otro matiz de gris. El hecho de no ver miles de matices en un debate puede ser una ventaja, porque así es menos probable que te sientas confundido o distraído por cuestiones sin importancia dentro del gran caudal de información. Tú eres una persona sumamente realista, es decir que te llevas muy bien con la realidad y no pierdes el tiempo quejándote porque no es como te gustaría que fuera.

Tu fuerza de voluntad y tu tenaz determinación de conseguir hacer lo que dices que vas a hacer suelen provocar admiración. Cuando Tauro afirma que va a ocurrir algo, uno puede apostar su casa a que así será. Nada —ni la lluvia, ni la nieve ni la oscuridad de la noche— te impedirá cumplir una promesa. Tu resistencia y tu puro aguante a la hora de alcanzar tus objetivos resultan inspiradores; tú no eres de los que abandonan. Este simple pero supremo rasgo de personalidad forma parte de tu secreto para obtener el éxito en lo que te propongas hacer. No puedes ni siquiera imaginar la posibilidad de defraudar a alguien.

Al igual que la tortuga, Tauro se enfrenta a su trabajo despacio y con cuidado, atendiendo a los detalles, sin olvidar las promesas que ha hecho, y construyéndose así una carrera y una reputación de manera conservadora y metódica. Igual que la liebre, es posible que tus competidores conduzcan por el carril rápido y te dejen atrás de momento, pero también tienen más posibilidades de quemar el motor más adelante. Tu lema será siempre el de: «Lento y seguro se gana la carrera». Mucho después de que todo el mundo haya abandonado, tú aún seguirás corriendo, a menudo desorientando a quienes te criticaban al colocarte a la cabeza de todos.

La constancia es un don, querido Tauro, como te dirá cualquier experto, así que nunca debes perder de vista el valor que tiene. (Piensa en esto: sin constancia, ¿quién podría tener éxito con las dietas y el ejercicio? ¿O se podrían lograr ciertos objetivos sin una constante campaña publicitaria? Intenta convertirte en un líder elegido por la gente, y verás que es casi imposible conseguirlo sin constancia.) En el proceso de alcanzar sus objetivos, Tauro no pide ser aclamado ni reconocido con toques de trompeta. A ti te gusta recibir algún que otro elogio ocasional, como a todo el mundo, pero si ese elogio no llega, no por ello cejas en tu empeño, porque tu motivación procede de tu interior. Esto forma parte de la constancia que tú has convertido en una ciencia, y revela que tienes siempre presentes tus metas a largo plazo.

Tauro también es un signo fijo, lo cual quiere decir que te aferras a tus convicciones y no eres fácil de convencer para que cambies de opinión o de forma de vivir. Esto puede ser bueno a la hora de establecer objetivos. Otras personas pueden olvidarse de la buenas intenciones que declararon al comenzar el año, pero tú eres capaz de haber marcado como cumplidas todas las que figuraban en tu lista del año pasado. Si hay un signo que pueda perseguir un objetivo hasta verlo realizado, ese es Tauro, pero cuando te comprometes con un fin, ya sabes con total seguridad que de verdad deseas hacer lo que dices que vas a hacer. No obstante, a veces te aferras a ideas anticuadas y te niegas a escuchar los razonamientos de personas que consideras que te quieren hacer cambiar de punto de vista. No ves ninguna razón para cambiar por el simple hecho de cambiar. «Si no está roto, no lo arregles», es otro de tus lemas. Algunas personas te consideran un cabezota, y puede que tengan razón. En una crisis, es probable que te muevas con demasiada lentitud. Ten cerca a un flexible Géminis, Virgo, Sagitario o Piscis para que te aconseje, ¡y acuérdate de hacerle caso!

Te resulta reconfortante que las cosas sean previsibles, porque la rutina te recuerda los perdurables ciclos de las estaciones. Eres persistente, paciente y siempre práctico. También puedes ser bastante afectuoso y romántico, pero tu visión pragmática de las cosas te impide ser abiertamente sentimental. El carácter caprichoso no es muy apreciado en tu mundo, como tampoco el hecho de asumir riesgos innecesarios. Tu falta de espontaneidad libre y desenvuelta puede en ocasiones irritar un poco a quienes te rodean y a quienes te aman. Si puedes intentarlo, harías bien en combatir esta tendencia cuando te sientas demasiado poco dispuesto a aceptar nuevos puntos de vista o métodos mejores. Los que te quieren saben que ese es sólo un defecto de una personalidad que también incluye muchísimas cualidades, la mejor de las cuales es tu estabilidad sólida como un roca.

Asimismo, otra característica relativa a tu propensión a la inercia es tu tendencia a plantarte en el suelo y no moverte de ahí, tanto en sentido literal como figurado. Esto puede constituir un problema, y si no luchas contra ello, puede que seas el último en saber que te has caído dentro de un bache tan profundo como un pozo y negro como la pez. Cuando sucede esto te sientes atascado, y tus seres queridos tal vez te consideren un tanto aburrido. Tu pareja te pregunta: «¿Qué prefieres, guisantes o zanahorias? ¿Galletas o pastel? ¿Quieres que alquilemos una película o que vayamos a jugar a los bolos, a ver a mamá o a la playa?». Sin embargo, lo único que respondes tú sin dejar de leer el periódico, ver la televisión o mirar fijamente tu plato es: «Hum, decídelo tú», o peor aún: «Cualquier cosa...».

Si te descubres a ti mismo haciendo eso, Tauro, detente y pregúntate qué es lo que te ha convertido en una persona tan pasiva. Si no sales de ese estado de ánimo, tu vida se volverá de un insulso color gris. Resulta curioso que precisamente la actitud de la que eres culpable en este caso, la pasividad, sea la misma de la que sueles quejarte en los demás. Mientras lees esto, casi te imagino torciendo los labios en una pequeña sonrisa. Lo reconoces en ti mismo, ¿a que sí? Te sales con la tuya porque eres leal y adorable, pero la vida podría ser más divertida, querido Tauro. Con independencia de la edad que tengas, eres demasiado joven para actuar de esa manera.

Otra de tus características menos favorables es que no te gusta hacer ejercicio ni esforzarte mucho. Para ti, la forma perfecta de pasar el fin de semana sería holgazaneando. He aquí tu sábado ideal: Tauro adora el afecto por la mañana, así que te despiertas y haces el amor apasionadamente con tu pareja. A continuación, con todas las almohadas de plumas que puedas encontrar por toda la casa, te pones cómodo y te acurrucas debajo de un acogedor edredón, y acto seguido te entregas a tu libro favorito. El desayuno en la cama con tu pareja consiste en un cuenco de grandes y lozanas fresas, quizás un *croissant* y una o dos copas del mejor champán que puedas permitirte. Más tarde encenderás el televisor para enterarte del tiempo y las noticias y de cómo va la Bolsa, mientras otra persona corre al piso de abajo para traerte el correo. Lees con lentitud las cartas de amigos y familiares. Resplandeces al examinar la última actualiza-

ción de tus inversiones, y te detienes a admirar los gráficos de ordenador que te ha enviado el banco para ilustrar el impresionante crecimiento de tu empresa hasta la fecha. Lo siguiente es una ducha
larga y caliente, con un gel de perfume suave aplicado con una esponja natural, y después toca salir a comer con los amigos. Tras el al-
muerzo, en el orden del día figura ir de compras. Asistes al pase pre-
liminar de una subasta, y luego das un largo paseo en coche por el
campo con la capota bajada para respirar el aire fresco. Mientras
conduces, por el móvil reservas mesa en un restaurante de cuatro
tenedores para cenar esa noche con tu amor... y ya está. ¡Nada de
excesivo ejercicio físico! ¿El gimnasio? Hoy no. ¡No tienes tiempo!

RELACIONES

Como buen Tauro, dejas a los demás espacio y tiempo para que tomen sus decisiones acerca de ti. Una vez que la persona que es el objeto de tu atención inicia de hecho un movimiento hacia ti, sabes
que es más probable que esté segura de sus sentimientos. Tú te
quedas rezagado por respeto a los demás, pero también porque es
una forma muy juiciosa de actuar: sabes que la relación resultante
será más fuerte si la otra persona ha llegado a convencerse, por sus
propios medios, de que quiere estar contigo. Crear lazos fuertes y
permanentes es muy importante para ti, y cuando te atas, quieres
que sea para siempre. Este lento proceso para establecer relaciones
requiere paciencia, pero la paciencia es una de las virtudes supremas de Tauro. Tú piensas que el tiempo dedicado a construir unos
cimientos fuertes es un tiempo bien empleado.

Tauro es uno de los signos más formales, responsables y dignos
de confianza de todo el zodíaco. Esto tal vez te parezca aburrido,
hasta que pienses en la posibilidad de tener una relación con una
persona que carezca de estas cualidades. La mayoría de nosotros hemos tenido al menos una experiencia dolorosa concerniente a una
persona importante en nuestra vida (amigo, colega, hijo o pareja)
que carecía de alguna de esas cualidades maduras y valiosas que tú
posees en abundancia. Ciertamente, la responsabilidad y la con-

fianza son dos de las características más importantes que se necesitan para establecer una relación fuerte. ¿Qué estrecho vínculo podría sobrevivir sin ellas? Así pues, aunque tus mejores cualidades puedan parecer comunes, con el tiempo verás que después de todo no lo son tanto.

En una relación, si estás comprometido, permaneces así y permites de forma natural que tu pareja cambie bruscamente de humor algunas veces. Cuando las cosas se enmarañan demasiado para poder manejarlas, tu primera reacción es la de mantenerte apartado y en silencio, seguro de que los sentimientos de tu pareja pronto se calmarán y volverán a la normalidad. A menudo sucede así, quizá porque tú no pulsas el botón de alarma.

De manera sorprendente, con frecuencia te sientes atraído por personas cuyo temperamento es totalmente opuesto al tuyo, y que por lo tanto te complementan al tener precisamente los rasgos que a ti te faltan. Puede tratarse de la pareja o un colega de trabajo que sea bastante espontáneo, flexible, adaptable y versátil. Sin embargo, más adelante quizá descubras que tienes dificultades a la hora de tratar con esa persona. Tú admiras y buscas esas cualidades, pero a menudo descubres que no puedes vivir con ellas. Hay problemas que no se pueden resolver fácilmente, pero deberías intentarlo de todos modos, porque tu instinto natural de equilibrar algunas de tus tendencias más fijas es acertado.

Otro resultado lógico del hecho de estar regido por el refinado planeta Venus es tu sensualidad. Tus sentidos —vista, oído, olfato, gusto y tacto— están exquisitamente aguzados y se combinan formando un conjunto hermoso e integrado. En realidad, ningún signo está a la altura de tu capacidad para apreciar sensualmente el mundo que te rodea. Conforme vamos avanzando por los signos del zodíaco, la sucesión desde el primero hasta el último simboliza la evolución de los seres humanos. El recién nacido se asocia con el primer signo del zodíaco, Aries, y en Tauro, el signo que le sigue, encontramos representada la siguiente etapa del desarrollo de la persona, la primera infancia.

En esta etapa, el niño ya sabe sentarse y es capaz de estirar la mano para tocar el mundo y explorarlo. Todavía no sabe andar ni hablar, pero de todas maneras siente curiosidad por el mundo y utiliza sus sentidos para descubrir todo lo que pueda por sí solo. Toca todo lo que puede alcanzar con sus manitas, da vueltas a un objeto para examinarlo desde todos los ángulos. Después se lo lleva a la boca, y luego lo agita para ver si hace ruido. Si huele bien, o si se trata de comida que sabe dulce o amarga, el niño también se da cuenta. Pone en acción todos los sentidos para detectar información acerca del mundo que lo rodea. Tú haces lo mismo, Tauro, sólo que en un nivel mucho más maduro y sofisticado y menos literal.

Alguien dijo en cierta ocasión que el mundo está dividido en dos partes: los que aman y los que son amados, lo que quiere decir que los que aman son más agresivos y buscan la aprobación de los demás de manera más activa, mientras que la otra mitad, los que son amados, prefieren que la gente venga a ellos. Tu regente, Venus, te convierte en un «amado», más pasivo y receptivo que agresivo y lanzado. Dicho de otro modo, tú no presionas; prefieres reclinarte en tu asiento y dejar que el arrojado Aries, el locuaz Géminis, el expansivo Leo, el analítico Libra, el persuasivo Escorpio o el humanístico Acuario sean los que empujen. Tú no eres un cruzado y no te va eso de convencer a alguien con palabras de que haga nada. «Ya sabe dónde encontrarme», sueles decir al final de una entrevista importante. Los nativos de otros signos anotan su número de teléfono en grandes cifras, se lo dan a su entrevistador y le repiten que estarán aguardando al pie de su mesa hasta que a él le venga bien llamarles. Tú dices para ti mismo: «En el currículum figura mi número de teléfono. Si no estoy, no estoy. Para eso tengo un contestador». Prefieres que la gente se acerque a ti por puro magnetismo o, en el sentido profesional, por admiración y respeto.

Tu predecesor, Aries, está a menudo demasiado ocupado para pararse a oler las rosas. Va corriendo a todas partes y desea verlo todo hecho en un santiamén. Como Tauro se supone que proporciona equilibrio a Aries y le aporta lo que no tiene, él no se precipita, ni en el amor ni en ninguna otra cosa. Al Toro le gusta pararse, mirar, escuchar y absorber el mundo a paso tranquilo. Esto le ayuda a ver detalles que otros se pierden, y también deja espacio para la contemplación placentera de diversos objetos. Tú no sólo meditas sobre dilemas personales, sino que también te tomas tu tiempo para ponderar los sucesos de todos los días, y te gusta examinar detenidamente dónde estás parado.

En el amor, eres sincero y fiel, y también bastante posesivo. Cuando dices «Eres mío (o mía)», lo dices en sentido literal. El que habla así es tu regente, Venus, que te insta a «tomar propiedad» de las cosas y, en algunos aspectos, también de las personas. Tal vez te preguntes a ti mismo: «¿Para qué mirar más allá si ya he encontrado la luz de mi vida?». Tú amas con todo tu corazón, lo cual constituye la razón por la que la sola idea de perder lo que consideras tuyo puede llevarte a un acceso de celos. Ten en cuenta que aunque tú ya te hayas decidido, eso no quiere decir que tu pareja haya llegado a la misma conclusión. Si eres tú quien se decide primero, eso podría ejercer cierta presión en una relación. Pero al ser Tauro serás bastante paciente, y concederás a tu pareja tiempo y espacio. En realidad, esperarás eternamente si es necesario; una vez que en tu corazón tengas la seguridad de que esa es la persona adecuada para ti, ya no hay más que hablar. No es probable que le propongas vivir juntos a modo de experimento, porque cuando lo sabes, lo sabes. Cuando llegue el momento apropiado, intercambiarás promesas y anillos sin titubear. Una vez que te comprometes, te comprometes para siempre.

Venus es el responsable de tu gusto por el afecto sensual. Este planeta rige tanto a Tauro como a Libra, y los astrólogos antiguos asignaron el lado más objetivo e intelectual del amor, así como los preceptos de la belleza, al signo más frío y analítico de los dos, Libra. El lado más apasionado del amor le fue adjudicado a Tauro. Tu sensualidad erótica y terrenal está siempre viva y en funcionamiento (por muy viejo que te hagas), y tu forma de hacer el amor seguro que es memorable. Es posible que no se te ocurran muchas variaciones de posturas ni ideas novedosas sobre lugares donde hacer el amor, pero sí disfrutas profundamente de esa experiencia y pones en juego tus sentidos mucho más que casi cualquier otro signo. Es justo decir que después de que tú hagas el amor, ¡la Tierra se ha movido! El objeto de tus afectos debería serte sexualmente fiel, pues tú no aceptas ni te recuperas fácilmente de una infidelidad. Tu pareja es afortunada al tenerte, Tauro, pues pocas personas poseen tu intensa devoción, y tus actos dan fe de la profundidad de tus sentimientos. Por encima de todo, ansías un amor incondicional y, dichoso tú, quizá porque es tan importante para ti, a menudo encuentras la clase de amor legendario que buscas.

FINANZAS

Ese niño pequeño enseguida aprenderá a exclamar «¡Mío!» cuando vea algo que le guste y quiera, y, al igual que él, tú también eres conocido por ser bastante posesivo, actitud que nace de tu instinto básico de adquirir cosas y aferrarte a ellas. Aquí no hay sorpresas: Tauro está situado en la segunda casa del horóscopo, la de las posesiones y las riquezas. El concepto de propiedad, una extensión del desarrollo de la identidad personal iniciado por Aries, es un instinto muy básico y primitivo de los seres humanos, y en ti resulta totalmente innato.

Se dice que cada signo compensa lo que le falta al que lo precede. A diferencia de Aires, un signo motivado más por las ideas y conceptos nuevos que por el dinero, Tauro se interesa mucho por la riqueza material. El centro de atención de tu signo es la acumulación de cosas, y el dinero, combinado con tu carácter estable, te vuelve conservador económicamente, prudente y sensato, capaz de construir y amasar riquezas a gran escala si te pones a ello.

Posees bastante talento para los asuntos económicos, y para ti es muy importante ganar dinero; a veces te parece un juego divertido. De vez en cuando oyes a la gente decir que no les interesa hacerse un capital, y esa actitud te desconcierta. Sacudes la cabeza en un gesto negativo, te encoges de hombros y aceptas su punto de vista como uno de los misterios de la vida. Sabes que tú no puedes funcionar así. Tauro necesita tener dinero en el banco para sentirse seguro. Hasta que lo tengas, siempre te sentirás un poco nervioso e incómodo. Cuando te pones a acumular bienes, tomas un camino prudente, esquivando los riesgos insensatos. A menudo te gusta pagar en efectivo. Sacar un billete de cien dólares en lugar de una tarjeta de crédito demuestra una seguridad relajada y serena, sobre todo cuando se lleva la cartera a rebosar.

Con sus reconfortantes estabilidad y seriedad, los responsables nativos de Tauro tratan el dinero de los demás con el mismo cuidado con que tratan el suyo. Son excelentes asesores financieros.

Si bien a Tauro le gusta ganar dinero, también le gusta gastarlo... de forma prudente. No eres tacaño en absoluto; adquirir objetos hermosos despierta tu interés y te resulta divertido. Una de tus inversiones favoritas son las propiedades inmobiliarias, ya que Tauro rige la tierra y los terrenos, y a ti te hace feliz comprar un par de hectáreas que puedas decir que son tuyas. Te gusta ser propietario más que alquilar, de modo que si vives en una ciudad podrías ahorrar para comprarte un piso. Normalmente, Tauro trata de encontrar uno que dé a un parque o a un jardín.

Otros artículos de tu lista de la compra que cualquier Tauro daría lo que fuera por tener son los relacionados con tu agudizada sensualidad y tu gusto por las cosas bellas y funcionales. Te encantan las joyas auténticas (para regalarlas o para poseerlas tú), las obras de arte, los muebles de calidad, las alfombras de importación, los buenos vinos, los equipos estéreo, la ropa de cama de la mejor calidad, los automóviles bien hechos y tal vez los relojes de oro. Como Tauro que eres, afirmaría con bastante seguridad que no te verá nadie llevando el típico reloj de plástico con los números fosforescentes. Añade a esa lista un fantástico ordenador portátil nuevo, una colección de música para tu reproductor de CD, un buen jersey de cachemir... Todos son ejemplos de cosas que en el futuro figurarán en los primeros puestos de tu lista de objetos «que debes tener».

Hasta que consigas tener un elevado salario, es posible que empieces por darte a ti mismo un pequeño capricho de vez en cuando que te puedas permitir (los Tauro por lo general no pierden la cabeza con las tarjetas de crédito, porque su lado práctico les dice que no deben pagar grandes gastos financieros). Entre algunos ejemplos de caprichos podrían encontrarse un par de entradas para un espectáculo de Broadway, un masaje sensual tras una jornada estresante o una magnífica cena en un restaurante de cuatro tenedores para celebrar una victoria. Cuando te cases, es importante que lo hagas con alguien que tenga ideas parecidas acerca del dinero y de las posesiones, o podría haber graves conflictos.

¿Eres un poquito materialista? Sí. Pero te esfuerzas mucho para conseguir tus lujos, y los disfrutas tanto que no se te puede censurar mucho por esa inclinación tuya. Aun así, tu amor por la riqueza tiene sus desventajas. Siempre existe el peligro de que te sientas demasiado atraído por la belleza y la codicia, y por lo tanto esa atracción podría convertirse en una trampa, un cebo reluciente y atractivo que siempre está fuera de tu alcance. Cuanto más amas la belleza, más deseas llevártela a casa y ser su dueño (ya se trate de un objeto o de una persona). Pero el Tauro más evolucionado se da cuenta de que el verdadero don es la apreciación de la belleza, que no cuesta nada y está a disposición de todo el mundo.

CARRERA PROFESIONAL

Prudente en tu profesión, te tomas muy en serio el trabajo, y reconoces que lo que produces constituye un reflejo tangible de lo que eres en tu interior. Para ti, tu reputación es importante, y quieres que tu nombre se asocie con lo mejor que puedes ser.

En tu carrera profesional, te creas la reputación de ser un productor, organizador o jefe de comité de gran talento, y eres capaz de tomar algo que ya está empezado y transformarlo en algo más robusto, sólido y permanente. Tú construyes cosas que duran. Mientras que Aries es el signo que genera ideas nuevas (un proceso que a ti te interesa menos), Tauro da una forma más consolidada a dichas ideas después de la fase inicial de arranque. Los nativos de este signo son capaces de coger casi cualquier buena idea y transformarla en algo mucho más sólido y duradero.

Uno de tus otros talentos es tu pragmática sensatez frente a propuestas nuevas. Al pertenecer a un signo de tierra, estás todo el tiempo en el mundo «real»; los nativos de otros signos deberían olvidarse de hacerte propuestas exageradas, deslumbrantes. Tú sabes que esa clase de negocios no tienen muchas posibilidades de interesar a tu cliente, a no ser que arrojen un beneficio tangible, que se note en el bolsillo, y que puedan ser probados primero. ¿Para qué hacer perder el tiempo a los clientes ofreciéndoles algo para lo que no tienen dinero o que ni siquiera desean? Tauro sabe que eso sólo les pondría furiosos, quizás lo suficiente para largarse. El instinto de este signo es certero: ¿para qué perder el tiempo? Tus ideas, Tauro, es más probable que se entretejan en un plan mucho más factible, que integre forma y función, belleza y durabilidad, con un presupuesto y un plazo de tiempo realistas.

Por regla general, no te sientes tan cómodo con la etapa de generación de ideas de un proyecto, ya que tú te encuentras en la segunda etapa, la de crear estabilidad para una idea ya existente pero que todavía está en ciernes. La fase conceptual a ti te resulta un tanto confusa y poco concreta. Piensa en Aries como el imaginativo guionista, por ejemplo, y en Tauro como el que consigue financiación y un productor para la película. El mayor don de muchos Tauro consiste en expandir la idea de otra persona dándole forma, función y fundamento. ¿De qué sirve la inspiración, dices tú, si no llega a convertirse en nada? Dicho de otro modo, los sueños han de materializarse para existir. El don de Tauro reside en hacer de los sueños una realidad tangible, y eso no es poca cosa.

Existen varias profesiones en las que Tauro puede destacar. Los nativos de este signo son buenos agentes inmobiliarios, directores financieros, vendedores de seguros, corredores de bolsa, analistas económicos, auditores, banqueros o capitalistas de riesgo. El amor de Tauro por la tierra y la propiedad inmobiliaria podría inspirarle para ser arquitecto, biólogo, ingeniero agrónomo, botánico, diseñador de parques y jardines, topógrafo o decorador de interiores, tanto de locales comerciales como de residencias particulares.

Tu lado sensual y tu buen gusto hacen de ti un creador de perfumes o un diseñador de moda innato. También podrías estudiar la posibilidad de convertirte en distribuidor o comerciante al por menor de vinos, o en sumiller. Podrías escoger ser modelo o propietario de una agencia de modelos, director de una revista de belleza, director artístico o artista gráfico, o diseñador de telas (Tauro es sumamente creativo, una cualidad que le aporta el fértil planeta Venus, amante de la belleza). Quizá te gustaría ser masajista, florista, propietario de una guardería, subastador, propietario de un estudio de grabación, restaurador, director de un museo, joyero o diseñador de joyas. Agrega a esta lista las profesiones de peluquero, maquillador, asesor de imagen, cirujano plástico, propietario de una tienda de ropa, fotógrafo, locutor, músico o director de orquesta (a Tauro le encanta la música). Por último, Tauro rige la garganta, y algunos de nuestros mejores cantantes —de todos los estilos, desde la ópera hasta el pop— han nacido bajo este signo.

Elijas lo que elijas ser, asegúrate de tener unos ingresos estables. Tú no puedes hacer frente a unos ingresos fluctuantes tan bien como lo hacen el creativo y espontáneo Piscis y el emprendedor Aries. El flujo de fondos de Tauro ha de ser sólido como una roca y tan regular como la Luna y el Sol. ¡No hay nada de malo en ello!

CUERPO, MENTE Y ESPÍRITU

Tauro apuesta por las comodidades y no ve motivo alguno para no disfrutar de ellas. Tras un día agotador en el trabajo, lo que más te gusta es cerrar la puerta y bajar las persianas, sentarte en tu sillón favorito o en tu lado personal del sofá (Tauro es bastante territorial) y ver la televisión, con el mando a distancia en la mano. Tal vez prefieras recostarte y escuchar tu música favorita sin que te interrumpa el teléfono ni amigos o familiares que necesiten algo. Tauro traza claramente una línea y establece fronteras muy marcadas. Mientras te relajas, no estaría mal tener a mano un plato con algunos dulces especiales (te encanta el chocolate). La fragancia de un ramo de flores en un jarrón de cristal tampoco te haría ningún daño.

En tu vida cotidiana, no es que simplemente te guste estar cerca de las plantas; necesitas tenerlas cerca. Te sientes mejor —más vivo y más feliz— en un entorno que sea agradable. La belleza te aporta vitalidad y te estimula a hacer mejor tu trabajo. Flores frescas, plantas lozanas o un robusto árbol de interior pueden suavizar las duras líneas de tu oficina. Lo ideal sería que vivieras en una zona rústica, en medio de la naturaleza, para disfrutar de largos paseos en todas las estaciones del año. Si vives en la ciudad, no hay duda de que encontrarás maneras de disfrutar de frecuentes viajes de fin de semana o que tendrás montones de plantas en tu piso.

Tu regente, Venus, te hace tener un gusto refinado y sofisticado. Sin duda, vistes a la moda, y es muy probable que ofrezcas una imagen limpia y arreglada, incluso refinada y elegante, nunca estridente, ostentosa ni llamativa. Tauro busca las tendencias clásicas que no pasan de moda. Por ejemplo, tus tejanos suelen estar limpios, nunca arrugados ni sucios, y los llevas con una camisa limpia y recién planchada. A menudo te fijas en los detalles más pequeños de estilo y belleza. Cuando charlas con un amigo, es posible que te inclines para tocarle la manga de la chaqueta y comentes: «¡Me encanta este tejido! ¡Y además tiene un color que te favorece muchísimo!». O al acudir al encuentro de tu pareja, al tiempo que le das un cálido abrazo, detectas de inmediato un perfume nuevo y sexy y rápidamente mencionas que resulta muy agradable. A Tauro no se le escapa nada. Dichoso tú.

Posees tus propias normas y pequeños rituales que proporcionan una reconfortante rutina a tu vida. Cuando es la hora de comer, quieres una auténtica comida, no un mero combustible para mantenerte en pie. Deseas sentarte en tu silla y comer a la hora normal. Si tu pareja te pide que os paréis en un restaurante de comida rápida, tú no te lo puedes creer y contestas con incredulidad: «Mejor que no. ¿Una hamburguesa grasienta? La comida rápida no es comida de verdad». Antes estás dispuesto a pasar hambre que a tragarte de mala manera algo que no te gusta o, peor todavía, que te obliguen a hacerlo a toda prisa. A ti te gusta saborear la comida y masticar despacio para poder disfrutar de cada bocado.

Tauro fue prácticamente el que inventó la expresión «animal de sofá». Por esa razón, los nativos de este signo suelen acumular kilos al ir haciéndose mayores. Procura moverte, aunque sólo sea por la salud de tu corazón. Si buscas la palabra «inercia» en el diccionario, verás que dice: «Tendencia de un cuerpo en reposo a permanecer en reposo, o de un cuerpo en movimiento a permanecer en movimiento, a no ser que intervenga alguna fuerza externa». Como puedes ver, hay esperanzas; puedes cambiar la dirección en la que ahora vas encaminado. Si eres capaz de motivarte, no hay nada que no puedas lograr. Cuando un Tauro dice que va a abandonar una mala costumbre o iniciar un nuevo camino de autosuperación, demuestra una clase especial de impulso que es capaz de atravesar una pared de hormigón. Posees la resolución necesaria, si deseas ponerla en juego. Mejor todavía; con tu paciencia, es probable que los resultados sean más duraderos (incluso permanentes) que los obtenidos por los nativos de otros signos. Ya ves, querido Tauro, que tu carácter fijo actúa a tu favor y también en contra tuya. Tú decides cómo emplearlo: de manera positiva o negativa, para mejor o para peor. Tú mandas.

RESUMEN

Digno de confianza, leal, fiable, firme, devoto y fiel son todos epítetos admirables que te describen, querido Tauro. Afortunada la persona que te ame, porque tú te esforzarás durante toda la vida en ser un fervoroso proveedor para tu familia y un compañero sincero y fiel para tu pareja. Tienes los sentidos más aguzados y desarrollados que ningún otro signo, lo cual, sin duda, aportará placer a tu vida. De modo paulatino y metódico, enseñarás a las personas que te rodean a abrir los ojos y ver la abundante belleza que nos ofrece el universo. Lo que en última instancia podrás aportar a los demás es tu asombroso talento para la contemplación.

Los mitos de Tauro y Venus

Tauro, al igual que Capricornio, cuenta con la distinción de haber nacido bajo una de las constelaciones más antiguas del zodíaco. El signo de Tauro era y sigue siendo un símbolo astrológico de fertilidad y placer erótico, porque en ese momento la naturaleza se encuentra en su etapa más voluptuosa y abundante. Tal vez te encante saber que tu símbolo no era un toro cualquiera, sino uno sagrado, uno de los símbolos de fertilidad más reverenciados. Los historiadores dicen que la constelación de Tauro se nombró por primera vez en algún momento entre el 4000 y el 2000 a. C. En la Antigüedad, había un número notable de estatuas y otros monumentos erigidos en honor de Tauro en Egipto, Creta y Asiria, ya que esas culturas, además de la romana, veneraban al toro. La relación del toro con la fertilidad comenzó cuando los agricultores egipcios se dieron cuenta de que Tauro se elevaba en el cielo nocturno en la época en que el Nilo retrocedía lo suficiente para labrar los campos con la ayuda de bueyes.

En esas antiguas culturas, los mitos del Toro y de la Diosa Luna estaban entrelazados; el Toro actuaba como la parte masculina de la femenina Luna, pues los antiguos sabían que ambos eran necesarios para crear vida nueva y una nueva cosecha. Ciertamente, los agricultores creían que para tener una buena cosecha lo mejor era plantar en cuarto creciente (el período transcurrido entre la luna nueva y la luna llena), en lugar de durante la luna llena o en cuarto menguante (el período transcurrido entre la luna llena y la luna nueva). Astrológicamente, entendemos que este es el momento adecuado, y actualmente, por lo general, iniciamos nuestros proyectos en época de luna nueva para obtener resultados al llegar la luna llena.

En la Antigüedad, como el zodíaco astrológico todavía se estaba formando, Tauro era considerado el primer signo. No está del todo claro cómo se produjo el cambio hace muchos miles de años. Pudo deberse a la denominada «precesión de los equinoccios», lo cual significa que en los primeros tiempos del zodíaco el equinoccio vernal caía a finales de abril o en mayo, en vez de hacerlo en marzo, como ocurre ahora. Sin embargo, no importa que Tauro sea el primer signo del zodíaco o el segundo. En concordancia con la resistente sensatez de Tauro, aún se te sigue considerando uno de los mejores productores del zodíaco, poseedor de un talento extraordinario para crear resultados tangibles y aumentar la seguridad, tanto para ti mismo como para quienes dependen de ti. Así, aunque en la actualidad el primer signo del zodíaco es Aries, todos los atributos originales de Tauro permanecen constantes.

Una estrella especialmente brillante que formaba parte de la constelación de Tauro era y sigue siendo Aldebarán —de hecho se considera la decimocuarta estrella más brillante del firmamento—, que significa literalmente «el ojo del toro», porque se encontraba en el centro mismo de la constelación, en el grado 15 de Tauro (cada signo tiene treinta grados). Los romanos pensaban que Aldebarán era una estrella maestra porque era precisamente la que permitía a los astrólogos medir toda longitud y así fijar el punto de comienzo de la banda del zodíaco.

Tauro nos recuerda que para recoger una cosecha abundante es necesario tener una personalidad que acepte la responsabilidad. Esta comprensión de lo que hace falta para obtener resultados se encuentra presente en los tres signos de tierra (Tauro, Virgo y Capricornio), pero en el caso de Tauro está especialmente subrayada por la imagen del ojo del Toro. Astrológicamente, sabemos que Tauro permanece concentrado en su trabajo con tenacidad, buscando pacientemente su objetivo hasta lograrlo, imperturbable

ante los obstáculos que pueda encontrar. Es capaz de superar cualquier adversidad, simplemente con su determinación y trabajando
de manera lenta, firme y práctica, una actitud necesaria en la agricultura. No hay necesidad de aturrullarse, nos dice Tauro, a no ser
que se agite una bandera roja delante del toro, porque en ese caso,
se inflama. Cuando eso sucede, algunos astrólogos opinan que la
metamorfosis de Tauro al pasar de ser un tenaz y estable toro a convertirse en otro salvaje y temperamental es más que un rasgo emocional «femenino». De forma apropiada, en astrología a este signo
se le adjudica un carácter negativo (femenino). Esto no quiere decir que los nativos de Tauro sean femeninos, sino sencillamente que
de acuerdo con la imagen del regente del signo, Venus, a los hombres Tauro seguramente les gustará disfrutar de las mejores cosas de
la vida, como un vino especial o la buena comida, y esa sensibilidad
se considera un énfasis negativo, o femenino, en la carta astral. Venus, el planeta regente de Tauro, hace que este signo sea sofisticado
y cultivado, y también le aporta cierto talento artístico, sobre todo
en música y en las artes visuales.

Varios de los mitos que explico a continuación tienen que ver
con la famosa propensión de Tauro a la sensualidad. Las historias,
tal como veremos, se centran en el amor y el sexo (temas perennes
en Tauro), así como en la tenaz capacidad de este signo para superar obstáculos. También hay una historia acerca del deseo de éxito
material que va demasiado lejos, una trampa en que caen algunos
nativos de Tauro, si bien, afortunadamente, no todos.

ISTAR Y GILGAMÉS

Los sumerios llamaban respetuosamente a Tauro «el Toro del Cielo». En un antiquísimo mito, Istar (una versión más fogosa de Venus) se enamoró de un bravo héroe llamado Gilgamés. Istar tenía
una fama bastante mala como amante —se la consideraba desleal,
voluble y poco de fiar—, así que, cosa nada sorprendente, Gilgamés
se resistió a sus insinuaciones. Istar, despechada, acudió directamente a su padre, Anu, rey de los dioses, y le pidió que crease un

Toro del Cielo gigante, de asombroso poder, que matase a Gilgamés como castigo por haberla rechazado. Ese toro fue Tauro, y en efecto Gilgamés se enfrentó a él, pero salió victorioso (una de las muchas pruebas y desafíos que tuvo que afrontar). Algunos expertos opinan que Gilgamés representaba una forma de vida patriarcal. La incapacidad de Istar para atraerlo hacia ella apuntaba al futuro debilitamiento de su poder. (Gilgamés fue el primer héroe de acción de la mitología, y hablo de él con más detalle en «Los mitos de Acuario y Urano».)

EL AMOR DE ZEUS POR EUROPA

De la mitología griega procede otra historia que se centra en la sexualidad, pero, con el auténtico estilo de Tauro, contiene mucha belleza y una gran sutileza. Zeus, señor de los cielos, se enamoró de Europa, la hija del rey de Sidón. Zeus (Júpiter) se había enamorado de muchas mujeres, pero no había duda de que Europa era especial. En efecto, poseía una belleza sobrecogedora y era además joven e inocente. Un día, Europa despertó de un atormentado sueño en el que «dos continentes» adoptaban la forma de mujeres que querían poseerla. Una se llamaba Asia y la otra no tenía nombre, pero esta última declaró a Europa en el sueño que sin duda Zeus le permitiría que se entregase a él. Europa despertó de esa pesadilla y decidió ir a la orilla del mar a ver a sus amigas.

Según continúa el relato, Europa, inocentemente, en aquel amanecer recogió toda clase de flores maravillosas que eran, como ella, una muestra de perfección, de diversos colores y una increíble belleza, y que desprendían un aroma fragante y profundo. Sin saberlo ella, Zeus, el señor de los cielos, la estaba observando, fascinado por su belleza. En aquel momento, Venus envió a Cupido a atravesar el corazón de Zeus, y este al instante quedó perdidamente enamorado de Europa. Entonces decidió seducirla. Su esposa, Hera, se encontraba ausente, pero de todos modos Zeus pensó que sería más discreto disfrazarse, y asumió la forma de un toro de asombrosa belleza. Se transformó en un toro como ningún otro, uno que llevaba un círculo de plata sobre la frente y lucía unos cuernos en forma de delgada media luna. Atraídas por su impresionante apariencia y por sus amables modales, Europa y sus amigas acariciaron a Zeus y disfrutaron de su aroma fresco y celestial. El toro se arrodilló a los pies de Europa para que esta pudiera ponerle una guirnalda de flores en los cuernos. La joven se subió a su lomo y se despidió de sus amigas para dar un paseo montada en aquel gran animal, pero antes de que ellas pudieran responder siquiera, Zeus saltó como un relámpago y se lanzó hacia el mar a toda velocidad. Ambos cabalgaron sobre las olas, al tiempo que apareció toda una variedad de personajes para acompañarlos, entre ellos el hermano de Zeus, el dios Poseidón (Neptuno), tritones soplando cuernos y nereidas cabalgando a lomos de delfines.

Europa estaba a la vez tremendamente asustada y emocionada por toda aquella actividad y por el giro que habían dado los acontecimientos. Se aferró a uno de los cuernos del toro y se remangó el vestido de color púrpura para no mojárselo. A ella le parecía que su toro debía de ser un dios, pero no estaba segura de su identidad. Al no saber adónde iba, le rogó que no la dejase sola en un lugar alejado de su casa. Él le dijo amablemente que no se preocupase, y le informó, sin mentir, de que se dirigían a Creta. Zeus le hizo el amor bajo un plátano, y Europa habría de darle tres hijos varones, dos de los cuales, Minos y Radamanto, se harían muy famosos y más tarde, gracias a su comportamiento justo en la Tierra, serían recompensados con el título de jueces de los muertos.

AFRODITA EN UNA CONCHA MARINA

El otro nombre de Venus, Afrodita, significa «nacida de la espuma del mar», y se cuenta que surgió de la espuma verdemar del océano en una concha marina, elevándose entre las olas ribeteadas de espuma blanca con la forma de una joven hermosa y atractiva de largos cabellos. El mar se cree que representa el inconsciente colectivo humano, y también las aguas de la creación. Según las leyendas, los amantes de Venus siempre hablaban de ella describiéndola como «bañada en una luz dorada», haciendo énfasis en su papel de diosa, lo cual los ayudaba a disfrutar de sus cinco sentidos y provocaba la chispa inicial del amor. (Téngase en cuenta que la misión de Venus no era crear el matrimonio, sino iniciar el amor. Para que haya un auténtico compromiso tienen que intervenir otros planetas, algo de lo que hablaré en el apartado dedicado a Libra.)

EL REY MINOS Y EL MINOTAURO

Existe un mito acerca de un Minotauro que explica parte del talento que posee un amante Tauro para fortalecer el coraje de su ser amado ayudándole a enfrentarse a los miedos. En esta historia, Poseidón (Neptuno) envió un extraordinario y magnífico toro al rey Minos y le ordenó que lo sacrificara. Sin embargo, al ver tan hermoso animal, el rey no pudo obedecer la orden divina, pues el toro era demasiado espléndido. De modo que, en lugar de sacrificarlo, decidió quedárselo. Poseidón y los dioses se enfurecieron, y como represalia, volvieron a la esposa del rey, Pasifae, loca de deseo. Pasifae se apareó con el toro y más tarde dio a luz a un monstruo medio hombre, medio toro, denominado Minotauro. Sin saber qué hacer, el rey Minos se apresuró a ocultar aquella bestia y pidió a Dédalo, gran inventor y arquitecto, que construyera un laberinto, un lugar del que fuera imposible escapar, para confinar en él al Minotauro. Se hicieron sacrificios humanos para dar de comer a la bestia, pero en lugar de sentirse satisfecho, el monstruo se volvió cada vez más exigente, y a medida que iba pasando el tiempo eran necesarios cada vez más sacrificios humanos.

Hay que tener en cuenta que el rey Minos representa una faceta de Tauro que siente curiosidad por la pasión intensa y desenfrenada (considerada el ámbito normal de Escorpio), pero cuando se alcanza ese grado de pasión, a menudo resulta abrumadora, y Tauro descubre que no puede dominarla. El instinto del rey Minos al tratar con el monstruo no era agresivo, sino más bien pasivo: lo encerró. La reacción instintiva de Tauro bien puede ser la de contener o refrenar una pasión desbocada. A este signo le gusta permanecer calmado, porque sabe que en su interior vive una bestia salvaje que puede escapar, una criatura indómita a la que al parecer no puede controlar, lo mismo que sucede cuando un toro ve una tela roja. Sin embargo, tampoco es bueno escoger permanecer constantemente pasivo. Los nativos de Tauro pueden acabar aprisionados por su pasividad; en ocasiones se ven incapaces de experimentar la vida en toda su plenitud, así que se conforman con la vida tal como es.

Siguiendo con la historia del rey Minos, entre las nuevas víctimas propiciatorias traídas desde Grecia para alimentar al terrible monstruo se encontraba un hombre llamado Teseo. Teseo quería matar al monstruo, de modo que pidió ayuda a Ariadna, hija del rey Minos (su nombre significa «la pura»). Ariadna dio a Teseo un hilo mágico con el cual podría ir marcando el camino a través del oscuro laberinto subterráneo y, arriesgándolo todo, le sostuvo en alto una antorcha para alumbrarlo. Al final, Teseo consiguió matar al Minotauro, pero abandonó a Ariadna de un modo frío y desalmado. Ariadna lo había ayudado y apoyado, y al hacerlo incluso le había revelado su lado más heroico, y sin la menor gratitud ni el más mínimo titubeo, Teseo la abandonó. (Más tarde, Ariadna iniciaría una relación con Dioniso.)

En esta historia vemos el talento de Tauro para «alumbrar el camino» o ser el portador de una antorcha para su amante, ayudándole así a encontrar todo su potencial mediante el poder del amor. En los tiempos antiguos, era más probable que fuera la mujer quien permaneciera junto a su hombre, ayudándole en sus pruebas y tribulaciones, pero en los tiempos modernos es posible que suceda lo contrario, que el hombre haga lo mismo por una mujer. A menudo a Tauro le gusta desempeñar el papel secundario, y con frecuencia lo hace a la perfección.

Aun así, la actitud de Teseo para con Ariadna resulta preocupante. Este es otro tema recurrente en Tauro, concretamente la cuestión de ser abandonado cuando ya no se es útil, guapo o vital para la otra persona. Venus nos incita a formular la pregunta siguiente: ¿qué pasará cuando ya no sea la más guapa de todas? (De hecho, los hombres Tauro tienen el mismo problema, aun cuando en general se crea que es más bien un problema femenino.) Esta historia parece advertirnos de que con Venus existe siempre una tendencia a prestar nuestra mayor atención a la belleza, el lujo y las posesiones. Estar excesivamente centrados en las cosas superficiales puede hacernos vulnerables, sobre todo si pertenecemos al signo de Tauro. En el caso de Ariadna, ella no podía hacer casi nada para cambiar las cosas, pero el relato parece avisarnos: «La vida no es justa, así que haz tus planes teniendo eso en cuenta». Tauro descubre pronto que los bienes materiales no pueden mantener una relación que está deshaciéndose. La esperanza es que uno puede crear un lazo espiritual más fuerte enraizado en valores maduros y sustanciales, cualidades que mantendrán juntos y enamorados a dos amantes mucho tiempo después de que haya pasado el furor inicial. Por supuesto, este no es el papel de Venus (que inicia las relaciones, pero no las mantiene); para conseguir este objetivo, algo que merece la pena intentar, tendrán que intervenir otros planetas.

EL REY MIDAS Y SU MUNDO DE ORO

Existe un último mito que tiene que ver con Tauro, uno que conocen muchos escolares: la aleccionadora historia del rey Midas. El rey Midas, al igual que Tauro, amaba las riquezas, pero, a diferencia de este signo, era extremadamente materialista. Cuando deseaba más y más oro, su deseo le era concedido, pero pronto quedó horrorizado al ver que el oro lo inundaba todo en su vida. Según el relato, todo lo que tocaba —la comida, la ropa, hasta su hija— se convertía de repente en oro. Esta fábula advierte a Tauro que no debe poner demasiado énfasis en las posesiones a costa de las relaciones humanas, porque si esto se lleva al extremo, esos objetos hermosos y relucientes podrían acentuar una vida muy solitaria. Esta historia parece susurrar el principio guía de Venus: sin el amor humano, la vida es vacía e inútil.

La poderosa capacidad de Tauro para aumentar los recursos al máximo siempre será uno de los mayores dones de este signo. El agricultor trabaja con la tierra, y probando diferentes métodos descubre formas de utilizar lo que nos da la naturaleza y sacarle el mayor partido. Cultivar las plantas hasta su plenitud es un proceso lento y estable que requiere una enorme paciencia y constancia, y no hay duda de que Tauro ha sido agraciado con dichas cualidades. Así pues, lo importante no es fijarse en cuántos recursos nos han sido dados, sino en qué vamos a hacer con los que tenemos. Algunas personas despilfarran las mayores riquezas; otras calculan cómo multiplicar sus magros recursos. Tauro crea (y lucha intensamente por ello) un crecimiento cada vez mayor, pero no permite que se expanda hasta perder el control. Como signo de tierra que es, estabiliza ese crecimiento, y al hacerlo aporta al mundo una mayor seguridad gracias a la abundancia de comida que cultiva, comida que no sólo le sustenta a él mismo, sino también a su familia y a su comunidad a lo largo del más crudo invierno. No es de sorprender que Tauro sea considerado un constructor tan increíble, que amplía las estructuras y las empresas de las que se hace cargo al tiempo que asegura su propio futuro y el de los demás.

La personalidad de Géminis

Principio guía
«Pienso»

Cómo disfruta este signo
Disfruta estando activo en varios frentes a un tiempo, recopilando, probando y compartiendo información objetiva, así como conceptos e ideas nuevos.

En el nuevo milenio, tu contribución al mundo será...
Tu papel en el futuro es el de embajador. Harás uso de tu considerable talento para la comunicación con el fin de crear unidad y entendimiento entre personas de diferentes países, religiones y clases sociales.

Cita que te describe
«La curiosidad es, en las mentes grandes y generosas, la primera pasión y la última.»

SAMUEL JOHNSON, un *Virgo*

Los Géminis son como el conejito blanco de *Alicia en el país de las maravillas*, que no paraba de decir: «Llego tarde, llego tarde a una cita muy importante. No tengo tiempo para decir hola ni adiós. Llego tarde, llego tarde». Por supuesto, el conejito llega tarde porque tiene demasiadas cosas en su agenda de actividades, pero si es Géminis, y yo sospecho que lo es, entonces ese es el ideal de vida para él. Los nativos de este signo consiguen hacer más cosas en un día que la mayoría de la gente en una semana. Parte de tu secreto, Géminis, radica en tu legendaria capacidad para hacer dos cosas al mismo tiempo. Un Géminis típico se aburre si hace una sola cosa a la vez. Tú escribes propuestas mientras ves la televisión, devuelves llamadas telefónicas mientras haces el balance de tu cuenta bancaria, dictas cartas mientras pedaleas en la bicicleta estática. ¡No tienes un momento que perder!

Géminis es el tercer signo del zodíaco, el que sigue a Aries y Tauro, y simboliza la etapa en la que se aprende el lenguaje y la necesidad del ser humano de comunicarse con los demás. Aries, el primer signo, simboliza la reserva de energía independiente, la fuerza vital primitiva; es el recién nacido del zodíaco que dice: «Yo, yo, yo», y rige los comienzos de todo tipo. Después viene Tauro, simbolizado por el niño un poco mayor que aprende a gatear y estira la mano para tocar todas las cosas maravillosas que hay en el mundo. El bebé Tauro dice: «¡Mío! ¡Lo quiero!», y en esa actitud se ve el reflejo de un instinto muy temprano y básico del ser humano, que es la necesidad de tener y también la de investigar utilizando todos los sentidos. Tu signo, Géminis, simboliza un niño un poco más crecido que ya sabe hablar, leer y escribir. No deja de preguntar: «¿Por qué?» con impaciencia, y cuando viaja pregunta con avidez: «¿Cuánto falta para llegar?». Ahí fuera hay todo un mundo que explorar, y Géminis no puede esperar a llegar. Una vez que se desarrolla el lenguaje, lo siguen el razonamiento y la capacidad de análisis. Así pues, Géminis se considera un signo sumamente pensante, razonador e intelectual.

Géminis es el primer signo de aire, por eso se parece a un niño

que aprende todo lo que necesita aprender de golpe y a una velocidad de vértigo. La mente del niño está abierta de par en par, y
aprender le resulta fácil. En realidad, un niño nunca tiene suficiente, quiere saber todo lo que pueda y lo más rápido que pueda. Los
dos hemisferios del cerebro de Géminis analizan y digieren información, intercambiándose datos del uno al otro rápidamente, a derecha e izquierda, en busca de la verdad. La dualidad de la mente
de un Géminis le permite ver varias facetas de una misma situación.
Tú dices: «Por una parte, este es el caso; sin embargo, por otra parte, la perspectiva cambia». O bien dices: «Tengo dos opiniones acerca de esto». Este debate interno sobre un asunto es muy indicativo
de tu personalidad. Tu mente corre de un lado para otro siguiendo
tu pensamiento, a una velocidad de vértigo. Tu sistema nervioso, sumamente desarrollado, hace que los circuitos internos de tu mente
procesen la información de manera singular. Te acercas a todo con
curiosidad, como si fuera la primera vez, y pones todo tu empeño
en conocer a fondo el tema de que se trate.

SÍMBOLOS

El símbolo que corresponde a Géminis es el número romano
II, que representa las identidades gemelas. Según los astrólogos antiguos, en Géminis no existen energías masculinas ni femeninas *per se*, como ocurre en los otros signos; aquí encontramos neu-
tralidad, una fusión del yin y el yang para obtener la plenitud.
Géminis se considera andrógino, y por lo tanto posee la capacidad
de la totalidad divina.

El símbolo de Mercurio, regente de Géminis, es un círculo
que representa el espíritu y una media luna que simboliza el
alma. La mente une el espíritu, el alma y la materia (el cuerpo), representada por la cruz.

INFLUENCIAS PLANETARIAS

Tu talento se ve estimulado por el regente más objetivo y racional de nuestro sistema solar, Mercurio, el planeta del intelecto. Se lo considera tan objetivo que cuando contacta con otro planeta no da color a la energía de dicho planeta, sino que se deja colorear por él, actuando como si fuera su «portavoz». Mercurio es en el fondo un intermediario, facilitador y guía o mediador de otros planetas, cuyos mensajes ayuda a esclarecer. Como guardián de Mercurio o como «hijo de Mercurio», tú también has recibido ese talento. La misión de este planeta en un horóscopo es la de ser completamente objetivo y racional, y lo menos emocional posible. Es el encargado de buscar la verdad, toda la verdad y nada más que la verdad. Esa es la razón por la que tú, al ser Géminis, te encuentras perfectamente situado para informar de las noticias de modo objetivo, sin contaminarlas con tu sesgo propio. Si bien no todos los Géminis son reporteros o periodistas, este signo siempre se interesa por lo que pasa «ahí fuera», en su empresa, en su sector, en la comunidad local y en el escenario mundial. Es el signo más proclive a mantenerse al corriente de todo, así que si quieres saber lo que está pasando, pregunta a un Géminis. Tienen un talento extraordinario para estar siempre al tanto del último cotilleo, y lo que es más, estarán encantados de contártelo.

El lazo de unión entre el lenguaje y Géminis es bastante estrecho. Conforme el ser humano fue siendo cada vez más civilizado, su necesidad de precisión en el lenguaje se volvió más acuciante, en parte para transmitir las leyes de la tierra de un modo que pudiera entender todo el mundo. Tu regente mitológico, Hermes, el mensajero de los dioses, es el motivo por el cual tu papel es tan a menudo el de pregonero o intermediario, el de difundir información. Explico esta base mitológica y la influencia de Hermes en el apartado «Los mitos de Géminis y Mercurio». Sin pactos, procedimientos, normas ni leyes, reinaría el caos en la sociedad, de modo que era imperativo que el hombre conquistara el lenguaje. Como ocurre en todos los signos de aire, la misión de Géminis consiste en analizar, trazar hipótesis y crear un orden mundial nuevo, adquirido por medio de la comunicación. El aire se mueve constantemente como el viento, y tú también, Géminis. El tuyo es un signo inquieto y errante, que no ansía raíces, sino que necesita todo lo contrario: una total libertad.

Los antiguos opinaban que había algo mágico y sagrado en la persona que poseía la capacidad de «nombrar» un objeto o concepto, porque eso influiría para siempre en lo que el resto del grupo pensaba de dicho concepto, cosa o persona. Y esa era la función principal de Géminis: nombrar objetos, ideas y cosas, y ser el primero en explorar nuevas vías de pensamiento. Siendo pensador e informador, además de animal social, tu papel fundamental es el de recabar información y difundirla por el mundo. A este respecto, los astrólogos antiguos opinaban que Géminis era parecido a un mago, ya que con frecuencia no se puede «ver» lo que no tiene nombre.

Mercurio, tu planeta regente, te aporta otro maravilloso talento, que es el de parecer perpetuamente joven. Los astrólogos antiguos escribieron acerca de lo mucho más jóvenes que parecían siempre los Géminis en comparación con los nativos de los demás signos. Es cierto que tú conservas un cierto esplendor —un cierto estilo de Peter Pan— y un aguzado estado de alerta que a menudo deja atónitos a los demás cuando descubren tu verdadera edad. (Ser tomado por alguien más joven puede resultar un poco irritante a los diecisiete años, pero es algo de agradecer cuando se tienen sesenta y siete.) Si eres Géminis, considérate muy afortunado. El hecho de conservarse joven física, mental y espiritualmente tiene mucho que ver con la capacidad de Géminis para mantener vivo a su niño interior. Eso te vuelve más activo mental y físicamente. Tu abundante energía nerviosa te hace agitarte, pasear nervioso, practicar deportes, reaccionar y en general moverte y jugar más que la mayoría de los nativos de otros signos.

Eternamente inquisitivo, tu expresión y hasta tus gestos (sobre todo tus gestos) sugieren una persona mucho más joven. Esto es una prueba de que la personalidad interior y la propia perspectiva pueden influir en la apariencia externa. Feliz tú, Géminis, porque tu genuina curiosidad por tantas cosas y tu juguetón sentido del humor contribuyen a la impresión general de que te conservas siempre joven. Se te conoce por haber cometido alguna que otra diablura, y ese niño travieso que llevas dentro hace que siempre haya una chispa de vitalidad en tus ojos.

DONES CÓSMICOS

Cada signo compensa las características de las que carece el signo que lo precede, así que estudiemos las diferencias entre los signos contiguos que ahora nos interesan. El signo que antecede al tuyo es Tauro, conocido por su estabilidad general, pero también por su inercia. Es un signo fuertemente relacionado con la tierra y con la agricultura, con la cosecha. El campo ha sido dispuesto por Aries (que rige los nuevos comienzos), pero sembrado por Tauro (que rige los resultados tangibles). Con Géminis, no hay razón para quedarse esperando la cosecha, ya se ha plantado la semilla (por así decirlo), de modo que Géminis es libre de vagabundear y buscar estímulos en otros lugares, lo cual explica por qué tu signo es famoso por ser el nómada itinerante. A los Géminis les gusta tanto viajar, que es posible que vivan constantemente con una maleta a cuestas... disfrutando de cada minuto.

A diferencia de Tauro o de Cáncer, Géminis no encuentra consuelo alguno en el concepto de permanencia. Un nativo de este signo nunca sueña nostálgicamente con comprarse una casa en la que vivir hasta que se haga viejo; para Géminis, pensar a largo plazo resulta deprimente. Alberga la esperanza de que haya muchas casas; considera que el cambio es algo bueno. Géminis quiere flexibilidad, no rigidez. Así pues, antes prefiere alquilar un piso que comprarlo, sólo para mantener abiertas las alternativas. Después de todo, piensa que en cualquier momento se le puede presentar una oferta mejor, o que tal vez le surja la oportunidad de irse a vivir a otra ciudad. Géminis quiere estar preparado, aun cuando una oferta de esa clase ni siquiera asome por el horizonte. El concepto mismo de «mantener las alternativas abiertas» es innato en Géminis, y probablemente le causa problemas con los asuntos del corazón. No es que Géminis sienta aversión por el matrimonio en sí, pero se resiste a tomar decisiones definitivas, irreversibles, sobre ninguna cosa de la vida. Tiene realmente la necesidad de prepararse para un cambio de opinión, apuntar a una dirección nueva y explorar aspectos nuevos de la vida al máximo.

Como verás al estudiar la mitología de Géminis, Mercurio y Hermes en el apartado «Los mitos de Géminis y Mercurio», te encuentras como pez en el agua cuando actúas de intermediario. Existen muchos términos intercambiables que podemos utilizar para describir ese papel: guía, intermediario, conducto, agente, mediador, entrevistador, portero, casamentero, mensajero, redactor, portavoz o representante. Sin embargo, siempre que actúas de catalizador o facilitador de la interacción entre dos partes (o cuando ayudas a poner en contacto dos lugares o sucesos), con frecuencia es cuando brillas con mayor esplendor. Cáncer, el signo que viene después de ti, está más cerca de la personalidad de Tauro que de la tuya. Después de que el hombre ha viajado de un lado a otro en el signo de Géminis, Cáncer necesita buscar refugio en un hogar de fuertes cimientos y construirse un nido acogedor a modo de remanso de paz contra el mundo.

Con tanto viajar, es lógico que la tarea de perfeccionar el lenguaje le correspondiese a Géminis. En sus vagabundeos, conociendo a toda clase de gente, el Gemelo oirá muchas lenguas y dialectos, muchas formas de emplear el vocabulario, la gramática y las inflexiones, y al hacerlo pulirá su propia habilidad con las palabras aprendiendo sus matices más sutiles. Esto te ayudará a escoger la palabra perfecta para expresar tus sentimientos más íntimos y tu individualidad. Has aprendido bien, querido Gemelo. Jamás subestimes el poder que tienes para escribir, investigar y hablar bien.

En lo que se refiere al empleo de las palabras, Géminis puede dar mil vueltas a cualquiera en cualquier momento. Tú sabes que siempre ganas los juegos de confrontaciones verbales, en cualquier campo. Ágil y rápido de movimientos, sabes improvisar y aprovechar al máximo tus recursos. Si te encuentras en un atolladero en el que la persuasión es la clave para obtener la libertad o resolver la cuestión, tu don de la palabra te liberará siempre. Algunas personas saben que pueden contar con contactos familiares, dinero o un buen abogado; Géminis sabe que no necesita a ninguno de ellos, ya que su intelecto jamás le fallará, las palabras siempre acuden a él cuando las necesita. Tú no te retraes de ninguna confrontación difícil, porque confías en tus recursos, que siempre acuden a tu rescate en un abrir y cerrar de ojos.

Si discutes con un Géminis, pronto descubrirás que posee una mente rápida que se mueve a la velocidad de la luz. Intenta acorralarlo y él te esquivará ágilmente, y antes de que te des cuenta, estará ya cientos de metros por delante de ti. Él ha jugado este juego de ajedrez en su mente millones de veces y ha analizado todos tus movimientos futuros. Los Géminis son capitanes natos de su equipo de discusión y pueden discutir cualquier faceta de un tema. Son rápidos, listos y chistosos, pero a veces resulta un poco difícil hacerlos concretar las cosas. Justo cuando uno cree saber dónde están, cambian de opinión... otra vez. Discutir resulta divertido para tus amigos Géminis, pero tal vez no lo sea tanto para sus oponentes, porque los nativos de este signo están tan bien informados y son tan persuasivos en cualquier aspecto de un tema que resulta que están preparados al instante para todo.

Los Géminis son tan alegres y tan incansablemente optimistas que resulta difícil no apreciarlos incluso aunque uno no esté de acuerdo con ellos. Rara vez se enfadan; en cualquier discusión permanecen tranquilos y serenos, y despliegan su mejor lógica. Aunque hay quien dice que los mejores abogados son Libra (el signo más interesado por la justicia), de hecho, si hemos de ser sinceros, los Géminis son siempre los mejores abogados, porque son capaces de discutir un caso tan bien que pocos discreparán de las argumentaciones que presenten en sus discursos de apertura y conclusión.

Géminis posee una maravillosa capacidad para ver también el

lado contrario de una argumentación. Por eso ganan las discusiones, porque conocen el tema desde dentro y de arriba abajo por haber estado allí, en el sitio del otro, por lo menos una vez (o incluso tan recientemente como ayer mismo). También es esta la razón por la que cambian a menudo de opinión. Para un Géminis, cambiar de opinión de un extremo al otro es señal que se trata de una persona de mente abierta que es capaz de ver las dos caras de un asunto. ¿Quién puede decir que está equivocado? Defender una postura apasionadamente podría considerarse que es asumir una actitud rígida, algo que no se le puede pedir a un Géminis.

Si has quedado en encontrarte con un Géminis en un lugar y una hora determinados, y no le ves al llegar, mira en la cabina telefónica más cercana. Existen muchas posibilidades de que lo encuentres allí dentro, totalmente enfrascado en la llamada, ajeno al hecho de que tú has removido cielo y tierra buscándole. Géminis recibe oxígeno al oír el tono de una llamada; eso lo revitaliza y lo mantiene despabilado. Si no está en la cabina, búscale en el kiosco más próximo; los periódicos y las revistas le atraen como un imán, y se siente tan absorbido que simplemente se le pasa el tiempo sin darse cuenta y se olvida de dónde tendría que estar.

Puede que tardes unos momentos en dar con tu amigo, porque Géminis seguirá moviéndose por ahí, dejará el kiosco y la cabina telefónica y se pondrá a mirar escaparates para mantenerse ocupado hasta que tú llegues. Nunca esperes encontrarte a un Géminis esperándote pacientemente de pie en el sitio hasta que aparezcas; sencillamente no se le ocurre que deba hacer tal cosa. También hay muchas posibilidades de que tu amigo Géminis se retrase, pues siempre subestima el tiempo que van a llevarle sus muchos proyectos del día, y está constantemente corriendo para llegar a tiempo a todo. Sin embargo, tarde o temprano se presentará, encantador, hablando de lo mal que está el tráfico y pidiéndote disculpas por lo mucho que ha tardado en llegar. Lucirá una expresión juvenil y llena de asombro; te contará pequeñas anécdotas que le han ocurrido de camino a vuestra cita, además de un par de cosas que ha leído en el periódico mientras venía en el taxi. En los dos primeros minutos ya te habrá hecho reír. ¿Cómo puedes enfadarte con tu amigo Géminis? Es tan adorable y simpático que sientes deseos de darle un abrazo.

Géminis, eres una persona de excepcionales recursos, ingeniosa, inteligente, objetiva, racional, flexible, versátil, persuasiva y de múltiples talentos... además de curiosa. El regente de tu signo, Mercurio, te incita a buscar algo fascinante casi en cualquier tema. Como Géminis que eres, tu capacidad para permanecer fresco y flexible resulta sorprendente, sobre todo si te comparas con Tauro, cuya estabilidad le hace caer en diversos baches. Tú eres muy generoso con tu dinero (Géminis no confecciona presupuestos, porque son demasiado limitadores), con tu tiempo y con tu talento. Un Géminis ocupado nunca lo está demasiado para ayudar a alguien que necesita de su experiencia y su buen humor.

Es cierto que la casa de una persona revela sus valores más profundos, y la facilidad que posee Géminis para adoptar ideas y conceptos nuevos resulta muy evidente cuando se penetra en su hogar. De inmediato se hace notar la presencia de la palabra hablada y escrita: las paredes están forradas de libros, los revisteros se ven rebosantes y con frecuencia está la televisión encendida a todas horas para mantenerse al corriente de las noticias (hay televisores en varias habitaciones). Un Géminis típico no puede descansar por la noche sin el reconfortante ritual de escuchar las noticias antes de irse a la cama. Si los medios de comunicación informan de algún suceso importante, agarra el teléfono para contárselo inmediatamente a amigos y familiares. Después querrá participar en el debate de lo que ha ocurrido, analizándolo todo hasta los menores detalles.

Los Géminis no quieren oír nunca eso de: «¿Dónde estabas? ¡No he podido encontrarte! ¡Con la noticia tan importante que tenía! ¡Ahora ya es tarde!». Cuando les dicen algo así, les da un patatús. Hay que tener en cuenta que no van a ninguna parte, ni siquiera al supermercado, el dentista ni la biblioteca, sin decirle a todo el mundo a su alrededor que tienen el teléfono móvil encendido por si alguien les necesita. Cuando se van de viaje de placer, se llevan el móvil y pegan en las paredes de la casa y de la oficina el itinerario que van a seguir. A diferencia de Escorpio, que desea moverse de incógnito, Géminis quiere que le encuentren.

Si has tenido la suerte de recibir una carta de un familiar o un amigo íntimo que sea Géminis, ya sabes lo divertido que es: sus cartas son locuaces, están bien escritas y por lo general incluyen un recorte de periódico, una fotografía o una noticia de lo más interesante. En ocasiones llevan pequeños dibujos en los márgenes. Géminis siempre atiborra el sobre con cosas. Cuando comparte datos, está mostrando su buena disposición a establecer contacto contigo. Para un Géminis, el don de la información es siempre la mejor manera de demostrar amor y preocupación.

A Géminis también le gusta hablar... mucho. Cuando un Géminis se encuentra en un ascensor, un tren o cualquier otro lugar en el que se vea confinado con otras personas, al instante traba conversación, debido, por supuesto, a su curiosidad por la gente que le rodea. Antes de que pase mucho tiempo, lo sabrá todo acerca de todos los presentes y estará ya presentando entre sí a personas a las que acaba de conocer, y todo ello sin esfuerzo alguno para el gregario Géminis. Cuando observamos a un nativo de este signo en acción, resulta obvio por qué todo el mundo se siente instantáneamente atraído por él. Los Géminis poseen un estilo simpático, cálido, que engancha, y no sólo se valen del habla y de la inflexión de la voz para transmitir pensamientos, sino también de las manos y de toda una serie de gestos faciales y expresiones corporales. A menudo parecen conocer a todo el mundo, aunque sólo sea para saludar y decir hola. Siempre tienen montones de gente a su alrededor, porque están llenos de noticias y exudan energía y excitación.

A causa de su amor por todo lo que es nuevo, innovador y comunicativo o tecnológico, Géminis adora los aparatos, la electrónica y los instrumentos de telecomunicación. Regálale un llavero que emita un pitido al dar una palmada (los Géminis nunca encuentran las llaves). Regálale una silla de masaje vibratoria para que se calme y relaje los hombros, que sin duda estarán tensos por llevar todo el día sosteniendo el teléfono. Regálale un espejo retrovisor de anchura especial para el coche, porque pasa mucho tiempo conduciendo. Los Géminis, junto con los Acuario, siempre están conectados. Géminis en particular adora los artilugios electrónicos, cuanto más nuevos, mejor. Piensa que la gente que tiene una sola línea telefónica vive en la Edad de Piedra y que las personas que no disponen de un contestador telefónico son antisociales.

A Géminis le preocupa quedarse sin material para escribir cartas y tiene siempre montones de sellos por toda la casa para usarlos en su correspondencia diaria. De hecho, tiene toda clase de material de todos los tamaños, además de papel y tinta para la impresora láser, papel de estraza para envolver, impresos para envíos por avión, bolígrafos y etiquetas que ponen «URGENTE», siempre a mano. Es posible que tenga el frigorífico vacío, pero cantidades ingentes de cinta de embalar.

No sólo te interesan los sellos y los envíos, querido Géminis. Las tardes de los sábados han sido hechas para que los nativos de este signo husmeen en las librerías. No importa cuántos libros tengas, que siempre hay espacio para uno más, porque a ti te resulta sensual e irresistible el olor de un libro nuevo. También adoras el buen material de papelería, y te encantaría tener una caja de papel de carta elegante con tu nombre o tus iniciales grabados. Completarías tu lista con una buena pluma, que utilizarías para escribir tus mensajes en esas maravillosas hojas de papel.

Posees cualidades adorables en abundancia. Como he dicho anteriormente, los cambios no te asustan; al contrario, les das la bienvenida. De hecho, te gusta buscar maneras nuevas de hacer las cosas. Donde tú destacas es en el mundo de la generación de ideas, pensando fuera de lo establecido, desbaratando la rutina. Aprovechas los dos lados de tu cerebro, tanto el analítico como el creativo. Una de tus cualidades más inusuales y valiosas es que todas las ideas te resultan interesantes. Cuando intentas descifrar la solución de un problema nuevo, es probable que te pongas a pensar en toda una plétora de conceptos. Al igual que un buscador de tesoros que trata de encontrar piedras preciosas en la arena de una playa, cuando una idea interesante te salta a la vista, la recoges inmediatamente y le das vueltas para examinarla desde todos los ángulos, de un modo objetivo y desapasionado.

Si una idea no gusta a la persona a la que se la ofreces, tú te encoges de hombros y devuelves la piedra al mar, porque comprendes (tras debatirlo) que la idea no era tan buena. Tu capacidad para desechar una idea y aceptar otra con bastante rapidez constituye una parte importante de tu éxito. Tú no discutes; sabes que hay otros muchos especímenes interesantes en la playa. En la fase de la idea inicial, tu penetrante intelecto no se estanca en una única solución, sino que lanzas tu red más lejos para pescar tantas ideas como sea posible con el fin de estudiarlas.

No sólo te resultan interesantes todas las ideas, sino que además te parecen igualmente fascinantes todas las noticias. Tú quieres saberlo todo acerca del coche que se ha empotrado contra el escaparate de una tienda a las 2:12 de la madrugada, y también conocer todos los detalles de las conversaciones diplomáticas que están teniendo lugar en China. Quieres enterarte del jugoso cotilleo acerca de tu estrella de cine favorita, y también estar al día de la última cotización de tus acciones y de los puntos obtenidos por tu equipo deportivo. Incluso te parece divertido el pronóstico del tiempo, y serías capaz de pasarte una hora sentado delante del televisor viendo un reportaje sobre los peores huracanes del siglo. Tratas las noticias de todo tipo con el mismo respeto y fascinación.

Existe una buena razón para ese interés tuyo por las noticias. Mercurio rige a Géminis y a Virgo, pero este último, el signo de tierra mutable, está dotado de la necesidad de calificar y discriminar entre diferentes valores. Géminis no lleva esa carga, y el motivo es fácil de deducir. El universo consideró importante que tú recopilaras toda clase de información para disponer de un amplio espectro que analizar. Si se te hubiera dado una cierta inclinación hacia determinadas noticias, es posible que no decidieras notificarlas y analizarlas todas. De ahí que el universo, a propósito, no te haya cargado con la necesidad obsesiva de discriminar, clasificar y adjudicar prioridades a la información (como le ocurre a Virgo). Tu misión consiste en recoger y difundir información, y es una misión demasiado importante para minimizarla. ¡El universo se ha asegurado de que no sea así!

Cada signo está relacionado en cierto modo con su signo contrario en el eje. El que se encuentra a seis meses del tuyo es Sagitario, también un signo intelectual y mutable (lo cual quiere decir que es flexible y adaptable). Al ser Géminis, se te da bien reunir montones de jugosas noticias y descubrimientos locales, nacionales e internacionales. La misión de Sagitario consiste en recibir toda esa información acumulada por ti, Géminis, y enseñar a los demás lo que pueden extraer de ella.

El papel de Sagitario es el de guardar las llaves de las bibliotecas del ser humano. Correspondería a este signo encontrar un sentido a toda la extensión de la conciencia humana a través de las fronteras del tiempo y las nacionalidades, para llegar a comprender el alma de las personas de todas partes. Sagitario es el filósofo y profesor, mientras que Géminis es el periodista, el viajero y el investigador *in situ*. Sagitario dice a Géminis que está demasiado enfrascado en el momento y no da un paso atrás para ver la importancia del suceso dentro del contexto de la historia de la humanidad. Géminis dice a Sagitario que él tiende a permanecer demasiado tiempo dentro de su torre de marfil, que es demasiado teórico y filosófico, y que no participa lo suficiente en el mundo cotidiano. Las aportaciones de ambos signos resultan valiosas.

Las casas tercera y novena del horóscopo rigen las ideas y el aprendizaje, y también los viajes. Géminis gobierna la tercera casa, y Sagitario la novena. Los sabios astrólogos de la Antigüedad sabían que viajar y aprender eran sinónimos. Mientras que Sagitario, el otro signo viajero, rige los viajes largos, Géminis rige los cortos, como las estimulantes escapadas de fin de semana. Retener a un Géminis en la ciudad durante muchos fines de semana del verano es como estar tomándole las medidas para una camisa de fuerza. Tanto los viajes cortos como los largos avivan tu espíritu, de modo que continúa haciendo las maletas, Gemelo.

Posees una mente tan fuerte que «vives» en tu intelecto y a veces te olvidas de que tienes un cuerpo que necesita un cuidado constante. Por alguna razón, en general cuentas con una abundante energía e impresionas a la gente con tu predisposición para ir a cualquier sitio, pero ello se debe en parte a que tu energía nerviosa está buscando una vía de escape. No parece que necesites tanto descanso como el individuo medio. Volver a centrar tu atención en diversos temas e intereses a menudo resulta tan estimulante y vivificador como unas vacaciones. Sencillamente, tú no puedes hacer una sola cosa a la vez ni ver el mundo a través del objetivo de una cámara.

Géminis está clasificado como signo mutable porque es el último de su estación (la primavera), y nos ayuda a prepararnos para la transición a la estación siguiente. Por eso es tan flexible y adaptable. Cuando un Géminis está irritado o furioso, necesita despejar el aire rápidamente. No se amarga, ni tampoco es dado a reprimirse; piensa que guardarse las cosas requiere un excesivo gasto de energía. Expresa sus sentimientos del modo más lógico posible para aclarar la situación, y ya está; no vuelve a sacar el tema. Este signo no guarda rencores ni recurre al sarcasmo, lo cual hace que le quiera todo el mundo.

Los Géminis son tachados de cabezas de chorlito, superficiales, titubeantes y excesivamente inquietos. Es posible que no poseas un espíritu persistente, y puede que este sea un punto sobre el que tengas que trabajar. A diferencia de Tauro, que es lento, estable y laborioso, todo lo que haces tú es rápido como el rayo. En tu prisa, a veces no prestas atención a los detalles. También puede ser un problema la falta de resolución. ¿Eres poco coherente? Quizá. Cuando titubeas, a menudo depende de tu estado de ánimo en ese momento, un rasgo que a veces irrita enormemente a tus amigos y compañeros. Es posible que tu hijo pequeño lloriquee porque quiere alguna cosa determinada a la que tú respondes con un rápido: «No, no, no». Sin embargo, una hora después te preguntas a ti mismo por qué te ha parecido tan inaceptable la petición del pequeño, y cedes.

Lo que no ven los demás es que tú cambias de opinión porque no dejas de absorber información, de pensar en lo que acabas de leer u oír, y porque aprendes de las experiencias de otras personas. Este proceso no acaba nunca, de modo que, de forma natural, llegas a nuevas conclusiones sobre la marcha. Géminis no deja de experimentar y probar formas nuevas y mejores de hacer o entender las cosas. El resto de nosotros podría aprender un par de cosas de ti, Géminis.

Con todo, cuando te haces un poco mayor (a los treinta o así), la experiencia de la vida empieza a surtir efecto. Te vuelves más organizado (tarea un tanto difícil para algunos Géminis) y comienzas a darte cuenta de la necesidad de llevar las cosas hasta el fin. Al conocerte mejor a ti mismo, te vuelves menos disperso y pones mayor entusiasmo en centrarte en lo que más te gusta hacer. Ya no tienes la imperiosa necesidad de experimentarlo todo a una velocidad de vértigo. Con la edad, también tu capacidad de comunicación mejora de manera aún más impresionante. Eres más capaz de tejer tus variados intereses y talentos en el rico tapiz que constituye tu vida, una vida de lo más interesante.

RELACIONES

A estas alturas ya tienes una idea bastante clara de cómo es Géminis; pero ¿y su faceta romántica y sexual? ¿Cómo son los Géminis en sus relaciones más íntimas? Este signo es un maestro en el arte de ser difícil de enamorar. Como no es muy emocional, en Géminis la cabeza domina al corazón. Se reserva su tiempo para tomar una decisión inteligente y racional en lugar de dejarse arrastrar. Por este motivo es posible que parezca un poco frío en el amor, por lo menos al principio. Necesita una cierta distancia que le permita conservar una fuerte sensación de su propia identidad. Los mejores signos con que emparejarse son los de aire: Libra, Acuario y Géminis, o bien los de fuego: Aries, Leo y Sagitario, signos que comprenden instintivamente sus necesidades e incluso puede que compartan los mismos sentimientos. (Si te has enamorado de una persona perteneciente a un signo que no he mencionado, es posible que haya alguna configuración especial en tu carta astral que haga que para ti esa persona resulte perfecta, así que no desesperes.)

Géminis a menudo opta por casarse tarde antes que arriesgarse a perder la independencia. Incluso casado, se cerciorará de no estar enjaulado. Este signo siente una fuerte necesidad de espacio psicológico. Di a un Géminis que no puede hacer algo con lo que se ha ilusionado (como un viaje), y se obsesionará por hacer precisamente eso.

¿Es Géminis veleidoso? Hay quien dice que sí, porque este signo necesita desesperadamente variedad, sorpresa y estímulo. A decir verdad, la mayoría de los Géminis desean tener una sensación de estabilidad más que ninguna otra cosa, pero cuando la encuentran, en ocasiones la vida se vuelve demasiado previsible. Es una cuestión de equilibrio, y depende en gran parte de tu pareja; si esta se conserva tan juvenil y encarada hacia el futuro como tú, no debería haber problema en que sigáis manteniendo una relación leal y entregada. Si tu pareja deja de crecer intelectual y emocionalmente, lo más probable es que tú te vayas poniendo nervioso. A veces, un cambio en la rutina ayuda a la relación. Planificar varias cosas que os ilusione hacer o trabajar juntos en un proyecto creativo puede ser la clave para que la relación continúe creciendo.

Tal como he dicho anteriormente, las palabras iluminan las pasiones de Géminis. Si tu pareja pertenece a este signo, envíale flores, léele pasajes de novelas románticas, memoriza poemas y habla mientras haces el amor. La mente de Géminis es la parte más erótica de su cuerpo. La curiosidad infantil de estos nativos hace que parezcan mucho más jóvenes de lo que son, y sigue atrayendo al sexo opuesto hasta bien entrada la edad madura. Es posible que Géminis no pueda alcanzar el grado desbordante de emoción de un signo de agua (Escorpio, Cáncer y Piscis), pero ama a su manera. A él, las emociones de un signo de agua le parecen demasiado profundas y excesivas. Géminis también puede ser leal y emocional, pero su estilo es diferente. Antes de que tu inquieto Gemelo esté de humor para el amor, necesita un poco de tiempo, de modo que ten paciencia. Los nativos de este signo también cuentan con una fuerte vena humorística y admiran la inteligencia, así que no temas intentar un acercamiento ingenioso. Envíales un mensaje por Internet, léeles algo o enséñales una nueva página web. ¡Verás cómo se fijan en ti!

Por último, en lo que se refiere a los asuntos del amor, aclaremos de una vez una cuestión espinosa: ¿De verdad hay dos personas en cada Géminis? No. Si tú, que estás leyendo esto, perteneces a este signo, probablemente estés ya harto de esas observaciones que te hacen personas que piensan que lo saben todo acerca de una personalidad astrológica. Por mucho que a la gente le guste rechazar a Géminis como un signo de doble personalidad, es decir, un gemelo inteligente y honrado junto con otro malvado y siniestro, no hay nada más lejos de la verdad. Si bien en todas partes existen personas con dobleces, dudo que los Géminis sean más taimados que ningún otro signo.

Lo que sí es cierto es que los nativos de este signo cambian de puntos de vista y de objetivos —e incluso de imagen externa— de vez en cuando, tal como ya he dicho. Esto se debe a que poseen una mente abierta que no deja de procesar información incluso después de que se considere que está (temporalmente) completa. Si tienes una pareja Géminis, es probable que también descubras que copia tu estilo de manera inconsciente. Adopta tus gestos, tus posturas o tu forma de hablar cuando estáis juntos, con el fin de mejorar la comunicación contigo. Esto resulta bastante efectivo y explica por qué los Géminis son vendedores y escritores tan eficaces: el comprador o el lector se siente cómodo con el vendedor o escritor Géminis porque, según él, es «igualito que yo». Pero tu Géminis no está intentando convertirse en ti; simplemente pretende hablar contigo con más efectividad. Así que deja de preocuparte por si en él habrá dos personalidades; es una sola persona. Recuerda que ni siquiera los gemelos piensan de un modo idéntico.

Por último, tal vez requiera un poco de tiempo acostumbrarse al estilo nada pretencioso y desenfadado de Géminis, que le desarma a uno. Por ejemplo, si tu pareja Géminis tiene algo que discutir contigo, no esperes que se ponga solemne y diga: «Sentémonos mañana a hablar de esto». Eso no va a ocurrir, porque el hecho de planificar una conversación le parece demasiado artificial y rígido, considera que es rodearla de un ambiente tenso. No olvides que Géminis es un signo abierto e impetuoso. De manera que, en vez de eso, cuando estés en la cocina controlando el pavo que se está asando en el horno y preparándolo todo para doce invitados, será cuando tu Géminis te soltará de sopetón lo que piensa: «Ayer, en el banco, heriste mis sentimientos» o «Creo que deberíamos tener un hijo». Nunca se sabe qué va a decir un Géminis.

Si estabas esperando el momento romántico perfecto en el que tu Géminis sacara el asunto, olvídate; para eso necesitas a un Cáncer o un Piscis. Una vez que Géminis toma una decisión, la suelta donde le pilla, ya sea de pie contigo en la oficina de correos, comprando una piña en el supermercado o de camino a casa al salir del metro. Estos momentos corrientes son los más probables para que Géminis saque a colación los temas y discusiones más trascendentales. No pueden aguantarse nada, de modo que no esperes que haya ningún momento planificado. Sin embargo, lo que tendrás a cambio tal vez sea mucho más valioso y memorable: un arranque de demostración de entusiasmo en el calor del momento cuando Géminis esté contento, y cuando no lo esté..., bueno, se mostrará igual de abierto y nada pretencioso.

FINANZAS

¿Alguna vez te has fijado en que compras dos ejemplares de todo? Por supuesto, necesitas uno para tu simbólico «gemelo perdido».

La madre Géminis pone amorosamente dos ciruelas rojas maduras en las manos de su hijo diciéndole: «Ten, tesoro, una para cada mano». Géminis no piensa nunca en unidades. «Aquí tienes tu regalo de cumpleaños —puede decirte tu pareja Géminis—, pero además hay otra cosa. Me encantaron las dos, y no supe por cuál decidirme.» ¿Por qué pensar en una sola cosa si puedes multiplicar la diversión por dos? Esto resulta caro a la hora de hacer las compras de Navidad, Géminis. Un regalo para tu hermana, y su réplica para ti; algo para la casa de tus padres, y lo mismo para la tuya; el objeto perfecto para tu mejor amigo, y otro igual para ti, y así sucesivamente. Recorres feliz el centro comercial tarareando una alegre melodía. Das la explicación de que comprar dos unidades de todo te ahorra tiempo, pero esa necesidad tuya tiene raíces más profundas. La dualidad de Géminis es tan instintiva que se afirma a sí misma de manera inconsciente y continua. Tú necesitas verdaderamente comprar dos unidades, aunque no estés seguro de por qué. Si por ti fuera, tendrías dos casas, dos hijos, dos profesiones, dos coches, dos ordenadores, dos líneas telefónicas, dos de todo. ¿Y por qué no?

Un Géminis debería hacer planes para ganar montones de dinero, no sólo con el fin de seguir comprando dos ejemplares de todo, sino también con el de alimentar todos sus intereses y aficiones. Este signo siente un eterno interés por el mundo y desea saber un poco más de todo, y cada vez descubre más cosas que investigar. Algunas personas te acusan de profundizar poco y de tener un conocimiento superficial de demasiados temas y no disponer del tiempo suficiente para estudiar a fondo ninguno de ellos. Es cierto que tal vez te disperses un poco y que seas frívolo, desorganizado y olvidadizo. En ocasiones te falta resolución, y dices encogiéndote de hombros: «¿Para qué voy a hacerlo hoy si puedo hacerlo mañana?». Eso puede causarte problemas, pero ya lo sabes, puesto que lo has pensado, aunque todavía no has llevado ese pensamiento a la práctica. La posibilidad de que lo que he dicho te describa depende de si en tu carta astral tienes varios planetas en signos de tierra que te sirvan de ancla. Una influencia terrenal, por ejemplo la Luna, Mercurio u otro planeta importante situado en los terrenales Virgo, Tauro o Capricornio, te volvería más organizado y concentrado.

CARRERA PROFESIONAL

Géminis puede ser maravillosamente imaginativo, sobre todo escribiendo, ya se trate de libros, obras de teatro, publicidad o artículos periodísticos. Los antiguos lo llamaban el signo del escriba o del narrador de cuentos. Muchos Géminis son capaces de relatar una historia con una descripción tan rica de los personajes, la época y el lugar que, cuando terminan, el público tiene la sensación de que los personajes han cobrado vida. Esta es la razón por la que tantos nativos de este signo se hacen novelistas o autores de cuentos para niños. No es de sorprender que un gran número de Géminis hayan utilizado seudónimos. (Por supuesto, esto tiene su lógica: los Gemelos necesitan también dos nombres.)

A Géminis también se le dan bien todas las profesiones relacionadas con la industria editorial, y puede trabajar como escritor, redactor, corrector, editor, director de publicidad e incluso como director creativo. Destaca asimismo en los campos relacionados con la comunicación, como la radiodifusión, los ordenadores e Internet, o trabajando en relaciones públicas, ventas y marketing, y hasta en la enseñanza. Su gusto por los manuscritos y documentos históricos raros hace que esté especialmente dotado para ser el dueño de una galería.

Algunos Géminis hacen carrera en el sector del correo urgente como dueños de un servicio de mensajería; otros trabajan de empleados en oficinas de correos, servicios de mensajería urgente o empresas de transportes, por tierra, mar y aire, o bien como fabricantes, importadores o comerciantes de cualquier cosa, pero sobre todo de libros y documentos hermosos, sobres o material de escritura especial. Los Géminis pueden ser también excelentes estilistas de vestuario y decoradores, porque comprenden el valor de los accesorios. Por último, este signo rige también la industria turística, de manera que los Géminis son magníficos agentes de viajes, pilotos, azafatas de vuelo o de tierra, controladores aéreos, revisores de tren, diseñadores de automóviles y ejecutivos.

CUERPO, MENTE Y ESPÍRITU

Vigila para no caer en el mal hábito de no comer bien o no dormir lo suficiente. Géminis rige los dedos y las manos, y tú eres especialmente hábil. Es posible que hayas aprendido solo a escribir a máquina muy deprisa, a tocar el piano o la guitarra o a practicar una serie de actividades artesanales, entre ellas el ganchillo, la caligrafía, el punto, el bricolaje o la costura. Para muchos Géminis, los dedos son la parte del cuerpo que acumula más tensión, no el cuello. Así que te encanta que te masajeen las manos con una crema de manos ligeramente tibia o con aceite perfumado. Y tus manos están tan ocupadas que probablemente sufren más cortes y contusiones de lo normal.

Como Géminis que eres, además de ser susceptible de sufrir tensión nerviosa y dolor en las manos o en los dedos (vigila un posible síndrome del túnel carpiano, querido Gemelo, y utiliza descansos para las muñecas cuando escribas en un teclado), también has de tener cuidado con las enfermedades relativas a los pulmones. Cuídalos no haciendo nada que pueda perjudicarlos. Una excelente idea sería practicar un ejercicio aeróbico para incrementar la capacidad pulmonar. Géminis rige también la base del cuello y los hombros, cosa nada sorprendente, ya que en sentido figurado llevas una pesada carga sobre los hombros. El mundo exterior no ve la parte de ti que se preocupa profundamente por las obligaciones —tus amigos ven primero tu faceta optimista y desenfadada—, pero la tienes, y ese lado más maduro y reflexivo sale a la luz más bien tarde en la vida. Te dices a ti mismo que vas a dejar de comprometer en exceso tu tiempo y tu talento, pero luego se te olvida y al instante vuelves a recargar tu agenda, abarrotándola alegremente todo lo que puedes.

El hecho de que Géminis rija los pulmones resulta apropiado, porque se trata de un signo de aire, simbolizado por los Gemelos en vuelo. Es el aire de tus pulmones lo que parece mantenerte a flote y te da la impresión de poder desafiar la gravedad y elevarte en el espacio. En la mitología y en muchos cuentos de hadas, el aliento simboliza el espíritu. Tú quieres volar, ser libre como un pájaro, y recorrer el mismo terreno en la mitad de tiempo. Sin embargo, a veces jadeas y te tragas la vida a bocanadas, y te sientes como si hubieras mordido y engullido demasiado de una sola vez. Eres propenso a esa clase de tensión nerviosa, y te entra el hipo porque literalmente has tragado demasiado aire. Sería bueno que aminoraras un poco la marcha, pero eso no es lo que realmente quieres hacer la mayor parte del tiempo.

RESUMEN

Querido Géminis, eres un caleidoscopio de energía que siempre está cambiando y transformándose. Algunas de tus cualidades más sobresalientes son tu suprema adaptabilidad y tu flexibilidad, así como tu personalidad versátil y tu capacidad de comunicación. Si ya has hecho algo de una determinada forma, ¿para qué repetirlo? Tú dices que la redundancia es innecesaria en este ancho mundo. Ahora que te encuentras en la era de la información, estás a punto de encontrar tu plena justificación. No te sorprendas si el mundo acude a ti para que le aconsejes sobre cómo manejarse en esta época. Al fin y al cabo, este es el mundo que tú imaginaste y prácticamente inventaste, y este nuevo mundo está a punto de parecerse mucho a un hogar, lo cual es una buena cosa.

Los mitos de Géminis y Mercurio

Si miras al cielo en una noche despejada, sin duda te sentirás atraído por la parte del firmamento que contiene dos grandes estrellas situadas justo la una al lado de la otra. Una de ellas es ligeramente más brillante, pero si continúas observando esa constelación, verás que en realidad esas dos estrellas alternan en brillo y se turnan para dejar cada una que sea la otra la que parezca mayor. Lo que has descubierto es la constelación de Géminis.

La mitología de tu signo, Géminis, es particularmente fecunda porque comprende dos pares de gemelos, uno divino y otro mortal, lo cual sugiere una cierta plenitud muy notable en tu interior. Un par de gemelos eran varones, y el otro estaba formado por dos hermanas. La bella Leda, disfrazada de maravilloso cisne, puso dos huevos que contenían los dos pares de gemelos. Cosa nada sorprendente en esta historia de la dualidad, los cuatro gemelos eran hijos de dos padres: Zeus, el dios más poderoso del Monte Olimpo, que era padre de los hermanos Pólux y Helena; y el rey Tíndaro, esposo «humano» de Leda, que engendró a los mortales Cástor y Clitemnestra.

CÁSTOR Y PÓLUX

La historia de Cástor y Pólux es quizá la más famosa de la mitología antigua, una historia de dos hermanos que estaban tan unidos que se negaron a que les separasen, incluso cuando uno de ellos murió. Cástor y Pólux lo hacían todo juntos, y en los mitos siempre aparecen el uno al lado del otro. Cástor era conocido por su destreza como jinete y por ser un guerrero, mientras que Pólux era un luchador famoso. Los juegos de Esparta se celebraban en su honor. Tanto Cástor como Pólux participaron en la aventura de Jasón y los Argonautas, en la búsqueda del Vellocino de Oro.

Un día, Cástor, el gemelo mortal, murió, y Pólux, que era inmortal, se sintió abrumado por la pena. Suplicó a Zeus que no le separase de su hermano. No deseaba aceptar el don de la inmortalidad si eso significaba que Cástor iba a verse obligado a permanecer para siempre en el mundo subterráneo, un lugar que él no podía visitar. Zeus se apiadó de Pólux, y decidió que los gemelos pasarían la mitad del tiempo en el cielo y la otra mitad en el mundo subterráneo, lo cual, dicho sea de paso, corresponde a los períodos en que la constelación es visible en el cielo (seis meses del año).

HELENA Y CLITEMNESTRA

Mientras tanto, en el lado femenino se encontraban Helena y Clitemnestra, que tenían una personalidad bastante diferente. Helena era hija de Zeus y Leda, y, al igual que su madre, era excepcionalmente bella. Obedecía las normas de la sociedad y nunca rebasaba los límites de lo que era la conducta aceptable. Hay quien opina que su falta de resolución fue en buena parte responsable de la Guerra de Troya. Su hermana mortal, Clitemnestra, no era en absoluto tan «buena» como Helena, ya que asesinó a su esposo, el rey Agamenón, cuando este regresó de la Guerra de Troya. Al igual que ocurre con todos los mitos griegos, contiene cierta ironía: tal vez Clitemnestra fuera la gemela malvada, pero poseía una capacidad de decisión mucho mayor y una pasión por la vida que resultaba atractiva. Helena era una diosa ejemplar, pero pasiva. En Géminis parece haber advertencias mitológicas de que el equilibrio es necesario y de que, para encontrarlo, uno ha de buscar pistas en su álter ego. (Observar al gemelo de uno es algo parecido a «salirse» literalmente de uno mismo.) Ninguno de los dos gemelos era completo e independiente en sí; cada uno poseía rasgos de personalidad de los que carecía el otro. Sólo cuando estaban juntos se sentían completos, mayores que la suma de sus partes.

Se puede ver el simbolismo de estos gemelos en relación con el conflicto entre el brillante ego y los oscuros instintos presentes en el interior de la personalidad que deben ser reprimidos o escondidos. Esto representa una lucha inherente a todos los seres humanos, naturalmente, no sólo a Géminis, pero ese mensaje parece estar encarnado en el mito de este signo. La lucha interna de Géminis por obrar correctamente es de índole consciente e intelectual, y tiene lugar en la parte superior de la mente, en lugar de estar enterrada en el subconsciente. Al ser un analítico signo de aire, Géminis es capaz de analizar sus motivos con frialdad y minuciosidad y ser racional en su afán de obrar bien. (Mercurio, el planeta regente de Géminis, es totalmente objetivo y desapasionado.)

Otra lección que nos enseña este mito es que Géminis necesita un mentor divino. Pólux no puede llegar hasta su hermano cuando este muere. Así, Cástor se convierte en una inspiración espiritual y representa el anhelo de Pólux de unirse con la parte espiritual de su alma. En sentido más amplio, este mito habla de la necesidad de contar con la parte intelectual de Géminis para avanzar hacia metas elevadas, celestiales, por medio del amor y de la inspiración de un álter ego.

HERMES, EL MENSAJERO DE LOS DIOSES

El mito de Hermes, el mensajero de los dioses, representa muy bien el arquetipo de las características de Géminis. Desde su mismo nacimiento, Hermes es claramente muy precoz. La historia comienza cuando él acaba de nacer. Venido al mundo en el interior de una oscura cueva, era hijo del poderoso Zeus y de una diosa menor, Maya, que podría ser la diosa del cielo nocturno. Existe cierta discrepancia en los mitos acerca de la identidad de Maya, aunque la mayoría están de acuerdo en que era la hija del titán Atlas. Hermes nació de Maya tras la relación de esta con Zeus, pero fue obligada a guardarlo en secreto y a permanecer oculta en la cueva con su hijo.

El pequeño Hermes sabía que su padre gobernaba en el Monte Olimpo, y no le gustaba nada la idea de vivir toda la vida en una cueva oscura. También le molestaba ver que sus hermanos (los otros hijos de Zeus) vivían rodeados de comodidades y honores. Hermes se fijó en que Apolo, el hijo favorito de Zeus, vivía en el palacio de su padre aunque no había nacido de Hera.

Aburrido, Hermes se levantó de su cuna y salió de la cueva. Entonces vio una enorme tortuga y, con sus recursos y su ingenio, la mató, le arrancó el caparazón y acto seguido tensó sobre esa cavidad siete cuerdas hechas con tripa de oveja. Así inventó la lira. Aquí, Hermes revela el carácter creativo y juguetón de Géminis. Hermes se puso a cantar alegremente; estaba claro que sabía divertirse, y su amor por la música revela una personalidad básicamente feliz y optimista.

A continuación empezó a gatear en busca de comida y descubrió un gran rebaño de ganado que supo que pertenecía a Apolo. Decidió robarle cincuenta reses. Como no quería que Apolo le atrapase, Hermes, muy inteligente, hizo que las reses caminaran hacia atrás en dirección a su cueva, y de ese modo, al ver las huellas, pareció que avanzaban hacia los pastos de Apolo, en lugar de alejarse de ellos. Para disimular sus propias huellas, Hermes se hizo un par de sandalias con ramitas, hojas y la corteza del tronco de un roble caído.

Al margen de esto, el hecho de que el ganado robado por Hermes caminase hacia atrás parece recordarnos el movimiento retrógrado del planeta Mercurio que tiene lugar regularmente, cuatro veces al año, a intervalos de tres semanas y media. En astrología, cuando Mercurio está retrógrado, ejerce un efecto distorsionante sobre todo el mundo. Parece como si este planeta nos gastara bromas pesadas a los mortales, haciendo que las zonas que rige —la comunicación, el transporte y el comercio— se embrollen un poco. En esos períodos provoca también olvidos, la pérdida de datos informáticos, errores en los itinerarios o maletas que se pierden, así como planes que se rehacen, se anulan o se aplazan. Tampoco es un período propicio para firmar documentos. Tal vez esto se deba a que durante ese tiempo Hermes aprovecha la oportunidad para hacernos alguna jugarreta.

Estudiemos la importancia de la habilidad de Hermes para ocultar sus huellas mientras se llevaba las cincuenta reses. La capacidad de descifrar las huellas de los animales es un arte antiguo, que con frecuencia era necesario para la supervivencia. Los que sobreviven en la naturaleza saben descifrar el significado de varios signos: una rama rota, la profundidad o la forma de una huella, trozos de lana adheridos a la corteza de un árbol... El cazador, al igual que los detectives de hoy en día, sabe extraer el significado de los pequeños indicios. Como dice el autor y experto en mitología Lewis Hyde en su libro *Trickster Makes This World*, las historias de estafadores y rastreo son en realidad historias acerca de «leer» y «escribir» (la ramita rota es una forma de comunicación escrita), una parábola muy apropiada para el mito de Mercurio/Hermes, que tan unido está a Géminis. Hermes «reescribió» el acontecimiento ocultando sus huellas de forma inteligente. Más aún, las historias de la mitología griega están llenas de personas que son capaces de transformarse a sí mismas y adoptar diversas formas, de quitarse la piel y crearse otra nueva, y esta era una capacidad muy aplaudida. Tal como deduce Hyde, entre los griegos antiguos el ingenio estaba más valorado que la rigidez o la inflexibilidad.

Volviendo a nuestra historia, mientras Hermes robaba el ganado, un granjero llamado Bato vio lo que pasaba, pero Hermes se apresuró a pagarle para que guardara silencio. Como no se fiaba de él, regresó disfrazado y ofreció una recompensa a quien conociera al responsable del robo del ganado. Bato habló inmediatamente, demostrando así que estaba dispuesto a volverse contra Hermes. Este castigó de inmediato al anciano convirtiéndole en piedra. Esta historia prueba que Hermes era astuto; su aguda mente estaba funcionando todo el tiempo, igual que la de Géminis.

A la mañana siguiente, Hermes se detuvo para encender una hoguera. Sacrificó dos de las cincuenta vacas y las asó para la cena, y tuvo cuidado de no dejar ningún rastro de ellas: quemó las cabezas y las pezuñas. Sin embargo, decidió que en vez de comerse la carne, no haría caso del hambre. Dividió la carne en doce partes iguales y ofreció un trozo a cada uno de los once dioses del Olimpo: Zeus, Poseidón, Hades, Hestia, Hera, Ares, Atenea, Apolo, Afrodita, Artemisa y Hefesto, y se guardó una porción para sí mismo. Hermes había nivelado inmediatamente el terreno de juego; su acto fue muy significativo, pues constituyó el primer ejemplo de que los dioses comiesen carne de sacrificio.

Al llegar la noche, Hermes volvió a introducirse en su cunita y fingió estar dormido. Pero su madre dedujo lo que había hecho y le increpó. Hermes le respondió que no iba a pasar toda su vida en aquella cueva oscura, sobre todo viendo que sus hermanos vivían tan bien en el Monte Olimpo. También le dijo que quería que su padre, Zeus, le otorgara el mismo respeto que a Apolo.

Mientras tanto, Apolo se dio cuenta de que le faltaba parte del ganado, de modo que comenzó a buscar al ladrón. A través de una serie de augurios y otros medios, encontró a Hermes. Cuando Apolo llegó a la cueva, Hermes se encontraba en su cuna. Al penetrar en la estancia la iluminó inmediatamente con un potente resplandor dorado. El pequeño Hermes parecía dulce e inocente en su cuna, pero cuando Apolo le acusó de haberle robado ganado, se incorporó y empezó a discutir con él (revelando el otro lado, más astuto, de su personalidad). Se quejó de que Apolo pretendiera apabullarle recordándole que no era más que un niño pequeño, «nacido ayer» (Hermes había nacido literalmente el día anterior). Apolo no se dejó engañar, pero de todos modos se sintió divertido y hechizado por aquel singular recién nacido. Aquí vemos la inocencia infantil que todo el mundo señala en Géminis. Hermes se gana fácilmente el apoyo de Apolo valiéndose de su encanto, su originalidad y su talento, dones que también les han sido concedidos a la mayoría de los Géminis.

Sabiendo que Hermes nunca sería un niño fácil de refrenar ni controlar, y un poco cansado por aquel episodio, Apolo decidió llevarse a Hermes al Monte Olimpo. Dejó el niño en el regazo de Zeus y defendió su caso. Zeus se vio en un aprieto; aunque reconoció instantáneamente a Hermes como hijo suyo, no quería admitirlo, porque entonces tendría que revelar su relación con Maya a su actual esposa. Aun así, Hermes era un bebé singular, y Zeus cayó también presa del encanto de la arrojada personalidad de su hijo.

Mientras Zeus reflexionaba sobre su nuevo hijo, Hermes empezó a quejarse a su padre de que Apolo recibía mejor trato que él y le exigió que corrigiera aquella situación. Zeus estaba tan divertido que rompió a reír. Aquí vemos a Hermes presionando para obtener el favor de su progenitor igual que haría cualquier niño de cualquier familia. Es importante señalar que el elemento de la rivalidad entre hermanos es un tema dominante que interviene también en esta historia, a menudo como parte del simbolismo de Géminis. Sin embargo, el encanto de este signo, su capacidad de persuasión y su determinación prevalecen y le permiten salirse con la suya. Zeus amaba a sus hijos, como era del dominio público, de modo que se encontraba en un dilema. No podía dar la espalda a la situación de un hijo (Apolo había perdido su ganado), ni tampoco tenía fuerzas para castigar a Hermes. Así pues, ordenó a los dos hermanos, Apolo y Hermes, que hicieran las paces, y luego dijo a Hermes que era necesario que devolviese el ganado.

Mientras Apolo estaba en los pastos apacentando su ganado, Hermes comenzó a tocar su lira. Apolo quedó hechizado, pues nunca había oído nada tan hermoso, y pronto olvidó su enfado por el ganado robado, que de repente ya no parecía importante. Empezó a negociar con Hermes por la lira. Hermes le dio el instrumento y a cambio recibió las 48 vacas que quedaban de las 50 que había robado. Entonces, de inmediato fabricó otro ingenioso instrumento, una flauta hecha con un junco, de la cual Apolo también se encaprichó al momento. A cambio de la flauta, Hermes le pidió su cayado de oro, y con él le fue dado el prestigioso honor de ser el dios de los rebaños y los pastores. También recibió lecciones sobre cómo adivinar el futuro.

Cuando Hermes volvió a encontrarse más tarde con Zeus, prometió no robar ni mentir de nuevo si se le otorgaba el mayor de los honores, el papel de mensajero de los dioses. Zeus comprendió que su mercurial hijo era ciertamente veloz, inteligente y también divertido, buen negociador y locuaz, por lo que, efectivamente, resultaría un perfecto portavoz para los dioses. Entre las obligaciones de Hermes, estaría la de guiar a las almas al mundo subterráneo y después regresar. Así, a Hermes le fue concedida la rara e importante libertad de desplazarse adonde se le antojara. En concreto, podía viajar libremente por tres reinos: el cielo, la vida terrenal de los mortales y el mundo subterráneo.

Hermes recibió de Zeus un casco alado especial que le protegería de todas las inclemencias del tiempo, junto con unas sandalias de oro también con alas que le garantizarían la rápida entrega de los mensajes. Asimismo, recibió la vara del heraldo, el caduceo, que sugiere el vínculo entre la mente y el cuerpo en el proceso de curación.

Hermes sería el encargado de la seguridad de los viajeros, promovería toda clase de comercio y negociaría tratados y acuerdos. La relación entre padre e hijo funcionó muy bien. Hermes se convirtió en el compañero constante de Zeus; de hecho, este nunca viajaba a la Tierra sin llevar con él a Hermes. Apropiadamente, Hermes significa «el del montón de piedras», lo cual hace referencia a la pequeña pila de piedras con que los viajeros marcan una ruta al borde de un camino para beneficio de los que vengan detrás de ellos.

Aquí vemos el legado astrológico de Géminis como guía intermediario o conector de personas, cosas o sucesos en el mundo en general, e internamente como una parte de la mente también. Hermes simboliza además la mente —la razón, el habla, la escritura, la lectura, las ideas y la comunicación—, así como los viajes y los transportes. Incluso internamente, dentro del cuerpo, la mente sirve de mensajero del organismo al enviar impulsos voluntarios e involuntarios a través del sistema nervioso.

A Hermes le corresponde también el mérito de haber desarrollado el alfabeto griego y de haber inventado la escala musical, la astronomía, la gimnasia y el boxeo. Es el dios que personifica la juventud, los viajeros, los comerciantes, los mensajeros y la comunicación, además de los ladrones y los tramposos.

A ese respecto, el estafador no es necesariamente una mala persona, sino alguien que altera el orden de las cosas, el pretendiente al trono o el forastero que intenta que le abran las puertas del palacio. En este caso, Hermes sabía que no era justo que él viviera en una cueva oscura, pero se habría pasado allí la vida entera si no hubiera desafiado al sistema. La sociedad suele salir beneficiada cuando alguien se desliza hasta la cuidadosamente guardada primera línea para alterar el orden establecido. El estafador a menudo actúa como un profeta con el fin de crear un cambio acelerado hacia el bien social, y al cruzar las líneas revela límites que nadie se había dado cuenta ni siquiera de que existían. Habitualmente neutral, el estafador no es necesariamente consciente del bien y el mal, pero sus actos mismos provocan discusión y revaluación.

Cuando pensamos en el adorable y divertido bromista del mismo tipo que Hermes, nos viene a la mente un genio indómito y creativo que rompe las estáticas instituciones con una subversiva innovación. Las principales cualidades de Hermes son la flexibilidad, la adaptabilidad, el humor, la creatividad y una comunicación enormemente mejorada por el intelecto y el lenguaje. Con esos dones, posee la capacidad de aportar un asombroso progreso a la sociedad.

La personalidad de Cáncer

Cáncer
21 de junio - 22 de julio

Principio guía
«Siento»

Cómo disfruta este signo
Encuentra placer en el hogar y la familia, disfrutando de la relación padres-hijo tanto si es hijo como si es padre o madre, ya sea en sentido figurado o literal.

En el nuevo milenio, tu contribución al mundo será...
Tu amor por la familia y la perspectiva que tienes de ella como piedra angular de la sociedad serán cada vez más importantes a medida que la gente busque formas nuevas de vivir en comunidad en el mundo.

Cita que te describe
«La verdadera amabilidad presupone la facultad de imaginar como propios los sufrimientos y las alegrías de los demás.»

ANDRÉ GIDE, un *Sagitario*

Cáncer, si te encuentras a la intemperie bajo una intensa nevada, levanta la vista al cielo en lo más oscuro de la noche y busca a tu regente, la Luna. Recortada contra el cielo de color azul marino y rodeada por un millar de estrellas temblorosas que resplandecen como diamantes, la Luna aparecerá en toda su majestad, sobre todo si muestra una cara redonda y llena. Como leal compañera de la Tierra, además de su álter ego, la Luna no posee luz propia, sino que refleja la del Sol con un brillo deslumbrante. Bajo la luz de la Luna, el paisaje parece más mágico de lo que jamás puede parecer durante el día. La misión de la Luna consiste en acrecentar los sentimientos, destapar antiguos recuerdos, revivir sueños y agudizar la intuición. Cada una de estas capacidades la tienes tú también, Cáncer, ya que tú, por ser el súbdito de la regia Luna, eres su hijo más amado. Al igual que ella, eres romántico, imaginativo, amable y en ocasiones tan reservado que los demás te consideran misterioso, igual que el luminar que te guía y te protege.

SÍMBOLOS

Para los antiguos, Cáncer simbolizaba el solsticio de verano, la época del año que representa la entrada del alma en el cuerpo. En nuestra época, Cáncer se asocia siempre con el cangrejo. Los egipcios utilizaban un escarabajo como símbolo de Cáncer, un tótem sagrado que hacía referencia al alma. De modo similar, los griegos representaban a Cáncer mediante una tortuga. Tanto esta como el cangrejo tienen un vientre blando y un caparazón exterior duro. Apropiadamente, las tortugas se retraen dentro de su caparazón cuando están asustadas o tensas, una característica típica también de los Cáncer. Tras la época de Alejandro Magno tuvo lugar una mezcla de todas las antiguas culturas mediterráneas. Fue entonces cuando se asoció a Cáncer con el cangrejo y la Luna.

La próxima vez que vayas a la playa, observa con atención el movimiento de un cangrejo. No se mueve directamente hacia lo que ha decidido capturar o atacar, sino que avanza silenciosamente en zigzag, primero hacia la izquierda, luego duda, mira, comprueba que no hay peligro, y a continuación se lanza hacia la derecha y se queda inmóvil, observando, esperando, antes de salir disparado hacia delante, luego hacia la izquierda, después hacia la derecha. Y continúa así, de forma entrecortada e imprevisible, hasta obtener lo que quiere. Si parece que su presa está a punto de desaparecer y no va a lograr atraparla, atacará abalanzándose con gran precisión sobre el objeto en el que haya puesto el ojo. Si en la operación pierde una pinza, la Madre Naturaleza hará que le crezca otra. Cáncer es tremendamente tenaz en la persecución de sus objetivos, y pocas cosas hay, si es que hay alguna, que le detengan.

69 El símbolo de Cáncer, que se parece un poco al del infinito, apunta a las fuerzas entrelazadas del yin y el yang. Si se lo mira detenidamente, da la impresión de que son dos lunas llenas unidas a una media luna (el alma), cada una unida a la otra, en un dibujo contrapuesto. Este símbolo sugiere la procreación y el continuo de la vida. Tu símbolo también subraya el carácter sentimental de tu signo.

INFLUENCIAS PLANETARIAS

☽ Los astrólogos de la Antigüedad escribieron que la Luna, tu regente, gobierna el alma y es la depositaria de los recuerdos, las costumbres y los sueños, así como de las reacciones inconscientes y los reflejos. La época del año en que naciste, el solsticio de verano, es lo que los astrónomos mesopotámicos denominaban: «la puerta norte del Sol». Creían que aquella era la época mágica en la que el alma penetraba en el cuerpo, un momento sagrado, muy espiritual. El solsticio de verano es el 21 de junio (a veces el 20 o el 22), y es el día más largo del año en el Hemisferio Norte. ¿Por qué los antiguos escogieron la Luna, una energía fría, receptiva, sensible, protectora, nocturna y femenina, para que fuera el regente de Cáncer? ¿No habría sido más adecuado elegir la energía agresiva y masculina del Sol para el día más largo del año?

Existe una buena explicación. El día del solsticio de verano señala un punto de inflexión en el año porque a partir de ese momento los días son cada vez más cortos. El Sol (que simboliza el yo, el ego y el individuo) comienza a perder terreno, mientras que la Luna, que posee el dominio sobre la noche (y que simboliza la conciencia colectiva en lugar del ego), empieza a ganar importancia. Así, en la alternancia del equilibrio de poder y cooperación amistosa entre el Sol y la Luna, esta última comienza a recuperar el favor. Por este motivo, la Luna ha escogido regirte a ti, querido Cáncer. Yendo un paso más lejos, el hecho de estar regido por la Luna pero tener al Sol en Cáncer te ofrece la extraordinaria oportunidad de unir dentro de ti la energía masculina y la femenina para lograr una notable plenitud y mayores posibilidades de creatividad.

Desde los tiempos antiguos, se ha vinculado a la Luna con la energía yin, que significa un impulso «negativo», femenino, y por eso la influencia de la Luna en tu personalidad te vuelve receptivo, sumamente intuitivo, reflexivo y magnético. Una de las marcas distintivas de Cáncer es su capacidad de absorber las emociones como una esponja y reflejarlas de nuevo al mundo de manera tan eficaz como un espejo limpio y reluciente. Cuando alguien a tu alrededor se siente triste, tú sientes su tristeza casi con la misma intensidad. Y al contrario, cuando estás con un amigo que se siente feliz, tú también te sientes igual. Al parecer, estás más sincronizado con la música interior de la Tierra, ya que las fases de la Luna y las constelaciones de los signos encuentran eco dentro de ti.

La Luna realiza una revolución completa alrededor del Sol en veintiocho días, y permanece poco más de dos días en cada constelación. Como tu luminar regente está muy atareado (ningún planeta de nuestro sistema solar abarca tanto en un período de tiempo tan corto), recoge muchas influencias distintas, señales y vibraciones de los signos que visita y con los que se comunica a lo largo de sus desplazamientos. Esto, combinado con el hecho de que Cáncer es un signo de agua, y por lo tanto receptivo, explica que se te conozca por la amplitud y profundidad de tus emociones.

Sin duda alguna, has descubierto un modo de atraer hacia ti lo que necesitas en la vida y desviar lo que no necesitas. Es probable que ya hayas aprendido que has de mantener una distancia de seguridad con las personas negativas. Si te sientes abrumado por personas exigentes o situaciones estresantes, procura reservarte un rato de tranquilidad para pensar. A veces un bajo estado de ánimo es simplemente el producto del agotamiento físico o emocional. Pregúntate a ti mismo si podría ser ese el caso.

La Luna ha inspirado a poetas, artistas, fotógrafos, compositores, bailarines y otras personas creativas de todos los tiempos. Hay tantos mitos entretejidos en la visión de la Luna que sencillamente son demasiados para relatarlos. El ciclo comienza con la belleza joven y virginal, la luna nueva. En esa fase, la cara de la Luna está misteriosamente velada y deja ver tan sólo una pequeña cuña de luz brillante en su borde. La luna nueva estimula a compartir ideas y plantar nuevas semillas, y fomenta los nuevos comienzos.

Dos semanas después, la Luna se encuentra en su plenitud y nos recuerda a una mujer embarazada en su mejor momento, radiante, expectante y lista para traer a su hijo al mundo. Es el momento de cosechar y de concluir nuestros asuntos cotidianos. Durante tres días antes y después de la luna llena, sentimos su apremio: aumenta la energía, y es cuando todo se consuma. También es posible que te sientas especialmente agitado durante la luna llena. Algunas personas experimentan niveles de energía desmesurados, tienen problemas para dormir y se sienten inquietas o raras. Cuando Cáncer aprende a dominar esta extraña energía, obtiene un elevado éxito en cualquier etapa de la vida.

Tras la luna llena, la menguante belleza de la Luna comienza a retraerse en las sombras. Durante la última semana del ciclo, la Luna parece desvanecerse del todo, sólo para reaparecer cuando se reinicia el ciclo. La etapa de la luna menguante es un tiempo para reflexionar y para estimular silenciosamente la creatividad. También es una época para apartarse del mundo exterior y prepararse para la próxima luna nueva. Es un buen momento para pensar y planificar, pero no para actuar... aún no. Es el período del mes que ha sido comparado con la etapa de la mujer mayor que actúa como sabia o maestra y mentora en los años de la menopausia.

La constancia de la Luna nos tranquiliza y reconforta, nos enseña que, después de todo, existe una gran regularidad en el universo. Los nombres de las lunas llenas de los distintos meses han tenido su origen en diferentes culturas, y hacen referencia a determinados sucesos, ceremonias, circunstancias atmosféricas o festividades que cayeron cerca de una luna llena en particular. Son nombres poéticos y familiares en algunos casos, como el que designa dos lunas llenas en un mes, la Luna Azul.

Existen nombres menos conocidos para las diversas lunas, los cuales voy a enumerar simplemente porque son muy bellos: está la Vieja Luna y la Luna Tormentosa (enero), la Luna Casta (febrero), la Luna de la Savia o Luna de la Semilla (marzo), la Luna de la Hierba y la Luna del Huevo (abril), seguida de la Luna de la Leche, la Luna de Plantar o Luna de la Liebre (todas en mayo), y de la Luna de las Rosas, la Luna de las Flores, la Luna de las Fresas o la Luna de Aguamiel (junio). Después viene la Luna del Trueno o la Luna de las Verrugas (julio) y la Luna del Trigo o la Luna de la Cebada (agosto). En septiembre llega la Luna de la Cosecha, a la que algunos llaman Luna Sangrienta. A continuación está la Luna de los Cazadores o la Luna de las Nieves (octubre), y la Luna Escarchada, la Luna del Roble o la Luna del Castor (noviembre). Por último, justo antes de Navidad, aparece la Luna de Navidad. La Luna de Diciembre se ha llamado Luna del Lobo (también puede caer en enero). Los indios chippewa/shoshoni también hacían referencia a diversas lunas con nombres como Luna del Viento que Habla (en marzo), Luna de los Grandes Cambios (abril y septiembre), Luna de los Muchos Dones (junio), Luna de la Tierra Sedienta (julio), Luna Fría (octubre), Luna de los Muchos Fuegos (noviembre) y Luna de la Mujer Blanca (diciembre). Éstos no son los únicos nombres que existen; varias culturas han adjudicado nombres poéticos a la Luna, pero resulta fácil ver lo mucho que ha inspirado al ser humano a través de los tiempos.

Los astrólogos antiguos escribieron que la Luna refleja en un horóscopo la definición precisa del carácter de una persona. Si los verdaderos matices de la personalidad sólo pueden revelarse de manera gradual, es lógico que se haya escogido la Luna, un luminar que se eleva en la oscuridad cuando la visibilidad es reducida, para que sea el cuerpo celeste del zodíaco que revela la auténtica naturaleza interior de la persona. Además, la Luna se describe en astrología como una influencia privada, del mundo interior, y como tal, posee dominio sobre el hogar, el lugar más privado. El hecho de que la Luna sea la regente de tu signo, querido Cáncer, explica por qué te sientes incómodo en el papel de agresor y prefieres atraer a los demás hacia ti de un modo más sutil, magnético, valiéndote del encanto, la empatía, el intelecto o cualquier otro de tus atractivos talentos.

Los recuerdos, los sueños y los pensamientos íntimos quedan todos dentro del dominio de la Luna. Esta te incita a rememorar y te confiere una memoria notable, posiblemente incluso fotográfica. Recuerdas incidentes con sorprendente precisión, así como lo que sentiste en aquel momento, tal como si hubieran tenido lugar hace sólo un instante. Los hechos permanecen frescos en tu memoria; tu capacidad para acceder a ellos con facilidad asombrará a tus colegas. Algunos nativos de Cáncer poseen un talento particular para el cálculo, y son capaces de sumar largas secuencias numéricas más deprisa que usando una calculadora.

DONES CÓSMICOS

Los Cáncer son sumamente psíquicos, intuitivos e instintivos porque están abiertos al influjo de las fuerzas del universo, que canalizan por medio de su mente y su sensibilidad. Como he mencionado anteriormente, los egipcios creían que el signo de Cáncer simbolizaba la entrada del alma en el cuerpo humano. La cuarta casa (el «hogar» de Cáncer) se considera la base de la carta astral y proporciona el fundamento mismo de la vida.

Los signos cardinales (Aries, Cáncer, Libra y Capricornio) encabezan las estaciones del año (primavera, verano, otoño e invierno, respectivamente), y por eso se les considera bastante orientados y dotados de un espíritu pionero y de la capacidad de ser líderes. Al tener como regente un luminar, la Luna, que constituye una influencia pasiva, la gente considera a los nativos de Cáncer personas reservadas que no necesitan ni desean ser el foco de atención. Sin embargo, cuando tus amigos llegan a conocerte mejor, también ven que por debajo de tu fachada de timidez hay una persona de asombrosa fortaleza que quiere triunfar sea como sea, determinación que te aporta el Sol. En tu interior tienes la capacidad de alcanzar un gran éxito en todo lo que te propongas. Eres muy afortunado por contar con la cooperación mutua de la energía del Sol (masculina) y la de la Luna (femenina) para obtener una sensación especial de plenitud. Constituye una poderosa mezcla.

La rueda del horóscopo es un espejo de la evolución humana. En primer lugar, Aries es el iniciador o la fuerza vital pura que dice: «Yo soy», porque la contribución de este signo consiste en dar vida a cosas nuevas. En segundo lugar, Tauro es el signo que enseña al instinto a acumular y que dice: «Yo tengo». El tercero, Géminis, le enseña a aprender y dice: «Yo sé». Cáncer, la cuarta casa del horóscopo, es el sector de la carta astral que rige los cimientos y las raíces de la vida, la familia y las primeras experiencias que unen a la madre y el hijo. Así pues, Cáncer dice: «Yo siento». Esta casa del horóscopo rige también el hecho de habitar el hogar de uno, la apariencia que tiene y lo que ocurre en él, a lo largo de toda la vida.

Quizá mejor que ningún otro signo, Cáncer entiende y enseña a los seres humanos a preocuparse por los demás y a ver la necesidad de cuidar y ser cuidado. Algunos nativos de este signo, si no tienen ningún bebé al que cuidar, cuidarán a una mascota o alimentarán una serie de proyectos creativos. Mientras que Aries está más centrado en el desarrollo de su propia identidad, para cuando la rueda del horóscopo llega a Cáncer el niño proverbial ha evolucionado y está ya listo para dejar atrás la preocupación por sí mismo y aventurarse en las relaciones familiares. En Cáncer, el feto ha salido del útero (el lugar donde Géminis es consciente por primera vez de su gemelo) para pasar al nido. Sin embargo, Cáncer «recuerda» siempre la experiencia de estar rodeado por las reconfortantes aguas del útero, su primer «hogar» y desde luego el más seguro. Del mismo modo que los hermanos (o la falta de los mismos) dan forma a la personalidad de Géminis, la de Cáncer está influida sobre todo por la madre. Esta se convierte en el principal catalizador, más que ningún otro miembro de la familia.

De hecho, los hombres y las mujeres Cáncer recrean de manera inconsciente las relaciones madre-hijo a lo largo de toda su vida de forma mucho más profunda que otros signos. A veces se convierten en una figura «maternal» protectora y generosa para los demás; otras veces se sienten desvalidos y anhelan que los cuiden a ellos. Sin embargo, la influencia materna es muy poderosa, siempre, en los nacidos bajo el signo de Cáncer, pero hay que tener en cuenta que aunque uno haya tenido una relación problemática con su madre, ella no va a dirigir su destino; eso sólo lo puede hacer uno mismo. Muchas personas superan comienzos difíciles y alcanzan grandes logros, no a pesar de esas dificultades, sino a menudo gracias a ellas.

Querido Cáncer, ¿alguna vez te han acusado de ser una persona obsesiva o de volverte irritable? Es probable que la respuesta sea afirmativa, sobre todo cuando te sientes amenazado o incomprendido. Cuando te sientes así, a diferencia de un Géminis, que obedecerá al impulso de hablar con cualquiera que le escuche, tú seguramente darás la espalda al mundo y te encerrarás en tu caparazón, y encontrarás consuelo en ello. Es probable que tu familia y tus amigos se sientan desconcertados por tu necesidad de retraerte, pero todo intento por abrir tu caparazón resultará inútil, será mejor que no lo intenten. No hay modo de convencer al Cangrejo de que se una al resto de la humanidad hasta que se sienta preparado para hacerlo. No obstante, enseguida tu actitud alegre pone fin a esos períodos hoscos o malhumorados. Cáncer cambia de un estado de ánimo a otro muy rápidamente. Una vez que te centres y entres en contacto con tus verdaderos sentimientos, resurgirás, pero nunca antes. Cáncer puede ser asombrosamente inflexible a la hora de hacer lo que quiere por mucho que le supliquen los demás, ya que se trata de un signo cardinal que insiste sin hacer ruido en que las cosas o se hacen a su manera, o no se hacen.

Al igual que el listo cangrejito de la playa, tú también eres un maestro de la sutileza, y rara vez te enfrentas a las situaciones de frente. Tú opinas que si revelas tus intenciones a tus compañeros, enemigos o competidores, te pondrás en una posición de desventaja, porque ellos estarán mejor preparados para defender o adelantar su posición. La gente que te rodea dice que nunca sabe lo que estás pensando, hasta que de modo inesperado anuncias tu próximo movimiento. Con frecuencia este llega en forma de un estallido apasionado cuando ya no puedes seguir ocultando tus sentimientos o tus motivos. «Ayer en el supermercado te mostraste insensible a mis sentimientos. Cuando te dije que quería Devil Dogs, tú compraste lo que querías tú: ¡Donuts! ¡Siempre te sales con la tuya! ¡Nunca tienes en cuenta mis sentimientos!». Y entonces Cáncer añadirá algo totalmente inesperado: «¡Se acabó! ¡Mañana dejo mi trabajo!».

Cáncer tiende a gritarle a uno cosas como esas en el momento más extraño. ¿Quién iba a suponer que tú te habías molestado tanto en el supermercado? Tu pareja intenta convencerte de que no dejes tu trabajo, pero a estas alturas te sientes ya como un manojo de fuertes emociones y todo te parece horrible. El hecho de no tener esas chocolatinas Devil Dogs te sacó de quicio, le dices. Estás cansado de no recibir apoyo de tu jefe, de la gente de la oficina, de los vecinos..., hasta de los niños. ¡Por san Jorge, vas a tener que hacer algo al respecto! Lo que necesitas es comprensión, y si tienes una pareja sensata, te la proporcionará.

Tiendes a absorber pensamientos y emociones en lugar de sacarlos fuera. Tarde o temprano la presa reventará, con gran sorpresa por tu parte, porque tú (y desde luego los que te rodean) no tenías ni idea de que estabas tan cerca de la gota que rebosa el vaso. No es de sorprender que esto pueda provocar consternación en tus relaciones íntimas; tu pareja te acusa de guardarte tus sentimientos, o de mostrarte evasivo sin razón, o de dejar que las emociones vayan acumulándose hasta llegar a un punto en que ya no puedes controlarlas.

Sería mejor que compartieras tus sentimientos de buena gana, porque ello podría evitar un montón de problemas interpersonales. Nada de esto es deliberado por tu parte, sino que actúas de modo más bien inconsciente e instintivo. Es posible que no te sientas con fuerzas para iniciar una discusión con tu pareja, porque tal vez no te sientas seguro de poder ganar en una confrontación verbal, que le resulta tan natural al signo que te precede, Géminis. Cuando llegues a conocer mejor a tu pareja, estarás más dispuesto a bajar tus defensas. Es un proceso que puede durar años. Sin embargo, manifestar completamente sus pensamientos y emociones no es algo que un Cáncer haga de forma natural.

Tú sabes que debajo de ese duro caparazón escondes un vientre tierno que es sensible y fácil de herir. Tienes la sensación de no tener más remedio que defender tu vulnerabilidad. Aunque los signos que rodean al tuyo es posible que desahoguen sus sentimientos abiertamente (tanto Géminis como Leo son «libros abiertos»), los Cáncer tenéis necesidad de una mayor intimidad emocional.

Los astrólogos de la Antigüedad explicaban que cada signo compensa las características de que carecen el signo que lo antecede y el que lo precede. Tu carácter es más sutil que el de Géminis o el de Leo, de una sensibilidad más delicada, comprensiva y compasiva. Signo tímido y reservado, Cáncer no es el pendón gregario y extravertido que es Géminis. Ni tampoco posee los impulsos provocados por el ego de Leo, el signo que comienza a finales de julio. Más introvertido y centrado que esos dos signos, su fuerza nace de su interior más que del estímulo y la energía de los que lo rodean. En Cáncer el ego está amansado, y es lógico que así sea; una personalidad fuerte aplasta el equilibrio dentro de la unidad familiar. Cáncer apoya de manera instintiva a la familia, en vez de competir con sus miembros. Y a diferencia de los Géminis y los Leo, que tienen muchos amigos, los Cáncer son más selectivos en cuanto a las personas a las que permiten acercarse. Como consecuencia, hacen una gran inversión emocional en sus familiares y amigos. Como perteneces a un signo sumamente generoso, querido Cáncer, tus ojos suelen fijarse en el matiz más insignificante, el sentimiento más leve o la expresión más fugaz de las personas que te rodean. Reaccionas de modo instintivo con una compasión casi psíquica por los que necesitan ayuda. Al ser también muy creativo, a menudo eres capaz de tomar objetos y alimentos sencillos y cotidianos y transformarlos en algo bastante fuera de lo común.

RELACIONES

La Luna subraya de un modo especial no sólo el hogar y la familia, sino también a la madre. Tu madre fue importante para ti porque, naturalmente, ella fue la primera persona con la que tuviste una relación. Más adelante en la vida, la mayoría de los Cáncer, ya sean hombres o mujeres, descubren que las mujeres en general continúan ejerciendo una mayor influencia en su trayectoria, haciéndose eco de ese primer tema lunar (femenino). Es posible que descubras que las mujeres se toman grandes molestias para ayudarte de manera significativa o que tus relaciones más íntimas y felices son con mujeres.

Para Cáncer, la caridad empieza por uno mismo. Si bien puedes suponer que todo el mundo comparte los mismos instintos, querido Cangrejo, en realidad eso no es cierto del todo. Los Acuario, por ejemplo, están firmemente volcados al exterior, hacia el mundo, y se inclinan por corregir los males de la sociedad, en lugar de estar dirigidos hacia dentro, centrados en fortalecer la propia familia. En Piscis, el énfasis radica en ser de ayuda al mayor número posible de personas, desde familiares, amigos y compañeros de trabajo hasta subordinados y completos desconocidos. Los Piscis, dulcemente, no dejan de recoger a los extraviados para ayudarles y darles de comer, y al parecer les importa un comino que sean miembros de su familia o no.

Tus detractores dirán que algunos Cáncer tienen un fuerte sentimiento de clan y no se preocupan nada por quienes no son de su familia. Esto es cierto sólo en algunos nativos de este signo poco evolucionados. En realidad, querido Cáncer, si pudieras, darías refugio a todo el que careciera de hogar, consolarías a todos los niños que no tienen madre y darías de comer a todos los hambrientos. En tu corazón, albergas la esperanza de recibir el mismo amor incondicional que das, la clase de amor que solemos recibir de una madre o de otra persona que nos haya cuidado en nuestra niñez. Ese recuerdo de cuando eras niño de estar envuelto en amor lo llevas siempre dentro de ti. No obstante, no podrás dar otro tanto hasta que te sientas seguro económica, emocional y físicamente. Aunque al principio puedas titubear pensando si la persona que sufre necesita de verdad ser rescatada antes de que tú te lances al agua, también es cierto que jamás le darás la espalda.

Los nativos de Cáncer suelen mostrar un afecto especial por los niños. Como padres, por lo general lo hacen pero que muy bien, porque es un papel que se toman muy en serio y al que se lanzan con sumo placer. Tú verás encantado los dibujos animados, les leerás cuentos a la hora de ir a la cama o te pasarás la tarde tirado por el suelo con tus liliputienses. Más adelante, cuando se vayan haciendo mayores, jugarás con ellos una buena partida de Scrabble o un partido de fútbol, o les ayudarás con los deberes del colegio. Este es el signo que más se preocupa por atender bien a los niños y que siempre acude a las reuniones de padres de alumnos. Nunca digas a un Cáncer que idolatra demasiado a sus hijos, porque sin duda alguna le caerás bastante mal.

Sin embargo, algunos Cáncer sí que puede que den demasiado. La Gran Madre está fuertemente incrustada en el arquetipo de este signo. Los Cáncer que no sean capaces de manejar este simbolismo en su vida bien podrían eclipsar la personalidad de sus hijos con demasiados mimos. El carácter de agua de este signo trae consigo la necesidad de mezclarse y fusionarse sin limitaciones. Esos Cáncer se vuelven protectores en exceso e incluso asfixiantes con tantos cuidados, y podría darse una pérdida de identidad, ya sea en ellos, en sus hijos o en todos a la vez. Con todas sus buenas intenciones, podrían, sin darse cuenta, impedir que sus hijos crezcan de manera independiente. Pero la mayoría de los Cáncer sí aprenden a aflojar la rienda al cabo de un tiempo, seguros de que sus retoños son felices y están adaptados, y les permiten cometer sus propios errores. Los padres Cáncer que logran hacer esto se vuelven más fuertes. El premio consiste en que descubren que así son libres para explorar nuevas salidas creativas para sus considerables talentos.

Los Cáncer que tienen un progenitor que les atosiga demasiado tendrán que buscar el equilibrio entre respetarle por haberles dado la vida e independizarse y liberarse, la única manera de convertirse realmente en ellos mismos. Es más fácil decirlo que hacerlo, pero este problema puede causar mucha frustración, e incluso rabia, si no se soluciona.

En el campo de las relaciones interpersonales, los Cáncer son magos a la hora de sincronizar con los sentimientos de las personas que tienen más cerca. Tan exquisita es su sensibilidad, que son capaces de percibir los más mínimos cambios en cualquier relación íntima, día a día (incluso de hora en hora). Un Cáncer capta el menor rastro de estática que flote en el aire o nota una expresión efímera que a los nativos de otros signos les resulta imperceptible. Es la forma que tiene la Naturaleza de ayudarte a protegerte y defenderte mediante un sistema de advertencia inmediato. Si los Cáncer captan una alteración cualquiera en su pantalla de radar, les causará un profundo desconcierto y les resultará difícil concentrarse en cualquier otra cosa que no sea esa dificultad en la relación. En comparación, nada les parecerá tan importante como ocuparse de ella, de manera que lo harán... inmediatamente.

Como signo de agua, tus sentimientos en las relaciones amorosas son más profundos que el mar y más anchos que el cielo. Tú deseas que tu pareja sienta lo mismo que tú, y si no puede hacerlo te sientes decepcionado. Es posible que te preguntes en silencio a ti mismo si tu pareja te ama lo suficiente o, al contrario, si no le esta-

rás pidiendo demasiado. Has de comprender
natural experimentar emociones tan fuertes,
los demás no les resulte tan fácil sentir con
Tendrás más posibilidades de encontrar una
ramente espiritual en otro signo de agua, ya sea Piscis, Escorp.
Cáncer. Los signos de agua mezclan el amor, la sexualidad y la espiritualidad con una rara belleza y elegancia; los otros signos no pueden igualar el alcance emocional de los de agua.

Los Cáncer no quieren sexo sin amor; desean una experiencia
rica, múltiple, basada en sentimientos auténticos. Muestran a sus
amantes cómo hay que cabalgar sobre las olas de los sentimientos
en el mar del amor. Cuando tú haces el amor, querido Cáncer, es
una experiencia sensual, romántica y muy intensa. Y cuando se den
todas las circunstancias favorables, dicha experiencia incluirá una
expresión sincera de amor con el paso del tiempo.

Cáncer rige el estómago, y eso es algo que tu pareja deberá tener en cuenta. El axioma que dice: «Al corazón de un hombre se
llega por el estómago», debía de referirse a un Cáncer. (Si eres un
hombre, recuerda que esto también vale para las mujeres de este
signo.) Cáncer no necesita un restaurante elegante para ser feliz; en
realidad, le gusta más una cena preparada en casa. Que alguien se
haya tomado la molestia de cocinar para ti resulta conmovedor y
cuenta mucho. A Cáncer le encanta también mezclar sexo y comida, de modo que si tu pareja es de este signo, ¡le encantará que mez-
cles las dos cosas!

Es posible que otros signos no puedan bucear contigo en las in-
sondables profundidades de los sentimientos. No obstante, tal vez
quieras tener en cuenta la posibilidad de salir con un nativo de un
signo de tierra, ya sea Tauro, Capricornio o Virgo. Descubrirás que
estos signos aportan una atractiva estabilidad a tu vida, te sirven de
ancla en medio de las tormentas y te ayudan a encontrar tu equilibrio.

Sin embargo, te resultará difícil no aprovechar tu compatibili-
dad con un romántico, sentimental y sensible signo de agua: Piscis,

pio u otro Cáncer. Tú te ofendes fácilmente, de modo que si
.es con un nativo de otro signo de agua, esa persona tendrá tacto
y te tratará exactamente como a ti te gusta que te traten. En esa relación contarás con la seguridad de que tus pensamientos y tus sueños son comprendidos de manera intuitiva por tu pareja. Los signos
de agua parecen comunicarse dentro de un mundo exclusivo de
ellos, como si estuvieran dotados de rayos infrarrojos o poderes psíquicos. Al ser Cáncer, eres un maestro a la hora de leer el lenguaje
corporal, igual que Piscis y Escorpio. Es posible que terminéis aca-
bando el uno las frases del otro o tarareando las mismas melodías,
porque estáis perfectamente sincronizados.

Los Cáncer son unos románticos. Les encanta cenar a la luz de
las velas, pasear por la playa, navegar bajo la luna, leer poesía y recordar viendo fotografías antiguas. Son coleccionistas natos; les encantan los álbumes de recortes, y prácticamente han sido ellos los
inventores de los objetos de recuerdo. También les gusta mucho
planificar ocasiones especiales, esa clase de acontecimientos que requieren mucha preparación. Se les da muy bien organizar rituales
como bodas, bautizos, graduaciones y celebraciones de festividades
tradicionales que reúnen a la familia, porque crean una experiencia cálida y amorosa.

Durante esas celebraciones, Cáncer es siempre el que responde a las preguntas acerca del linaje y la herencia de los antepasados.
Los Cáncer deben de nacer con un chip de silicio implantado en el
cerebro, para registrar todas las relaciones de la familia. Tu hermana anuncia que vuestro primo segundo Henry va a casarse en primavera. El Cáncer se apresurará a decir: «Henry no es nuestro
primo segundo, porque no es el nieto de la tía Clare, sino su bis-
nieto». En ese punto tu hermana te pregunta cómo puedes saberte
todas esas complicadas relaciones, y si estás seguro. No hay que desafiar los conocimientos de un Cáncer sobre la familia; por supuesto, tiene siempre la razón. Se ha pasado la noche entera conectado
a Internet estudiando sus raíces y conociendo más a fondo el des-
glose completo de su árbol genealógico, desde el siglo XVII. Los

Cáncer son también los que resultan elegidos con mayor frecuencia para ser los fotógrafos y los historiadores de la familia, simplemente porque lo hacen de manera muy creativa y con gran entusiasmo. Son tareas en las que disfrutan mucho, de modo que no hay que temer asignárselas.

Para algunos Cáncer, encontrar su situación doméstica o familiar ideal constituye un proceso que dura toda la vida. Es posible que consista en decidirse por la casa perfecta o en escoger el lugar ideal para vivir, aunque ello requiera un traslado radical. Las mudanzas nunca las hacen alegremente los Cáncer; prefieren quedarse lo más cerca posible de sus familiares y amigos, el tejido social de su vida. En su búsqueda de un hogar y una familia, tal vez se incluya la tarea de encontrar a su madre biológica si es que fueron adoptados, o la de buscar un niño que adoptar si no pueden tener hijos. Para algunos, se centra en buscar el modo de cuidar de un padre anciano y enfermo con dignidad y compasión. Para los nativos de este signo, las cuestiones que rodean a la familia a menudo tienen una gran importancia en su vida.

El divorcio y la consiguiente ruptura del hogar no resultan nada fáciles para los Cáncer, porque ellos ansían estabilidad. Si eres un Cáncer que acaba de divorciarse y hay hijos de por medio, las nuevas tensiones y problemas de ser padre o madre sin la ayuda de la pareja podrían resultar tan intensas y difíciles como el fracaso del matrimonio. A los Cáncer les gusta estar casados, y preferirán casarse de nuevo en lugar de continuar separados de forma indefinida. Las madres solas de este signo lo pasan especialmente mal haciendo malabarismos con todo lo que tienen que hacer, y se preocupan mucho por el bienestar de sus hijos. A los padres Cáncer divorciados que tienen hijos en edad escolar no les va mucho mejor. A no ser que se les conceda la custodia, les resultará muy doloroso estar separados de sus hijos. A menudo están decididos a quedarse cerca de sus hijos, y a veces es algo que los obsesiona. Además, por lo general tienen mucho cuidado de pagar la pensión alimentaria, porque temen convertirse en «un tío» para sus hijos y que la tarea «real» de hacer de padre recaiga en el segundo marido de su ex mujer. A veces los padres Cáncer se preocupan en exceso; los niños poseen un sentido extraordinario para saber quién es su padre y cuánto les quiere.

En ocasiones, en su celo por estar con sus hijos, los hombres Cáncer apartan inconscientemente a una futura pareja relegándola a una posición secundaria. Naturalmente, es imposible competir con el amor de un Cáncer por sus hijos, de modo que esa nueva pareja se encuentra en una situación muy difícil. Él ni siquiera se da cuenta de estar haciendo lo que hace. ¿Existe alguna solución? Si eres un Cáncer divorciado, escucha atentamente lo que dice tu pareja. Ayuda mucho tener una actitud que demuestre interés.

Existe el peligro de que la madre (o la madrastra) del nativo de Cáncer pueda interferir en sus relaciones amorosas. Los hombres de este signo valoran y respetan tanto la relación que tienen con su madre que es posible que no sepan mostrarle a su mujer que es ella quien ocupa el primer lugar en su corazón. De forma inconsciente, es posible que hagan que su mujer o su novia se sienta inferior a su madre. Para un hombre Cáncer adulto, discrepar con su madre es casi un concepto imposible de entender (como difícil es de desentrañar). En vez de controlar la situación fácilmente y de modo jovial aunque firme, lo más probable es que haga una montaña de un grano de arena y no consiga sino complicar más las cosas. Su pasividad podría apartar a su novia o esposa, porque se niega a ver el problema que ha creado.

Lo único que se necesita es un poco de sentido práctico y un toque de naturalidad. Cáncer, no provoques un incidente internacional cuando no existe. Las mujeres Cáncer tampoco son inmunes a esto; necesitan separarse un poco de su madre al casarse, para que su marido sea quien ocupe el primer lugar en su corazón.

Una complejidad más que mencionar es la de que los Cáncer de uno y otro sexo necesitan valorar los sentimientos de su pareja cuando tratan con sus familiares. Ellos siempre tienden a pensar que, sea como sea, los lazos de sangre son los más importantes. Por desgracia, cuando se les hace ver esto, habitualmente su primera reacción es la de no dejar mucho sitio al razonamiento ni la negociación. A veces lo único que hace falta es un pequeño cambio de perspectiva. Así pues, Cáncer, procura ponerte en el lugar de tu pareja. Eres enormemente sensible, de modo que bastaría un minúsculo esfuerzo para limar las asperezas en esa área. Si tu pareja trata de razonar contigo, escúchala con todo tu corazón.

Cáncer es conocido por ser muy aprensivo. A veces miras demasiado hacia atrás y te torturas a ti mismo con remordimientos. Esto puede minar tu autoestima. Intenta aprender de tus errores, pero no tengas miedo de cometer otros nuevos. Ganarás unas veces y perderás otras; lo importante es aprender de lo que ocurra y no ser demasiado duro contigo mismo.

Valoras tanto la estabilidad, que sueles conservar durante demasiado tiempo relaciones inadecuadas o trabajos poco productivos, con la esperanza de que mejoren las cosas. Es posible que después te arrepientas de haber esperado tanto. Tu fidelidad y tu devoción son virtudes, querido Cáncer. Cuanto mayor te vayas haciendo, más fácilmente verás en qué situaciones debes permanecer y cuáles debes abandonar lo antes posible. Tal vez quieras pedirle consejo a un amigo de confianza... y prestarle atención.

FINANZAS

En el aspecto económico, los Cáncer tienden a gastar con prudencia y aferrarse a lo que compran. A ti te encantan las gangas, y te tomas muchas molestias para buscarlas. Los Cáncer siempre cuentan el cambio que les dan, utilizan los vales y comprueban los recibos por si hubiera errores. Esa es una forma segura de amasar riquezas a lo largo del tiempo. No apuestan por algo que no esté muy claro, sino que siempre van a lo seguro. Tampoco invierten en nada que sea demasiado llamativo, ultramoderno o incierto; un Cáncer que se dedique a invertir en empresas que impliquen riesgo preguntará todo lo que sea necesario acerca de los dueños y de sus antecedentes. Cuando te compras ropa, querido Cáncer, por lo general es de buena confección y estilo clásico, porque te gustan las cosas que sabes que vas a poder usar durante varios años. Cáncer es juicioso con el dinero, y está considerado como uno de los signos más de fiar (junto con Tauro, Escorpio y Capricornio). No te importe que los demás se rían de ti, ¡ya te reirás tú de camino al banco!

CARRERA PROFESIONAL

¿Qué profesiones son las mejores para ti, querido Cáncer? Aunque existen muchas posibilidades, aquí tienes unas cuantas. Eres muy bueno en puestos ejecutivos, de modo que, ¿por qué no empezar por arriba, como presidente o director financiero, o trabajar en contabilidad, finanzas o inversiones? Vigilarías detenidamente los puntos fundamentales y propondrías excelentes medidas para reducir costes. Además, en el lado más humano de la empresa, los Cáncer también comprenden la necesidad de contar con una fuerte relación con el cliente y se les da muy bien resolver problemas delicados (principalmente porque empatizan muy bien). Para ti podría resultar adecuado un empleo de director de atención al cliente.

También podría ser interesante cualquier puesto en el que puedas ofrecer comida, refugio o consuelo a otras personas. Entre las áreas más recomendadas se encuentran las de chef, dueño de un servicio de *catering*, distribuidor de productos de alimentación, panadero, restaurador, hotelero o propietario de una tienda de comestibles, quizá vendiendo productos importados o de alta gastronomía. Es posible que te fuera bien publicando un libro de recetas o trabajando en una página web sobre comida.

Tu vínculo natural con el embarazo, el parto y el cuidado de los niños hace que tal vez te plantees la posibilidad de convertirte en obstetra, enfermera (sobre todo de la sala de partos), comadrona o bien dietista o instructora de mujeres embarazadas (por ejemplo, enseñándoles a dar el pecho a sus hijos). Serías un excelente maestro de guardería o de parvulario, o triunfarías trabajando en el sector del juguete o en cualquier empresa que fabrique productos para bebés y niños pequeños. También podrías ser redactor de una revista para padres. Dado tu amor por la historia, trabajarías estupendamente en antigüedades, como restaurador de un museo o como historiador.

El hogar y la vivienda son tu especialidad, de modo que podrías convertirte en diseñador de telas o de otros productos para el hogar, desde artículos de cocina hasta ropa de cama, desde marcos de cuadros hasta alfombras. Podrías ser arquitecto o diseñador de interiores, o incluso agente de la propiedad inmobiliaria. También podría divertirte trabajar de diseñador de jardines o de jardinero. Por último, como perteneces a un signo de agua, puedes pensar en un trabajo cerca del agua o con líquidos. Podrías hacer carrera en la marina, o ser un oficial de un crucero o trabajar en la industria naviera. Podrías dirigir un laboratorio fotográfico o ser fotógrafo. Podrías tener un viñedo o una fábrica de cerveza, o importar vino, café o té, o bien embotellar agua y gaseosa. Debido a tu comprensión de las emociones humanas y tu buena memoria para las frases, podrías ser un excelente actor. Tu sensibilidad constituiría un punto fuerte en cualquier arte, incluyendo el trabajo de guionista o de novelista.

Un dato poco conocido de los Cáncer es su notable capacidad para obtener publicidad y generar popularidad. Como las energías de la Luna van dirigidas hacia el exterior, hacia el inconsciente colectivo (en oposición al ego), Cáncer posee una magnífica capacidad instintiva para percibir lo que desea el público y adaptarse a ello. Para ti podría ser perfecto convertirte en agente publicitario o artístico. También puedes considerar el marketing o la gestión de marcas.

CUERPO, MENTE Y ESPÍRITU

El hogar es tan importante para el Cangrejo que se lo lleva consigo adondequiera que va. Cuando la vida se vuelve demasiado abrumadora, el Cangrejo sencillamente se monta una barricada y se esconde detrás de ella cerrando su caparazón exterior. Por eso es tan vital que los Cáncer sean felices en casa, y si no lo son, pueden enfermar físicamente. En esos casos, se sienten indefensos frente a un universo cruel y despiadado. El hogar es sagrado, y no importa lo modesta o lujosa que sea su morada; lo que importa es que aporte seguridad a Cáncer y a su familia. Si el lugar no es apropiado, ya se encargará él o ella, durante toda la vida si es necesario, de hacer que lo sea.

La mayoría de la gente está de acuerdo con Cáncer en que el hogar representa un remanso de paz contra el mundo y un espacio privado que nos permite experimentar y crecer. Queremos sentirnos libres, y que los miembros de nuestra familia, quienes nos conocen y nos aman por lo que somos, valoren nuestra individualidad y nos animen a correr riesgos. Esperamos que el hogar sea un sitio en el que podamos sentirnos verdaderamente nosotros mismos, además de un lugar en el que descansar y recuperar energías. Aunque Géminis pueda vivir siempre con una maleta en la mano y viajar constantemente por todo el planeta, no es muy probable que Cáncer esté fuera mucho tiempo sin experimentar un súbito ataque de nostalgia. Los Cangrejos quieren su cama y su comida favorita, y ver a su alrededor caras conocidas. Contar con esos placeres sencillos de la vida les proporciona libertad para abordar asuntos más grandes y la base que necesitan para aventurarse en el ancho mar.

He aquí unos cuantos rasgos muy reveladores de la vivienda de un Cáncer. En primer lugar, será cómoda y acogedora; Cáncer desea un hogar cálido, con galletas haciéndose en el horno, algo que pueda recordarle la infancia. Tu signo no quiere contratar a un decorador que le imponga un determinado estilo que esté de moda. No quiere vivir en un museo en el que la gente tenga miedo de romper algo. En vez de eso, quiere un espacio auténtico que refleje su verdadera personalidad.

Es probable que por toda la casa haya fotografías de amigos y familiares, porque los nativos de Cáncer nunca pierden de vista a las personas a las que aman. Son un poco desordenados, de modo que si vas a su casa es posible que tengas que esquivar zapatos tirados en medio del salón o fingir no haber visto esa montaña de periódicos amontonados en su estudio. Cáncer tiende también a ser bastante territorial, así que si por casualidad te sientas en su sillón favorito o en su lado del sofá, prepárate para cambiar de sitio.

La cocina es una zona clave para Cáncer, y es probable que en su hogar constituya el centro de actividad. Leo, el signo que sigue al tuyo, puede que tenga el frigorífico vacío, quizá con una botella de champán y una lata de caviar en el estante de la puerta. Los Leo no tienen tiempo para cocinar; han de salir disparados para la próxima fiesta. Géminis, el signo que precede a Cáncer, tendrá en casa montones de sellos de correos e impresos de envíos por avión, pero seguramente nada de leche (estas abejas obreras adoran la comida para llevar). Por el contrario, Cáncer tiene en la nevera comida suficiente para abastecer a una familia de cuatro miembros durante todo un año. A muchos nativos de este signo les encanta cocinar, ya se trate de algo sencillo como unas tortitas para desayunar en la cama con su pareja o un *soufflé* para cenar un sábado e impresionar a los invitados. A ti te resulta divertido dedicarle tiempo a la comida, porque te pone en contacto con el mundo exterior proporcionándote la interacción social que te resulta tan profundamente satisfactoria. Para Cáncer, el regalo de la comida dice: «Te quiero».

Tienes excelentes posibilidades de conservar tu buena salud, porque te gusta la verdura y la fruta y sueles beber mucha agua. Manténte atento a una posible alergia a la leche. Aunque no te gusta el ejercicio físico muy fuerte, sí te gusta bailar, la gimnasia aeróbica, nadar, esquiar, hacer esquí acuático o patinar sobre hielo (te gustan todos los deportes relacionados con el agua). Al ser Cáncer, tienes un estómago delicado, de manera que cuando sufras tensión nerviosa, será una buena idea que consumas alimentos más suaves hasta que te sientas mejor. Las mujeres de este signo deben hacerse mamografías de forma regular. También es recomendable que los nativos de Cáncer, sobre todo las mujeres, tomen calcio. Como tiendes a retener líquidos, procura no consumir mucha sal. Otra posible área de preocupación para este signo es la de los desórdenes alimentarios. La bulimia y la anorexia son problemas habituales en los Cáncer. Atajar un problema en sus inicios siempre hace que sea más fácil de resolver. Por lo general, tienes bastantes posibilidades de mantenerte sano y en forma.

RESUMEN

Como conclusión, si amas a una persona de este signo, puedes estar seguro de que tu pareja siempre se preocupará de la familia, la protegerá y la defenderá. Construirá una vida hogareña amorosa, disfrutará de sus hijos y cuidará de ellos, y será leal toda su vida. Los Cáncer comprenden la necesidad de mantener una fuerte unidad familiar y no romperán un matrimonio a la ligera. Son compasivos, amables y juiciosos. Invierten el dinero con prudencia, no lo despilfarran, y suelen acumular riqueza a lo largo de la vida. Pocos signos aman con la profundidad de sentimientos y la compasión de los Cáncer, así que acaricia a tu Cangrejo con amor y dulzura. Te darás cuenta de que, como la perla rara y perfecta que este signo simboliza, es uno entre un millón.

Los mitos de Cáncer y la Luna

A veces los nativos de este signo desearían no serlo, y dicen: «¡Vaya nombre que tiene mi signo! ¿No podría llamarse de otra manera?». Qué poco conocen la rica y maravillosa historia mitológica del Cangrejo. Este animal es una criatura muy antigua, que apareció hace quinientos millones de años. Muy apropiadamente, de Cáncer se dice que es el defensor de las tradiciones y que por eso le interesan la historia y los antepasados. Los griegos y egipcios antiguos llamaban a este signo «el Escarabajo», un animal parecido al cangrejo y dotado también de pinzas. Era considerado un animal sagrado. Al igual que el cangrejo, los Cáncer toman una ruta indirecta que les deja tiempo para reflexionar y examinar las nuevas experiencias teniendo en cuenta las ya pasadas. Esto tiene también su lógica, ya que su regente, la Luna, domina los recuerdos. Sin embargo, los Cáncer pueden ser bastante testarudos en ocasiones; ello se debe a su pinza, que escarba en lo que hayan atrapado en ese momento. El Cangrejo tiene el esqueleto en la parte externa, mientras que su signo opuesto, Capricornio, lleva los huesos dentro. Esto incrementa la sensación de vulnerabilidad de Cáncer y su necesidad de autoprotección.

Los caldeos, uno de los primeros pueblos que establecieron preceptos astrológicos (véase «La historia de la astrología»), decían que Cáncer representa las Puertas de la Humanidad, una especie de umbral del que se sirve el alma para manifestarse en la realidad. La cuarta casa rige no sólo el hogar y la familia, sino también los fundamentos mismos de la vida. En astrología llamamos a esta cuarta casa el punto IC (*Immum Coeli*) de la rueda, que en latín quiere decir «fondo del cielo». Es, sencillamente, el momento en que hoy se convierte en mañana y ayer al mismo tiempo. Es el punto de la carta astral que corresponde a la medianoche, y que significa el comienzo de un nuevo día. Las experiencias que vivimos hoy se convierten de pronto en recuerdos. Esto resulta apropiado, porque el Cangrejo está regido por la Luna, que gobierna los sueños y la memoria.

HÉRCULES Y LA HIDRA

Los griegos nos ofrecen un mito de excepcional belleza que intenta explicar la razón por la que Cáncer pasó a formar parte de las doce constelaciones principales. El relato se centra en Hércules, el primer héroe de acción, y las dos diosas de la Madre Tierra, Hera y la monstruosa Hidra. Según el mito, Hércules tenía que llevar a cabo los famosos doce trabajos que le impuso Euristeo, rey de Micenas. Si los realizaba, se aseguraría un sitio entre los dioses y sería inmortal para toda la eternidad. En el segundo trabajo, Hércules tuvo que luchar contra la temida serpiente marina, un monstruo llamado Hidra. La Hidra era una bestia terrorífica de múltiples cabezas (algunos dicen que tenía sólo siete, pero otras versiones del mito le adjudican hasta diez mil). Tan horrible era que hasta su aliento constituía un veneno letal. Hércules sabía que una de las cabezas de la Hidra era inmortal, así que estaba claro que tenía que cortarle dicha cabeza en particular. Sin embargo, la cabeza inmortal era idéntica a las demás, de modo que identificarla no era tarea fácil.

Durante el combate de Hércules con la Hidra, surgió de las profundidades un cangrejo gigante que se agarró del tobillo del héroe. Al hacerlo, estaba demostrando su firme determinación de defender a la Hidra, una figura materna que representaba la persona bondadosa responsable de su vida. Hércules golpeó al cangrejo, lo aplastó y continuó luchando con la Hidra. Asestando golpes de espada a diestro y siniestro, consiguió cortar dos de las cabezas, pero de cada una de ellas volvieron a nacer otras dos nuevas. Entonces llamó a Ificles, su amigo, para que quemase cada herida que él iba infligiendo de modo que se interrumpiese el flujo de sangre y no crecieran cabezas nuevas. ¡Y funcionó! Por fin, Hércules logró matar al monstruo al cortarle la cabeza inmortal.

La parte del relato que tiene que ver contigo, querido Cáncer, es que Hera, la Madre Tierra, se fijó en los esfuerzos del cangrejo por ayudar a la Hidra en su lucha con Hércules. Hera era enemiga de Hércules, de modo que deseaba honrar al cangrejo por su esfuerzo. Valiéndose de las estrellas del firmamento, dibujó el contorno de un cangrejo y lo situó en el cielo como la cuarta constelación, Cáncer, para que permaneciese allí para siempre, como símbolo inmortal del valiente y leal cangrejo.

DEMÉTER Y PERSÉFONE

Existen otros mitos que se relacionan con Cáncer centrados en la figura de la madre. El más dramático es el que cuenta la historia de Deméter y su hija Perséfone, un relato que se narra en este libro en el apartado «Los mitos de Escorpio y Plutón». En Cáncer, en vez de concentrar nuestra atención en Perséfone, nos centramos más en los sentimientos de la madre cuando se entera de que su hija ha sido secuestrada. Tal como nos relata el mito, Deméter, madre de Perséfone y diosa de la fertilidad y de las cosechas, es normalmente una figura amable y bondadosa, pero de repente se comporta como una loca a causa de su profundo dolor y de la imposibilidad de encontrar a Perséfone. Destruye las cosechas y provoca hambrunas durante un año entero. Zeus, en su sabiduría, por fin siente la necesidad de intervenir para hacer un trato, porque se corre el riesgo de que toda la vida en la Tierra se marchite y perezca.

En el mito, la madre de Perséfone no quiere dejar marchar a su hija, porque le aporta gran felicidad. Fijémonos aquí en que la madre necesita a la hija tanto como la hija necesita a la madre; las dos crean un círculo de amor. En la historia de Deméter y Perséfone, para que esta última crezca, tiene que liberarse de su madre. El relato estudia el dolor de dicha separación. Es similar al que experimentan muchos nativos de Cáncer en su vida cotidiana en un nivel u otro: una separación forzosa entre padre e hijo o entre miembros de una familia, que puede ser temporal (irse a trabajar a otra ciudad, por ejemplo) o permanente (entregar a un hijo en adopción). Al final, se decide que Perséfone pasará la mitad de su vida en la Tierra y la otra mitad en el mundo subterráneo, un compromiso que no complace a Deméter, porque comprende que la vida nunca volverá a ser la misma. De todos modos, acepta porque es su única alternativa viable. En la historia de Jesús y María, probablemente el más conmovedor y famoso de todos los arquetipos madre-hijo, María desea proteger a su sagrado hijo de los horrores y el dolor del mundo, pero no puede. El amor de una madre es, por lo general, sumamente protector. Este es un tema recogido y ampliado en el signo de Virgo, pero sin duda, el amor protector de la madre también es un tema importante en Cáncer.

De forma interesante, en esta historia Deméter, mientras busca a su hija, todavía es capaz de tomarse tiempo para demostrar su bondad hacia otras personas. Las hijas de Céleo, rey de Eleusis, invitaron a Deméter a quedarse en su palacio, aunque no conocían la verdadera identidad de la mujer a la que habían invitado, pues Deméter se había disfrazado de anciana. Deméter enseñó a Céleo y a los habitantes de Eleusis a reverenciarla (en tercera persona) en una famosa serie de ritos denominada los Misterios de Eleusis, tal vez el más popular y más aceptado de todos los ritos griegos.

La reina Metanira contrató a Deméter como ama de cría de su hijo, un trabajo del que disfrutó esta mientras esperaba a que regresara o se descubriera el paradero de Perséfone. Deméter amaba al niño del que cuidaba tanto como le amaban sus padres, así que un día decidió otorgarle la inmortalidad. Cada noche, Deméter ponía al niño sobre el fuego para «quemar su mortalidad». Una noche entró su madre de improviso y vio a Deméter colocando a su hijo sobre las llamas del fuego. Naturalmente, se quedó horrorizada, y como no sabía que la persona a la que había contratado era la propia Deméter, la despidió. Así pues, Deméter no consiguió finalizar su serie de ritos con el niño, pero aunque este no se volvió inmortal al crecer, sí llegó a convertirse en un gran dirigente de Eleusis años después.

De este modo vemos a Deméter en su papel más poderoso, el de diosa disfrazada con capacidad para conceder la inmortalidad, y se la muestra generosa y amorosa. Al igual que el signo de Cáncer, Deméter posee la capacidad de demostrar un profundo amor por muy grande que sea la aflicción que sufre íntimamente.

EDIPO

Existe otro mito más que se relaciona con el arquetipo de Cáncer: la historia de Edipo. Aunque mucha gente lo conoce, no recuerda (o nunca ha sabido) los detalles. Es un relato fascinante.

En su forma más básica, la Casa de Cadmo era una familia muy estimada en Grecia cuando se fundó. Cadmo había viajado a Atenas para buscar a su hermana, Europa, que según se decía había sido tomada por Zeus. En Tebas, Cadmo fue atacado por un dragón, pero consiguió matarlo, aunque el dragón destruyó todo su ejército. Para acortar el largo relato, se dice que Cadmo y cinco soldados ayudaron a construir la ciudad de Tebas. Cadmo se casó más tarde con Harmonía, una de las hijas favoritas de Ares (Marte) y Afrodita (Venus). La familia de Cadmo tuvo sus dificultades y sus tragedias, pero saltemos hasta Layo, el tataranieto de Cadmo y Harmonía, que era el siguiente en la línea de sucesión al trono. Los usurpadores del trono obligaron a Layo, aún joven, a marcharse de Tebas y quedarse en Olimpia. Mientras se encontraba allí, Layo vivió bajo la hospitalidad del rey Pélope, a quien traicionó raptando a su joven hijo ilegítimo, Crisipo, al cual retuvo para que le procurase placer sexual. El joven Crisipo pronto se suicidó para ocultar su participación en aquella relación secreta.

Layo se casó más tarde con una mujer llamada Yocasta, y tuvieron dificultades para concebir hijos. Layo consultó al oráculo de Delfos en busca de una cura, pero el oráculo no le ofreció ninguna, y en cambio le advirtió que si tenía un hijo se abatiría una gran desgracia sobre él y su esposa, ya que su futuro hijo le mataría y se casaría con su madre. El oráculo fue muy claro al respecto, en tres ocasiones distintas. Layo decidió hacer caso al oráculo y no tener hijos, por lo que jamás volvió a tener relaciones sexuales con su mujer, pero no le dijo a ella por qué. Sin embargo, Yocasta, al no estar enterada de la advertencia del oráculo de Delfos, emborrachó una noche a su esposo, hicieron el amor y ella concibió un varón, que era Edipo con otro nombre.

Aterrorizados (para entonces Yocasta ya estaba enterada de lo que podría pasar), entregaron al niño a unos pastores para que le dejaran morir en el monte Citerón. Los pastores se apiadaron del pequeño y cuidaron de que no muriera. Así que el niño sobrevivió y más tarde fue cuidado por Peribea y Pólibo, que le amaron y le pusieron el nombre de Edipo. Lo importante es que al crecer al cuidado de su nueva familia, Edipo no conoció su verdadera herencia, y creía que Peribea y Pólibo eran sus verdaderos padres. Sin embargo, no se parecía a ellos, y una noche un huésped borracho de la familia se lo hizo ver. Turbado, Edipo fue a Delfos a consultar al oráculo acerca de sus auténticas raíces. Pero antes de que pudiera preguntárselo siquiera, Pitia, profetisa de Apolo, se molestó mucho, le dijo a gritos que saliera del santuario y le predijo que un día asesinaría a su padre y se casaría con su madre. Aquella era una noticia horrenda, y Edipo se sintió terriblemente afectado. Aún no sabía que Peribea y Pólibo no eran sus auténticos padres, de modo que inmediatamente decidió alejarse de ellos lo más posible.

Mientras tanto, de vuelta a Tebas, las cosas no le iban bien al rey Layo, que tenía sensaciones de miedo que no podía explicar; necesitaba saber si el encantamiento que pesaba sobre su esposa y él seguía vigente. En aquel momento, además, la Esfinge (un monstruo terrible) estaba matando a los habitantes de Tebas. Layo se dijo que tenía que volver a Delfos a consultar de nuevo al oráculo. Aquí el mito difiere según las versiones. Unos dicen que Layo fue como rey a averiguar cómo controlar a la Esfinge, otros dicen que fue como hombre para saber más acerca de lo que debía hacer para evitar su destino en lo concerniente a su hijo. De camino, al llegar a una encrucijada, Layo y sus acompañantes vieron a un joven en el sendero y le dijeron que se apartara. El joven, que era Edipo, se negó a hacerlo. (En este punto es interesante señalar que la palabra «edipo» significa «pie hinchado».) Al parecer, en ese momento una rueda le pasó por encima del pie o un sirviente le golpeó en la cabeza (o ambas cosas). Eso puso a Edipo lo bastante furioso para matar a Layo, que era su verdadero padre, aunque, naturalmente, él no lo sabía. Tanto Layo como Edipo intentaron hacer caso omiso de su destino y los dos se dieron de bruces con él en una encrucijada de caminos. Layo jamás supo que fue su hijo quien le mató ese día.

Mientras tanto, en Tebas la Esfinge aterrorizaba a la ciudad. Se decía que Hera la había enviado para castigar a Layo por su comportamiento con Crisipo. El acertijo que planteó la Esfinge al que fuera lo bastante valiente para intentar resolverlo era: ¿Qué criatura camina a cuatro patas por la mañana, a dos patas al mediodía y a tres patas por la noche? El que resolviera el enigma liberaría la ciudad. Sin embargo, el que se equivocara sufriría una muerte terrible, pues la Esfinge le devoraría vivo. Acababa de devorar al hijo de Creonte y al sobrino de Yocasta. Creonte, afligido por la muerte de su hijo y de su cuñado, ofreció una recompensa: una bonita suma y la mano de su hermana en matrimonio al que resolviera el enigma de la Esfinge. Edipo lo intentó... y acertó. Dijo correctamente que la respuesta era: «El hombre, que gatea cuando es un niño pequeño, camina erguido cuando es adulto y se apoya en un bastón cuando es viejo», poniendo fin así al reinado del terror de la Esfinge y obteniendo la mano de Yocasta, sin saber que era su verdadera madre. (Yocasta tampoco sabía que Edipo era su hijo, pero sí sabía que Layo había sido asesinado en el camino de Delfos.) De este modo, el hombre más sabio de la ciudad, Edipo, ignoraba la identidad de sus auténticos padres y cometió precisamente los actos que tanto se había esforzado en evitar. A pesar de lo que nos diga Freud acerca de esta historia, parece transmitir el mensaje de que los pecados de los padres se repiten en los hijos. Los dioses parecen sugerir que es preciso pagar por dichos pecados, no hay modo de evitarlo. Así, la historia de Edipo sirve a modo de cuento moralista que enseña que debemos llevar una vida limpia o de lo contrario prepararnos a ver nuestras aflicciones repetidas en nuestros hijos.

Algunos Cáncer tienen, en efecto, fuertes y complejos problemas familiares que resolver a lo largo del tiempo, y es cierto que los desmanes cometidos por los progenitores pueden causar después gran tristeza en la vida de sus retoños. Para algunos Cáncer (o para quienes tengan planetas afligidos en Cáncer), puede ser muy doloroso superar el trauma de abusos sexuales sufridos en la infancia o descubrir la verdad sobre determinado secreto de la familia. Para otros, no ha habido ningún «desmán», sino sólo el problema de encontrar la mejor manera de afrontar la situación familiar en el día a día. Por ejemplo, la cuestión podría centrarse en cuándo hacerse cargo del negocio familiar sin herir los sentimientos del progenitor que lo inició. Resolver los problemas de la familia es una preocupación muy canceriana, pero los Cáncer están muy bien preparados para afrontarla con experta sensibilidad, sobre todo si lo hacen con objetividad. Para los Cáncer es difícil separar los sentimientos de los hechos, por eso a veces merece la pena que consulten a un profesional de confianza que les ayude a comprender los detalles y buscar formas nuevas de superar los desafíos. De lo que se trata es de que el problema no tiene por qué terminar en una tragedia; los conflictos familiares también pueden acabar en un triunfo. A diferencia de los griegos, que creían en el destino inevitable, nosotros creemos que podemos controlar nuestro futuro, y así lo hacemos.

La personalidad de Leo

Leo
23 de julio - 23 de agosto

Principio guía
«Creo»

Cómo disfruta este signo
Disfruta descubriendo y celebrando todas las cosas que son singulares, y también por medio de actos alegres y creativos de autoexpresión.

En el nuevo milenio, tu contribución al mundo será...
Al ser el artista creativo del zodíaco, tu función como oráculo cultural adquirirá mayor importancia. Te corresponderá describir el futuro papel del hombre y de la mujer a través del arte, la cinematografía, la música, la danza, el drama, la comedia, la fotografía y otras actividades.

Cita que te describe
«Lo esencial es emocionar a los espectadores. Si eso implica interpretar a Hamlet subido a un trapecio o dentro de un acuario, tú lo haces.»

OSCAR WILDE, un *Libra*

¿Cómo se distingue a un Leo a primera vista? Este maravilloso signo quiere que se fijen en él, de modo que se cerciorará de que así sea. Es la señora o el caballero que llega tarde, llevando un inolvidable atuendo y el accesorio favorito de Leo: las gafas de sol oscuras. Cuando sale de la limusina, se recrea en medio de los flashes de los fotógrafos, ya que esas instantáneas aparecerán a la mañana siguiente en los periódicos. La imagen de Leo es muy imitada por todo el país, porque tiene encanto y, al mismo tiempo, es exactamente la adecuada para ese preciso instante. Los Leo adoran los rituales grandiosos (como las presentaciones en sociedad), las ceremonias (como las bodas) y los acontecimientos especiales (celebraciones y fiestas de cumpleaños), porque son muy conscientes de los momentos monumentales de su vida. La mujer Leo sabe crear una impresión que dure e irradie energía. Para buscar la quintaesencia del hombre Leo, examina detenidamente a los invitados de tu próxima fiesta. Él es ese hombre sofisticado y deslumbrante de corbata negra que acaba de apearse del helicóptero posado en el césped del anfitrión y que se dirige al salón justo a tiempo para el cóctel. Es muy probable que esté rodeado por unos cuantos miembros clave de su plantilla. Es posible que sea su apostura o la seguridad con que camina, elegante y apresurado, o quizás el aire discreto con que conversa de vez en cuando con algún ayudante. Leo debió de ser el primero que afirmó: «¡La presentación lo es todo!». Es el que mejor lo hace. Es imposible no fijarse en los nativos de este signo; cada movimiento que hacen parece ser, y es, deliberado. Los Leo reservan su fuerza y se la guardan dentro para que no se disipe; se muestran seguros e independientes.

Querido Leo, en ti hay siempre esa presencia carismática que identifica a las estrellas de cine y a los triunfadores en cualquier aspecto de la vida. Es posible que no tengas una limusina ni un helicóptero a tu disposición (en este preciso momento), pero sea cual sea tu posición social, posees tal dignidad que las personas que conoces reciben la impresión de que si todavía no eres famoso, deberías serlo y lo serás pronto. Después de todo, Leo es el signo de la realeza (Su Majestad la reina Isabel de Inglaterra es una Leo, como lo era Napoleón, nombre que significa literalmente «león»). Los demás están siempre ansiosos por absorber algo de tu fuerza y tu luz. Esa aura de celebridad que pareces llevar contigo podría nacer de tu imagen externa, pero lo más frecuente es que provenga de tu poderoso aplomo y tu gran seguridad. Tu fe en ti mismo resulta terriblemente sexy y añade lustre a todo lo que haces. (A ese respecto, cada uno de nosotros podría imitar a Leo.)

SÍMBOLOS

El símbolo que corresponde a Leo se parece a la cola del león o a una combinación de la cola y la melena. En la astrología esotérica, el aspecto lírico de este símbolo representa la *kundalini* o fuerza vital, el poder de una serpiente que se despierta de su letargo en la base de la espina dorsal, lista para levantarse. Hay quien ha dicho que las personas creativas por lo visto son más sexuales que la media, y eso parece confirmarse en el caso de Leo. Querido Leo, las pasiones de tu juventud arderán vivamente a lo largo de toda tu vida, incluso en la vejez.

El símbolo de tu regente, el Sol, es muy sencillo: un círculo con un punto en el centro. El círculo recuerda la forma del Sol, pero el punto simboliza la fuente infinita de energía divina y de vitalidad que existe en el interior de todo ser humano. Significa el potencial, la parte de la energía divina que creó a cada persona que hay sobre la faz de la Tierra. Leo tiene que ver con la completa autorrealización y la creatividad.

INFLUENCIAS PLANETARIAS

Signo de fuego, Leo crepita con las buenas ideas y posee una imaginación fuerte y caprichosa. No quiere ser como los demás; él necesita «ser él mismo». Sea lo que sea, Leo, tú intentas hacerlo todo con clase, individualismo y estilo. La gente te imita de diversas maneras; todo el tiempo ves que amigos y familiares copian diferentes aspectos tuyos. Tal vez sea tu forma de cortarte el pelo o de complementar tu indumentaria con accesorios, o quizá tu manera de utilizar las palabras. A ti no te importa que te copien; de hecho, lo encuentras halagador. Con el fin de poner las cosas en marcha, todo Leo sabe que es necesario obtener antes que nada la atención de los demás, o de lo contrario no ocurrirá nada. Los Leo han perfeccionado ese proceso hasta convertirlo en una ciencia. Si es cierto que Géminis necesita el timbre del teléfono como el aire que respira, del mismo modo necesita Leo la luz de los focos a causa del calor y la energía revitalizadora que proporciona.

Siendo el segundo signo de fuego del zodíaco, Leo es social y gregario. Simboliza la etapa de la evolución humana en la que abandonamos el consuelo de la familia para ser conscientes de nuestro sitio en la sociedad. En Aries, el primer signo de fuego, vemos al guerrero o al empresario; en Leo encontramos al valeroso líder y defensor del pueblo, el rey Sol. Leo disfruta asistiendo a fiestas y otros acontecimientos que podrían resultar agotadores para algunos signos —acudir a una inauguración artística o a una función para recaudar fondos con un fin benéfico o aceptar una invitación para hablar en el club—, y como signo extravertido y de fuego, aceptará gustoso un papel estelar. De hecho, a ti una noche dando palmaditas en los hombros y con muchas caras nuevas no te resulta cansada, Leo, sino más bien revitalizante. Uno de tus pasatiempos favoritos es ir a lugares de moda para ver y ser visto. Probablemente el único signo que podría seguir el ritmo de tu apretado programa sea Libra. Leo cree que, cuando uno entretiene a los demás, debe tratar a sus amigos como si fueran de la realeza: la comida ha de ser excelente, y el ambiente memorable. Tú escoges a los invitados con un cuidado especial, mezclando sabiamente los que pertenecen a distintos campos para garantizar que no decaiga la conversación y gire siempre alrededor de temas interesantes. ¿Y si tu trabajo interfiere porque tu jefe te ha dicho que a la mañana siguiente tiene que estar listo determinado informe? Según Leo, el trabajo puede esperar. ¿Por qué desperdiciar una velada maravillosa y perfecta? Es más probable que el nativo de este signo se pase toda la noche fuera de casa, y como no necesita dormir mucho, se presente fresco por la mañana para ponerse con el proyecto. Afortunadamente, Leo es un signo fuerte y rara vez se le agota la vitalidad.

DONES CÓSMICOS

Mucho se ha escrito sobre cuánto le gusta a Leo recibir cumplidos, y es verdad. Benditos sean, porque son tan vulnerables a la adulación que resultan encantadores. Con independencia de lo distinguidos o famosos que lleguen a ser (o las muchas medallas que lleven colgadas), los Leo siguen ansiando que les den la palmadita en la espalda. Les encanta que les digan que han tomado una sabia decisión, que están fabulosos o que han obrado con particular valentía (al fin y al cabo, Leo posee un corazón valiente). Su semblante autoritario parece derretirse cuando se les hace un cumplido, y constituye un verdadero placer ver a un Leo feliz. Cabría preguntar: «¿Acaso no le gusta a todo el mundo, del signo que sea, recibir cumplidos?». En realidad, no. Escorpio, por ejemplo, se pregunta cuáles serán tus motivos para decirle algo agradable. Los Piscis se ruborizan y se sienten incómodos por ser el centro de tu atención, pero se apresuran a devolverte el cumplido. Cáncer al instante ofrece algo de comer a modo de agradecimiento, mientras que Virgo sonríe con modestia, toma nota de lo que has dicho y te da cortés y calurosamente las gracias, pero no se deja engañar por el hecho de que le adules. Sin embargo, Leo te dedica una mirada tan cálida que podría derretir el chocolate, y eso es mejor que un gran besazo. Lo único que a uno le dan ganas de hacer es pensar en más cosas encantadoras que decirle para verle disfrutar.

¿Es Leo egotista? ¡Por supuesto que sí! Al fin y al cabo, está regido por el Sol, el centro del sistema solar, la estrella más brillante de nuestra galaxia y fuente de toda la vida que alberga la Tierra. Llevado al extremo, los Leo pueden volverse tan egocéntricos que descuidan las necesidades de todos los que los rodean. También hemos de añadir que pueden ser un poco arrogantes, actuar con cierta altivez o incluso mostrarse un tanto esnobs, pero normalmente lo hacen sin pensar. Ello se debe a su excesiva seguridad en sí mismos, pero muchos Leo saben exactamente dónde está el límite. La mayoría de ellos son personas alegres, generosas, entusiastas y de gran corazón cuya compañía resulta deliciosa.

Los Leo no pueden resistirse a un buen chismorreo cuando tienen la oportunidad de oírlo. Están hechos para la gente. Ese chismorreo se vuelve especialmente jugoso cuando tiene que ver con algún famoso o con una persona de su círculo a la que admiran. A ti no te importa lo más mínimo que Edgar, del departamento de envíos, se esté viendo con Ethel, de la sección de contabilidad, fuera del horario de oficina. Haciendo *zapping*, un Leo se detendrá y quedará fascinado temporalmente por el programa *Estilos de vida de los ricos y famosos*. Ese programa, que le introduce a uno en las grandiosas mansiones privadas de gente de éxito, motiva a los Leo. Aunque el León no es excesivamente ambicioso, sí es competitivo (hay que reconocer que es una combinación un tanto extraña; supone superioridad sin tener que hacer el esfuerzo impulsor). Leo no sólo desea ser admirado, sino además admirar a su vez a otras personas, en una búsqueda continua de fuentes de inspiración.

Si quieres saber lo que está de moda y lo que no lo está, pregunta a un Leo; la gente guapa y próspera de la sociedad atrae su atención. A los Leo tampoco les importa que los demás hablen de ellos, ¡de hecho lo esperan! George M. Cohan dijo en cierta ocasión: «No me importa lo que digas de mí, a condición de que digas algo y de que escribas mi nombre correctamente». Eso resume en pocas palabras la actitud de Leo, y es una gran razón de su éxito. Un Leo no quiere pasar inadvertido.

Los astrólogos de la Antigüedad dejaron escrito que cada signo refleja el progreso del desarrollo humano, y es interesante ver dónde encaja Leo en el esquema de las cosas. El zodíaco se inicia con Aries, símbolo de la fuerza vital pura y de los nuevos comienzos, como un recién nacido absorto en sí mismo («¡Yo!»). A continuación viene Tauro, que abarca el instinto de tener cosas que va desarrollándose en el bebé («¡Mío!»). En Géminis comienzan el lenguaje y la comunicación, y vemos los primeros intentos del niño de dominar las palabras («¿Por qué?»). En Cáncer, el signo que precede a Leo, el niño despierta a las relaciones dentro de la familia (sobre todo con su madre), y también explora su entorno familiar inmediato («Mamá»).

En Leo, el niño traba conocimiento con su padre. Como consecuencia, se identifica con las figuras de autoridad, tal como tienden a hacer los hijos primogénitos (la quinta casa, que está regida por Leo, también simboliza a los primogénitos). Cada signo del zodíaco compensa los excesos y las deficiencias del signo anterior. Así, Leo encuentra demasiado claustrofóbico el énfasis que pone Cáncer en el hogar y la familia. El lazo de unión de Leo con la figura del padre le anima a hacerse más independiente y a separarse de los padres para explorar relaciones nuevas y también para aprender a través del juego. Leo también quiere divertirse, y se libera de las obligaciones familiares que Cáncer acepta tan gustoso. Virgo, el signo que sigue a Leo, compensa el énfasis de este en el placer hedonista siendo sumamente productivo; los Virgo son fácilmente los adictos al trabajo del zodíaco. La casa que rige Leo comprende la creatividad, las diversiones, la práctica de deportes y aficiones y los romances. En la evolución del ser humano, Leo es el niño que se encuentra en el proceso de descubrirse a sí mismo. Mediante nuestros gustos y aversiones y por medio de esfuerzos creativos, aprendemos una o dos cosas acerca de nosotros mismos y empezamos a oír nuestra voz interior. Virgo disfruta con la precisión de los números y las palabras, así como con las cosas que puede hacer con sus manos, como artesanía y bricolaje. Como contraste, Leo trabaja con el color, el diseño, la textura, el tejido, la pintura, las palabras o la luz para dar vida a creaciones artísticas de gran originalidad. Por último, enamorarse (también dentro de las actividades de la quinta casa) marca un momento importante en la vida de cualquiera. Tal como dirá todo el que se haya enamorado, el amor sirve para descubrirnos a nosotros mismos, porque cuando estamos enamorados nos sentimos queridos por nuestra singularidad, con defectos y todo. Así pues, en la quinta casa aprendemos no sólo a amar a los demás, sino a amarnos a nosotros mismos.

Antes de continuar para ver cómo encara Leo el tema del amor, fijémonos primero en las cosas que le interesan, porque dicen mucho acerca de su naturaleza más íntima. Tus gustos, Leo, es probable que sean bastante sofisticados, bien desarrollados y muy urbanos; quieres vivir experiencias significativas en la vida, y eso incluye tu gusto por las artes. (¿Para qué perder el tiempo con cosas de segunda categoría?, pregunta Leo.) Todos los Leo que he conocido en mi vida adoraban la música. Es raro toparse con uno que tenga mal oído, porque sus sentidos poseen una sensibilidad casi tan exquisita como la de Tauro, un signo difícil de superar en lo que se refiere a los sentidos. El gusto de Leo en cuestión de música se mueve dentro de lo popular, de manera que disfruta con una gran variedad de estilos, desde la música clásica hasta el blues, el jazz, las bandas sonoras, el rock y las canciones antiguas. Regala a Leo un equipo de sonido o unas entradas para un concierto, y verás cómo ronronea.

Los Leo son de esas personas que leen las críticas de arte del periódico y siguen con entusiasmo varios movimientos artísticos; la facción vanguardista de una disciplina no les desconcierta, porque admiran la originalidad. Un Leo deseará ver que el talento del artista está bien desarrollado; aquellos cuya obra está «verde» o resulta demasiado amateur no ganan puntos a sus ojos. Leo quiere admirar a un maestro. Las tardes de los sábados encontrarás a un Aries haciendo «puenting» en un parque temático, a un Géminis dirigiéndose en su coche deportivo a algún destino desconocido, y a un Cáncer encerrado en la cocina con una receta nueva. Mientras tanto, Leo estará visitando la última exposición en una galería o un museo. A los Leo les encanta también ir de compras (ya se trate de ropa de diseño, obras de arte, libros o electrónica). Los pobres Virgo, el signo que sigue al tuyo, sin duda estarán ocupados con los impuestos y limpiando los armarios. A diferencia de Virgo, al que le gusta tener hechas las tareas imprescindibles, Leo considera que esas actividades mundanas son una pérdida de tiempo y en realidad no le preocupa si están hechas o no. Él puede pasar perfectamente con una casa que no se parezca en nada a una tacita de plata... o bien dejar las labores caseras a otro.

Leo, de todas las artes, tu favorita es el teatro. Sobre el escenario se te ofrece toda una amplia gama de emociones y cuestiones filosóficas, y lo adoras porque supone una amplificación de la vida. ¿Qué mejor manera de explorar la vida que sobre el escenario?, y como Leo que eres, deseas experimentarlo todo. También quieres disfrutar de la creatividad colaboradora y de múltiples niveles que ofrece una gran producción, desde el vistoso e imaginativo vestuario y la música hasta la iluminación teatral y los bien escritos diálogos. Tal vez porque te ves a ti mismo como una estrella real del guión de tu propia vida, te fascina conocer los desafíos y actos de otros héroes. Al ser un vigoroso signo de fuego, Leo llora con el héroe de la obra en el momento de su derrota, y también se alegra con él en la hora de su triunfo. Como es un signo vivaz y optimista, prefiere los finales felices. Si el argumento tiene alguna moraleja interesante, alguna idea ética o alguna connotación mitológica o histórica, tanto mejor, ya que a los Leo les gusta reflexionar sobre lo que han visto. También les interesan las historias épicas y Shakespeare; nunca se sabe cuándo puede surgir la oportunidad de aplicar esas inspiraciones a los dilemas de tu propia vida. Todos estos elementos se combinan para hacer de una velada de teatro la actividad favorita de este signo.

Los Leo no son famosos por ser muy versátiles ni adaptables, sino por poseer una gran determinación. Si estás cerca de un Leo, pronto descubrirás que se aferra bastante a sus opiniones, de modo que no esperes que cambie de idea. Su naturaleza fija hace que resulte difícil discutir con él de política o de cualquier otro tema delicado; si estás saliendo con un Leo, es posible que te convenga mantenerte al margen de determinados temas «calientes». Los nativos de este signo pueden ser bastante dogmáticos en lo que se refiere a sus opiniones en política. Creen que es un escándalo tener que pagar impuestos u obedecer tantas normas del gobierno. El niño que hay dentro del Leo adulto anhela ser libre. Es posible que intelectualmente comprenda la idea de la democracia, en lo de «uno para todos y todos para uno», pero el regio «nos» que lleva dentro le hace sentirse superior y un poco por encima de ciertas reglas. Por supuesto que los Leo saben que no siempre es posible, práctico ni deseable dirigir las cosas por decreto (aunque sean ellos los jefes), pero reflexionan sobre cómo salirse con la suya, sobre todo en política. Una vez que han decidido apoyar a un partido político o a un candidato, es probable que nadie les haga cambiar de opinión. Al igual que pasa con Tauro y Escorpio, si se quiere ejercer alguna influencia sobre ellos, hay que meterse desde el principio en su proceso de pensamiento. No obstante, el lado bueno de esa característica es que los Leo se apegan a sus convicciones y no son nada flojos. Su convicción atrae a muchos admiradores.

Mientras que los demás esperan que los Leo salten furiosos cuando las cosas se ponen feas, los nativos de este signo hacen precisamente lo contrario. Son capaces de conservar la serenidad y siempre demuestran una enorme elegancia cuando están bajo presión. Recuerda que pueden parecer gatitos —y durante la mayor parte del tiempo de hecho lo parecen—, pero si se les lleva la contraria le hacen a uno pedazos con sus garras. Los Leones no sufren las injusticias en silencio; poseen una voluntad muy fuerte, y siempre luchan por el bien.

RELACIONES

A la hora de elegir un regalo para un Leo —y créeme, a los nativos de este signo les encanta recibir regalos sorpresa—, asegúrate de que sea de la mejor calidad que puedas permitirte dentro de la categoría que hayas escogido. Si vas a comprar un jarrón, por ejemplo, en vez de un cristal cualquiera, procura que sea de Baccarat o

Waterford. Si tienes que elegir una botella de vino, gástate un poco más de lo normal; Leo se fijará en lo que has escogido y te admirará por tu buen gusto. ¿Que no puedes permitirte comprar oro (el metal preferido de Leo)? Pues decídete por plata de ley, pero nunca compres un chapado en plata. ¿Que vas a comprar un bolígrafo? Escoge el clásico Mont Blanc o algo que se le parezca. Ya tienes una idea. No estás comprando algo para un Piscis, que dirá que lo que cuenta es que hayas pensado en él. Leo rige el lujo y opina que hay que disfrutar de la idea entera del regalo. A diferencia de Virgo, al que le gustaría algo práctico y útil, a un Leo no se le ocurrirá jamás comprar algo que uno normalmente se compraría para sí, de modo que espera que tú hagas lo mismo. Unos cuantos mimos serían una excelente idea; piensa también en regalarle a tu amigo o pareja una hora (o un día) de capricho. Empieza con un masaje, y estarás en el camino correcto.

Ahora estudiemos la visión entusiasta que Leo tiene del amor. Los nativos de este signo son tan entusiastas en el amor que prácticamente viven para él. Adoran la emoción de la conquista, el misterio, las notas, las flores (tanto enviarlas como recibirlas) y hasta los pequeños disgustos y las reconciliaciones lacrimosas que vienen a continuación (sin olvidar el sexo apasionado que las sigue). El drama los atrae como un imán. Son amantes memorables que preparan con todo cuidado el ambiente y el estado de ánimo exactos, y al igual que pasa en el teatro, su otra pasión, tú serás su héroe o su heroína en el drama de la vida real. Si estás saliendo con un Leo, ten en cuenta que ansían adoración. Imagínate a tu pareja como un rey o una reina y no irás desencaminado; cúbrelo o cúbrela de mimos y hazle cumplidos constantemente para demostrarle que tu pasión sigue ardiendo con la misma intensidad.

Tal como ya he mencionado, Leo es el señor de la quinta casa, la del amor romántico. Esta misma casa del horóscopo rige la especulación, el juego y los riesgos; por eso los astrólogos antiguos admitían que los riesgos y el romance iban de la mano. Leo lo comprende de forma instintiva y está siempre preparado para arriesgar-

, una y otra vez si es necesario. Disfruta del proceso en-
.. primera cita hasta el cortejo, la emoción de la conquista y la rendición final. Los nativos jóvenes de este signo deberían ser precavidos para no «enamorarse del amor» más que de la
persona con la que están saliendo. Afortunadamente, esta es una
tendencia que suelen superar conforme van madurando. Sin embargo, la clase de amor que rige en Leo (y que por lo tanto entiende exquisitamente bien) es ese rubor de un amor nuevo, que todavía no es serio (el amor serio pertenece a la séptima casa del
horóscopo, regida por Libra). El amor que se experimenta en la
quinta casa es aún ligero y hecho de coqueteos; ya habrá tiempo
más adelante para compromisos (simbolizados por la séptima casa,
el dominio de Libra).

¿Significa esto que los Leo no se casan? En absoluto. De hecho,
poseen la capacidad de mantener fresco el amor durante una vida
entera porque disfrutan mucho divirtiéndose con su pareja. La mayoría de los Leo adoran el matrimonio, pero tiene que ser como
Dios manda. Es cierto que existen algunos Leo poco evolucionados
que tienen dificultades en este campo debido a su inquietud o a la
incapacidad de seguir siendo atentos en las relaciones largas. Estos
nativos encuentran asfixiantes las obligaciones diarias, la rutina general y la falta de estímulos. Para algunos, los detalles sucios de li-
diar con los gustos y aversiones de otra persona en la vida cotidiana
pueden resultar demasiado difíciles, dado que es un signo que piensa más en términos de «yo» que de «nosotros». Esto dependerá de
la persona Leo y de su pareja, y del modo en que se relacionen entre sí. Mi consejo es que, si estás saliendo o te has casado con un o
una Leo, conserves tu sentido del humor, mantengas viva tu lealtad
con muchos intereses nuevos y, si tenéis hijos o queréis tenerlos,
contrates a montones de canguros para poder dedicarle algo de
tiempo a él o ella exclusivamente. A los amores Leo hay que tratar-
los como niños.

También has de comprender que los Leo quieren admirar a su
pareja; desean sentirse inspirados, así que no dudes en salir al mun-

do a reclamar tu derecho a la fama. Lo único que no debes olvidar es prestarles la atención que necesitan. Además, cerciórate de que tu Leo siente que le necesitas. A los nativos de este signo les gusta ser útiles, y si no es así, se sienten ineptos e innecesarios.

Puedes ser muy optimista acerca de tu potencial a largo plazo con tu Leo. La mayoría de los nativos de este signo fijo permanecen casados porque tienden a valorar la estabilidad. También existe la posibilidad de tener hijos, la otra parte de la vida que siempre les resultará agradable. Ten en cuenta que la quinta casa del horóscopo, la de Leo, rige también la creatividad, el embarazo y el parto, así como el cuidado de los hijos. Así pues, tener hijos suele ser la parte más emocionante del matrimonio para los nativos de este signo. En efecto, muchos dicen que para ellos constituye la primera razón para casarse. Los Leo consideran a sus hijos su mejor creación, una versión en pequeño de sí mismos. Estarán encantados de jugar con ellos o de llevarlos al cine o a un museo de historia natural. Como padres, también querrán meter en sus cabecitas toda clase de influencias culturales. Una madre o un padre Leo querrá que sus hijos tomen clases de piano o de ballet para estimular adecuadamente su talento.

Ya estés saliendo con uno o tengas una relación más seria con él, has de saber que a los Leo les gusta gastar dinero en su ser amado. Este signo no escatima un céntimo. Hazte a la idea de que escogerá los mejores restaurantes, espectáculos, discotecas y otro tipo de locales de moda, no sólo durante la fase de la conquista, sino también durante todo el tiempo que permanezcáis juntos. Un hombre Leo buscará deslumbrar a su novia con grandes derroches en sus salidas y es posible que añada unos cuantos regalos maravillosos. Una mujer Leo sorprenderá también a su pareja, tal vez con unas entradas para ir a ver algo especial de vez en cuando o invitándole a un restaurante de cuatro tenedores. ¿Esto de vivir a lo grande durante el cortejo y el matrimonio es un instinto universal que poseen todos los signos? No. Un signo más frugal, como Cáncer, es posible que no quiera gastarse mucho dinero o que se preocupe demasiado por las obligaciones familiares que ha dejado abandonadas. El ambicioso Capricornio a menudo se quedará hasta muy tarde en la oficina, y Virgo y Acuario preferirán las hamburguesas vegetarianas al paté. Pero Leo, ¡oh, Leo! Quien salga y se case con él o ella ya puede irse preparando para la buena vida. Tu relación con tu Leo bien puede dar la impresión de ser una aventura para toda la vida, y seguro que será divertida, sólo con que mantengas viva la llama del amor. Tal como ya he dicho, cerciórate de hacerle montones de cumplidos y de hacerle saber que sigue siendo deseable. Lo curioso es que existen muchas posibilidades de que Leo olvide hacerte cumplidos a ti, por lo absorto que está en sí mismo. De acuerdo, lo que tienes que hacer es saberlo, y luego reírte de ello. Hay muchas probabilidades de que no necesites esos cumplidos tanto como los necesita tu Leo.

A propósito, si alguna vez tienes una cita con un hombre de este signo y parece que no está muy bien de dinero, no te ofrezcas a pagar tú; herirás su orgullo. Si está pasando por una etapa de apuros económicos, no le ofrezcas prestarle dinero a menos que él te lo pida. Al hacerlo podrías darle a entender de manera inconsciente que no va a ser capaz de encontrar pronto un trabajo, y eso aplastaría para siempre su ego. Las mujeres Leo no parecen ser muy proclives a esto. Puede que estén condicionadas socialmente, pero también son orgullosas. Los miembros de su familia no deberían suponer que la Leona no es capaz de volver a levantarse sin que ellos la ayuden, porque existen muchas posibilidades de que salga adelante bastante bien, gracias. El deseo de ser autosuficiente es en realidad una maravillosa cualidad de este signo, y forma parte de la vena independiente de Leo.

Este regio signo es el regente de la quinta casa del zodíaco, la que representa los hijos, algo lógico si se tiene en cuenta el gran énfasis que pone la realeza en el linaje y la progenie. En esta misma casa se encuentran los proyectos creativos, y también la congruencia. Del mismo modo que los reyes aseguran la perpetuidad de su apellido y su poder a través de sus herederos, muchas personas encuentran su propia manera de ser inmortales teniendo hijos o por medio de sus proyectos creativos.

Uno de los temas de Leo es la relación entre padre e hijo, que se desarrollará más tarde, en Capricornio, signo regido por Saturno. En Aries, el primer signo del zodíaco, se reconoce al padre como origen de la vida, pero también puede ser un competidor al que desafiar o derrocar. En Leo, se considera al padre un protector personal que ama profundamente a su hijo y una figura benevolente y afectuosa. Leo es competitivo, pero no con sus hijos. Les enseña a mantenerse a salvo (tal como Dédalo intentó hacer con Ícaro; véase «Los mitos de Leo y el Sol»), y también a dejar su huella en el mundo exterior, sobre todo por medio de proyectos imaginativos y creativos. Más tarde, en Capricornio, se retoma el tema de la figura de autoridad o paterna. En esa fase, el padre (u otra figura masculina importante) se ve como un juez, lo cual simboliza la necesidad del ser humano de dar la talla para obtener la aprobación de figuras de autoridad más importantes.

FINANZAS

A Leo le gusta mezclarse con la gente guapa y moverse dentro de los mejores círculos, los que están más de moda. Una razón por la que muchos nativos de este signo se hacen editores y políticos es que esos dos campos les permiten formar parte de círculos sociales interesantes. Por último, Leo rige todas las cosas caras (los antiguos de hecho le asignaban objetos de esta naturaleza). Muchos descubren que las grandes oportunidades se encuentran en los sectores «de elite» de los buenos vinos, el champán, los chocolates de importación, el caviar, la ropa de diseño, las pieles, los automóviles caros, las joyas y todo otro artículo de lujo que quepa imaginar. Si el mercado del lujo te atrae, Leo, también podría ser bueno para ti. ¡A por él!

Como cualquiera puede suponer, hace falta mucho dinero para llevar el estilo de vida que le gusta a Leo, y si no dispone de una abultada cuenta bancaria, tendrá que trabajar para conseguirlo.

Aquí entramos en el tema del dinero: ahorrarlo, gastarlo y ganarlo. Leo odia que la realidad se inmiscuya de esa manera (tonta de mí por sacarla a colación). Por desgracia, tarde o temprano le llegará el día de ajustar cuentas si no consigue llegar a fin de mes. Los presupuestos son, bueno, restrictivos, y casi nunca suelen gustarles a los Leo. Ellos prefieren llevar una vida que sea más grande que la vida; quieren gastar dinero con libertad. Cada Leo lleva dentro de sí una serie de expectativas, incluido un determinado estilo de vida que cree merecer. Si las circunstancias le impiden llevar este estilo de vida, se siente manifiestamente indignado. A diferencia de Cáncer y Virgo, los signos anterior y posterior a Leo, que siempre andan preocupados, el León no se inquieta pensando cómo saldrán las cosas, aunque esté atravesando una etapa difícil y apurada. En los Leo, el optimismo nunca muere. La suerte les rodea y —bingo— vuelven a tener dinero. ¿Parece el León un tanto perezoso? En ocasiones, sí. A no ser que vaya detrás de una presa, se dice a sí mismo: ¿para qué acalorarse y preocuparse por hacer todas estas cosas? Leo prefiere ver si hay alguien alrededor dispuesto a encargarse por él de esas molestas tareas. ¿De qué sirve ser el rey si uno tiene que hacerlo todo?

El hecho de que no quiera trabajar no significa que Leo no sea generoso. Observa a tus amigos de este signo cuando salgáis a cenar. El carácter bondadoso y benevolente de Leo le hace sacar la tarjeta de crédito en cualquier restaurante elegante para invitar a todos sus amigos. Le hace muy feliz jugar a ser una persona pudiente, porque este signo es auténticamente magnánimo. Si Leo llega a amasar una fortuna, es casi seguro que donará una parte de ella, quizá para añadir una ala nueva a un hospital o una planta adicional a un museo. Si bien es poco probable que haga dicha donación de forma discreta o anónima —a los Leo les gusta atribuirse el mérito y ver su nombre en letras grandes—, la harán de corazón. Son grandes filántropos.

Hay que comprender que lo que más desea Leo es respeto. Es muy, muy orgulloso, y si perteneces a este signo reconocerás enseguida que esto es verdad. Si es tu pareja quien es Leo, déjale espacio suficiente para que salve su imagen en cualquier negociación o pelea, o de lo contrario no te saldrás con la tuya. Déjale una vía de escape si es necesario, pero jamás le hagas sentirse violento. Para Leo significa mucho contar con el respeto de los demás, más que ninguna otra cosa... incluso el dinero. Mientras que Aries desea ganar —contra cualquiera—, Leo desea ser popular. Otros signos podrían recuperarse en el caso de no conseguirlo, pero dudo de que lo hiciera Leo, porque necesita a toda costa ser admirado.

CARRERA PROFESIONAL

La energía de Leo puede dirigirse al exterior, hacia la política, o bien al interior, para expresar el poder divino que lleva dentro, de manera artística, como creador. Y ya que estamos tocando el tema del talento, echemos un vistazo a las cosas en las que destaca este signo, así como a las ocupaciones y los sectores que le traen más suerte.

Centrémonos por un instante en el aspecto de tu despacho. Si eres Leo, sabrás que te gusta que sea lo más cómodo y acogedor posible. Si tu empresa te permite traerte muebles de casa o pedir algunos nuevos, pronto superarás a tu jefe en cuanto a la belleza y el diseño de lo que has elegido. A Leo le gusta tener en su despacho flores frescas y alguna que otra obra de arte, quizás un bonito cartel en la pared. Opina que como debe pasar tanto tiempo en el trabajo, su entorno laboral ha de ser tan cómodo como su hogar.

En las paredes de tu despacho lucirán también tus diplomas y los galardones recibidos, junto con fotografías de ti en compañía de gente famosa. No exhibirás fotos en las que aparezcas con personas de categoría inferior, y que sólo te sirven de inspiración mientras sueñas con conseguir un puesto de autoridad. Esas fotografías son trofeos en sí mismas. También tendrás por todo el despacho numerosas fotos de tus hijos (si los tienes). Como Leo que eres, te sientes orgulloso de ellos.

Hace poco apareció en una revista una serie de entrevistas a diversos ganadores del Óscar en las que se hablaba de dónde había decidido cada uno de ellos exhibir su estatuilla, si es que había decidido hacerlo. Un Piscis es probable que la escondiera en una caja junto con otros recuerdos para no recordar su superioridad a los demás y evitar la posibilidad de herir los sentimientos de alguien. El productivo Virgo la utilizará con algún fin práctico (como pisapapeles o sujetalibros), pero ningún Leo que se precie ocultará esa estatuilla ni la usará para ninguna otra cosa que como recordatorio de una meta alcanzada. Aunque no la tendrá en el vestíbulo de su casa para que se vea nada más entrar —no son tan descarados—, no ven razón para no ponerla en la repisa de la chimenea del salón o sobre el escritorio del estudio. ¿Por qué no exhibir un símbolo de prestigio que tanto ha costado ganar?, pregunta Leo. Para eso son las distinciones, para recompensar la capacidad y establecer diferencias. Leo es cualquier cosa menos indiferente a los usos sociales.

La creatividad tiene una importancia enorme para el vehemente Leo, y por lo general necesita una vía de escape. Pocas cosas de la vida tienen el poder de proporcionar la satisfacción intrínseca que proporciona una carrera creativa. El Sol, tu regente, querido Leo, alienta la nueva vida y sostiene todo lo que está vivo, así que es lógico que experimentes una necesidad imperiosa de crear. Alrededor de la rueda del zodíaco, después de haber sido plantadas en mayo (Tauro), las semillas comienzan a crecer suavemente, y en agosto la planta casi está desarrollada del todo. La cosecha no llegará hasta septiembre (Virgo), así que ahora es el momento de jugar y disfrutar de la vida, y Leo está más que contento de hacerlo. No es un adicto al trabajo como Virgo; de hecho, se podría decir que el León es un tanto indolente. Para ser totalmente creativo, uno debe conservar un espíritu juvenil, experimental, algo en lo que Leo destaca sin duda.

Muchos Leo consiguen hacer gala de su talento para el color en el campo del arte y el diseño. A finales de julio, el Sol se encuentra en su momento de mayor brillo e intensidad, de ahí que a los nativos de este signo les encanten los colores llamativos, fuertes, maduros, y los diseños hermosos. Pueden aplicar su talento artísti-co a su trabajo. Leo cuenta con un sentido especial para el estilo que otros quisieran copiar; Jackie Kennedy, por ejemplo, fue una Leona que inspiró a millones de personas de todo el mundo. El di-seño de la moda es otro campo en el que se distinguen muchos Leo, como Coco Chanel y Oscar de la Renta. Entre otras ocupaciones adecuadas para los nativos de este signo, podemos citar el diseño gráfico y la decoración de interiores, y también pueden ser muy buenos directores artísticos y creativos, directores de cine, diseña-dores de páginas web, diseñadores de decorados y vestuario para teatro, fotógrafos, músicos, bailarines, actores y artistas en general. Muchas de nuestras «divas» son Leo. Madonna y Whitney Houston son dos buenos ejemplos, así como Mick Jagger en la versión mas-culina. La industria del espectáculo cuenta con una increíble abun-dancia de nativos de Leo, que no retienen las ideas, sino que las comparten, ya que este es un signo gregario y de buen corazón. La naturaleza concedió a Leo una gran seguridad en sí mismo y la ne-cesidad de expresarse. Estas dos cualidades garantizan que su talen-to salga a la luz.

Los Leo son legendarios organizando, razón por la cual se les dan tan bien los negocios, la enseñanza, la política, las publicacio-nes y casi cualquier otro campo. Piensan a lo grande, lo cual puede resultar de bastante inspiración para quienes tienen que responder ante ellos. Decididos, reflexivos e intuitivos, saben elaborar una agenda de trabajo y ceñirse a ella contra viento y marea. Sin embar-go, no se fijan demasiado en los detalles; eso ya lo hace Virgo, com-pensando lo que le falta a Leo. Como perteneces a un signo de fue-go tan brillante, los demás desean seguirte, de modo que tu capacidad para infundir ánimo a la gente es fenomenal. Una vez que Leo aprovecha la fuerza de su determinación, es capaz de triun-far contra cualquier adversidad. Parte del secreto radica en que su interruptor interior esté en la posición de «encendido», porque al-gunos Leo simplemente no utilizan la asombrosa energía que guar-dan dentro. Otra cualidad de oro que poseen los nativos de este signo es su magistral capacidad para planificar y trazar estrategias. Norman Schwarzkopf, el gran héroe militar de la Operación Tormenta del Desierto, es un buen ejemplo de un Leo que empleó su talento al máximo. (Nació un 22 de agosto, justo en la cúspide entre Leo y Virgo, y expresa los mejores talentos de ambos signos.) Leo tiende a no renunciar, y como líder recuerda constantemente al rebaño los objetivos comunes que se escogieron de manera colectiva. En la faceta personal, Leo nos recuerda pacientemente las promesas que hicimos en el pasado y nos obliga a cumplirlas. Los nativos de este signo pueden ser jefes maravillosos, porque por lo general poseen gran euforia y entusiasmo por la vida, y cuando derraman su luz sobre sus colegas también pueden ayudarles a realizar su potencial. Leo desea ver triunfar a los demás, y hará lo que esté en su mano para que así sea.

Otro talento de muchos Leo, no tan conocido, es su capacidad mecánica para reparar cosas. Es probable que reconozcas ese rasgo en ti, querido Leo. Incluso de niño probablemente te fascinaba ver cómo funcionaban por dentro las cosas y te esforzabas por averiguarlo. Muchos niños Leo desmontan aparatos y luego no saben cómo volver a montarlos. Ten paciencia si tu hijo Leo hace eso, porque todavía está aprendiendo. Tanto los hombres como las mujeres de este signo es posible que creyeran que su talento en este aspecto no era «nada especial» hasta que miraron a su alrededor y vieron que nadie tenía la misma destreza que ellos para entender cómo funcionan las cosas. Puede que no decidas valerte de esa capacidad en tu carrera de ingeniero, por ejemplo, pero aunque no lo hagas, los que te rodean serán afortunados porque habrá pocas cosas que no seas capaz de arreglarles.

Los Leo son también profesores excelentes. Es muy posible que seas lo bastante paciente, claro y teatral para explicar algo de forma maravillosa. También hay que añadir a la lista de profesiones apropiadas para ti las relacionadas con todos los sectores de productos para niños, como programas de televisión, películas o libros. Este signo entiende de forma natural las necesidades de los niños, y el niño interior de Leo (siempre vivito y coleando) sabrá cómo captar su interés. El gusto del León por los colores vivos y los diseños impresionantes convertirá los programas de televisión, libros o películas en auténticos éxitos.

CUERPO, MENTE Y ESPÍRITU

El atractivo sexual y la apariencia son sumamente importantes para Leo, probablemente más que para la mayoría de los signos. Tal como ya he dicho, los nativos de Leo poseen una fuerte vena competitiva, y les gusta ganar. Están acostumbrados a ser el jefe. Eso podría servir para explicar por qué a algunos Leo les atraen las aventuras amorosas en la mediana edad. Demostrarse a sí mismos que siguen siendo tan vitales y apuestos como cuando eran jóvenes se convierte en una necesidad acuciante, y no tiene nada que ver con lo que Leo siente por su pareja. (Pero prueba a decirle eso a un cónyuge que tiene el corazón destrozado.) A los Leo, tanto hombres como mujeres, no les gusta la idea de envejecer, y son los primeros en llamar al cirujano plástico cuando se dan cuenta de que ya no son los más bellos del reino. Poseen un estilo juguetón y no se ven a sí mismos envejeciendo; a menudo les sorprende descubrirlo. Esperan hacerlo todo mejor y ser más guapos que nadie, y seguir siéndolo siempre. Aunque el signo del zodíaco que siempre se ve más joven es Géminis, a los Leo se les da de maravilla conservar su aspecto juvenil mucho tiempo después de que los otros se hayan dado por vencidos. Puede que Leo se trabaje su aspecto físico mucho más que los demás.

Cabría pensar que el gran énfasis que pone Leo en el aspecto físico le convierte en un atleta. Pues no, no es así. Eso requeriría un gran esfuerzo, y a diferencia de Aries, Virgo, Escorpio o Sagitario (signos muy disciplinados), que están dispuestos a hacer lo que haga falta, Leo prefiere sentarse y pedir que le traigan una pastilla que prometa adelgazar y tonificar los músculos al mismo tiempo. A la mayoría de los nativos de este signo no les resulta nada atractivo sudar en la cinta. Aborrecen toda clase de ejercicio intenso, sobre todo si hace frío. (Eso quiere decir que el esquí queda descartado, a no ser que haya algún otro emplazamiento en el horóscopo que sugiera su práctica. A un Leo le suena infinitamente mejor correr por una playa cálida.) Recuerda que el León no acude al gimnasio a menos que tenga que hacerlo; prefiere jugar un partido de baloncesto, correr por la playa o hacer senderismo.

Si eres un León o una Leona, necesitas ponerte al sol de vez en cuando para no arriesgarte a sufrir el trastorno afectivo estacional, un sentimiento de depresión que algunas personas experimentan sobre todo en invierno, porque no reciben suficiente luz solar. Se ha descubierto que la luz del sol afecta a la parte del cerebro que regula el estado de ánimo. Hay estudios recientes que apuntan también a alteraciones en el metabolismo de la serotonina, en la producción de melatonina y en el funcionamiento del reloj circadiano. La solución es fácil: salir todos los días a pasear al aire libre durante las horas más luminosas. Camina a paso ligero, aunque sea para ir al banco o al supermercado, con el fin de respirar un poco de aire fresco y recibir tu dosis de sol, por muy ocupado que estés. Además obtendrás tu cupo de vitamina D. Si en el lugar donde vives siempre está el cielo gris y llueve, surte efecto emplear una terapia a base de luces brillantes.

Existen otros aspectos de la salud a los que debes prestar atención especial si eres Leo. Para empezar, sería conveniente que cuidaras tu sistema cardiovascular. En la astrología médica, igual que tu regente, el Sol, es el centro de nuestro universo, el corazón es el centro del cuerpo humano, y ambos tienen propiedades importantísimas para la vida. Así pues, Leo rige el corazón. Sin embargo, es el corazón, junto con el sistema circulatorio, lo que tiene más posibilidades de causar problemas a Leo si no se mantiene en buena forma. Algunos nativos de este signo sufren sólo los problemas más leves, como una mala circulación. Da a tu cuerpo lo que necesita para que más tarde no tengas que arrepentirte de no haber prestado más atención a la dieta y el ejercicio. Posees un gran corazón, querido Leo, así que manténlo en forma. La otra parte del cuerpo regida por Leo es la columna vertebral, de modo que mientras te pones en forma haz también algún ejercicio para fortalecer la espalda. Debes caminar erguido como la poderosa criatura que eres.

RESUMEN

Leo sabe, tal vez mejor que ningún otro signo, que la vida no es más que una etapa. Dentro de cada León existe una estrella que está creciendo y pugna por mostrarse. Querido Leo, vigila bien ese poder divino que llevas dentro, porque todo lo que necesitas está ahí, listo para que lo aproveches. Aunque tengas que esforzarte para encontrarlo, está ahí, esperándote. Has sido agraciado con una enorme energía, y en efecto, posees la fuerza del Sol.

Los mitos de Leo y el Sol

El Sol no tiene igual en el horóscopo: es el rey de los cuerpos celestes, el brillante luminar que simboliza todo lo vivo, la vitalidad y la fuerza. El Sol simboliza también nuestra «voluntad dirigida» o sentido de la finalidad, que permite que cada uno de nosotros deje una marca en el mundo. Es la luz que brilla en el interior de todas las personas, el espíritu divino que constituye la fuente de la energía y la creatividad, otorgado por nuestro creador en el instante de nacer.

El Sol ha intrigado a casi todas las culturas de todos los tiempos. En algunos mitos primitivos, se describía como un «héroe» nacido de la Madre (que era la Tierra). Los cuatro elementos que componían la vida —aire, tierra, fuego y agua— se caracterizaban como masculinos o femeninos. Los elementos masculinos (el aire y el fuego) nacieron de los elementos femeninos (el agua y la tierra). La astrología todavía reconoce esas energías yin y yang, y el astrólogo insta a que tanto los elementos masculinos como los femeninos se combinen y se equilibren para obtener verdaderamente un todo dentro de la persona. La historia de Apolo, el dios griego del Sol, del que hablaremos dentro de un momento, incorpora esas energías y constituye un buen modelo para Leo. En este signo existe el peligro de que el Sol, considerado una fuerza vital masculina y dadora de vida, se vuelva demasiado descentrado al hacer uso de su considerable poder. Leo tiene que aprender a encauzar esa energía para beneficiarse de ella sin volverse egoísta o demasiado egocéntrico (posibles trampas inherentes a este signo).

¿Por qué se considera masculino el Sol? Repetidamente en determinados mitos, la figura del Sol asciende a lo alto de los cielos (pleno día, mediodía). En ese momento, el calor del Sol elimina toda la humedad, haciendo que las nubes estallen en truenos. A su vez, la lluvia fertiliza la Tierra. En el simbolismo mítico, el fuego y el aire se asocian con la masculinidad porque se considera que el héroe Sol fecunda el suelo. En el ocaso, el Sol se hunde en el horizonte y en las profundidades de la noche. Entonces nuestro héroe se sumerge en las profundidades de lo desconocido, del mundo subterráneo, y luchando contra sus miedos consigue demostrar su temple y su valor. Más tarde vuelve a emerger del oscuro mundo de lo desconocido y regresa a la luz. En la astrología, como en la mitología, «luz» equivale a «verdad».

APOLO

Uno de los primeros mitos que nos vienen a la cabeza cuando pensamos en el Sol es el de Apolo, el dios griego nacido de Leto y de Zeus. Era uno de los dioses favoritos; como dice la mitóloga Edith Hamilton, era «el más griego de todos los dioses». Dominaba la medicina y la curación, las matemáticas y la música, y también se decía de él que poseía el don de la profecía. Además era el dios de la luz y de la verdad. Aquí vemos el hemisferio derecho y el izquierdo del cerebro unidos en Apolo, que posee tanto la racionalidad (masculina) de la música y las matemáticas como el don intuitivo (femenino) de la profecía. Así pues, este dios era capaz de lograr el equilibrio y unir ambas energías. Se le consideraba bueno y beneficioso. Si bien en ocasiones mostraba cierta crueldad, eso era más bien raro en él.

Antes de construir su santuario, Apolo estudió varios emplazamientos posibles. Descubrió que el mejor sitio era Delfos, considerado el centro del mundo. Sin embargo, esa ciudad estaba guardada por una enorme serpiente, Pitón, así que primero tuvo que matarla. Tras una terrible batalla, salió victorioso y en efecto construyó su santuario en Delfos, que más tarde sería conocida como «la ciudad de los oráculos». Posteriormente, la sacerdotisa conocida como «pitonisa» anunciaría sus predicciones en el Oráculo de Delfos a todo el que acudía a pedirle consejo. Nadie podía cuestionarla, y nadie se atrevía a hacerlo. De ahí que se hayan atribuido a Apolo las leyes que más tarde dejó en herencia Delfos. Sobre las puertas del templo se grabó lo siguiente: «Nada en exceso» y «Conócete a ti mismo». Así, el Oráculo dice a los mortales que conserven el equilibrio de las cosas evitando los excesos de ser demasiado voluntariosos o demasiado seguros de sí mismos, o de lo contrario aparecerán la arrogancia y el engreimiento. El valor de conocernos a nosotros mismos radica en el hecho de que reconozcamos nuestros talentos y debilidades, y también estimula el desarrollo de todo el potencial que poseemos.

Esto constituye un buen consejo para cualquier signo, pero astrológicamente tiene que ver sobre todo con Leo, porque para este resulta muy fácil volverse egocéntrico. Después de todo, el Sol es el centro del sistema solar, y el regente mítico de Leo, Apolo, es el dios de la verdad y de la luz (el Sol). Apolo puede aportar claridad, enfoque y pensamiento racional a un mundo dominado por el caos. Atempera toda inclinación hacia la pomposidad o el egotismo con la intuición, más propia del hemisferio derecho del cerebro (o femenina). También es el dios de las matemáticas y de la música, dos disciplinas muy racionales y precisas. Al mismo tiempo es profeta y sanador, y combina lo mejor de ambas energías. Así pues, Apolo sirve de excelente modelo para Leo.

HELIOS, EL DIOS GRIEGO DEL SOL

Aunque Helios se considera un dios «menor» (no era uno de los doce dioses principales del Olimpo), su imagen como el rey Sol es de una especial belleza y poesía. Como dios del Sol, era el que proporcionaba la luz. Era hijo de los titanes Hiperión y Tía, tempranas deidades del Sol y luces en sí mismas. Acompañado por su hermana Eos (la aurora) y tocado con un yelmo de oro, Helios era una figura de belleza sobrecogedora. Comenzaba cada día por el este y atravesaba el cielo conduciendo un carro tirado por cuatro magníficos caballos, para finalmente desaparecer más allá del horizonte oeste. Durante la noche regresaba hasta el horizonte este, pero como en aquella época no se creía que el mundo fuera redondo, Helios tenía que recorrer el perímetro de la Tierra vadeando el río Océano en una enorme copa de oro.

Mientras cruzaba el cielo en su carro durante las horas diurnas, su penetrante mirada veía todo lo que sucedía en la Tierra. No es de sorprender que se convirtiese en una importante fuente para conocer la verdad. Fue Helios quien dijo a Hefesto que Afrodita tenía una aventura amorosa con Ares, y también fue él quien dijo a Deméter que había sido Hades el que había raptado a Perséfone. Nadie podía ocultarse de la vista del Sol, y por eso los mortales juraban por él, pues sabían que si faltaban a su palabra, Helios lo sabría.

La hermana de Helios, Eos, diosa de la aurora (se decía que tenía los brazos de color rosado), se elevaba cada mañana de un trono de oro para anunciar la inminente llegada de su hermano Helios. A pesar de su nombre, que significa «aurora», Eos personificaba no sólo la luz de primeras horas de la mañana, sino la de todo el día. Acompañaba a su hermano subida en el carro del Sol que recorría el cielo. Eos se enamoraría después de Astreo («estrellado»), hijo de Crío (un titán) y Euribia, hija de Ponto y Gea. Daría a luz a los tres vientos: Céfiro (del oeste), Bóreas (del norte) y Noto (del sur). También tuvo como hijo a Eosforo (la estrella del amanecer), así como a todas las estrellas del firmamento.

LOS DOCE TRABAJOS DE HÉRCULES

Hércules es un héroe maravilloso de todos los tiempos, y el héroe mítico del que se acuerda más la gente cuando piensa en Leo. Hércules reúne lo mejor de este signo: valor y determinación para triunfar contra toda adversidad, y es un protector y líder en el que inspirarse. El hecho de que matase al león de Nemea, que constituyó el primero de sus doce trabajos, se considera especialmente relacionado con Leo, ya que Hércules domina sus pasiones y se enfrenta a sus miedos, elementos clave que le permiten imponerse al feroz león. En este primer trabajo, se decía que el león tenía una piel especial, imposible de penetrar con piedras o metales. En efecto, Hércules pronto descubrió ese detalle porque su bastón, sus flechas y su espada resultaron inútiles para combatir a la bestia. Rápidamente llegó a la conclusión de que sería necesario entablar una lucha directa. Hércules selló una de las dos entradas de la cueva del león, lo atacó sin armas, y consiguió reducirlo y asfixiarlo hasta darle muerte.

A continuación, sirviéndose de las garras del león para arrancarle la piel, se hizo una capa con el pellejo y un casco con la cabeza. Hércules fue a ver al rey Euristeo llevando ese atuendo para recibir su segundo encargo en la serie de trabajos que tenía que llevar a cabo. Al verlo vestido con la piel del león, el rey se asustó de tal manera que le ordenó que en el futuro dejase sus trofeos a las puertas de la ciudad. Después de esto, el cobarde rey Euristeo se escondía en una tinaja enterrada en el suelo cada vez que venía a verle Hércules, y hacía que su mensajero notificase al héroe en qué consistía cada trabajo posterior, en lugar de hacerlo él mismo.

En el primer trabajo, Hércules se «convirtió» en el feroz león vistiéndose con su piel. Pudo hacerlo porque se enfrentó a lo que temía, el león, y al hacerlo adquirió el valeroso espíritu de este animal. En los trabajos posteriores, mató a varios monstruos y gigantes y capturó diversas bestias. Tuvo que hacerse con dos preciados objetos y llevar a cabo una tarea humilde: limpiar los establos de Augías. Una vez que llevó a cabo con éxito sus doce trabajos, encontró otro modo de usar la piel del león. Cuando una banda de gigantes atacaba el monte Olimpo, Hera profetizó que ninguno de los dioses sería capaz de derrotarles. Predijo que el éxito le sonreiría tan sólo al mortal que fuera vestido con una piel de león. Así pues, Zeus envió a Hércules al campo de batalla y este, después de ataviarse de nuevo con la piel del león y el casco, mató a los gigantes con una sola mano.

Los leones aparecen en muchos relatos de acción, el más antiguo de los cuales es la leyenda babilónica de Gilgamés, en la que el héroe busca las hierbas de la inmortalidad para devolver a la vida a su amigo Enkidu. Al igual que Hércules, Gilgamés tuvo que pasar por una serie de pruebas. La primera consistía en luchar contra una manada de leones (véase «Los mitos de Acuario y Urano»). Los mató, triunfando así en su primer rito de pasaje, lo cual parece sugerir, igual que en el mito de Hércules, la necesidad de conquistar el miedo y también de domar las pasiones desatadas por encima de todo, un tema recurrente en el signo de Leo.

La astrología distingue entre el guerrero sin miedo y que compite con la figura del padre (Aries, el primero de los tres signos de fuego), el rey Sol sabio (Leo, el segundo signo de fuego) y el rey filósofo (Sagitario, el tercer signo de fuego). Leo no debería sobrestimar su capacidad ni volverse eufórico hasta el punto de hacerse daño a sí mismo negando tontamente ciertas realidades. Esta idea encuentra su aplicación en el mito clásico de Ícaro, que se narra a continuación.

ÍCARO, EL JOVEN QUE VOLÓ DEMASIADO CERCA DEL SOL

Ícaro era hijo de Dédalo, un maestro artesano; juntos, padre e hijo habían construido el laberinto del Minotauro para el rey Minos de Creta. Dicho laberinto tenía una serie de pasadizos tan complicados que era prácticamente imposible escapar de él. Sin embargo, Dédalo mostró a Ariadna cómo podía salir Teseo. Cuando el rey Minos se enteró de que los atenienses habían descubierto una salida, se puso furioso y se imaginó que debía de haberles ayudado Dédalo. Encerró a padre e hijo, y así, extrañamente, el laberinto se convirtió en una trampa para su propio creador.

Entonces Dédalo tuvo una idea. Aunque no había ninguna salida fácil por tierra ni por agua, el aire y el cielo sí eran relativamente accesibles. Construiría dos pares de alas de cera, las ataría con correas a su cuerpo y al de su hijo, y ambos saldrían del laberinto volando. Se puso a trabajar, y cuando las alas estuvieron terminadas, Dédalo advirtió a Ícaro que no se acercase demasiado al

Sol, porque las alas se derretirían. También le advirtió que no volase demasiado bajo, pues las alas se le podrían mojar en el mar. (Busca un punto de moderación, fue el mensaje del padre al hijo.) Fascinado por el hecho de volar, Ícaro se dirigió hacia el Sol, olvidando lo que le había dicho su padre. Como consecuencia de eso, se estrelló en el mar y las aguas le cubrieron. Su padre consiguió llegar a salvo hasta su destino en Sicilia, y al echar en falta a su hijo comenzó a llamarle. No pudo encontrarle aunque le buscó por todas partes. En esta historia, una fuerza de voluntad excesiva —demasiada euforia o entusiasmo— puede ocasionar la caída de una persona (en sentido bastante literal).

En Leo, como gran rey, existe la necesidad de burlar y encararse a la bestia, personificada por el criminal o el enemigo. Si un rey no era capaz de proteger a su pueblo en la guerra, sería derrocado por el poder de la oposición, así que la guerra representaba la supervivencia de los más aptos, tanto física como espiritualmente. Los egipcios, por ejemplo, tenían un sistema que mantenía fuertes y audaces a sus reyes. No sólo insistían en que sus dirigentes conservaran limpio el linaje (aptitud física), sino que también se cercioraban de que tuvieran la personalidad adecuada para llevar a cabo la voluntad divina sometiéndoles a una serie de continuas pruebas (aptitud espiritual). Los egipcios no estaban dispuestos a esperar a que tuviera lugar una invasión para saber de qué madera estaban hechos sus dirigentes.

Como se puede ver, la necesidad de poner a prueba constantemente las propias aptitudes físicas y morales es una parte importante de Leo, porque, al igual que Hércules, una vez que matas ese león (o dragón), te alzas triunfante y llevas ya para siempre esa fuerza dentro de ti. Esto da un nuevo significado al dicho: «Lo que no te mata te hace más fuerte», ¿no estás de acuerdo, Leo?

La personalidad de Virgo

Virgo
24 de agosto - 22 de septiembre

Principio guía
«Produzco»

Cómo disfruta este signo
Disfruta siendo organizado, productivo y perspicaz, y mejorando tanto el cuerpo como la mente, porque siente una fuerte necesidad de llevar las cosas a un estado óptimo.

En el nuevo milenio, tu contribución al mundo será...
Nacido en la época de la cosecha, eres excelente en las tareas de producción. Con la afluencia sobre la humanidad de grandes cantidades de información, la misión de Virgo consistirá en mostrarnos lo que es valioso y lo que no lo es.

Cita que te describe
«La perfección se alcanza finalmente no cuando ya no hay nada más que añadir, sino cuando ya no hay nada más que quitar, cuando un cuerpo ha sido despojado hasta quedar desnudo.»

ANTOINE DE SAINT-EXUPÉRY, un *Cáncer*

En unos grandes almacenes, una mujer Virgo se ha acercado al espejo y se ha pintado los labios. Tras examinar el tono de dos barras diferentes, no parece necesitar ayuda, pero la dependienta se lo pregunta de todos modos. ¿Hay algo en lo que pueda ayudarla? La mujer, que posee un cutis maravilloso y luce un aspecto suave, fresco, como recién salida de la ducha, responde: «Bueno, la cosa está entre estos dos tonos. He probado los dos usando esos discos de algodón» (por supuesto; la limpieza es vital para Virgo). Y añade: «No termino de decidir cuál de los dos es el perfecto para mí. Me gusta este, pero temo que vaya diciendo algo así como: "La biblioteca cierra a las seis". Este otro parece transmitir lo que quiero: "¡Nena, vámonos de marcha!", pero no estoy segura de que resulte tan favorecedor como el primero. Puede que sea demasiado moderno. ¿Qué opina usted? Es que soy muy tímida en casi todos los entornos sociales, y si esta barra de labios puede ayudarme a salir de mí misma, bueno, en ese caso estará cumpliendo con su misión».

La vendedora, que no se esperaba una respuesta tan práctica y bien construida de una mujer joven y obviamente reservada, le asegura que cualquiera de los dos tonos le quedará muy bien. A riesgo de decir lo que ya es evidente, le ha asegurado que su físico resulta de lo más impresionante. Estoy segura de que la clienta no era consciente de que era una de esas personas que hacen que uno vuelva la cabeza; los Virgo rara vez son conscientes de sus cualidades, sobre todo en lo que se refiere a su aspecto físico. Cuidan de manera exquisita su salud, ya sean hombres o mujeres, y tienen lo que todo el mundo quiere tener: un auténtico resplandor que procede de la buena salud y el buen carácter, cualidades que no se pueden sacar de un tubo o una botella. Por lo general se encuentran bastante en forma, y a menudo poseen un físico esbelto y envidiable y también un hermoso cutis.

Mientras tanto, en el departamento de caballeros está teniendo lugar casi la misma escena. En este caso, un hombre Virgo, joven y delgado, está recorriendo los mostradores de camisas de algodón de manga larga de diversas marcas, estilos y colores, y también se fija en los diferentes estilos y estampados de corbatas, buscando las prendas que hagan juego «perfectamente» con el traje de diseño que acaba de comprarse. Los Virgo de uno y otro sexo adoran la buena calidad y el buen corte; no es una coincidencia que la ciudad de París pertenezca a este signo. Virgo rige la buena confección y los atuendos con bellos detalles, como botones de calidad y un forro bien elegido. Mientras que Leo, el signo que precede a Virgo, busca la ropa del diseñador más nuevo y singular para suscitar el respeto y la admiración de amigos y colegas, Virgo compra artículos de serena elegancia que le duren varias temporadas. Al ser un signo más práctico, desea invertir en moda más que autoafirmarse por medio de la moda. Los Virgo no pierden tiempo ni dinero si pueden evitarlo; la ropa que se compran siempre parece nueva, aun cuando tenga ya varios años, porque los nativos de este signo son muy refinados.

Nuestro hombre Virgo lleva unos cuarenta y cinco minutos buscando la serie perfecta de camisas y corbatas, pero el dependiente que le atiende sabe que no debe interrumpirle. Ya conoce a ese cliente: sabe que siempre es educado y que habla correctamente, y que debe de tener un buen trabajo, quizá de redactor en una revista masculina. La temperatura en el exterior es de treinta grados, pero ese hombre tiene un aspecto fresco y resuelto. Está empeñado en encontrar algo especial, de modo que la decisión requerirá deliberación. Su lenguaje corporal parece decir: «No te acerques a mí todavía, déjame tranquilo». De modo que el dependiente decide, correctamente, mantenerse al margen. Cuando los Virgo andan buscando la perfección, lo mejor es dejar que sean ellos los que pidan ayuda, en vez de inmiscuirse en su concentración. A los Virgo no les gustan las interrupciones.

Querido Virgo, los antiguos asignaron los rasgos y talentos de tu signo observando la estación del año en la que naciste. Tu cumpleaños tiene lugar al final del verano, en la hermosa época de la cosecha, lo cual te vincula fuertemente con la tierra, la agricultura, la nutrición y la salud. Las frutas y hortalizas que estaban creciendo bajo el sol dorado de Leo están ya listas para ser recogidas de la huerta, como celebración de la abundancia estival. Los días largos y calurosos del verano van disminuyendo, y pronto se harán más frescos y notablemente más cortos. Es el momento de regresar a las tareas rutinarias de la vida. Se recupera el ritmo de actividad, pues llega el tiempo de la cosecha; si los frutos no se recogen, se marchitarán en las ramas. Se necesitarán provisiones para la supervivencia de la comunidad durante el invierno que se aproxima. Ahora hay que recoger la cosecha, seleccionarla, envasarla o almacenarla. ¡No hay momento que perder! Así pues, querido Virgo, la estación de tu nacimiento te infunde el poderoso impulso de ser productivo.

Los Virgo sienten la necesidad de atender los proyectos y terminarlos siguiendo un programa establecido. Destacan organizando actividades de todo tipo, por más complejas que sean. Su carácter crítico y serio hace que posean un talento especial para seleccionar, ordenar y clasificar, una capacidad que aplican a todo lo que hacen. (Cuando esos frutos se recogen del árbol durante la cosecha, tú ayudas a la Naturaleza escogiendo en qué cestos almacenarlos: para comer, para enlatarlos, para cocinarlos o para servir de abono.) También estás muy orientado hacia el trabajo, pues reconoces la belleza sencilla y la elegancia del trabajo noblemente hecho. Debió de ser un Virgo el que dijo: «Todo lo que merece la pena hacerse, merece la pena hacerse bien». A ti te reconforta atender los detalles rutinarios y necesarios de la vida cotidiana. Todos los Virgo valoran la productividad, que constituye la base de otros muchos talentos de este signo, y se sienten orgullosos de ser productivos.

La mayoría de la gente cree que la época en la que el Sol está en Virgo, septiembre, es el comienzo psicológico de un nuevo año, ya que es el momento de regresar al trabajo o a la escuela renovados y listos para abordar nuevas metas. Tu regente, Mercurio, el planeta del intelecto, te aporta un intenso amor por las actividades intelectuales. En la época de tu nacimiento, te conviene quedarte en casa, ponerte serio y concentrarte en la tarea que tengas entre manos. Quizá por esta razón Virgo se considera un signo serio y cerebral, dotado de una fuerte autodisciplina.

SÍMBOLOS

Virgo y Piscis comparten el mismo eje astrológico, y por lo tanto se complementan el uno al otro, a la vez que contrastan, de un modo simbólico. Todos los signos que están unidos sobre el mismo eje se considera que trabajan juntos de forma especial. En Virgo encontramos el anhelo del perfeccionismo individual sublimado, una inclinación hacia la pureza y la superación personal. En su signo opuesto, Piscis, el centro de atención se aparta de la persona y del concepto de Virgo de servicio a los demás y se sitúa en la idea de sacrificarse por toda la humanidad en nombre del amor universal, más indefinible y amplio. Así, el elemento «virgen» del simbolismo de Virgo hace referencia a ese estado puro e inocente que se encuentra en el proceso de transformarse en una persona más desarrollada y madura, simbolizada por la cosecha. El egocentrismo que se ve en Leo, el signo que precede al tuyo, cede el sitio a la comprensión de la necesidad de servir a la humanidad en su sentido más amplio.

Existe otro contraste interesante entre Virgo y Piscis. La imagen que simboliza a Virgo es la de una virgen que sostiene un tallo de trigo, mientras que Piscis tiene como símbolo los peces. Algunos astrólogos se han sorprendido del hecho de que el trigo y los peces recuerdan la antigua historia que se cuenta en la Biblia del milagro de los panes y los peces. Así, hay abundancia de alimentos para todo el mundo, no sólo para nutrir el cuerpo, sino también para nutrir el alma al ser aceptado con hospitalidad. Es uno de los milagros del cristianismo, e ilustra el hecho de que, tanto en Piscis como en Virgo, existe una fuerte necesidad de compartir con los demás y velar por ellos.

Las diferentes etapas de la maternidad se ven elegantemente retratadas en los signos de Tauro, Cáncer y Virgo. En Tauro, la mujer es una figura de la fertilidad, llena de vida y oronda por la preñez. Para Tauro, un signo de tierra, el amor es físico. En Cáncer, la imagen es la de una madre resplandeciente con su hijo. Así pues, en este signo se pone el énfasis en el papel que desempeña la madre como proveedora de alimento y protectora amorosa. En Virgo, el sexto signo del zodíaco, la madre se da cuenta de que ha de dejar libre a su hijo para que este pueda crecer como persona. En este signo de tierra, el amor materno requiere la aceptación de la realidad y un sentido práctico —ya no puede conservar a su hijo junto a ella—, y debe confiar en el criterio de su hijo y estimular su individualidad al tiempo que le deja volar libre.

♍ El símbolo de Virgo es parecido al de Escorpio, tanto que los principiantes suelen confundirlos. El símbolo de Virgo se vuelve hacia dentro, denotando reflexión y desarrollo interno de la persona, mientras que el de Escorpio se vuelve hacia fuera, lo que sugiere una necesidad más agresiva de influir en el mundo.

☿ Géminis y Virgo comparten el mismo regente: Mercurio, y resulta interesante apreciar las similitudes y diferencias que existen entre ambos signos. Si aún no has leído el apartado «Los mitos de Géminis y Mercurio», hazlo ahora, porque lo que allí se explica también te afecta a ti. El símbolo de Mercurio une el círculo (espíritu) encima de una cruz (materia) con una pequeña media luna situada arriba de todo (alma o sentimiento). Además, Mercurio, al igual que Hermes, se sabe que portaba el caduceo, el símbolo que usamos en la actualidad para la curación y los médicos. Este simbolismo subraya la fuerte conexión mente-cuerpo que hay en Virgo y que tan unida está a su personalidad.

INFLUENCIAS PLANETARIAS

Mercurio es el planeta del intelecto y del pensamiento racional, el planeta que siempre induce a la búsqueda de la verdad de forma objetiva y desapasionada. Como consecuencia, tanto los Géminis como los Virgo son destacados periodistas, escritores y redactores u otro tipo de comunicadores capaces de transmitir pensamientos con especial claridad. Virgo, un signo práctico y directo, cuenta con el beneficio añadido de ser muy organizado, meticuloso, prudente y concienzudo. Estas son cualidades de las que carece Géminis, porque es un signo de aire. Sin embargo, existe una gran similitud en el hecho de que su regente común, Mercurio, permite a ambos signos esforzarse por llevar una actividad continua. ¿Alguna vez te has fijado en lo mucho que tus amigos Virgo llevan a cabo en un solo día? Hacen montañas de trabajo (igual que Géminis), mucho más que la mayoría de los signos. Los dos son muy flexibles y adaptables, aunque sigue habiendo diferencias. Por ejemplo, aunque ambos son ratones de biblioteca, Géminis (signo de aire) recopila ideas simplemente para comunicarlas, mientras que Virgo (signo de tierra) se siente más motivado a buscarles una aplicación práctica.

Mercurio, regente de ambos signos, es un planeta que se mueve muy deprisa; por eso es casi seguro que tú tienes dificultades para permanecer sentado mucho tiempo. Mercurio rige el sistema nervioso del cuerpo, de modo que no es de sorprender que Virgo a menudo funcione a base de energía nerviosa. Tanto Virgo como Géminis se dice que tienen más probabilidades de mantenerse delgados que ningún otro signo. Los dos se mueven constantemente de un lado a otro, así que no es muy probable que se les peguen los kilos. Pero Géminis rige las manos y los hombros, mientras que Virgo rige el sistema digestivo, lo cual explica por qué los nativos de este signo tienen problemas para digerir la comida (y los de Géminis no). La influencia de Mercurio en Géminis y Virgo se impone de manera muy distinta. Este planeta se siente bastante cómodo en el primer signo mutable, Géminis, porque se adecua a su necesidad de un movimiento rápido, abundante conversación y recopilación de grandes cantidades de información. En Géminis, Mercurio fomenta la investigación y la exploración de todo tipo de datos, y ese espíritu de juvenil curiosidad que posee este signo. Géminis no siente una necesidad especial de utilizar la información, pues todos los datos le resultan interesantes. En lugar de eso, para este signo de aire sería importante difundir rápidamente esa información por todo el mundo, a los cuatro vientos. En Virgo, un signo de tierra, la influencia de Mercurio está más afianzada, es más estable, y estimula a buscar formas prácticas de usar la información que se ha descubierto. Virgo es perspicaz y minucioso, y por eso para él cuenta más la calidad de la comunicación, incluyendo detalles como la inflexión del tono de voz, o si es por escrito, la ortografía y la gramática.

Mercurio siempre fue considerado por los antiguos un planeta desapasionado, racional y objetivo en su manera de pensar. En efecto, nunca se aleja más de 28 grados del Sol, una energía masculina. Así pues, el Sol aporta a Mercurio parte de su racionalidad, su claridad y su brillantez masculinas.

La influencia de Mercurio en el segundo signo mutable (y segundo signo de tierra), Virgo, se hace evidente en el asombroso poder comunicativo de este signo, ya sea escribiendo, hablando, percibiendo o leyendo, y se ve también en su impresionante capacidad analítica. El agudo talento de Virgo para la organización y la selección crítica es claramente superior al de Géminis, tanto si se trata de ideas puramente conceptuales como de propiedades físicas más tangibles.

A los Virgo les gusta utilizar las manos, ya sea para trabajar o para actividades de ocio. Sus pequeñas habilidades son notables, y muchos nativos de este signo se valen de las manos en sus actividades de ocio para hacer bricolaje, punto o ganchillo, coser, bordar o bien escribir a máquina o tocar un instrumento musical como el violín o el piano. Una mujer que tenía una hija pequeña nacida bajo el signo de Virgo me contó que la niña solía ir hacia ella con las manos extendidas y diciendo: «¡Mamá, quiero hacer algo con las manos! ¡Me aburro!». La niña tiene talento para los rompecabezas, la pintura, la costura (le encanta hacer vestidos para sus muñecas) y los trabajos con arcilla. Su juiciosa madre no deja de ofrecerle montones de materiales distintos. Nunca se debe subestimar lo importante que es para un Virgo el uso de las manos, sobre todo si es un niño.

Virgo también encuentra belleza en el orden de las matemáticas y de las palabras. Suele ser muy bueno en ortografía y vocabulario, y le encantan los juegos de palabras, los rompecabezas, el Scrabble, los crucigramas y los anagramas. (Naturalmente, hasta tu tiempo de ocio lo pasas de forma productiva, querido Virgo.) Le gusta acumular informaciones triviales y también comparar su ingenio con amigos o ver programas de televisión que pongan a prueba la agilidad mental y la capacidad para recordar datos difíciles. Para un Virgo, la jerga técnica puede ser divertida, pero para otras personas puede resultar desconcertante si la utiliza con demasiada frecuencia. (Si la persona con la que estás hablando parece un poco confusa, reduce la marcha y vuelve a explicarte.) Los Virgo sienten atracción por el detalle como si fuera un imán, porque les sirve de combustible para su cerebro hambriento y siempre activo.

Cuando un Virgo se levanta por la mañana (puedes apostar a que tus amigos de este signo están en pie al amanecer sin necesidad de usar el despertador), se encuentra lleno de energía y deseando ponerse en marcha. Son ellos a los que ves saliendo del gimnasio cuando tú llegas, a las siete de la mañana; ya han terminado y están pasando al punto siguiente de su lista. Conservan el templo de su cuerpo puro y fuerte, porque poseen un impulso interior que les empuja a obrar así.

DONES CÓSMICOS

A medida que nos vamos moviendo en orden alrededor del zodíaco, partiendo del signo del comienzo, Aries, vemos cómo va avanzando el desarrollo del ser humano, reflejado en los diferentes signos. En Aries encontramos al recién nacido, que simboliza la fuerza de la vida. La especialidad de este signo son todos los inicios y actos nuevos que requieren valor, y por lo tanto fomenta la actividad empresarial y los nuevos comienzos. En Tauro, el primer signo de tierra, el bebé aprende a explorar el mundo a través de los sentidos, así como a adquirir cosas de valor y acumular riqueza y seguridad. Géminis aporta la comprensión y el dominio del lenguaje. En Cáncer, el niño llega a conocer su entorno inmediato mediante el apoyo de su familia, sobre todo de su madre. A continuación viene Leo, donde el niño adquiere conocimientos por medio del juego y de iniciativas creativas, y encuentra estímulo a través del vínculo con su padre. Conforme el niño va creciendo, Leo fomenta ese crecimiento a través de la experiencia del amor romántico. Después viene tu signo, Virgo, y ahí la evolución de la persona aumenta por medio del servicio a la comunidad y la comprensión de la necesidad del trabajo y las responsabilidades. Si Leo es el rey simbólico que hay dentro de todos nosotros, Virgo descubre la belleza y la nobleza del humilde servidor que también llevamos todos dentro. El niño que está creciendo aprende ahora la importancia del orden, la estructura y la rutina como parte de la vida, todo ello perteneciente a la sexta casa del horóscopo, regida por Virgo.

La constelación de Virgo muestra la imagen de una virgen que sostiene una espiga de trigo, símbolo de tu búsqueda de la pureza de la mente, el cuerpo y el espíritu. Modesto y sin pretensiones, Virgo es famoso por su fuerte integridad personal y su fuerza de carácter. La época de tu nacimiento no sólo es la de la cosecha, sino también la de separar el trigo de la paja. De ahí que Virgo posea un talento innato para discernir lo que tiene valor y lo que hay que rechazar. A diferencia de Libra, no parlotea inútilmente; su sentido práctico hace que la toma de decisiones sea un proceso sencillo para Virgo. Aunque su mundo no es exactamente blanco o negro, desde luego tampoco cuenta con miles de matices de gris. Esta capacidad para ver las cosas con claridad y pragmatismo le ayuda a avanzar con decisión.

Virgo es un signo mutable, lo cual quiere decir que marca el final de su estación. Al igual que Virgo pone fin al verano, Sagitario pone fin al otoño, Piscis al invierno, y Géminis a la primavera. Estos signos poseen la capacidad de romper y disolver las condiciones establecidas y volver a sintetizar sus componentes en formas nuevas para ayudarnos a prepararnos para lo que viene. Virgo cuenta con la distinción especial de ser el único signo de tierra de los signos mutables, lo cual le proporciona la capacidad de encontrar una aplicación nueva, práctica y a menudo tangible para los diversos conceptos e ideas que descubre. Al ser sumamente analítico por naturaleza y conservador con los recursos (ambos son dones de Mercurio), se aplica a fondo y encuentra formas innovadoras de hacer más eficientes los métodos de trabajo para lograr resultados verificables.

Tu credo consiste en encontrar, analizar, purificar, refinar y mejorar todo aquello en lo que concentres tu mente sumamente analítica. Virgo transmuta su mente y su cuerpo volviendo a sintetizar las partes y reconstruyéndolas para formar un todo más fuerte. Para Virgo, cualquier área puede mejorarse: el rendimiento en el trabajo, una relación personal, la mente o el cuerpo; las posibilidades son infinitas. Virgo va siempre en busca de la superación personal.

Sumamente productivo, bien organizado, minucioso, ordenado, fuerte, autodisciplinado y orientado hacia la consecución de metas; todas estas son buenas descripciones de Virgo. Pero a pesar de sus cualidades destacadamente positivas, sigue siendo uno de los signos más incomprendidos. Algunos astrólogos han pintado a los Virgo como personas frías y críticas con las que no resulta muy divertido estar. A decir verdad, los Virgo son cálidos y amables, y a menudo muy divertidos porque poseen un agudo ingenio.

Si bien es cierto que por lo general a los Virgo no les gusta desperdiciar horas viendo telecomedias, culebrones o combates de lucha libre o simplemente durmiendo, tampoco son aguafiestas. El Virgo típico prefiere ver o leer algo de misterio, un documental o un drama serio, porque le atraen las cosas que tiene que descifrar o averiguar de alguna forma. A los Virgo no les gusta lo que es demasiado obvio o básico, ya que por naturaleza buscan la complejidad. También son muy generosos, y siempre están buscando maneras de ayudar a sus amigos, y al igual que los nativos de su signo opuesto, Piscis, les cuesta mucho decir que no.

Está admitido que las tendencias perfeccionistas de este signo pueden resultar una fuente de problemas, ya que los Virgo pueden sentirse tentados a llevar demasiado lejos ese rasgo y nunca estar satisfechos de su trabajo, su aspecto físico ni sus relaciones (entre otras cosas), y por eso buscan formas de mejorarlo todo. A veces se esconden detrás de su perfeccionismo; se convencen a sí mismos de que su trabajo nunca es lo bastante bueno para enseñarlo, que necesitan más tiempo y que nunca consiguen lo que podrían o deberían, pero esos Virgo son los menos. No obstante, si esto te resulta familiar, querido Virgo, no permitas que tu búsqueda de la perfección se convierta en una excusa para no intentar alcanzar metas. La búsqueda de un nivel de perfección excesivamente alto puede volver a un Virgo demasiado tímido o cauto para asumir riesgos, de modo que los sueños nunca parecen despegar del suelo. ¡Qué triste! Esos Virgo dicen constantemente que necesitan más tiempo, pero su verdadera razón para hundirse es que quieren evitar que se les juzgue. De hecho, ya han sido evaluados por su propia y crítica voz interior, ciertamente con más dureza de la que emplearía cualquier otra persona. Esos Virgo se quedan estancados en una especie de limbo, atrapados en una jaula construida por ellos mismos. Evitan los riesgos, y por eso no consiguen disfrutar plenamente de la vida. El perfeccionismo requiere una abundante energía a la que se podría dar un uso mejor, querido Virgo. Reconoce la diferencia entre la perfección buena y la mala.

La necesidad de perfección también puede tomar otros derroteros, hacia la obsesión, cuando te llevas a ti mismo a despeñarte por un precipicio en un empeño del tipo «todo o nada». En esos casos, Virgo se ha vuelto demasiado fanático. Podríamos encontrar un ejemplo en un adicto al ejercicio, una persona que todos los días se pasa horas machacándose en el gimnasio. Cuando la vida se inmiscuye en ese tiempo dedicado a ponerse en forma, el Virgo compulsivo se irrita y se frustra porque es demasiado inflexible para adaptarse a un cambio en sus planes. La vida se le descontrola. Las relaciones y el trabajo pueden resentirse cuando una meta o actividad se impone al resto de la vida. Esto no es un problema común, pero sí sucede de vez en cuando, normalmente cuando los nativos de este signo sufren de estrés. Virgo, estás muy orientado hacia la consecución de metas, pero existe siempre el peligro de que estés tan centrado en eso que los árboles no te dejen ver el bosque. A veces necesitas dar un paso atrás y observar con visión de conjunto.

Mencionemos un último inconveniente de la personalidad práctica y realista de Virgo: en ocasiones, los nativos de este signo sobrevaloran lo que puede probarse y se vuelven algo demasiado parecido a obsesivos de las pruebas científicas porque toda clase de ambigüedad les resulta muy difícil de aceptar. Aprende a fiarte más de tu intuición, querido Virgo, porque no todo se puede correlacionar con cifras y datos.

Mientras que las capacidades básicas del aprendizaje están cubiertas por la tercera casa del horóscopo (el sector de Géminis, que rige los estudios básicos), la sexta casa, el dominio de Virgo, lleva el aprendizaje un poco más lejos, a las lecciones generales de la vida y al proceso de la responsabilidad personal, lecciones que a menudo nos enseñan nuestros padres. También se incluyen cosas como la importancia de ser puntual, de hacer los deberes y de aceptar con gusto las responsabilidades, así como el primer empleo (como, por ejemplo, de canguro o de repartidor de periódicos). Esta casa del horóscopo abarca también capacidades que se utilizan no sólo para el trabajo, sino para la vida en general, y que podrían ser, entre otras, conducir, nadar, bailar, tocar un instrumento musical, cocinar, hacer bricolaje o reparaciones en el hogar, utilizar una cámara o un ordenador, o navegar por Internet. Se trata de capacidades que pueden enseñarnos o no en la escuela, pero que de todos modos resultan útiles para aprender a medida que vamos creciendo. La sexta casa del horóscopo, de la que son «dueños» los Virgo, rige la mente consciente —la que está alerta, despierta, percibiendo y siempre cuestionando la realidad—, así como el cuerpo físico, lo cual resume una buena parte de Virgo. Este sector de la carta astral rige los procedimientos que empleamos para mejorar nuestra salud (la primera casa del zodíaco, bajo la regencia de Aries, rige la vitalidad), lo cual explica por qué a los Virgo les interesa tanto mejorar su forma física en general y su bienestar.

La sexta casa, regida por Virgo, no gobierna la ambición, la carrera, el prestigio ni la reputación en la profesión que uno ha elegido (ni el mundo en su sentido más amplio); eso se encuentra en la décima casa, regida por Capricornio. La sexta es la casa que prepara a la persona para esos menesteres. Esta casa enseña a Virgo el valor del estudio y de tener un método de trabajo, así como la relación apropiada que se ha de tener con los colegas, en concreto con los colaboradores y subordinados (pero no con los jefes). Es probable que este sea el motivo por el cual Virgo muestra la misma deferencia con el chico de los recados que con el presidente de la empresa; no hace distinciones sociales. Esta misma sexta casa enseña la cooperación, la entrega, la concentración y la pureza de intenciones, cualidades que Virgo posee en abundancia.

Este signo también entiende el siguiente concepto: «Existe un propósito para todo el mundo, y todo propósito tiene su momento y su lugar». La propiedad a la hora de actuar es una cualidad que muestran los Virgo en su forma de obrar a diario, y es la razón por la que se empeñan tanto en aprender los modales correctos y las cortesías cotidianas, los protocolos y la ética que se ha de aplicar en las diversas situaciones. Sin una comprensión de las lecciones prácticas que se enseñan en esta casa del horóscopo, una persona carecería del sentido de finalidad, el aprendizaje básico y las habilidades sociales que se necesitan para salir adelante. Virgo comprende que esas habilidades forman los cimientos necesarios para todo lo que espera hacer.

En esta sexta casa se incluyen también los animales de compañía, que pueden simbolizar las raíces agrícolas de este sector del horóscopo, pues bien es cierto que en una granja habría muchos animales pequeños con los que jugar y a los que dar de comer. Cuidar de un animal de compañía suele ser responsabilidad de un niño. No es de sorprender que muchos Virgo adoren los animales de compañía y sean muy buenos con ellos.

Si llamas a un Virgo un sábado a las dos de la tarde y él coge el teléfono y te habla en un tono bajo, nunca, nunca le preguntes si estaba durmiendo; créeme, tu amigo Virgo no estaba durmiendo. Los nativos de este signo se sienten insultados si se les sugiere algo así, porque se enorgullecen de su energía omnipresente las veinticuatro horas del día y los siete días de la semana. A esas horas, tu madrugador Virgo ha visto salir el sol, ha leído el periódico, ha pasado la aspiradora a todas las alfombras, ha escrito ese importante informe para su jefe, ha enviado unos cuantos correos electrónicos, ha recogido la ropa de la tintorería, ha ido a la oficina de correos y ha hecho la compra en el supermercado. Cuando tú llamaste, estaba aguardando a que la colada de la semana terminase de secarse en la secadora. Utiliza un tono de voz bajo porque el resto de la casa sí está en la cama. Es probable que esta noche tenga organizada una cena para diez personas. ¿Durmiendo? ¡Por favor! Ojalá. Los Virgo tienen más energía que el carnicero, el panadero y el fabricante de velas todos juntos.

Habrás oído decir que Virgo es el signo de la limpieza. ¿Verdadero o falso? ¡Verdadero! Es casi imposible que un Virgo consienta que se formen pelusas bajo la cama. Necesita sentirse tranquilo, y lo consigue teniendo un entorno limpio y ordenado. Para Virgo, la limpieza sugiere un ambiente apacible y refleja el estado interior de la persona. En este mundo patas arriba, esto es una prueba concluyente de que todo terminará siendo lógico, racional y ordenado, igual que el interior de su apartamento limpio como los chorros del oro. Los Virgo se quedan en casa a limpiar los armarios de mil amores, sólo por la alegría que experimentan cada vez que los abren; incluso de vez en cuando rechazan invitaciones de amigos a sus casas de campo o a una fiesta porque tienen que hacer las tareas domésticas. Una madre reciente, nativa de este signo, tiene que salir de casa para descansar y desconectar; cuando por fin tiene la oportunidad de sentarse un rato mientras el bebé está dormido, lo único que ve es el resto del trabajo que aún no ha tenido tiempo de atender. (Recuerda: Virgo está orientado hacia el trabajo, un rasgo que se remonta a la cosecha y a la necesidad de actuar en el momento adecuado y ser productivo.) Para esa madre reciente, merece la pena pagar a una canguro, ya que será la única oportunidad que tendrá para descansar un poco.

A la mayoría de los Virgo les gusta la idea de: «Un sitio para cada cosa y cada cosa en su sitio». Sin embargo, aunque el énfasis en la limpieza es una cualidad maravillosa, puede resultar demasiado exigente para las personas con las que viven. A la hora de hacer las labores de la casa o el trabajo de la oficina, los Virgo pueden volverse excesivamente compulsivos (las toallas tienen que estar dobladas «de esta manera concreta»), lo cual roba una energía preciosa de otras áreas. Deja un tiempo para divertirte, querido Virgo. Dicho esto, aunque la mayor parte de los nativos de este signo son sumamente pulcros, hay unos pocos que parecen vivir en el desorden total. El revoltijo de su despacho podría ser verdaderamente sorprendente si llevan varios meses trabajando en un proyecto. Aun así, pídeles algo, cualquier cosa —por ejemplo, un determinado documento o un dato específico—, y serán capaces de sacárselo de la cabeza o de debajo de la maraña de su despacho, al instante y sin esfuerzo. Los Virgo rara vez dicen que no saben algo o que no consiguen encontrar una cosa; en su cabeza más bien formidable, el mundo está siempre limpio y ordenado.

RELACIONES

En asuntos del corazón, si amas a un Virgo pronto descubrirás que aprender a relajarse es su principal problema e impedimento para poder entrar en el esquema mental correcto y dejar que fluya el amor. Los Virgo necesitan un período de transición entre el trabajo y la diversión.

¿Son demasiado críticos a la hora de decidir con quién salir (o casarse)? Sí, un poco, sobre todo en lo que tiene que ver con las apariencias. Incluso pueden sugerirle a su pareja ir de compras para encargarse de que se vista de un modo más presentable. Puede que le sugieran un peinado distinto y hagan comentarios sobre diversos colores o estilos de ropa. Los hombres Virgo no quieren ver a su pareja demasiado maquillada (a este signo le gusta el aspecto limpio y natural). Los Virgo valoran también una ropa limpia y recién planchada; la suciedad les repele. Como ya he dicho, son muy quisquillosos. Si tú eres Virgo, intenta ser más permisivo y adaptable, o de lo contrario es posible que juegues al solitario para siempre.

Los modales, las cortesías y una aura de gentileza siempre serán de gran importancia para este signo. No esperes hablar mal, llegar tarde o ser maleducado y seguir siendo apreciado por tu pareja Virgo. Esto será siempre así, tanto de novios como de casados; los Virgo quieren ver modales refinados. Cuando estés en la fase de conquista, no necesitarás gastar mucho dinero, pues Virgo se contenta con estar contigo y no se deja impresionar por una velada despampanante o carísima. Incluso dentro del matrimonio, no querrá que te gastes demasiado en él o ella a base de regalos o salidas a cenar. El sentido práctico de los Virgo hace que aborrezcan el despilfarro, y no les impresiona la ostentación. Tal vez porque trabajan mucho para ganar el dinero, son frugales, y les gusta ver esa cualidad también en su pareja. Sumamente autosuficientes, la idea de quedarse sin dinero les asusta. No desean encontrarse en una situación en la que dependan de alguien que les mantenga o apoye, ni siquiera su pareja, y procurarán tener siempre un capitalito ahorrado para las emergencias.

Lo que los Virgo quieren en el amor es ver valores duraderos. Lo que más valoran es el respeto, el amor verdadero y leal, la fidelidad, la consideración y un sentido de la responsabilidad. Puede que estas cualidades parezcan un tanto aburridas hasta que uno piensa en intentar tener una relación de verdad con alguien que carezca de ellas. La sensibilidad de Virgo, práctica y con los pies en el suelo, siempre ve con claridad cuáles son los valores sencillos que ama. Es raro encontrar a un nativo de este signo que se impresione con cosas superficiales. Para Virgo, los signos más compatibles son los de tierra, es decir, Capricornio, Tauro y Virgo. Los signos de agua (Piscis, Cáncer y Escorpio) combinan también muy bien con Virgo y contribuyen a satisfacer sus necesidades emocionales. En su lista ocupa un puesto muy alto la necesidad de encontrar su igual en el aspecto intelectual, y Virgo removerá cielo y tierra hasta dar con alguien que pueda comunicarse con él en un nivel profundo y sustancial. A los Virgo les encanta salir y emparejarse con alguien que sea capaz de compartir su pasión por hablar de acontecimientos actuales, libros y arte. (Antes de ir a ver una obra de teatro o un espectáculo, Virgo se lee las críticas y después disfruta decidiendo si está o no de acuerdo con ellas.)

En lo que se refiere al compromiso, Virgo se pregunta a sí mismo: ¿Cómo será esta persona más adelante, cuando lleguen los hijos? ¿Podremos sobrevivir al desgaste del día a día? ¿Ganamos los dos ahora dinero suficiente para vivir sin temer nada? Esta es la clase de preguntas que le pasan por la mente a este signo, y aunque puedan parecer poco románticas, en realidad el hecho de hacérselas garantiza una unión más fuerte una vez que se establece el compromiso. Los Virgo no dejan que el brillo de sus ojos les nuble el entendimiento.

Por último, si vas a hacer el amor con un o una Virgo, ordena la habitación. El desorden le hará sentir asco o inquietud. Suponiendo que ya lo hayas hecho, lo siguiente que has de recordar es que Virgo es un signo verbal, así que cuanto más hables, más se caldeará el ambiente. Las palabras tienen un poder asombroso para estimularle. Virgo se comunicará muy bien contigo, de modo que lo único que necesitas es escuchar con atención sus susurros, que te dirán todo lo que siempre has deseado oír.

FINANZAS

Virgo es un signo prudente, siempre pendiente de asegurarse un rendimiento. Los riesgos no son para él, de eso no hay duda. Pregúntale a un Virgo cuánto se ha gastado hoy y te lo expondrá en una hoja de cálculo. Tiene un cesto entero de recibos que lo confirman... para Hacienda, claro está. Al fin y al cabo, Detalle es su segundo nombre. Cuando se rompe un objeto, conserva el recibo que demuestra que la garantía sigue vigente. ¡Buen trabajo, Virgo! Esto nunca deja de ahorrarte dinero. Tus amigos te toman el pelo por tu fervor organizativo, pero tú te ríes de camino al banco, así que no cambies tus costumbres en absoluto. Cuando se trata de ir de compras, Virgo compara detenidamente fabricantes y precios y conoce todas las ventajas y desventajas de cada producto. Si compra un objeto caro, probablemente se lee los artículos de revistas en busca de resultados de pruebas antes de firmar el contrato. Su capacidad para investigar y atender a los detalles constituye su punto fuerte a la hora de manejar las finanzas. Los Virgo pagan las facturas con puntualidad y no se dejan llevar por el consumismo feroz ni por un estilo de vida ostentoso. Exigen valor a cambio de su dinero, simplemente porque son adictos al trabajo. Despilfarrar el dinero tan duramente ganado es lo último que desean.

Tus gastos más importantes suelen ser la cuota del balneario del que eres socio, la del seguro médico, las vitaminas (a Virgo le gusta estar sano) y el equipo informático (a Virgo le gusta escribir y también ser organizado). Al pertenecer a un signo de tierra, eres realista con el dinero. Sabes lo que puedes permitirte, lo que es sensato pagar, y cuándo decir que no a una posible compra. Como gastas con juicio, siempre tienes dinero suficiente cuando lo necesitas. Los Virgo comprenden que la presión fiscal es agotadora e innecesaria. Este signo concede un gran valor a la productividad, y tiende a desterrar todo lo que interfiere en su camino.

Tu mayor impedimento a la hora de avanzar profesionalmente es el hecho de suponer que los demás están mejor cualificados que tú para un trabajo. Eso rara vez es cierto. Nueve de cada diez veces, tú cuentas con más cualidades que ellos. Necesitas darte a ti mismo un toque de atención acerca de tus logros, querido Virgo. Envía de vez en cuando un informe de situación para que tu jefe esté al tanto de tus progresos. Si trabajas como autónomo, redacta un comunicado de prensa y haz que publiquen un artículo sobre tu empresa en algún periódico local.

Tu ágil mente funciona con la claridad del cristal. Sabes que si alguna vez te encuentras en un apuro económico, puedes valerte de tu inteligencia y de tu capacidad de análisis para buscar una solución ingeniosa.

CARRERA PROFESIONAL

Ahora estudiemos a Virgo en el trabajo, que es para este signo la seguridad más esencial de todas. Un Virgo sin trabajo se encuentra sumido en un estado de ansiedad, como un Cáncer sin hogar. Si no tiene trabajo, buscar uno se convierte en una actividad que de por sí ocupa su jornada completa. No descansará hasta haber enviado todos los currículos, haberse puesto en contacto con todas las personas, haber perseguido todas las pistas. Si eres Virgo, seguro que ahora estás asintiendo con la cabeza, reconociéndote a ti mismo. Los Virgo pueden pasar sin una relación personal, pero no sin trabajo, ya que este les proporciona un fuerte sentido de identidad, seguridad en sí mismos, realización personal y, lo más importante, una forma de canalizar su abundante energía. Extrañamente, el puesto adecuado calma a Virgo, que es ciertamente uno de los auténticos adictos al trabajo del zodíaco, y es capaz de trabajar un montón de horas sin una queja. Incluso hará de buen grado las tareas de la oficina que nadie quiere hacer, aunque sólo sea porque alguien tiene que hacerlas. ¿Dejar una tarea sin terminar? Eso sería algo impensable en tu mundo, Virgo.

Cuando las cosas se tuercen en los demás aspectos de la vida, tú tiendes a volcarte en tu profesión, porque te aporta una satisfacción que falta en otras áreas. El trabajo puede ser curativo y terapéutico, pues te proporciona una rutina segura y reconfortante en la que refugiarte cuando el mundo parece demasiado áspero. Afanarse en silencio y soledad constituye el estilo favorito de Virgo, y le ayuda a reunir las piezas de su mundo. Los nativos de este signo necesitan que los necesiten, y en ningún otro lugar se sienten tan necesitados y valorados como en el trabajo. Si lo llevan a cabo con un sentido del equilibrio, puede ayudarles a recuperar su autoestima cuando los golpee la adversidad.

También es importante para ti tener una fuente de ingresos estable, Virgo, porque perteneces a un signo de tierra, y la seguridad te importa mucho. Tú no eres muy emprendedor (los riesgos asustan un poco a Virgo), pero si trabajas como autónomo, tendrás la vitalidad y la autodisciplina necesarias para triunfar. Sin embargo, es más frecuente que Virgo trabaje como representante o agente de otras personas (gracias a Mercurio, su regente, el intermediario de los dioses), o como apoyo de uno o más altos cargos de una empresa, proporcionando los detalles críticos y respaldo al equipo. A Virgo le gusta también ser «la mano práctica» (después de todo, Mercurio rige los dedos y las manos), lo cual explica por qué los nativos de este signo es posible que no deseen un puesto de directivo.

Virgo es un genio para perfeccionar sistemas, y buscará la mejor manera de realizar un trabajo, es decir, con el mínimo esfuerzo, en el plazo de tiempo más corto y al coste más bajo. Los Virgo nunca dejan de asombrar a sus colegas y jefes por lo bien que se les dan las tareas múltiples y lo mucho que consiguen hacer en una jornada de trabajo normal. Algunos Virgo llevan montones de listas, pero a otros no les gustan en absoluto. Es un signo muy nervioso, y sin duda lo dejará ver si se le recuerda constantemente todo lo que le queda por hacer. Algunos nativos de este signo simplemente memorizan todas las tareas que tienen pendientes; la memoria fotográfica que suelen tener les puede resultar bastante útil. No nos engañemos, Virgo se cerciora de que no se le escape nada por ningún resquicio.

Sus amigos le regañan por trabajar muchas horas, incluso los fines de semana, y le dicen: «¡A ver si vives un poco más!». Pero Virgo les responde que ya lleva la vida que necesita, gracias. No hay que decirle a un Virgo que trabaja demasiadas horas o con demasiado ahínco, porque el trabajo es lo que le proporciona la mayor satisfacción. Más tarde recibirá sin duda una recompensa por su firme devoción a su carrera profesional. No es probable ver a muchos Virgo que triunfen de la noche a la mañana; ellos más bien escalan el Everest por el camino difícil, paso a paso pendiente arriba. Al igual que la tortuga, en ocasiones avanzan despacio, pero siempre logran llegar a altos puestos de responsabilidad y se hacen respetar. Escrupulosamente honrados y éticos, desean ganarse el elogio a la manera antigua. No les gusta ni entienden el politiqueo de oficina, y por lo general evitan dichas situaciones.

En vez de ser el jefe, con frecuencia Virgo se siente más feliz entre bastidores, llevando la tablilla con sujetapapeles, trazando diagramas de flujo y fijando plazos para otras personas. Recuerda que su segundo nombre es Detalle. Pronto lo tiene todo organizado. Ningún otro signo astrológico es capaz de igualar su atención para los pormenores; absolutamente nada escapa a su ojo crítico. Haz a un Virgo una pregunta sencilla y obtendrás un expediente entero sobre el tema. Su lema es: «Sorprende siempre a la gente dándole más de lo que pide, más de lo que espera». Esto entra dentro del apartado de ser concienzudo, un objetivo siempre presente para este signo. Algunas veces Virgo tiene la sensación de que su meticulosidad es una maldición de la que quisiera poder librarse. ¡Nunca piensa que lo bueno sea suficientemente bueno!

Un Virgo tampoco necesita mucha supervisión; puedes estar seguro de que si contratas a uno, llevará a cabo sus obligaciones con esmero. De hecho, los Virgo no dejan de pulir su trabajo hasta dejarlo reluciente, o hasta que uno les diga: «Está bien, ya puedes parar». (Tienen problemas para soltar las cosas.) En el trabajo, los informes que presentan siempre llegan con puntualidad y completos. A Virgo le gusta tener siempre un lápiz y un cuaderno junto a la cama por si se le ocurre alguna idea durante la noche; su mente nunca descansa mucho. Se le siguen ocurriendo cosas ya esté despierto o dormido. Los Géminis, los Sagitario, los Leo, los Aries y algunos Piscis necesitan sobre todo tener cerca a un Virgo para cerciorarse de que no se les olvida nada. Si le pides a un nativo de este signo que te haga un favor sencillo, como ir a ingresar un cheque al banco, te devolverá el resguardo del cheque grapado junto con el justificante del banco. Todo ha de hacerse a la perfección, o no hacerse. Si das instrucciones concretas a un joven ayudante Virgo, este las anotará en un cuaderno pequeño y consultará sus notas a menudo. Virgo busca complacer, y disfruta con la nobleza que supone la realización de tareas grandes y pequeñas. ¿Puede llegar a ser el presidente ejecutivo de una empresa? ¡Por supuesto! Cuando lo consigue, se convierte en un líder magnífico, porque es muy bueno a la hora de fijar objetivos y muy sensible con las personas que dependen de él. Es un jefe modesto y trabajador que sirve bien a la comunidad. Desea aprender, examinar, desglosar, estudiar, y por lo general hundir las narices en las cosas para buscar maneras de mejorarlas.

Virgo es a la vez visionario y práctico. Esta es una combinación muy provechosa, porque le anima a hacer que sus visiones tengan lugar en la vida real, en tiempo real. Los Virgo nunca aceptan las cosas tal como son, sino sólo tal como pueden ser. Esto constituye una prueba de su lado crítico, que con tanta frecuencia resulta incomprendido. Por debajo de ese agudísimo intelecto late el corazón de un idealista que desea hacer cosas para que el mundo sea un lugar mejor. Mientras que el primer signo de tierra, Tauro, es capaz de entender mejor las cosas que se pueden ver y tocar, Virgo sabe ir más allá del mundo físico para entrar en el reino de los conceptos, las ideas y los sueños.

Los Virgo prestan servicio sin pensar en la recompensa personal, sobre todo cuando el trabajo tiene que ver con hacer algo para el bienestar de otra persona; esto es una prueba de la ternura que hay en su interior. Por ejemplo, un Virgo y un Leo se detienen para echar una mano en la escena de un accidente. Les dan las gracias por haber salvado la vida de una persona. Un reportero que se encuentra en el lugar les pregunta cómo se llaman. Leo dice su nombre con toda claridad, y hasta puede que le ofrezca una tarjeta de visita para cerciorarse de que el reportero lo escribe correctamente. Es muy generoso y puede que incluso se ofrezca a pagar la atención médica si la víctima no se lo puede permitir. No se encoge a la hora de aceptar el mérito, sino que lo acepta gustoso. Como contraste, Virgo despide al reportero diciendo modestamente que ha sido un placer para él servir de ayuda, y explica a toda prisa que ahora que la persona está ya fuera de peligro, él tiene que marcharse. Elude los elogios porque no es nada presuntuoso. No piensa que haya hecho nada fuera de lo común, desde luego nada que no hubiera hecho cualquier persona en esas circunstancias. Los Virgo siempre reaccionan con modestia y sin fanfarrias.

Si hay una profesión que resume a Virgo, es la de médico. Los médicos necesitan tranquilizar, consolar y curar; esta inclinación es muy poderosa en tu signo. La Madre Teresa, una Virgo, personificaba los mejores atributos de este signo: era la servidora incansable para con los necesitados, la que dejaba a un lado sus propias necesidades para cuidar de los demás. Las demás ocupaciones que se centran en curar y mejorar la salud física también resultan adecuadas para Virgo, que podría muy probablemente destacar como dentista o higienista dental, quiropráctico, técnico de rayos X, ayudante técnico sanitario, técnico de laboratorio o bioquímico. Podrías plantearte ser fisioterapeuta, ayudante de laboratorio, funcionario de sanidad o farmacéutico. Virgo adora también los animales pequeños y los de compañía, de modo que puedes estudiar la posibilidad de convertirte en veterinario, propietario de una tienda de mascotas o paseador de perros profesional. Algunos Virgo descubren que les gustan profesiones como las de dietista, experto en educación física, entrenador, verdulero o propietario de una tienda de productos dietéticos. A otros les gustaría ser expertos en el cuidado de la piel, masajistas o encargados de servicios de estética, como manicura, pedicura y tratamientos faciales (todas ellas actividades regidas por Virgo).

Sumamente inteligentes y verbales, los nativos de este signo poseen una gran capacidad de llegar al meollo del asunto, a la verdad, y son soberbios escritores, analistas, investigadores y comunicadores. Ya escojan ser reporteros, periodistas o locutores de noticias en la televisión, o bien trabajar en un sentido más creativo, como novelistas, guionistas, dramaturgos, directores de cine o productores, los Virgo descubrirán que se realizan en cualquiera de esas profesiones. Lidian bien con las complejidades, y de ahí que sean capaces de moldear todas las piezas del argumento para formar un conjunto coherente de una manera que a otros signos les resultaría difícil o abrumadora. También son magníficos redactores, verificadores de datos, bibliotecarios, escritores publicitarios, ejecutivos de relaciones públicas o productores de televisión, cine o agencias de publicidad (los Virgo trabajan incansablemente y no se olvidan de nada). Son muy precisos, de modo que una buena aplicación para su penetrante forma de pensar puede ser trabajar como crítico de libros, de restaurantes, de películas, de arte o de cualquier otro campo que se les ocurra. La enseñanza también sería una buena profesión para Virgo, pues sería un educador que establecería normas y pruebas. Su regente, Mercurio, orientado hacia el habla, hace de estos nativos buenos lingüistas, conferenciantes y logopedas.

Tu aptitud especial para los números, tu precisión y tu exactitud pueden encontrar una buena aplicación en las profesiones de contable, gestor fiscal, matemático, estadístico, analista de mercado, empleado de una oficina de censo o agente de seguros. Piensa también en la posibilidad de ser diseñador de programas informáticos o creador de códigos (donde el detalle cuenta de verdad), o director de sistemas informáticos. Añade a esta lista las profesiones de controlador de costes, auditor fiscal, asesor de administración de empresas o experto en gestión del tiempo en el trabajo. Los Virgo son excelentes planificadores y estrategas en el campo empresarial.

Gracias a la regencia de Mercurio, que era la versión romana del dios griego Hermes, el mensajero de los dioses por excelencia, Virgo destaca cuando trabaja como intermediario, ya sea como agente de bolsa, representante de ventas o incluso de mensajero (o propietario de una empresa de mensajería). Suele preferir puestos de asesor en lugar de puestos de directivo, como ser el asistente de un ejecutivo de alto nivel. También puedes estudiar la posibilidad de ser arquitecto (donde importa obedecer reglas y códigos), astrónomo, mecánico o bien ingeniero de caminos, ingeniero industrial o ingeniero electricista. Virgo está dotado para ser técnico de ordenadores, inspector, mecánico o incluso relojero. También, debido a lo proclive que es este signo a la pureza y la limpieza, podrías pensar en ser ayuda de cámara o en trabajar en un servicio de limpieza para casas y oficinas. Las pequeñas habilidades de Virgo son excelentes. Su atención al detalle más nimio y su interés por la artesanía y las cosas hechas a mano le proporcionan la capacidad de ser un buen diseñador de moda o fabricante de muestras para sastrería o, en el mundo de las artes, ilustrador o diseñador gráfico.

Por último, el soberbio sentido de la organización que posee Virgo haría de él un buen especialista en ayuda humanitaria en caso de desastres, preparación civil para emergencias o trabajos para la Cruz Roja. Es Virgo el que acude al lugar del desastre para empezar a reconstruir desde cero, pues nada lo perturba. Por más caótica que sea una situación, él volverá a reunir todas las piezas con calma y serenidad para que todo funcione de nuevo. En una zona arrasada por un huracán o un tornado, Virgo decide dónde levantar las tiendas, cuánta agua y comida se ha de distribuir y cómo mantener alto el ánimo de la gente. Los nativos de este signo son magníficos también en la fase de reconstrucción, ya que son los auténticos productores del zodíaco. Asimismo son buenos para dispensar los primeros auxilios, porque tienen un fuerte vínculo con la medicina y la salud, y serán atentos y sensibles con las víctimas.

CUERPO, MENTE Y ESPÍRITU

Es posible que muchas personas den por sentado el hecho de tener buena salud, pero Virgo no. Rara vez se verá a un nativo de este signo consumiendo comida basura; de hecho, muchos Virgo son vegetarianos. Comer frugalmente le va mejor a su sistema digestivo, más bien delicado. Son famosos por ser muy especiales con lo que comen. Estoy segura de que esos cuadros de valores nutricionales que vienen impresos en los alimentos envasados están pensados para los Virgo, a quienes les gusta controlar su dieta y asegurarse de que ingieren suficiente nutrientes. Y como funcionan con energía nerviosa, casi siempre se sienten mejor cuando se toman un poco de tiempo para hacer ejercicio, que les proporciona una manera sana de canalizar sus energías.

Resulta notable el hecho de que los Virgo sean capaces de rehacer su cuerpo para que rinda más a medida que va pasando el tiempo. Es común que experimenten dificultades de salud en algún momento de la primera mitad de su vida, y que esas mismas debilidades incrementen su determinación de mantenerse en forma y sin problemas en la segunda mitad. Así pues, conforme van cumpliendo años, en realidad pueden (y a menudo lo hacen) volverse más fuertes. Cuando Virgo se enfrenta a un obstáculo o un problema, quiere estar seguro de no dejar piedra sin remover en su afán de averiguar más sobre lo que puede hacer para superarse. Su inclinación a la investigación meticulosa, a leer todos los artículos, libros o páginas web que encuentre en su camino, pronto le lleva a muchas opciones. No es de sorprender que de con un modo de sobrellevar, disminuir o extirpar cualquier dificultad física con la que se tope. Virgo no es en general un signo vanidoso, sino que más bien está motivado por el hecho de hacer las cosas bien y ser lo mejor que pueda ser. ¡Por eso los nativos de este signo viven tantos años y tan bien!

Virgo ha de tratar con cuidado su sistema digestivo; cuando surgen tensiones en la vida, debe comer alimentos suaves. Dar un descanso a su sistema digestivo es lo mejor que puede hacer. Algunos Virgo padecen del síndrome del intestino irritable, otros sufren enfermedades más graves, quizás en el colon. Si esto te suena probable en tu caso, busca ayuda más pronto que tarde. Además, cuando tomes medicinas, Virgo, pregúntale al médico o al farmacéutico acerca de los posibles efectos secundarios. Tu sensible organismo absorbe el medicamento rápidamente, a veces demasiado, y eso podría darte la sensación de una pérdida de equilibrio. Tu insistencia en estar informado es muy sensata. Muchos Virgo prefieren los remedios homeopáticos a los fármacos tradicionales. Si existe una cura natural, es muy probable que un Virgo la encuentre y la prefiera.

¿Te has preguntado por qué tu signo rige el vientre? La mayoría de los astrólogos te dirán que igual que Aries rige la cabeza y Piscis los pies, las partes del cuerpo van pasando de arriba abajo de manera ordenada, sincronizadas con el zodíaco. Eso es cierto. Sin embargo, existe otra razón: tal como hemos dicho, el símbolo de Virgo es la virgen que sostiene una espiga de trigo; del mismo modo que el trigo se separa de la paja, tus intestinos separan los nutrientes de los alimentos ingeridos y deciden lo que necesita tu organismo y lo que se debe eliminar. ¿Alguna vez te has preguntado por qué Virgo es el signo más limpio y pulcro, siempre preocupado por tener las manos limpias y por la buena higiene? Porque es el signo del zodíaco más concienciado por la salud, por eso.

Algunos Virgo son propensos a las alergias alimentarias; tal vez merezca la pena que un médico cualificado te haga una prueba, si crees que tienes alguna alergia. Los nativos de este signo también pueden ser susceptibles de desórdenes alimentarios. Aunque este suele ser el caso de Cáncer, les sucede asimismo a algunos Virgo (sobre todo a los jóvenes). En otros casos, son simplemente melindrosos con la comida y por lo visto no son capaces de engordar, aunque no sepan por qué. Los que sí engordan tienden a ser muy duros consigo mismos y hacen dietas demasiado rigurosas; en ocasiones su fuerte autodisciplina resulta excesiva (algo que hasta Virgo está dispuesto a admitir). Afloja un poco, querido Virgo, que no se ganó Zamora en una hora.

¿Son hipocondríacos algunos Virgo? Algunos sí, pero no tantos. No obstante, tienes que reconocer, querido Virgo, que te interesa más tu salud que a la mayoría de los nativos de otros signos, y que por eso controlas cómo se siente tu organismo día a día, con más detenimiento que otras personas. A veces te resulta fácil imaginar que tienes una enfermedad, en particular si has estado leyendo sobre ella. Sin embargo, por otro lado, cuando el médico está verdaderamente confuso, le resulta fácil etiquetarte (a ti o a cualquier otro) de hipocondríaco, una experiencia exasperante. Por alguna razón, la mayoría de los Virgo han sentido en un momento u otro la injusticia de ser erróneamente acusados de hipocondríacos. Si crees que necesitas atención médica, busca una segunda o tercera opinión y no dejes de buscar ayuda hasta que la encuentres.

RESUMEN

Virgo podría ser el símbolo del ser humano moderno. La plétora de información que podría abrumar a los mortales comunes no arredra lo más mínimo a los nativos de este signo. Poseen un talento magistral para la organización y la comunicación. Durante toda su vida, su objetivo es el de seguir siendo sumamente productivos, y para ese fin cuestionan constantemente la calidad de su producción diaria. Hay quien tacha a Virgo de crítico, pero en realidad esto no es más que una prueba de su profundo idealismo. Nacido en la época de la cosecha, tiene la misión de llevar todo lo que toca a su máximo potencial. El carácter práctico y directo de Virgo es un punto fuerte, ya que le permite hacer realidad sus sueños. En el amor, es apasionado en un nivel íntimo, personal. Con el paso de los años, sigue siendo de lo más leal y su amor madura y se hace más profundo, como la cosecha que simboliza su signo.

Los mitos de Virgo y Mercurio

Virgo, el sexto signo del zodíaco, cuenta con una rica mitología.

ASTREA

Uno de los conceptos más encantadores que existen es la asociación que hicieron griegos y romanos de Virgo con la virgen Astrea («doncella de las estrellas»), que era hija de Zeus y Temis (la Justicia Divina) y hermana de Pudicicia (la Modestia). Durante la Edad de Oro, mientras vivió en la Tierra, Astrea compartió con los mortales sus ideas sobre la justicia. Algunos escritos sugieren también que pasó cierto tiempo con campesinos. Según cuenta el mito, al cabo de un tiempo le quedó claro que la humanidad había perdido su inclinación por los altos ideales, así que, desilusionada, regresó al cielo y ocupó su sitio entre las estrellas, donde permanecería para siempre en la constelación de Virgo.

ISIS

Para los egipcios, Virgo es la diosa Isis con su hijo Horus en el regazo. Esta imagen es similar y anterior a la del símbolo cristiano de María con el Niño Jesús. En las dos imágenes se concede a la madre un enorme respeto como figura cumbre, pero también está a punto de sufrir una pérdida terrible, cuando su hijo salga a buscar su propio camino en la vida.

MERCURIO RIGE A VIRGO Y GÉMINIS

Mercurio, llamado el mensajero de los dioses, rige a Géminis y Virgo porque existen sólo ocho planetas y dos luminares (el Sol y la Luna) para asignar a los doce signos; por eso algunos tienen que compartir planeta. Los antiguos nunca vieron muchas pruebas físicas del rápido Mercurio, de manera que las tareas que se le adjudicaron (llevar información de un lado a otro, la comunicación y el transporte) parecen lógicas. Si aún no has leído el apartado «Los mitos de Géminis y Mercurio», harías bien en leerlo ahora. Tal como se dice en él, Mercurio posee cualidades que hacen que los nativos que rigen sean listos, encantadores, originales, curiosos, veloces, versátiles y adaptables. Ciertamente, todos estos adjetivos pueden aplicarse tanto a Géminis como a Virgo.

A Virgo, y no a Géminis, le fueron adjudicadas las cualidades sanadoras de Mercurio —recordemos que Hermes llevaba el caduceo o vara de la curación—, ya que el carácter práctico de Virgo se consideraba más adecuado para desempeñar ese papel. Este es el signo que se asociará para siempre con la salud y la curación, y con la influencia que la mente ejerce sobre el cuerpo («la mente sobre la materia») y viceversa («el espíritu está dispuesto, pero la carne es débil»). Los Virgo trabajan para curarse a sí mismos —en efecto, hay quien dice que trabajan para «perfeccionarse» a sí mismos— y después ayudar a otros a curarse. Así pues, el lado físico y tangible de la influencia de Mercurio se aprecia rápidamente en este signo. Los Virgo se ocupan de su cuerpo (comiendo correctamente, haciendo ejercicio), de su mente (leyendo libros y viendo películas y documentales que les estimulen intelectualmente) y de su espíritu (a través de la oración, la reflexión o la meditación). En Virgo existe un profundo esfuerzo en estos ámbitos que por lo general no encontramos en Géminis.

Los alquimistas medievales hablaban de Mercurio como un elemento de transformación espiritual. «Mercurius», como ellos denominaban a ese elemento, era andrógino, masculino y femenino, simbolizando así el espíritu interior de todas las cosas vivas. Se creía que poseía la capacidad de trocar la realidad terrenal en algo distinto. De igual manera que la cosecha es un símbolo del cambio —la semilla que se plantó ha dado su mayor fruto y potencial—, en Virgo existe el anhelo de perfeccionarse a sí mismo, no sólo en la mente, sino también en el cuerpo. El hecho de que este signo rija el vientre (los intestinos) simboliza la necesidad de interiorizar y digerir las experiencias de la vida y la información que va descubriendo. La sexta casa del horóscopo, la de Virgo, corresponde al servicio; por lo tanto, los nativos de este signo se esfuerzan por superarse no por vanidad, sino para servir mejor a los demás. En Virgo se combinan magistralmente la mente, el cuerpo y el espíritu (por supuesto, suponiendo que se eviten los excesos y se alcance el equilibrio).

HERMES, EL MENSAJERO DE LOS DIOSES

Los egipcios consideraban el papel de Mercurio semejante al de Tot, el que transportaba las almas, y los romanos lo veían de un modo parecido, como el dios griego Hermes (véase «Los mitos de Géminis y Mercurio»), el mensajero de los dioses. Hermes se movía con libertad y rapidez entre el cielo, la tierra y el Hades. Ningún dios ni mortal gozaba de la capacidad ni el permiso para viajar con tanta libertad como lo hacía él. Así, la mente (Mercurio, Tot o Hermes) es capaz de ir adonde quiera, es verdaderamente libre. Así pues, este simbolismo nos recuerda que la mente no conoce fronteras. Centramos nuestros pensamientos en las cuestiones cotidianas de la vida real, pero de manera simultánea nuestra mente es capaz también de captar sueños y emociones, anhelos y remordimientos, el futuro y el pasado. Al igual que Mercurio y Hermes, actúa como guía que nos lleva hacia nuestros mundos interior y exterior y nos ayuda a descubrir nuestra alma.

Según un mito griego, Mercurio se unió a Afrodita y el hijo de ambos fue llamado Hermafrodita, es decir, ni hombre ni mujer, sino los dos simbólicamente. Así pues, cuando la separación entre el hombre y la mujer desaparece, en la unión de los dos hemisferios del cerebro, tenemos algo más: el pensamiento racional y la intuición juntos formando un todo. Se trata de una transmutación que lo une todo en un ser cuyo resultado es mayor que la suma de sus partes. El refinamiento, la comunicación, la autosuperación y una transformación total para mejorar; todo eso es Virgo, y por tu anhelo de refinar, perfeccionar, discernir y servir todos estamos en deuda contigo, querido Virgo.

La personalidad de Libra

Principio guía
«Equilibro»

Cómo disfruta este signo
Disfruta con la colaboración, relacionándose, armonizando y equilibrando grácilmente la energía con otras personas en una eterna búsqueda de la verdad, la belleza y la justicia.

En el nuevo milenio, tu contribución al mundo será...
Tu talento para hallar la resolución pacífica de los conflictos y tu destacada capacidad para forjar relaciones serán cada vez más apreciados por la gente en todas partes.

Cita que te describe
«Las personas más dispuestas a tratar con justicia a los demás, siempre son aquellas que sienten que el mundo las ha tratado con justicia.»

WILLIAM HAZLITT, un *Aries*

Existe el persistente rumor de que las personas nacidas bajo el signo de Libra tienen mejor aspecto físico que el resto de nosotros. Aunque esta idea pueda desafiar la lógica e incluso parecer absurda, como la mayoría de los rumores, también tiene algo de verdad. Las personas de este signo, con más frecuencia que lo contrario, tienen en efecto una expresión suave, una cara ovalada clásica y rasgos refinados que presentan una agradable simetría. Por lo general, las jóvenes Libra maduran pronto, y aunque sean bastante delgadas, poseen curvas atractivas y redondeadas, sin ángulos. Los hombres Libra lucen una figura impresionante, con una forma de andar que es un reflejo de la seguridad que tienen en sí mismos y que resulta de un magnetismo irresistible. Tanto los hombres como las mujeres Libra suelen tener una piel radiante con un leve rubor de salud, como si acabaran de volver de un fin de semana en el campo respirando aire fresco y haciendo un vigoroso ejercicio. Venus, planeta de la gracia y la belleza, es el que guía a este signo y el principal responsable de su buena imagen física.

El verdadero atractivo de Libra es posible que esté más relacionado con nuestra percepción que con algo que podamos señalar concretamente. Los nativos de este signo poseen una personalidad tan encantadora, que aunque no tengan la belleza clásica, nosotros les vemos hermosos. Venus, como regente de Libra, les permite brillar con independencia de lo que marquen los dictados de la moda en ese momento. De hecho, Libra parece desafiar las normas rígidas de lo que se considera o no bello o atractivo. Este signo posee siempre algo que atrae a los demás, aunque no sepan exactamente de qué se trata. Un Libra puede tener una nariz «fea», una boca demasiado grande, unos ojos demasiado separados, lo que sea; pero por alguna razón, parece perfecto cuando se mira la cara en su conjunto, que es mucho más que la suma de las partes. Esto se debe a Venus, su planeta regente, que está derramando su hechizo mágico.

Socialmente, los Libra son unos ganadores. Siempre presentes en la lista de invitados obligados de cualquier persona, parecen conocer a todo el mundo, y desde luego todo el mundo desea conocerlos. La lista de nombres de su gastada y abultada agenda resulta impresionante y abarca personas que están más allá de su entorno más cercano e incluso gente de otros puntos del país y de todo el mundo. Como se trata de un signo simpático y atractivo, adondequiera que va o cuandoquiera que se interesa por algo nuevo, siempre encuentra amigos que le siguen.

Se dice que la progresión de los signos del zodíaco es un reflejo de las etapas de la vida del ser humano, desde el nacimiento hasta la vejez. Para cuando llegamos al séptimo signo, Libra, el individuo en crecimiento comienza a trabajar conjuntamente con otra persona significativa cuyos gustos y opiniones hay que conocer, integrar y equilibrar dentro de una relación. Este punto se considera muy importante en astrología, ya que la séptima casa muestra un desarrollo clave en la persona, que es su capacidad de compartir y cooperar. Trabajar de modo individual e independiente puede llevarnos hasta cierto punto, pero para seguir avanzando espiritual y materialmente necesitamos un compañero. Más adelante, en el signo siguiente, Escorpio, se desarrolla aún más la idea de intimidad y sexualidad, pero por ahora Libra nos dice que la primera prioridad consiste en encontrar ese amor «para siempre» o, como mínimo, ser capaces de establecer relaciones duraderas.

SÍMBOLOS

Simbolizado por la balanza, Libra posee una capacidad especial para juzgar y sopesar diferencias entre personas, cosas y sucesos —lo que se esté estudiando—, por muy pequeñas que sean. Este signo invita a efectuar comparaciones, ya sean de peso, orden, tamaño, color, forma, tono o tiempo, y además hace juicios y llega a conclusiones. En Libra disminuye la importancia de la individualidad, mientras que se vuelven más importantes una afectuosa cooperación y la unión con otras personas.

 En la época del año que corresponde a Libra, las horas de luz y de oscuridad son prácticamente las mismas. En el Hemisferio Norte, este signo marca el comienzo del otoño. A partir de ese momento, las noches se van alargando y los días se acortan. El símbolo de Libra consta de dos líneas rectas con una especie de joroba encima de la superior, y representa una balanza. Por otro lado, algunos expertos creen que simboliza el horizonte de la Tierra, con el Sol despuntando (o poniéndose) en el centro.

♀ El símbolo de Venus es un círculo sobre una cruz. Se dice que la cruz representa la materia y el círculo es el alma. En esta imagen vemos que el alma tiene el poder de transformar la materia en belleza.

Cada signo compensa aquello de lo que carecen el signo que lo precede y el que lo sigue, y Libra compensa claramente el impulso de trabajar que tiene Virgo y su ferviente necesidad de completar multitud de tareas. A Virgo le queda poco tiempo para relacionarse, pues hay que recoger la cosecha, trillarla, seleccionarla, almacenarla y posiblemente transportarla. En este signo, recogemos la cosecha y aprendemos a ser autodisciplinados y a trabajar de manera organizada y eficiente. Virgo también enseña el valor de servir a la comunidad. En Libra, es el momento de relajarse y hacer que madure ese romance que comenzó en Leo, porque en Libra el amor se convierte en compromiso. En un nivel práctico y cotidiano, la cosecha ya ha sido recogida, los alimentos seleccionados y almacenados, gracias a Virgo. En Libra, todo alimento que se considere sobrante puede venderse. Es hora de pesarlo y negociar un precio por su venta, que dependerá de la oferta y la demanda. En el signo siguiente, Escorpio, volverá la necesidad de autodisciplina, intensidad espiritual y soledad, y con ella un alejamiento de la diversión y de las relaciones sociales. Sin embargo, por ahora es el momento de disfrutar del fruto del trabajo realizado, prestar atención a la relación sentimental actual y tal vez dedicar algo de tiempo a buscar un compañero para toda la vida.

INFLUENCIAS PLANETARIAS

Visto superficialmente, Venus parece un planeta un poco empalagoso, porque su misión consiste en repartir amor y placer por todas partes. Sin embargo, visto más de cerca, se aprecia que su verdadero papel es bastante vital: crear un ambiente de amor que conduzca al compromiso y asegure así la propagación de la especie. Venus también garantiza que no sólo de pan vive el hombre. La vida es para disfrutarla, en lugar de limitarse a soportarla.

En lo que se refiere al amor y al matrimonio, Venus no puede hacerlo todo solo, y tendrán que intervenir toda una serie de planetas. Se cree que su efectividad aumenta de un modo especial cuando trabaja conjuntamente con su amante mitológico, Marte. Cuando Venus y Marte forman aspectos beneficiosos, es más fácil que surja un nuevo amor. Marte aporta ese picante especial de la química sexual y del coqueteo que hace aún más intenso el magnetismo entre dos amantes. Con todo, para que una relación verdaderamente buena se mantenga, será necesario que entren en juego más planetas. Tal vez más que ningún otro astro, la Luna proporcionará satisfacción emocional y una sensación de seguridad. Es de esperar que el Sol aporte gratificación al ego y determinación para hacer que funcione la relación. La misión de Mercurio será la de procurar una buena comunicación, y Júpiter habrá de agregar optimismo, conexión espiritual y posiblemente la base económica para hacer plausible la unión. Esperemos que no haya aspectos adversos de otros planetas, en particular de Saturno y del imprevisible Urano. (Si forma un aspecto difícil con Venus, Urano puede poner fin a todo rápidamente causando toda clase de perturbaciones y cambios repentinos.) Cuando una relación alcanza una fase más madura, Saturno propicia el compromiso y garantiza que ambas partes sean realistas y estén preparadas para asumir responsabilidades. Por último, conforme va madurando el amor de la pareja, Neptuno, el planeta considerado la «octava mayor» de Venus, llevará ese amor a un nivel superior, desde el estado de «sólo quiero divertirme» hasta otro de compasión, altruismo e inspiración. Libra, más que ningún otro signo, sabe lo que hace falta para crear una relación amorosa. También se da cuenta de que disponer de todos los elementos en su forma perfecta es poco probable y hasta innecesario para que triunfe una relación.

Venus no cuenta en su naturaleza con un lado «pensante». Como representa el sentimiento puro, no aporta ningún sentido de la moralidad ni de la ética a los asuntos del amor, ni tampoco se espera de él que haga tal cosa. En el horóscopo, lo de «pensar» queda para Mercurio, del cual se dice que ejerce una influencia racional y objetiva. Los planetas proporcionan una cierta pureza de propósito en sus respectivas áreas del horóscopo, iguales pero independientes. Si cada planeta se viera contaminado por los atributos de los demás, ninguno sería lo bastante poderoso para ejercer la influencia pura y fuerte que se requiere de él. No quiero que se me malinterprete: Libra es bastante intelectual por naturaleza debido a que se trata de un signo de aire. Lo ideal sería que dentro de la carta astral ambos planetas trabajasen juntos para proporcionar a la persona una perspectiva equilibrada. Mercurio nos ayuda a distinguir el bien del mal y aporta otras funciones del pensamiento, pero Venus contribuye con esa cualidad intangible que es el atractivo, el encanto, tan necesario para unir a las personas.

DONES CÓSMICOS

No existe duda alguna de que los Libra se mueven en sociedad con bastante destreza porque sus habilidades sociales son increíbles. Su signo es uno de los más sociables del zodíaco, y ellos disfrutan presentando a las personas, mezclando y emparejando a la gente de maneras imaginativas, ya sea por trabajo o por amistad. Sin embargo, donde destacan de verdad es en su papel de casamenteros. Desde muy temprana edad, estas precoces mariposas de sociedad lucen una habilidad especial para entender las motivaciones de los demás, además de la capacidad de descubrir el talento entre sus amigos. Los Libra animan a sus amigos a utilizar sus dones, e incluso les ayudan a sacar provecho de ellos. Cuando la interacción social topa con un escollo, se puede contar con los nativos de este signo para que busquen unas cuantas soluciones imaginativas, pongan fin a esa tensión y ayuden a las personas a reunirse otra vez.

Libra inventó las redes de contactos, ya que le gusta ayudar a la gente a hacer nuevos amigos. En ese aspecto, no dudes en pedir ayuda a un nativo de este signo; les encanta mezclar a la gente juntando a todo el mundo con su pareja perfecta. Si no conocen la persona adecuada para ti, es muy probable que sepan de alguien que sí la conoce. Y esa presentación es un regalo que de hecho podría cambiar tu vida. Cuando Libra te recomiende a alguien, sigue su consejo, porque es un experto en juntar a las personas.

Los Libra son corteses, atentos, generosos, tolerantes, sofisticados y educados. También son civilizados y refinados, y poseen un sexto sentido para saber lo que es apropiado o no en las relaciones sociales. Para este signo son muy importantes los buenos modales. Si un Libra te acusa de ser descortés, cuidado; es uno de los peores pecados para él. Los nativos de este signo piensan que comportarse de manera maleducada, grosera, ruda o vulgar es algo inexcusable, porque ofende las enseñanzas de su regente, basadas en la amabilidad. Seguramente fue un Libra el que escribió el primer libro de etiqueta (y también las primeras reglas de «no etiqueta»). Atento y considerado, un Libra jamás pisoteará los sentimientos de otras personas.

Al ser un signo de aire, Libra comparte un espíritu comunicativo con Géminis y Acuario. A todos estos signos les gusta estar al tanto de lo que sucede a su alrededor. A Libra también le fue concedida una gran capacidad de análisis, y enseguida atrae a los demás a los debates. Defender nuestra posición ante este signo de pensamiento rápido no nos resultará fácil, porque los Libra, al igual que todos los signos de aire, tienen una gran facilidad de palabra. Al fin y al cabo, Libra busca la verdad, la rectitud y la justicia, y hará todo lo que esté en su mano para encontrarlas.

La indecisión y la vacilación son rasgos reconocidos de Libra; sin embargo, pueden resultar más un punto fuerte que una debilidad. La próxima vez que peses alguna cosa, observa cómo la balanza, símbolo de Libra, oscila hasta encontrar el peso exacto. Descansará sólo uno o dos segundos en su continua búsqueda del equilibrio correcto y perfecto. Un Libra siempre desea con desesperación encontrar la respuesta correcta; de modo que si perteneces a este signo, siempre estudiarás las dos caras de un asunto, sin estar nunca seguro del todo de haber llegado a la conclusión acertada. Otros signos te critican por ese titubeo, pero tú, Libra, tienes el mérito de saber que no hay nada que sea sólo blanco o negro. Te esfuerzas mucho por ver la total complejidad de cualquier tema, y examinas los pros y los contras. Por eso no deberías ser criticado, sino aplaudido.

La imparcialidad y la justicia para todos es lo que más importancia tiene para los Libra en todos los aspectos de la vida. Incluso cuando eran pequeños decían: «¡Pero eso no es justo!», como si hubieran nacido pensando que la vida siempre debería ofrecer igualdad, armonía y proporción. Su meta consiste en encontrar la situación en la que todo el mundo gane, el perfecto punto intermedio, la solución imaginativa. A los Libra les gusta desempeñar el papel de pacificadores y se lanzarán a cualquier oportunidad que les surja de hacerlo. Desdeñan todo tipo de conflictos, pero extrañamente les atraen al mismo tiempo. Si ve a dos desconocidos discutiendo, no es insólito que el suave Libra se detenga y pregunte a los dos contendientes: «¿Qué ocurre?». Por supuesto, su pregunta suele ser recibida con disgusto, pero eso no impide que se entrometa de vez en cuando. A Libra no le importa quedar atrapado en medio, porque ese parece ser su sitio natural. Este signo está simbolizado por la diosa mitológica que sostiene la balanza, con los ojos vendados, llamada Justicia Ciega. En ocasiones, la insistencia de Libra en ser justo le lleva a meterse en apuros si sus amigos esperan de él un apoyo incondicional, pero su objetividad simplemente no permite que suceda tal cosa. Aun así, buscará un modo de suavizar las cosas si se produce algún revuelo.

RELACIONES

Los sociables Libra no son de los que se quedan en casa; estar encerrados en casita les pone nerviosos. Tener un flujo constante de gente en su vida aumenta su energía y su entusiasmo por vivir. Cuando llames por teléfono a tu amigo Libra, ten en cuenta que es probable que te encuentres con el contestador automático. Pueden salir noche tras noche sin notar nunca cansancio, incluso cuando ya son mayores.

En conjunto, ser amigo íntimo de un Libra es casi siempre una experiencia cálida y estimulante. Los nativos de este signo son generosos y se toman muchas molestias para ayudarte. Creen en el valor de las nuevas experiencias, por eso tienen un montón de ideas sobre cosas que hacer, y casi todas ellas son singulares y enriquecedoras. Cuando un Libra te escucha y te habla, es como si no hubiera nadie más en la habitación... ¡ni en el planeta! Sin embargo, ten en cuenta que esperará lo mismo de ti, y si no se lo das, no dejará de recordártelo diciendo cosas como: «¡No me estás escuchando!». Perciben —y desaprueban— sin tardanza cualquier falta de atención.

Estos nativos regidos por Venus cuentan con una gran ventaja en asuntos del corazón. Sobre todo en un primer encuentro, el estilo seguro de Libra y su impecable aplomo suelen acelerar el corazón de cualquiera. La seguridad en uno mismo es un fuerte afrodisíaco. A Libra se lo llama el signo del matrimonio, porque tiene el ritual del apareamiento aprendido al dedillo. Ser agasajada por un hombre Libra es ciertamente una experiencia gozosa e inolvidable. Las mujeres Libra tienden a ser las «chicas tradicionales» que aguardan a que el primer movimiento lo haga el hombre y llevan a cabo el juego del coqueteo con gran habilidad. Después de todo, la labor principal de Venus es enviar a Cupido a lanzar flechas a los corazones de amantes de todas partes que no sospechan nada. Cupido sabe que el romance necesita un empujón en la dirección adecuada para poder despegar. Siendo el favorito de Cupido, Libra disfruta profundamente del hecho de estar enamorado.

Es posible que te sientas tentado a pensar que Libra es un signo sumamente emocional por estar regido por el planeta del amor, pero no es en absoluto cierto. En Libra es la cabeza la que domina el corazón. A este signo no le gusta verse arrastrado en el mar del amor. Notarás una ligera frialdad, sobre todo durante el período de conquista. La influencia de Venus en este signo le hace ser un tanto perezoso, y por eso la mayoría de los Libra son excelentes a la hora de buscar formas de hacer que las personas acudan a ellos; Libra quiere ser el amado, no sólo el amante. Pero para que estos nativos sean felices, el amor tiene que ser como ellos dicen. Preguntan: «¿Para qué sudar cuando los demás van a acudir a ti de buen grado?». Y funciona; pocas personas se resisten al potente magnetismo de Libra.

Pero espera, podrías objetar, ¿no acabamos de decir que Venus es el planeta del amor y del romance, el encanto y la belleza, sin las trabas del pensamiento, la moralidad y el intelecto? Cierto. Venus es todo sentimiento, nada de pensamiento, a veces incluso un poco narcisista, porque este planeta se considera receptivo, no agresivo. Y aunque se pueda tachar a los Libra de vanidosos, no son egocéntricos. Esto puede parecer sólo una frase bonita, pero están pensando siempre en su pareja. Venus atrae a los demás, y no actúa de un modo abiertamente agresivo (enseguida hablaré más de esto). Verdaderamente, Libra es un ejemplo de contrastes delicadamente perfilados.

Pero no es la influencia de Venus lo que hace que Libra sea tan analítico y cerebral en el amor, sino el hecho de que esté clasificado como un signo de aire, y los signos de aire a menudo piensan hasta que acaba doliéndoles la cabeza. Simplemente analizan las cosas a fondo, hasta el menor detalle. Es raro ver a un Libra derramando lágrimas en la almohada por un amor contrariado, ya que este signo se recupera con más rapidez que la mayoría. Y no sólo eso, sino que además rara vez verás a un Libra desesperado por amor. Por mucho que los nativos de este signo deseen el amor, este tiene que ajustarse a sus condiciones, o perderán el interés, algo de lo que ya hemos hablado. No es que sean fríos, ¡por Dios, no! Poseen un corazón bueno y abierto, y están dispuestos a dar mucho a su pareja. Pero es que su gran inteligencia les dice: «Si él (o ella) no me valora, ya encontraré a otra persona que sí lo haga». Lo que vemos en acción en este caso es una fuerte autoestima, y supongo que eso es sano. Y aunque a los Libra les gusta ordenar y mandar, lo hacen de un modo tan encantador que el objeto de su afecto con frecuencia está contento de entregarles las riendas.

Los Libra valoran tanto las relaciones que rara vez se les ve solos. Si ocurre eso, será porque acaban de dejar atrás una relación, pero no es probable que permanezcan solos durante mucho tiempo; les espera un nuevo amor a la vuelta de la esquina. De igual modo que Cáncer se siente perdido si no tiene un hogar, Libra se siente en medio de la nada si carece de una persona importante para él. Sí, algunos Libra jóvenes, en particular varones, debido a los condicionamientos sociales, pueden acabar estancados en el juego de la conquista y volver la cabeza hacia toda mujer que pase por su lado. Sin embargo, pronto incluso eso termina aburriéndoles y están prestos para sentar la cabeza.

En el amor, una vez que los Libra han encontrado a su alma gemela, desean el compromiso, y eso suele significar matrimonio u otro acuerdo formal. Pero ¿no es eso lo que quiere todo el mundo? Sagitario, Géminis, Acuario y algunos Aries, por ejemplo, disfrutan de su condición de solteros y tratan de prolongarla todo lo posible. Piscis, un signo centrado en la creatividad, también es posible que escoja no comprometerse durante mucho tiempo. Los signos más compatibles para Libra son los de aire: Géminis, Acuario o bien otro Libra. Los signos de fuego (Aries, Leo y Sagitario) combinan bien con el elemento aire. Aun así, estos signos pueden plantear ciertos problemas si no sienten inclinación por contraer matrimonio tempranamente. Es posible que se dé cierto retraso hasta que ambas partes coincidan en el mismo esquema. «¡Vamos a comprometernos!», podrías decirle a tu amor Libra, pero él o ella podría dudar de pronto. Hacen oscilar la balanza notablemente cuando intentan tomar una decisión. Los Libra necesitan mucho tiempo para sopesar las cosas, así que no te sorprendas si tu pareja decide que tiene que pensarlo todo una vez más.

Es interesante resaltar que Libra no rige la casa quinta (la del amor, los hijos y la creatividad), sino la séptima, que corresponde a las relaciones de compromiso. El amor se ha vuelto más serio al ir viajando por el zodíaco para aterrizar por fin en la casa de Libra. Todos los proyectos conjuntos, tanto personales como de negocios, entran en este mismo sector.

Cuando se menciona a Libra como signo del matrimonio, quizá fuera sensato recordar que el matrimonio era una institución muy distinta cuando los antiguos desarrollaron la astrología hace miles de años. El amor no era la razón fundamental por la que se unían las parejas; la mayoría de los matrimonios eran concertados. No sería hasta la Edad Media cuando se empezó a tomar en serio el amor en relación con el matrimonio, como se ve en obras como los relatos del rey Arturo, con la aventura amorosa de Ginebra y Lanzarote. Más adelante, Shakespeare inmortalizó el amor joven y romántico en su obra *Romeo y Julieta*, pero también transmitió el mensaje de que aunque el amor romántico era el éxtasis, con frecuencia conducía al desastre. Así pues, el romance, la diversión, los juegos, los misterios, las actividades de ocio y toda clase de especulación —incluido el riesgo— quedaron alojados en la quinta casa, la del amor. Todas las asociaciones profesionales, fusiones, tratados y casamientos (proyectos conjuntos que implican un contrato) fueron situados en la casa séptima y están regidos por Libra.

Dado que no hay suficientes planetas para que cada signo tenga el suyo en exclusiva, algunos rigen dos signos. En el caso de Libra, comparte a Venus con Tauro. En este último signo, el amor de Venus se expresa de un modo sumamente erótico y práctico, mientras que en Libra se expresa de una forma más espiritual, desapegada, idealizada e intelectual, ya que este signo está más relacionado con la mente que con el cuerpo. Existen otras diferencias. Tauro es un signo fijo y Libra es un signo cardinal, y aunque los signos fijos son famosos por poseer una gran determinación, también son bastante inflexibles. Libra tiene una perspectiva más activa y enérgica que Tauro, que le ayuda a dar forma a su destino de un modo agresivo. Tauro tiende a ser un signo más reservado y apartado, más «femenino», mientras que Libra es un signo más activo, más «masculino». Como signo de aire, Libra es más indagador que Tauro y se interesa mucho más por estar al mando de una relación, pero lo expresa sutilmente, un punto sobre el que volveremos dentro de un instante.

Con el fin de encontrar al compañero adecuado, los jóvenes Libra han de pasar algún tiempo solos para conocerse mejor a sí mismos, pero eso es poco probable, porque para ellos relacionarse socialmente es algo tan dulce como el azúcar. Hasta los niños Libra huyen de la soledad; aunque estén haciendo los deberes, desean tener un amiguito a su lado. Esto se debe a que los nativos de este signo, tengan la edad que tengan, trabajan mejor en presencia de un amigo o un entrenador. Libra se considera un signo «doble», al igual que Géminis y Piscis (los gemelos y los dos peces); Libra tiene los dos platillos de la balanza y le gusta actuar de manera dual. De hecho, los Libra se definen a sí mismos por medio de sus compañeros, pues aprenden mucho sobre su propia personalidad relacionándose con alguien en quien confían. Sobre todo les gusta tener una persona importante para ellos que esté dispuesta a actuar de caja de resonancia para sus muchos proyectos. Mediante la comparación con los demás es como comienza Libra su viaje de autodescubrimiento. Fijándose en lo que le falta a su persona de confianza, empiezan a valorar sus propios puntos fuertes.

Todo lo dicho sobre el amor y el matrimonio tal vez te lleve a pensar que Libra es un signo claramente emocional, pero nada más lejos de la verdad. A los Libra no les gustan las emociones desordenadas, y por eso es posible que no resulte adecuada para ellos una pareja que pertenezca a un signo de agua (Escorpio, Piscis o Cáncer). Los signos de agua desearán que Libra se zambulla en las profundidades del mar de los sentimientos, razón por la cual formará mejor pareja con nativos de aire o fuego, que se quedan en la superficie. A los signos de tierra (Tauro, Capricornio y Virgo), puede que tampoco les vaya muy bien con Libra, porque la relación podría venirse abajo debido a su fuerte sentido práctico.

Una vez casados, los Libra parecen mucho más contentos, y se muestran dispuestos a hacer lo que sea necesario para que el matrimonio sea feliz. No obstante, deben ser conscientes de que siempre existe el peligro de que puedan estar excesivamente dispuestos a mantener la paz, comprometiendo demasiado en nombre del amor. En su esfuerzo por agradar, pueden volverse complacientes o acomodaticios en exceso, y en ese proceso es posible que pierdan de vista sus propias necesidades. En algunos casos pueden creer erróneamente que de algún modo se requiere de ellos que den y hagan más de lo que pueden y terminen después desilusionados o decepcionados con la relación. Este dilema tiene fácil arreglo: si eres Libra, aférrate a tu identidad y decide por adelantado dónde trazar la raya que separe lo que estás dispuesto a hacer y lo que no.

A pesar de su aire general de suavidad y amabilidad, tal como ya he dicho a los Libra les gusta estar al timón de la relación para fijar su ritmo de avance y su dirección general. Esto es cierto con independencia de que se trate de una relación personal o profesional. Los Libra pueden ser mandones, pero consiguen salirse con la suya derramando encanto, y pocas personas logran resistirse a ellos.

Como pertenecen a un signo cardinal, los Libra temen ser dominados por su pareja, y por eso inconscientemente vuelven las tornas para cerciorarse de que terminan estando al mando. Admiran la fuerza en su pareja, pero no quieren que actúe con ellos con mano dura. Si tu pareja es Libra, nunca ganarás gritando: «¡Tienes que hacer esto porque lo digo yo!». Libra te sofocará con tantas preguntas y discusiones que te interrogarás por qué se te habrá ocurrido que podías salirte con la tuya empleando ese método. La situación ideal es aquella en la que ambas partes tengan la misma voz. Sin embargo, aunque los Libra deseen mandar, lo harán de forma suave pero firme; se harán con el control de manera astuta, dulce y

encantadora, y es posible que uno nunca sepa qué fue lo que le golpeó.

Afortunado el niño cuyo padre o cuya madre sea Libra, porque
los nativos de este signo suelen ser padres estupendos. Justos e igua-
litarios, escuchan a las dos partes de toda disputa entre sus hijos y
procuran buscar una solución feliz. Ponen a sus hijos en contacto
con las artes desde muy temprano en su vida, ya sea llevándolos a
ver *El Cascanueces*, el circo o la Filarmónica para niños, leyéndoles
cuentos para dormir escritos por autores y poetas galardonados, o
poniendo una fantástica pieza musical en el equipo estéreo de casa.
Los gustos de los Libra son eclécticos y sofisticados, de modo que
habrá abundante variedad. Si un niño demuestra interés por tocar
un instrumento o aprender a bailar, le buscarán unas clases. Desean
enseñar a sus hijos las cosas buenas de la vida, y les dan dinero para
gastos y les enseñan a gastar y ahorrar. En una familia Libra siempre
hay diversión. Los Libra dedican mucho tiempo a su matrimonio y
su familia, porque están muy centrados en ello.

FINANZAS

Venus no es un planeta preocupado sólo por la belleza y el amor. Se
considera que influye en el aspecto económico, y así, los Libra suelen ser muy buenos a la hora de tratar con dinero. Manejan el dinero de los demás, en grandes cantidades, de manera juiciosa y digna de confianza, ya pertenezca a gente que conocen o sean las
finanzas de la empresa en que trabajan. Aunque a los Libra les encanta ir de compras, en busca de cosas bonitas, también les gusta tener dinero en el banco. Con un poco de juego de piernas, consiguen las dos cosas.

Libra posee un lado práctico que resulta asombrosamente
fuerte a la hora de ahorrar y manejar dinero, otro regalo recibido
de Venus. Ciertamente, este signo necesitará tener dinero guardado para poder permitirse las cosas buenas de la vida que tanto valora. Sin embargo, aprovecha cualquier oportunidad para hacer uso
de su soberbia habilidad para la negociación y regatear un precio;

simplemente supone que todo es negociable (¡y nos sorprende al tener razón!). Una de sus inversiones favoritas es el oro o las piedras preciosas. No esperes que una Libra se fugue para casarse con una estrella del rock cuando hay por medio un sólido banquero, con los pies en el suelo, dispuesto a mantenerla y ayudarla a criar a los hijos. En lo que se refiere a las finanzas y compartir los recursos, los Libra pueden ser muy prácticos.

CARRERA PROFESIONAL

Si la ley es el arte del compromiso (y más de un Libra me ha dicho que eso es exactamente lo que es), entonces Libra es su mejor administrador. Su amor por la justicia hará que se dedique con maestría a cualquiera de las siguientes profesiones: abogado, juez, investigador jurídico, alguacil, funcionario del juzgado, encargado de fianzas o cualquier otro puesto de trabajo relacionado con la justicia, o como experto en derechos de autor o marcas comerciales. Como tienen un pensamiento claro y son avispados para la estrategia, los Libra forman un grupo progresista, innovador, que no tiene dificultad para avanzar con los tiempos. A diferencia de los signos fijos, el cambio no les da miedo; de hecho, les gustaría situarse en la vanguardia de todo lo que es nuevo e interesante. Destacan en cualquier profesión en la que se valore la habilidad para negociar. Si eres Libra, considera las siguientes ocupaciones: negociador con sindicatos, juez, árbitro, agente, dirigente o representante sindical.

Tal como ya he dicho, Libra se interesa mucho por el arte. Buenas profesiones para él son las siguientes: director de un museo, propietario de una galería de arte y crítico profesional (de cine, restaurantes, arte, música, libros o teatro). Añadamos también las ocupaciones de organizador o promotor de celebraciones, publicista, artista o profesor de arte, experto en historia del arte, diseñador, ilustrador, músico, compositor, director de orquesta, profesor de piano, técnico de sonido, cantante de ópera o locutor. También encontramos un predominio de Libra en personas que trabajan de floristas, jardineros y asesores de bodas, así como joyeros o diseñadores de joyas. Puedes considerar también los siguientes trabajos: editor de libros de arte, tratante de antigüedades o agente artístico. Los Libra son asimismo estupendos como encargados de compras de grandes almacenes, sobre todo ropa, joyas, equipamiento del hogar, accesorios y casi cualquier otro producto que sirva para mimar. Como jefe o directivo, a la hora de otorgar méritos a sus subordinados y colegas, los Libra nunca dejan de concederlos libremente, razón por la que son tan buscados para trabajar con ellos. Son muy conscientes de los sentimientos de los demás, y tratan a la gente con respeto.

Hay otras profesiones que a Libra tal vez le interese probar, en especial dentro del campo de la belleza. Los nativos de este signo son destacados peluqueros, maquilladores y estilistas de vestuario, incluso diseñadores sobresalientes o vendedores de cosméticos o perfumes nuevos. Como ya he dicho, tienen buen aspecto físico, de modo que muchos se convierten en modelos, pero la profesión de actor pertenece sobre todo a Leo, el signo del espectáculo, o a Piscis. Los Libra podrían pensar también en ser propietarios de una agencia de modelos o de un balneario, diseñadores de interiores o de tejidos, o bien podrían trabajar en el negocio de la cosmética. A estos nativos les gustan también las profesiones que tienen que ver con la piel, desde el masaje hasta la reflexología, y puede que estudien para ser dermatólogos o que instalen su propio salón de belleza.

CUERPO, MENTE Y ESPÍRITU

Los Libra buscan embellecer el mundo, y es raro ver alguno que no rinda culto a ningún arte. Su regente, Venus, también rige las artes decorativas, así como el lujo y los placeres, los cuadros, la música, los dulces, las flores, las cartas de amor, el baile, las joyas y las piedras preciosas, los perfumes y los cosméticos, la ropa de calidad y las telas lujosas. Todas estas cosas regidas por Venus no son necesidades básicas; pero ¿cómo sería la vida sin ellas? Venus también agudiza los sentidos de este afortunado signo. Los Libra a menudo tienen dotes musicales y tocan algún instrumento, componen música o poseen una sensibilidad especial para la belleza de la música bien interpretada. No es de sorprender que tanto los hombres como las mujeres de este signo sean conocidos por valerse del poder del perfume con la hechicería de un alquimista. Se pongan lo que se pongan, seguro que resulta efectivo.

Un rasgo distintivo de Libra es que siempre muestra un aspecto exterior limpio y reluciente. A los nativos de este signo se les descubre siempre porque parecen recién salidos de la ducha. Aun cuando todos los demás se desplomen en medio de una ola de calor, ellos consiguen mantenerse frescos como una lechuga. Libra rige la piel; por eso no es de sorprender que les encanten las telas buenas que tienen un tacto maravilloso. Este signo quiere tener cerca las mejores fibras naturales, desde el ante y las sedas más lujosas y finas hasta el algodón importado, el satén y las lanas suaves y elegantes.

En la astrología médica, Libra rige no sólo la piel, sino también la espalda, las venas (por supuesto, los vasos que van al corazón) y los riñones. El hecho de que rija los riñones parece especialmente apropiado, ya que estos actúan de filtros o intermediarios de muchas de las funciones del organismo, igual que en la vida los Libra suelen actuar de conductos. Este signo representa el equilibrio, la destilación, la sublimación y la filtración de las funciones orgánicas. La parte baja de la espalda se considera la zona de mayor debilidad de Libra, si bien también pueden causar molestias las dificultades con las venas o la circulación. Los Libra son sensibles también a la nefritis y los problemas de vesícula. Su salud mejorará si se hacen chequeos frecuentes, siguen una buena dieta y realizan el ejercicio adecuado.

Cada uno de los signos de aire emplea de forma distinta su capacidad de conexión. Géminis la usa para estar al tanto de lo que sucede a su alrededor, pero no participa demasiado en la moda ni forma parte del grupo social más «in», como Libra. Acuario se interesa sobre todo por los avances de la ciencia, la informática, la electrónica y la alta tecnología, pero no le importa lo más mínimo que los demás le consideren o no lo suficientemente moderno o popular para invitarle a las fiestas «adecuadas». Pero Libra, que rige la séptima casa del horóscopo, la de las relaciones, se preocupa mucho por la posición social. Necesita la aprobación de la sociedad, y dedica a ello una gran parte de su energía. Para él cuenta mucho eso de estar a la moda, es decir, estar a la última en la forma de vestir, frecuentar el restaurante más de moda y estar al tanto de los libros que lee todo el mundo y de otros acontecimientos culturales. A Libra le encanta establecer tendencias, y es el principal creador de estilo del mundillo social.

El hecho de formar parte de la gente guapa distingue a los Libra como personas especiales, pero también requiere que sepan distinguir entre expresar su identidad y perderla en su fervor por seguir la imagen y las tendencias del momento. Una cosa es ir a la moda, pero ser víctima de ella es otra muy distinta. Esto suena a una gran presión, pero Libra está preparado para superar esa prueba y sabe evitar los peligros. Este signo posee un don especial para tener siempre una imagen innovadora adaptada a un estilo propio inigualable. ¡No es de sorprender que tenga tantos imitadores!

Como son críticos para sus adentros y algo competitivos, algunos Libra parecen presumidos a veces. Si uno va vestido con un atuendo que da pena, Libra se le queda mirando con una combinación de lástima y superioridad, y tal vez al mismo tiempo ponga los ojos en blanco por su triste situación. Se preguntará en silencio para sí: «¿Cómo puede haber salido así de casa?», sin darse cuenta de que algunas personas tienen en la cabeza otras cosas que no son la moda. Afortunadamente, Venus aporta tacto a los Libra, pero les resulta difícil ocultar su expresión. Para ellos, ser poco elegante es un desastre, y los feos deberían ser declarados proscritos. Querido Libra, si esto te describe, quizá no deberías intentar convencer a tu hermana de que consulte a un cirujano estético. Es posible que lo interprete mal y piense que eres una persona completamente superficial. Libra tiene su criterio, pero poner el énfasis en el estilo por encima de la sustancia puede hacer que algunas personas te malinterpreten. No son muchos los Libra que caen en esta trampa, gracias a Dios, pero estos ejemplos extremos indican lo que podría pasar si la balanza de Libra empieza a oscilar y a perder el equilibrio.

Dejando lo clásico para Tauro, Virgo, Capricornio, Cáncer y Escorpio, Libra desea los estilos más modernos y entiende que la imagen es muy importante. A los Leo también les gusta la moda, pero los Libra son diferentes, convierten su ropa de diseño en algo totalmente único y al mismo tiempo bastante elegante. En vez de llevar algo llamativo o estridente, tienden a escoger los tonos pastel o los matices neutros, mientras que Leo prefiere los colores fuertes. Venus suaviza y refina todo lo que toca, y no necesita mucho dinero para lucir una imagen sensacional. Los Libra provocan admiración, pero, más que eso, también logran atraer sentimientos de afecto. Su disposición alegre desarma a sus detractores. Nos han convencido de que su signo es el más divertido. Y puede que tengan razón.

RESUMEN

Signo idealista, Libra enseña la tolerancia para con el punto de vista de los demás y la colaboración efectiva con gente de diversas posiciones sociales y opiniones. Este concepto, iniciado en Libra, se ampliará más adelante en Acuario, pero a diferencia de este último, que pone el énfasis en los grupos, Libra se centra en trabajar las relaciones cercanas, personales, cara a cara. Libra ayuda a la labor que realizará Acuario fortaleciendo la base popular de la sociedad, reforzando las alianzas matrimoniales y profesionales por medio de la cooperación mutua.

Si eres Libra, puedes estar orgulloso. Eres la persona elegante y sofisticada del centro de la actividad social; seas hombre o mujer, tu encanto y tu estilo son legendarios. Eres decididamente brillante a la hora de juntar acertadamente a las personas, de tal forma que las cosas encajan. Inteligente, analítico, pacificador y excelente colaborador, las asociaciones son tu especialidad y puedes enseñarnos a todos un par de cosas sobre la cooperación. Eres leal en el amor una vez que descubres la devoción que ansías obtener a cambio. Te comprometes con facilidad, pues buscas mantener una relación de pareja en pie de igualdad, basada en la admiración y el respeto mutuos. Afortunada es la persona que se case con un Libra, porque este estará dispuesto a esforzarse por su matrimonio para mantenerlo siempre vivo. El mundo sería un lugar aburrido sin ti, querido Libra. Aunque nunca desees a propósito diferenciarte del grupo, tienes que reconocer que eres original. *Vive la difference!*

Los mitos de Libra y Venus

Con su titilante balanza fija en el cielo de color azul terciopelo, Libra es el único signo del zodíaco que está simbolizado por un objeto físico, construido por el hombre. En un principio cabría pensar: qué extraño es que un objeto mecánico sea el símbolo de un signo regido por el planeta Venus, tan elegante y diplomático. Sin embargo, la imagen de la balanza materializa perfectamente el concepto del equilibrio de fuerzas que actúan en el equinoccio de otoño, cuando el día y la noche tienen exactamente el mismo número de horas. Libra rige la séptima casa natural del horóscopo, y la balanza resume perfectamente la sensibilidad de este signo para el toma y daca presente en todo tipo de relaciones. Al fin y al cabo, una balanza mecánica es un instrumento de precisión, y Libra se considera un signo frío, intelectual y estético. De un erotismo menos físico que el de Tauro y menos emocional que el de un signo de agua como Piscis, Libra tiene más que ver con la idealización clásica de la belleza. También se esfuerza por equilibrar el mundo real del materialismo con el mundo interior de la espiritualidad, los dos eternos contrarios. Al ser tan sociable, es consciente en particular de las consecuencias de sus actos, pues para cuando la rueda del horóscopo llega al séptimo signo, el hombre ha salido de sí mismo y es consciente de otra persona significativa para él cuyas necesidades y deseos también deben ser tenidos en cuenta. A través de los demás nos conocemos mejor a nosotros mismos, y así, Libra cristaliza este concepto de la relación; toda clase de asociaciones serias y que impliquen un compromiso serán de enorme importancia para este signo.

Tú símbolo de la balanza, Libra, tenía un significado muy sagrado para los egipcios. Sabemos que creían que cuando una persona moría, la diosa de la justicia, Maat, colocaba el alma humana en un plato de su balanza y una pluma en el otro. Si el alma inclinaba la balanza, aunque fuera muy levemente, se la consideraba no preparada para pasar a la otra vida. Tenía que reencarnarse, con la esperanza de que la persona pudiera demostrar haber evolucionado lo suficiente para librarse del «peso» extra de su alma y prepararse para la otra vida.

De hecho, los egipcios fueron los primeros de la Antigüedad que reconocieron a Libra como una constelación en sí misma. Cuando el zodíaco se encontraba en fase de formación, no se conocía a Libra, ya que el zodíaco babilonio tenía sólo once signos. En aquella época, Libra formaba parte de las pinzas de Escorpio. Los griegos vieron ese mismo grupo de estrellas en forma de balanza sostenida por la diosa de la justicia, Astrea, pero asociaron a esta con Virgo. Los egipcios se dieron cuenta de que el bello grupo de estrellas de Libra se elevaba sobre el horizonte en el cielo nocturno de la primavera, de modo que asociaron a Libra con el niño del Año Nuevo denominado Niño Divino o Chonsu (para los egipcios, el inicio de la primavera marcaba el comienzo del año, y no el 1 de enero). Tal como ya dije en el capítulo dedicado a Aries, la primavera coincidía con la constelación de Aries porque era la que entonces se elevaba sobre el horizonte al amanecer. Libra, signo opuesto a Aries por caer seis meses después, ascendía sobre el horizonte cada anochecer, exactamente doce horas más tarde, a la puesta del sol.

En el arte primitivo, Venus, regente de Libra, era el símbolo de la Madre Tierra, el símbolo rotundo de la pura fertilidad. ¿Quién puede olvidar la Venus de Willendorf que nos enseñó por primera vez nuestro profesor de historia del arte? Es la figura de Venus más antigua que existe hasta la fecha, pues se cree que data de entre el 30.000 y el 25.000 a. C., y fue descubierta en una cueva de Willendorf, un pueblo alpino de Austria.

VENUS COMO DIOSA

El autor griego Hesíodo (alrededor del 800 a. C.) refinó totalmente esa imagen en su obra *Teogonía* ofreciendo una visión de Venus como encarnación del amor y la belleza. La encantadora pintura renacentista de Botticelli titulada *El nacimiento de Venus* presenta una imagen más moderna de esta popular diosa del amor y la belleza. Venus ha intrigado durante siglos a poetas, pintores, músicos y otras personas creativas, probablemente porque el amor y el sexo son necesidades muy profundas y perennes del ser humano.

Hesíodo comienza su *Teogonía* con una descripción del mundo que emerge del caos. Relata el nacimiento de los doce titanes, cuyos padres eran Urano (el cielo) y Gea (la tierra), una pareja mitológica que según se dice engendró toda la vida. Cuando Urano demostró ser un gobernante tirano además de un mal padre (tenía la costumbre de esconder a toda su descendencia dentro de su esposa), Gea pidió a sus hijos que la ayudasen a detenerle. El más joven, Saturno (Cronos), respondió a su súplica tramando un plan para castrar a su padre con una hoz. Tras completar el acto con éxito, arrojó los genitales de su padre al mar, esparciendo así las semillas del cielo por todas partes, incluido el océano.

De las aguas primordiales de la creación del mar, entre la bruma blanca y la espuma, Venus, nacida de esas semillas, emergió radiante de pie sobre una concha. En Grecia, su nombre era Afrodita (literalmente, «la que surge de la espuma»), y se dice que en cuanto salió del agua creció la hierba verde bajo sus pies. Las ayudantes de Venus, las tres gracias —Eros (el amor), Hímero (el deseo) y Potos (el remordimiento)—, la acicalaron y cuidaron de ella y a continuación la acompañaron hasta el monte Olimpo, donde se reunió con los demás dioses.

VULCANO, VENUS Y MARTE

Existe otro mito que nos cuenta la relación de Venus con su esposo, Vulcano, un artesano amable pero nada atractivo que, según se decía, había sido el dios de la metalurgia. Bastante enfrascado en su trabajo, Vulcano a menudo descuidaba a su esposa. Aunque Venus era muy hermosa, requería que le reafirmaran frecuentemente su belleza, pero como Vulcano estaba tan ocupado, ella no obtenía la afirmación que tanto necesitaba. Se sentía abandonada, pero no por mucho tiempo.

La dulce y receptiva Venus se vio arrastrada por una atracción mutua con el agresivo y varonil guerrero Marte, una combinación clásica y sexy donde las hubiera. Los extremos se atraen, y así lo demuestra esta pareja. Vulcano, sospechando que su esposa estaba enamorada de Marte, dispuso una trampa para ver si podía pillarla siéndole infiel. En primer lugar, le anunció que iba a ausentarse durante varios días, suponiendo correctamente que Venus invitaría a su amante al palacio en cuanto él se hubiera marchado. Para atrapar a los amantes juntos, Vulcano fabricó una red de cadenas de oro que después colgó en lo alto de las vigas del dormitorio, oculta por encima de la cama, de modo que pudiera bajarla sobre los desprevenidos amantes cuando estuvieran abrazándose.

En efecto, en cuanto Venus calculó que Vulcano estaba fuera de la ciudad, hizo una señal a Marte para que fuera a su casa. Poco después estaban haciendo el amor. Vulcano aprovechó ese momento para bajar rápidamente las cadenas del amor sobre los amantes desnudos, que prosiguieron haciendo el amor aun cuando quedaron atrapados en aquella red dorada. Entonces, Vulcano tuvo la escandalosa ocurrencia de invitar a todos los dioses y diosas del monte Olimpo a verles en su vergüenza. Sin embargo, las diosas, que estaban de parte de Venus, se negaron a ir, aunque sí lo hicieron casi todos los dioses varones. Pero esa invitación no tuvo el efecto que Vulcano esperaba. Mercurio dijo a Marte que no tendría inconveniente en ocupar su sitio, porque tener a Venus en sus brazos le parecía muy agradable. Por fin, el compasivo Neptuno puso fin a aquel ambiente carnavalesco exigiendo que Vulcano liberase inmediatamente a la pareja de amantes, y así ocurrió.

Hoy en día, los astrólogos saben que cuando la amorosa y receptiva Venus se encuentra en determinado aspecto positivo con el atractivo Marte en el horóscopo, salta la chispa sexual. Efectivamente, estos dos amantes cósmicos son famosos por elevar la temperatura e intensificar el magnetismo. Pero tal como dije en el apartado dedicado a la personalidad de Libra, Venus y Marte por sí solos no son capaces de sostener una relación, ni tampoco es esa su misión. Para ello es necesario un conjunto de planetas que ayuden a los amantes a llevar la relación a un nivel más profundo si así lo desean. Mientras tanto, esa importante primera chispa que sentimos cuando nos enamoramos suele atribuirse a Venus y Marte. (Marte rige también los petardos y los dispositivos incendiarios… entre otras cosas.) Venus no sólo estimula la capacidad de amar, sino que también fomenta la autoestima cuando forma aspectos positivos con otros planetas. Sin embargo, como es hedonista, no piensa mucho en el futuro, ya que simplemente desea divertirse. Imagínate que Venus no existiera; no habría aventuras amorosas, ni pasión. ¡puede que tampoco niños! Venus nos estimula a querernos también a nosotros mismos, lo cual, según algunos expertos, es necesario antes de poder dar comienzo a una relación duradera.

Platón fue uno de los primeros filósofos que estableció la diferencia entre amor y amistad y que aclararon que de hecho eran dos clases de amor posibles entre miembros no unidos por lazos familiares. Platón expresó en su obra *El banquete* la opinión de que Venus, tal como expresaron Homero y Hesíodo, representaba dos diosas distintas que personificaban diferentes clases de amor: el sexual (romántico) y el no sexual (platónico). Según la opinión de Platón, el segundo era infinitamente mejor. También escribió que entre hombre y mujer no podía existir una amistad espiritual, porque siempre habría una influencia sexual, por mucho que ambas partes protestaran y dijeran que eran «sólo amigos». Así pues, según Platón, el amor platónico podía existir sólo entre hombres. De hecho, para Platón la homosexualidad era una de las formas de amor más supremas, pues no dependía de la sexualidad. Concretamente, escribió que el sexo entre hombres era opcional, pero que entre un hombre y una mujer la relación siempre debía ser sexual (aunque sólo fuera en la superficie). Naturalmente, esta opinión resulta bastante polémica y constituye una de esas cuestiones clásicas que posiblemente no encuentren nunca un punto de acuerdo universal, pero es interesante reflexionar sobre ella.

Tal como vimos en el mito de la cadenas del amor de Vulcano, Venus no era perfecta: estaba casada, pero aun así inició una aventura amorosa con Marte. Podía ser también insegura, celosa y un poco vengativa. En la historia del Juicio de Paris que sigue, se revelan dos facetas del carácter de Venus. Una, representada por Afrodita, muestra sus inseguridades; la otra, representada por Psique, caracteriza su lado más positivo, la parte de ella que idealiza la igualdad y la devoción en el matrimonio. Aunque existen varias versiones del Juicio de Paris, todas tienen básicamente el mismo argumento.

EL JUICIO DE PARIS

Este mito es uno de los más apropiados para explicar la psicología de Venus y Libra. En este relato, casi todos los dioses y diosas fueron invitados a asistir a la boda de Tetis y Peleo. Cuando Éride, la diosa de la discordia, vio que no había sido invitada, montó en cólera y lanzó a las diosas presentes en la boda una manzana de oro en la que había grabado la frase: PARA LA MÁS HERMOSA. Hera, Atenea y Afrodita lucharon por atrapar la manzana. Por fin Zeus, exasperado, envió a Hermes (Mercurio) a que acompañara a las tres diosas a otra parte para que continuaran con su molesta discusión, así que el trío se fue a Troya. Paris, un príncipe troyano famoso por ser el más apuesto de los mortales, fue consultado para que decidiera cuál de las diosas era la más hermosa y por lo tanto la merecedora de la manzana de oro.

Hera regía los partos y el matrimonio y era la esposa de Zeus. Ofreció a Paris el mundo. Atenea, la diosa virgen de la sabiduría, las artes prácticas y la guerra, era considerada según otros mitos la responsable de la búsqueda de la justicia que encarna Libra, así como de su famosa frialdad y su actitud cerebral hacia la vida. Ofreció a

Paris una posición de poder y le aseguró que si la elegía, él también celebraría una victoria. Afrodita (como Helena), diosa del amor, se ofreció a sí misma a Paris como la mujer más bella del mundo. Paris no parpadeó; lo tenía fácil. Escogió la belleza por encima de la carrera y el poder. Su premio fue la sobrecogedora belleza de Helena, pero por desgracia esta ya estaba casada con el rey de Esparta, Menelao. La insistencia de Paris en reclamar a Helena desencadenó la Guerra de Troya. Irónicamente, los asuntos que conciernen al amor o la belleza con frecuencia aparecen en la vida de los Libra y forman un tema recurrente.

EROS Y PSIQUE

En este mito griego, nos enteramos de que Afrodita (la versión griega de Venus) se sintió sumamente ofendida al saber que existía otra mujer, llamada Psique, que era mucho más hermosa que ella. Se puso celosa y pretendió proteger su territorio, no sólo por vanidad, sino también desde un punto de vista práctico. Comprendió que una belleza rival podría hacer que los ciudadanos dejasen de adorarla y se pusieran a adorar a su rival (Psique). Afrodita acudió a su hijo Eros en busca de ayuda. (Nosotros conocemos a Eros con el nombre de Cupido, que crea el amor disparando flechas que hacen que los mortales se enamoren al instante.) Sin embargo, en este caso Afrodita le ordenó que matase a Psique.

Eros partió en busca de Psique y la encontró con los ojos vendados y atada a una roca. Justo cuando se estaba preparando para ejecutarla siguiendo las instrucciones de su madre, se disparó accidentalmente a sí mismo una de sus flechas mágicas y se enamoró de aquella criatura semejante a una ninfa. La desató, se casó con ella y se la llevó en secreto a vivir a su castillo.

Temiendo por la seguridad de Psique, Eros le exigió que permaneciese con los ojos vendados mientras estuvieran juntos, para que nunca descubriera la identidad de él. No podía revelarle que era Cupido, el dios del amor. Las hermanas de Psique la presionaron para que averiguase de todos modos quién era su esposo, y le sugirieron que tal vez fuese un monstruo y que por eso no le permitía ver su rostro. Por lo visto, no hizo falta mucho para convencer a Psique, que pronto se encaró con Eros sin la venda en los ojos. Aturdido por la traición de su esposa, el amor desapareció en sentido tanto literal como figurado cuando Eros saltó por la ventana. Psique lloró la pérdida de su esposo y suplicó a Afrodita que se lo devolviese. La diosa cedió, pero sólo con la condición de que Psique realizase una serie de tareas casi imposibles que había elegido para humillarla y frustrarla. Afrodita confiaba en secreto en que Psique jamás fuese capaz de llevarlas a cabo. Sin embargo, la joven las terminó cumplidamente, gracias a la ayuda del reino animal (igual que Cenicienta en su cuento), y Afrodita no tuvo más remedio que devolverle a Eros.

Cada uno de nosotros repite el mito de Eros y Psique al enamorarse. Al igual que Psique, cuando experimentamos un nuevo amor tendemos a no ver los defectos del ser amado, pero tarde o temprano comprendemos que necesitamos verle a la luz del día. Casi siempre sobreviene la desilusión en un grado u otro, lo cual marca un momento de la verdad en esa relación. ¿Me quedo o me voy? (Nadie ha dicho nunca que el camino que conduce al amor sea fácil.)

VENUS RIGE A LIBRA Y TAURO

Tal como ya he dicho, Venus no rige sólo a Libra, sino también a Tauro, y las diferencias entre el modo en que este planeta impone sus características a uno y a otro resultan fascinantes. En Tauro, un signo fijo de tierra, Venus expresa su lado más posesivo. Los Tauro no se fían de lo que no pueden ver, tocar, gustar, oír y oler, ya que son un signo práctico. Los Tauro se valen de sus sentidos para obtener más información, y suelen estar motivados por el placer y la comodidad, de manera que si alguien (o algo) tiene buen aspecto, suena bien, huele de maravilla, es suave al tacto o sabe de rechupete, dicen: «A por ello».

Como contraste, en Libra Venus ejerce una influencia mucho

más delicada, etérea e intelectual. Acicalarse y tener un aspecto pulcro es algo sumamente importante para este signo. También cuentan mucho para él los modales, sobre todo en asuntos de amor. Aquí Venus personifica el modelo idealizado de la belleza y el amor: elegante, refinado, clásico y lleno de encanto. En los Libra, por lo menos la mitad (o más) de la relación tiene lugar en su mente. Su idealización del amor y la belleza puede ser tan elevada que resulte inalcanzable. Para Libra, Venus es la maravillosa estrella de cine que vemos en la pantalla, la modelo que aparece en la cubierta de una revista o la nueva amante a la que ponemos en un pedestal. A pesar de eso, Libra es fundamentalmente el signo del matrimonio, el que siempre se siente más feliz cuando está casado con la persona a la que ama.

La personalidad de Escorpio

Principio guía
«Indago»

Cómo disfruta este signo
Disfruta descubriendo talentos ajenos que han estado ocultos hasta ahora, aguardando salir a la luz.

En el nuevo milenio, tu contribución al mundo será...
Posees una aguda percepción y una profunda intuición, y por lo tanto estás dotado para desentrañar misterios. Eres el detective del zodíaco y sabes qué respuestas son verosímiles y cuáles no. Con tantos datos que digerir en el futuro, el mundo valorará tu inteligencia.

Cita que te describe
«La llamada sagrada transforma. Es una invitación para nuestra alma, una voz misteriosa que reverbera dentro, algo que tira de nuestro corazón y que no puede ser ignorado ni negado. Contiene, por definición, el mensaje más puro y la promesa de la libertad esencial.»

DAVID COOPER, *de signo astrológico desconocido*

Imagínate a ti mismo de pie en la cubierta de un barco, navegando en silencio por la noche a través del océano. Fíjate en lo negra y quieta que se ve el agua. Es imposible mirar dentro de ella, lo cual hace que te preguntes, quizá, qué profundidad tendrá o qué podrá haber justo por debajo de su superficie. De manera intuitiva, al mirar esa extensión negra y misteriosa, es posible que experimentes una sensación de peligro. De noche parece que de ahí podría salir casi cualquier cosa, lo cual hace que tu imaginación se dispare. En noches sin luna como esta, no es probable que hubiera muchos voluntarios dispuestos a visitar los tesoros del mar, al menos antes de que rompa el día.

Escorpio es un signo de agua, de modo que, de forma bastante apropiada, el hecho de estudiar las características de este elemento te dará una pista de la complejidad del signo. El agua suele guardar celosamente sus secretos. De manera similar, un Escorpio típico se las arregla para enmascarar bien sus sentimientos, y a menudo no ofrece pista alguna de los dramas que tienen lugar bajo la superficie. Según dice el axioma, las aguas tranquilas son profundas. Y así es. Si un Escorpio necesita defender su postura, pronto descubrirás que la profundidad de sus sentimientos puede ser insondable, y llegar hasta el lecho mismo del océano.

Si quieres disuadir a un Escorpio de su opinión, has de ser consciente de que se trata de un signo fijo. No esperes que sea un tipo fácil, porque los Escorpio se aferran fuertemente a sus puntos de vista. La profundidad de sus sentimientos también es una buena cualidad; nunca encontrarás un amigo o amante más devoto. Escorpio es un signo sumamente selectivo, y como tal, no permite que penetren muchas personas en su círculo personal. Apoya a sus íntimos contra viento y marea.

Hay ocasiones en las que los Escorpio pueden parecer un tanto testarudos y resistentes al cambio, aun cuando este sea el signo que gobierna la transformación y la evolución. Extrañamente, a Escorpio no le gusta nada cambiar, prefiere las cosas tal como están. Como signo fijo que es, su talento no radica en ser flexible o adaptable (esas cualidades pertenecen a los signos mutables, es decir, Piscis, Géminis, Virgo y Sagitario), sino en permanecer firmemente fiel a sus objetivos. El papel de Escorpio consistirá en recordarnos al resto de nosotros que no debemos olvidar nuestros compromisos. Tu sentido de la finalidad y tu autodisciplina sirven de inspiración, querido Escorpio, y saltan a la vista en todo lo que haces. Suponen un factor importante para triunfar en tu profesión, tu evolución personal y tus relaciones.

Ahora imaginemos el vasto océano encrespado de pronto por el viento y la lluvia. Observa las grandes olas que avanzan en una serie de ritmos rápidos y ondulantes. Imagina un mar agitado, con un oleaje que haría temblar de pánico a un hombre hecho y derecho. Fíjate en la formación de furiosos remolinos capaces de tragarse no sólo a un ser humano, sino un barco entero. Imagina eso y habrás descubierto otra faceta de la energía emocional que lleva dentro de sí un Escorpio. Al igual que un huracán o una ola gigante, este signo no se somete fácilmente a los esfuerzos que se hagan por domarle o confinarle. Mientras que las escenas de un Escorpio sumido en un desatado frenesí emocional son raras de ver, puedes estar seguro de que por debajo de su aspecto calmado y frío ruge una pasión profunda, la veas o no.

Todavía estamos contemplando ese imaginario océano, y la temible tormenta ha amainado. Ahora el sol calienta suavemente el agua. Las escenas (y el estado emocional interno de Escorpio) van a cambiar de manera drástica. El agua está surcada de ribetes de espuma blanca, brillantes y atrayentes; la escena parece un cuadro impresionista. El agua, que hasta hace un momento tenía un aspecto aterrador, ahora se ve tentadora, con una sensualidad que le incita a uno a darse un chapuzón. Reflejando el cielo como si fuera un limpio espejo, el mar tiene ahora un color azul intenso y luce una superficie clara y traslúcida.

De pie junto a la barandilla del barco, contemplando la belleza de esa escena, en lugar de miedo sientes júbilo. Si entornas los párpados para proteger los ojos del reflejo del agua, es posible que veas una banco de pececillos pasar por tu lado. La furia de la tormenta ha desaparecido, y el agua se ve apacible, capaz de calmarte como ningún otro elemento puede hacerlo, igual que cualquier Escorpio que conozcas. Los sonidos que se oyen cerca del mar resultan igual de reconfortantes y refrescantes en este casi total silencio y esta tranquilidad, excepto por el tintineo ocasional de la campanilla del capitán, el grito de alguna gaviota errante o el rápido y furioso flamear de la bandera de la embarcación agitada por la fresca brisa. Hoy el océano parece tan puro como el agua bendita, muy diferente de las olas que lo encrespaban ayer.

La amplia gama de estados de ánimo que puede evocar el agua resume acertadamente el amplio espectro de las emociones de Escorpio. Si conoces y amas a alguien de este signo, ya habrás reconocido que esto es verdad. Si eres Escorpio, sabrás que esperas de los demás que buceen en las profundidades de tu mar interior y se eleven como una águila a alturas a las que no imaginaban poder llegar. Cuando tus amigos o tu pareja no pueden estar a tu altura, te sientes frustrado y decepcionado. Un Escorpio es a la vez la inundación y la sequía, está a un tiempo empapado y seco por completo... y a menudo sin término medio. Tu inclinación por los extremos es precisamente la característica que más nos gusta de ti, querido Escorpio. De todos los signos del zodíaco, el tuyo es el que posee sentimientos profundamente apasionados. Cuando la gente te conoce, nunca aparece esa parte de ti; podría hacer falta que pasaran años para que descubrieran lo profundos que son tus sentimientos y cómo eres en realidad.

Aunque los Escorpio no se olvidan de sus tormentas interiores aun cuando ya hayan pasado, pues tienden a aferrarse con fuerza a esos recuerdos, sí parece un poco injusto que en los textos astrológicos se les tache de rencorosos o taimados. Sí, los Escorpio pueden ser así en ocasiones, pero lo más frecuente es que sean personas amables y compasivas. Al ser miembros de la familia de agua, poseen también una tremenda capacidad para comprender y solidarizarse. Mira los ojos grandes y conmovedores de un Escorpio, y verás cómo se delata enseguida, pues es muy fácil ver su corazón sincero y bondadoso y sus nobles intenciones.

Los desafíos parecen sacar lo mejor de los Escorpio, que han nacido en la época del año en la que, en el Hemisferio Norte, caen las hojas de los árboles y nutren la tierra con un fértil abono. A finales de octubre los días se van oscureciendo, el cielo se pone triste y melancólico con oscuras vetas de color morado, y la tierra descansa y rejuvenece. Igual que Perséfone, Escorpio se sumerge en el mundo subterráneo para vivir en él durante un tiempo y luego emerge más fuerte que antes, tras un período de meditación o quizás una lucha con sus contradictorias necesidades internas.

Al ser el signo de los extremos, Escorpio puede elegir qué camino tomar para hacer uso de su poderosa energía. Un número reducido de nativos de este signo poco evolucionados se hunden hasta lo más bajo al escoger una vida como delincuentes (tu regente, Plutón, representa los bajos fondos y los desafíos), pero un número mucho mayor se eleva como una águila hasta las cumbres de las montañas. Lo hacen valiéndose de su asombroso poder estratégico y de su magistral inteligencia para lograr hazañas de gran importancia para la humanidad. Tu planeta regente, Plutón, también representa la regeneración espiritual y la renovación.

Al ser la casa octava la de Escorpio, a este signo le parece natural el ciclo completo de nacimiento, muerte y renacimiento. Con frecuencia se lo considera un signo religioso, capaz por lo general de encontrar una reserva profunda de fuerza en su interior, proveniente de sus creencias espirituales. Al estar más cercano a los misterios de la muerte, Escorpio parece comprender la vida de una forma que se les escapa a los demás signos. Los Escorpio a menudo sienten curiosidad por la religión y la filosofía, y suelen disfrutar conociendo las ideas y odiseas espirituales de otras personas. Mientras que Sagitario se interesa por aprender filosofía de un modo intelectual, Escorpio se inclina hacia ella de una manera mucho más intuitiva e instintiva. Los signos de agua a menudo conocen cosas sin saber por qué..., simplemente las conocen.

SÍMBOLOS

Plutón tiene dos símbolos astrológicos. Algunos astrólogos emplean las letras mayúsculas PL inscritas dentro de un símbolo, indicando así las dos primeras letras del nombre del planeta o las iniciales de su descubridor, Percival Lowell. El otro símbolo que usan los astrólogos para representar a Plutón es una cruz con una media luna encima abierta hacia arriba y un círculo flotando en el hueco que queda sobre ella. En astrología, la cruz significa siempre la materia. La media luna se entiende como la emoción o el alma, y el círculo expresa el espíritu. Este símbolo sugiere que el alma y el espíritu triunfan sobre la materia, como corresponde a un planeta que rige la transformación. La materia forma la base del símbolo de Plutón y se convierte así en un pedestal necesario para servir de sostén al espíritu. En la Antigüedad, antes de que se descubriera Plutón, Marte se consideraba el regente de Escorpio, y en la actualidad es su segundo regente.

El símbolo de tu signo, Escorpio, es una M cuyo trazo final se vuelve hacia arriba en forma de flecha. Algunos astrólogos opinan que la flecha apuntando hacia arriba sugiere la cola del escorpión, lista para atacar. Los Escorpio son famosos por su buena memoria; nunca olvidan una ofensa. Si irritas a uno de ellos contrariándole, ten en cuenta que buscará un modo de devolverte la pelota. Hay astrólogos que opinan que la flecha vuelta hacia arriba simboliza una serpiente a punto de atacar, lo cual sugiere sabiduría, pues muchas culturas asociaban las serpientes a un conocimiento muy especial basado en la intuición. También podría considerarse un símbolo fálico; cada signo rige una parte del cuerpo, y el tuyo resulta que tiene que ver con los órganos de la reproducción. Esto es apropiado, porque Escorpio gobierna de forma natural la casa octava del horóscopo, que rige no sólo la sexualidad, sino también el ciclo completo de nacimiento, muerte y renacimiento.

Escorpio es el único signo que posee tres símbolos, y cada uno de ellos resume a su manera lo que eres. Todos estos símbolos infunden a veces un poco de miedo a los demás, porque los tres son criaturas que defienden su territorio de forma agresiva. Son el escorpión, la serpiente y el águila (o el ave fénix). Al igual que el escorpión, los Escorpio son conocidos por emplear su aguijón, pero lo cierto es que lo hacen sólo cuando se sienten profundamente amenazados, y para proteger el futuro de su especie. Con este fin, la seguridad de la especie, el escorpión está dispuesto a entregar su propia vida. Es sabido que tras hacer uso de su aguijón muere, de modo que no recurre a ello si no percibe que la situación conlleva un gran peligro inminente. Así pues, para los Escorpio la venganza es a menudo un acto de autosacrificio, y por lo tanto, a la larga no les interesa. El lado vengativo de los Escorpio menos evolucionados suele hacer que se inflijan heridas a sí mismos, cosa no muy productiva, pero sí una forma de sacar la rabia interior si no se dispone de otra válvula de escape. Los Escorpio evolucionados aprovechan la energía de su rabia y la dirigen hacia el bien común, como por ejemplo colaborando en programas comunitarios diseñados para corregir una injusticia.

La serpiente es un símbolo interesante, porque nos recuerda el Jardín del Edén y el lado sexual de Escorpio, la parte que refleja la enorme fuerza interior regenerativa y reproductiva de este signo. La serpiente se despoja con regularidad de su piel externa, renovándose y transformándose continuamente. En la mitología, este símbolo resulta fascinante, porque algunas culturas antiguas creían que la serpiente poseía una gran sabiduría. En el apartado «Los mitos de Escorpio y Plutón» se encontrarán más detalles al respecto.

El último símbolo es el ave fénix, que se levanta de las cenizas de la derrota. Simboliza la esperanza de Escorpio y de toda la humanidad, en el sentido de que por muy mal que vayan las cosas, la fuerza y la determinación siempre salen a la luz para combatir a las fuerzas de la oscuridad. Cuando los Escorpio están derrotados siempre encuentran, como el ave fénix, una manera de volver a levantarse de las profundidades de la destrucción. De los doce signos astrológicos, se considera que Escorpio y Aries son los más decididos a no rendirse ante el fracaso. Escorpio siempre ha ido asociado con la sabiduría profunda, intuitiva y hasta instintiva, y también con los poderes místicos y sobrenaturales.

INFLUENCIAS PLANETARIAS

Si eres Escorpio, serás también capaz de encontrar usos alternativos para recursos disponibles de maneras muy originales. Al fin y al cabo, a tu regente, Plutón, lo llaman el planeta de los «tesoros escondidos» o de las «riquezas fantásticas». Tu signo posee un dominio sobre las cosas que pasan de la oscuridad a la luz, y un talento especial para descubrir energías latentes y tesoros ocultos, y para buscar maneras de desplegar su pleno potencial. También sabe descubrir secretos y aprovecharlos al máximo.

♂ Un detalle interesante de tu relación con Marte como segundo regente es que con frecuencia este aporta un gran ruido físico a la vida que te rodea. Marte rige a Escorpio y Aries, pero en Aries expresa su energía de un modo más directo, espontáneo y rápido, mientras que en Escorpio la expresa de una forma más sostenida y menos extravertida; tiende a circular de un modo más sutil y oculto, por debajo de la superficie. También es una energía más centrada e intensa que la de Aries, y se mantiene durante más tiempo gracias a la capacidad de resistencia de Escorpio.

Sin embargo, existen similitudes entre Aries y Escorpio. Los dos signos están bien capacitados para embarcarse en cualquier empresa agotadora que exija grandes dosis de fe y determinación para obtener el triunfo, desde literalmente entrar en batalla hasta tener éxito en cualquier esfuerzo que requiera mucha resistencia, como un puesto de trabajo en ventas.

Dentro de cada Escorpio suele haber una pequeña rebeldía que no se puede contener del todo. Esta puede ser una característica positiva si se expresa correctamente, ya que hace que Escorpio cuestione la autoridad en vez de someterse ciegamente a ella. Existe en este signo una faceta festiva e inofensiva que resulta indicadora de su fuerza interior. Los padres de niños Escorpio pueden ayudarles a canalizar su exceso de energía interior sin aplastar su espíritu ni dejarlo correr a rienda suelta. La tendencia de Escorpio a hacer travesuras suele formar parte de su personalidad independiente, que se niega a ser conducida por los demás. Naturalmente que hay nativos de este signo que simplemente se arrastran a sí mismos hasta el borde del precipicio, pero si canalizan su rebelión del modo correcto, eso hará que emerja su espíritu emprendedor, que se dirige a sí mismo. Para afrontar los grandes riesgos de la vida, la personalidad ha de tener un cierto borde afilado.

DONES CÓSMICOS

Tu capacidad para insuflar vida a empresas y relaciones, a veces incluso mucho después de que los demás ya las hayan dado por perdidas, guarda relación también con este tema, querido Escorpio. Constituye uno de tus mejores y más extraordinarios talentos. Tú ves potencial en situaciones en las que otros no ven nada, y como Escorpio es un signo sabio, inteligente y lleno de recursos, pareces saber de modo instintivo cuál es la mejor manera de poner en práctica un proceso de renacimiento. Esta es una cualidad importante. Por ejemplo, a gran escala, es como la imagen de un líder que es capaz de devolver a una empresa agonizante a una posición fuerte. A una escala personal, este talento podría compararse a un marido que se da cuenta de que para salvar su matrimonio ha de volver la página. Una vez que a Escorpio se le ha metido entre ceja y ceja un objetivo, lo persigue de un modo que resulta impresionante. Por más difícil que sea alcanzarlo, su naturaleza fija le hace continuar avanzando hasta llegar a él.

Tu capacidad para soportar circunstancias duras e incluso transformarlas resulta de gran utilidad cuando te enfrentas a una crisis. A menudo Plutón ofrece a Escorpio una notable capacidad para curar el cuerpo, en ocasiones para sorpresa de los médicos, que creían que era un caso perdido. Esto también tiene que ver con el hecho de renacer de una situación muy difícil. Los Escorpio a menudo encuentran modos de rebotar milagrosamente, porque poseen una fuerte reserva interior. Cuando se empeñan en conseguir algo grande, nada les detendrá: ni la fatiga, ni el dolor físico o emocional ni la falta de fondos (como Escorpio que son, los encontrarán si los necesitan). Este signo posee una enorme determinación; es el niño que siempre replica. Plutón es la «octava mayor» de Marte, y lleva la energía de este a un estado más refinado. En lugar de empujar la energía hacia fuera rápidamente y volcarla sobre el mundo de forma competitiva como haría un Aries, tu corregente Plutón te aporta una ventaja distinta: te permite absorber tu energía hacia dentro e iniciar una notable transformación dentro de ti mismo.

También sabes cuándo debes cortar por lo sano, porque a la hora de controlar la fuerza, uno de tus dones es el de saber qué eliminar. Concentrar tu energía es importante, ya que, como todo el mundo sabe, estar sobrecargado no suele ser efectivo. Plutón rige la basura, los desperdicios, las pérdidas, el envejecimiento, la evacuación y la eliminación. El poder puro de este planeta cubre los extremos del espectro, desde la energía atómica, la pasión y la sexualidad hasta la metamorfosis, la procreación, la purificación y la reproducción. Además de los órganos genitales, otras partes del cuerpo regidas por Escorpio son los órganos excretores, el colon y la vejiga. Volviendo a Plutón, tu planeta guardián te aconseja deshacerte de lo que no necesites para poder centrar mejor tu energía.

Como te dirá cualquier persona creativa, en el caos de la creación hay una determinada cantidad de residuos que forma parte del nacimiento de algo nuevo. En su intensidad, los Escorpio con frecuencia tienen problemas para eliminar y desahogar sus pasiones o su cólera, pero con un poco de práctica y de iluminación eso puede solucionarse. Poseen una gran capacidad para reinventarse a sí mismos de muchas maneras. De hecho, se dice que Escorpio experimenta tres capítulos distintos en su vida, cada uno de ellos radicalmente opuesto a los otros. Ya se repartan de manera uniforme a lo largo de la vida o lleguen en rápida sucesión, estos capítulos constituyen un testimonio de la capacidad de Escorpio para aceptar los finales y saber de forma intuitiva cuándo es el momento de comenzar una fase totalmente nueva.

RELACIONES

Cuando estudiamos el eje que forman Escorpio y su signo opuesto, Tauro, nos damos cuenta de que los dos representan el concepto humano del deseo de forma distinta. Tauro representa el deseo personal, pero Escorpio se centra en el deseo compartido entre dos personas o dos o más entidades, ya sea en el sentido físico, sexual, personal o profesional. Uno de los talentos de Escorpio es el de ser capaz de encontrar un modo de compartir los recursos existentes, de trabajar cooperando para crear algo nuevo que beneficie a todas las partes y al mundo. Pocas personas pueden concentrar la energía con tanta fuerza como lo hacen los nativos de este signo. Así, Escorpio será siempre uno de los signos más estrechamente relacionados con la creación de vida nueva.

Por supuesto, toda esta energía concentrada puede tender y de hecho tiende a la obsesión. En el amor, Escorpio puede ser posesivo y hasta celoso, lo cual, dependiendo del punto de vista de su pareja, puede resultar encantador o exasperante. Espera de su pareja una devoción del tipo «todo o nada», porque eso es lo que da él. Si te enamoras de un o una Escorpio, pronto descubrirás que te ama con una intensidad que pocas personas son capaces de igualar. En efecto, es probable que sea la clase de amor que inspira las leyendas. El amor que recibirás de un Escorpio será inolvidable. Quizá tú, como objeto de su amor, sientas el impulso de devolverle lo mismo.

Es posible que te hayas preguntado por qué Escorpio es conocido como el signo sexy y magnético. Los Escorpio pueden ser de todos los tamaños y colores, pero todos tienen una cosa en común: una seguridad interior detectable a cinco metros de distancia. Lo bueno es que cualquier Escorpio puede crear esa aura, no sólo los que nacieron ya guapos. Si tú lo eres, sabrás que atraes a la gente de una forma fuerte y magnética, aunque tu dulce «presa» (dicho en sentido cariñoso) no sepa muy bien por qué la atrae tanto estar contigo. Tu sexualidad innata, aunque sutil, siempre bulle por debajo de la superficie, tirando de los demás con fuerza.

Escorpio, a ti te encanta el sexo, y se ve de muchos modos sutiles: en tus modales, en tu forma de reír, incluso en la forma en que tocas ligeramente a alguien en el hombro. Una de tus cualidades más memorables es ese par de ojos seductores, capaces de derretir a cualquiera que entre en tu campo visual. Esa famosa mirada penetrante de Escorpio es bastante legendaria y atractiva (tanto en un hombre como en una mujer), y es capaz de conseguirte casi todo lo que se te antoje. ¡Emplea bien tu poder, querido Escorpio!

La peor situación que pueda existir para un Escorpio es la de verse sumido en un matrimonio sin amor ni sexo. Para este signo el sexo es importante. Después de todo, su casa es la octava, la del sexo, y tiene necesidad de expresar pasión. Sin embargo, para Escorpio, el amor es para siempre. Si un nativo de este signo se encuentra casado con alguien que se ha vuelto distante, esta puede ser una situación realmente dura para él. Por muy difícil que le resulte acercarse a su pareja, merece la pena que lo intente, aunque ello signifique acudir a un consejero matrimonial.

Es posible que algunos Escorpio escojan sublimar su asombroso poder sexual en proyectos creativos. Este signo parece haber demostrado lo que han dicho los sociólogos: que las personas creativas poseen mucha más energía sexual que el resto de la población. (No es de sorprender que Picasso fuera un Escorpio.) Siempre que los Escorpio se lanzan a su trabajo con su característica decisión, su creatividad tiene un enorme potencial de llegar a convertirse en algo grande.

La necesidad de Escorpio de fundirse con otra persona de forma intelectual, física y emocional siempre es excepcionalmente fuerte. En los negocios, lleva a la consecución de acuerdos, aplicación de la que hablaremos dentro de un momento, pero estudiemos antes las relaciones personales. Una vez que Escorpio esté seguro de estar enamorado, siempre querrá «poseer» a la otra persona. Hay muchas posibilidades de que esté listo para el gran compromiso bastante pronto. Si su pareja no está preparada, él rechazará su ruego de que le permita continuar alternando por ahí mientras sale con él. Cuando Escorpio está seguro respecto de una pareja, más vale que a esta le ocurra lo mismo con él. Esto forma parte de la devoción «todo o nada» característica de la personalidad de Escorpio. Si está muy enamorado, aceptará esperar un poco, pero sólo hasta cierto punto. A partir de ahí, es probable que grite: «¡No quiero saber nada más de esto!», y cuando eso ocurra, no habrá nada que le haga volver.

Proteger tu intimidad parece ser un rasgo opuesto de tu personalidad, sin embargo ambas características existen la una al lado de la otra: tu necesidad de intimidad y tu necesidad de compartir de corazón y de forma total (una vez que te has decidido por alguien). Siendo Escorpio, sabes que prefieres tener cerca a tu ser querido en tu vida cotidiana durante la mayor parte del tiempo. No obstante, el tuyo es un signo taciturno, y por eso no sientes ninguna necesidad de trabar conversaciones ociosas. De hecho, opinas que eso no tiene sentido y que constituye un desperdicio de energía. Es típico de Escorpio encerrarse en su guarida con la puerta cerrada durante horas y horas. O enterrar la cabeza en un libro o en un periódico y apenas murmurar un «buenos días» o un «¿qué tal te ha ido hoy?» a su pareja (¿te suena familiar esto?). Cuando se comunica, a menudo es con un gesto de cabeza, una sonrisa, un gruñido, elevando una ceja o haciendo una seña con la mano, pero no con palabras.

Tu falta de interacción podría hacer pensar a tu pareja que no te preocupas por ella ni quieres que esté ahí, pero nada más lejos de la verdad. Sí que te preocupas, en realidad muy profundamente. ¡Es que no sabes demostrarlo! Escorpio, tienes que reconocer que durante la mayor parte del tiempo te gusta estar solo. Un exceso de actividad social te resulta agotador, de modo que antes de que pase mucho tiempo empezarás a rechazar invitaciones y a buscar tiempo para recargarte y regenerarte. Eso no es un rasgo bueno ni malo; simplemente es lo que es.

Para entender mejor tu forma de pensar, has de saber que Escorpio considera que la información es un bien muy valioso que no debe compartirse o tratarse de manera despreocupada. Como consecuencia, es posible que sólo reveles datos por la «necesidad de saber más», e incluso en ese caso te mostrarás tacaño. Esa faceta taciturna que te hace tener la boca cerrada para conservar algo que se parezca remotamente al control de tu vida, puede resultar difícil de entender para los nativos de otros signos, sobre todo en lo que se refiere al amor y la amistad. Tu lado callado es comprendido tan sólo por quienes tienen la misma tendencia que tú, pero si tratas con un charlatán como Géminis, por ejemplo, un signo que es como un libro abierto, tu necesidad de distanciarte podría ocasionar conflictos y herir sentimientos. Una pareja Géminis podría acusarte de pecar por omisión; no de decir algo que sea mentira, ya que Escorpio suele insistir bastante en el tema de la sinceridad, sino de guardarte información deliberadamente con el fin de obtener alguna ventaja. Esto puede suceder en tu relación casi con cualquier signo, pues tú posees un punto de vista muy diferente en cuanto a la «gestión de la información».

No cabe duda de que durante buena parte del tiempo te gusta mantenerte a distancia del resto de la humanidad. En esto te pareces mucho a tu planeta regente, Plutón, que se encuentra en las regiones distantes de nuestro sistema solar, tan lejos que casi parece que estuviera rotando solo en su propio universo. Asimismo, los Escorpio desean evitar verse en exceso influidos o contaminados por otros signos, quizá para conservar su pureza de propósitos y una fuerte integridad dentro de sí. Tu intensa necesidad de intimidad encaja también con la descripción global de tu personalidad, porque tu signo rige, entre otras cosas, la pasión, la sexualidad y la reproducción, una parte de la vida que es también bastante íntima y privada. Escorpio no es famoso por ser un signo promiscuo en lo que refiere a la vida, el amor y la sexualidad; de hecho, es sumamente fiel.

El tema de los secretos y la confidencialidad tiene que ver con la intimidad y cae dentro del dominio de Escorpio. Si tienes un secreto y se lo cuentas a un nativo de este signo, tu secreto estará a salvo, pero él no te contará a ti los suyos. ¿Conoces el chiste: «No puedo contártelo, o tendría que matarte»? Se parece mucho. Escorpio se toma muy en serio las confidencias y los secretos. Si se le dice que no puede contárselo a nadie, ni con torturas físicas se logrará que diga nada. Y si tú cuentas algún secreto suyo que te haya confiado, olvídate; se acabó vuestra amistad. Tendrá dificultades para volver a confiar en ti. Con frecuencia es cierto que para Escorpio el hecho de revelar un secreto es peor que lo que ese secreto pueda contener. Sabemos que para los nativos de este signo es muy importante la fidelidad sexual; se toman los votos muy en serio. Ten en cuenta que Escorpio es un signo fijo, leal, dado a cumplir su palabra y a insistir en una sinceridad total.

Por otra parte, tampoco debes olvidar que Escorpio es un signo que disfruta estando en el centro mismo del poder. También es un signo bastante práctico, de mucha mundología y que lidia bastante bien con la realidad; dicho de otro modo, sabe qué se puede cambiar y qué no. Al mismo tiempo, cuando un Escorpio nos da su palabra, es para siempre. En el amor y en el trabajo, los signos más compatibles contigo son los de agua (Piscis, Cáncer y Escorpio), o bien los de tierra, prácticos y sólidos como una roca (Tauro, Capricornio y Virgo). Los nativos de signos de tierra estabilizarán de manera atractiva tu energía de alto voltaje, mientras que los de agua prácticamente serán capaces de leerte la mente de forma muy fluida e instintiva y te darán la sensación de estar sincronizado con ellos. En realidad, los mejores para ti son los signos de agua, y después los de tierra. Ten en cuenta que debes observar tu carta astral en su conjunto, pues podría haber motivos para considerar compatible casi cualquier signo del zodíaco, dependiendo de las configuraciones que contenga.

En los negocios, Escorpio ha perfeccionado el arte de hacer tratos, y también es muy consciente de la necesidad de mantener y asegurar los límites de su territorio. Su lema es: «Sospechar de todos y no fiarse de nadie». No te rías, ellos lo siguen a pies juntillas. Aunque el Escorpio medio es bastante sensible, jamás lo descubrirás; juegan bien al póquer, pues prácticamente lo han elevado a la categoría de una ciencia. Si eres Escorpio, sabrás que no parpadeas gracias a tus nervios de acero, que te ayudan a hacer frente a una enorme presión. Los antiguos sabían que los nativos de este signo son capaces de soportar una gran dosis de sufrimiento en su camino hacia el éxito en la vida, en cualquier nivel, ya sea físico, emocional, mental o económico. Esto es así porque tu corregente Marte, el planeta guerrero, te aporta una determinación inquebrantable.

FINANZAS

La octava casa es la parte del horóscopo natural de Escorpio, la casa que rige la muerte y la renovación, pero también las cuestiones económicas distintas de las que tienen que ver con el salario y los ingresos por el trabajo, en concreto las herencias, los préstamos, los derechos de autor o de patente, las comisiones, las hipotecas, los seguros y los impuestos. Este énfasis en «el dinero de otras personas» explica por qué de este signo salen algunos de los mejores negociadores del zodíaco. Si eres Escorpio, tienes muchas posibilidades de haber sido dotado de la capacidad de ser bastante astuto y avispado. Los que te conocen saben que haces tus deberes antes de sentarte a la mesa de negociaciones trayendo contigo una carpeta entera de información sobre tu socio (o contrincante). Escorpio no deja nada al azar.

Tú sabes que revelar lo mucho que deseas algo te quita fuerza, cosa que un Escorpio no está dispuesto a tolerar. Se te da maravillosamente bien ocultar todo tipo de nerviosismo y mostrar en cambio una calma exterior y al mismo tiempo una fuerte intensidad, mezclando perfectamente empeño y deseo. Está claro que Escorpio es un signo que entiende no sólo la fuerza en bruto, sin domesticar, sino también la necesidad de controlarla. Posees nervios de acero y siempre estás dispuesto a levantarte de la mesa y marcharte con un aire de indiferencia, aun cuando desees desesperadamente ese acuerdo. Así es como sueles obtener lo que quieres. Tu regente, Plutón, gobierna las poderosas empresas multinacionales, y cuando tu regente está activo en tu carta astral, por lo general hay alguna gran empresa que está interviniendo como un mecenas en tu vida. El hecho de trabajar con personas o entidades poderosas no arredra a Escorpio; en realidad te gusta, y es posible que durante toda tu vida te relaciones con grandes empresas de un modo u otro.

Aunque el dinero y la negociación son importantes, el elemento clave para un Escorpio es el de ganarse el respeto de los demás. Los signos de agua son signos espirituales, y por eso las emociones que envuelven la situación son tan importantes como el hecho de conseguir dinero, o quizá más. Los Escorpio son capaces de levantarse de la mesa de negociaciones si se hace evidente que la otra persona no está mostrando el debido respeto y deferencia hacia ellos y los suyos. En ese punto, el juego de pronto ha perdido interés para ellos. Si ocurre algo así, tienden a recoger sus trastos de repente y marcharse, contentos con que haya otros peces en el mar, porque ese trato no merece la pena.

La sociedad trata de mantener a raya la innovación interponiendo obstáculos para poner a prueba la resolución de la persona. La mayoría de los Escorpio opinan que merece la pena intentar convencer a los poderosos de que los vean como personas que existen fuera de las normas generales. Si bien el dicho «Las reglas están para romperlas» suele ser cierto, esto no quiere decir que a ti te guste infringir la ley. Escorpio es un signo muy comprometido con la mediación humana para encontrar el castigo apropiado para cada delito. Este es un punto de vista muy positivo y típico de los Escorpio, que saben intuitivamente que pueden hacer cambiar de idea a cualquiera si presentan su razonamiento de manera apropiada y persuasiva. Un verdadero Escorpio mantiene vivas todas sus optimistas expectativas y opciones. ¿Quién no ha tenido una idea nueva en el trabajo que choca con un montón de oposición que no parece tener ningún sentido? La capacidad de Escorpio para triunfar contra toda adversidad es legendaria.

Asociada a este concepto va tu capacidad de establecer tus propias normas con respecto al éxito, querido Escorpio. Tu signo debe de ser el que acuñó la expresión «afán de superación». A los Escorpio no les gusta que les comparen con otros; ellos más bien se comparan consigo mismos, siempre están tratando de superar las victorias o los logros que hayan conseguido anteriormente. Esto les hace ser menos proclives a dejarse influir por lo que está de moda y más a escuchar los dictados de su propio corazón. A menudo les hace gracia que otras personas se sientan empujadas a dar su opinión, ya sea con un cumplido o con una crítica, sobre su rendimiento; es probable que estén diciendo para sus adentros: «¿Quién te ha dado vela en este entierro? ¿Quién eres tú para opinar sobre mi rendimiento?». Tu asombrosa seguridad y tu independencia te ayudarán a conseguir muchas cosas. No es probable que te subas a una montaña rusa emocional en la que tus acciones suban y bajen según los elogios de los demás. Tú te lanzas hacia delante con la vista fija en tu objetivo y sabes que lo más importante es lo que opines tú de ti mismo.

También eres fuertemente competitivo. Escorpio jamás entrega el poder de buen grado; su mantra es: «El poder nunca se da; hay que conquistarlo». Su capacidad para establecer sus propias condiciones, normas y objetivos en vez de permitir que los fije su competidor le permite ganar. Ser competitivo y al mismo tiempo dueño de sí mismo puede parecer una contradicción, pero ambas cosas encajan perfectamente en la personalidad de Escorpio.

El hecho de no ser muy hablador puede ser una ventaja, ya que pocas personas serán capaces de averiguar lo que estás pensando. Llegarás a saber todo lo que hay que saber de otra persona dejándola hablar, pero ella rara vez conocerá ni el más pequeño detalle sobre ti. Soberbios a la hora de escuchar, los Escorpio no sólo prestan atención a lo que dice el otro, sino también a su lenguaje corporal y a los gestos de su cara. Tu signo rige las raíces que penetran en la tierra y todas las cosas ocultas a la vista, y eso te hace astuto e intuitivo. Tienes olfato para lo que sucede a tu alrededor. Esta es una cualidad que empleas a diario en tus relaciones y en tu trabajo. Los Escorpio son excelentes detectives o periodistas de investigación, y sobresalen en cualquier campo que requiera hacer un descubrimiento, porque poseen un sexto sentido para saber cuándo las cosas no parecen encajar. Este mismo talento les ayuda a hacer descubrimientos científicos porque ven conexiones ocultas bajo la superficie. Tu aguda sensibilidad te avisa cuando los demás no te están diciendo la verdad. Si descubres que es eso lo que está sucediendo, te empeñarás en llegar al fondo de la situación para desvelar lo que estaba escondido, por mucho tiempo que te lleve hacerlo. Escorpio posee una resistencia y una paciencia increíbles.

No creas que vas a salirte con la tuya engañando a un Escorpio, porque no podrás; él te pillará todas las veces. Pero eso no es todo. No sólo su capacidad para ver los detalles hace brillar a los Escorpio, sino también el modo en que comprenden lo que hace vibrar a la gente. Las motivaciones humanas constituyen su especialidad. Es posible que los Virgo tengan una ligera ventaja sobre ellos a la hora de descubrir pistas y detalles, pero a los Escorpio se les da mejor «sumar dos y dos» una vez que han dado con esas pistas.

CARRERA PROFESIONAL

Hay muchas profesiones que sacan lo mejor de las características y el talento de Escorpio. Este signo rige a los detectives, el espionaje y las actividades subversivas y clandestinas, así como a los agentes secretos. (A propósito, Fox Mulder, de *Expediente X,* y James Bond tienen rasgos clásicos de Escorpio.) Los nativos de este signo también son estupendos policías o encargados de hacer cumplir la ley. Fiscal de distrito, juez o abogado son asimismo profesiones adecuadas para Escorpio. Dicen que los abogados de este signo son particularmente persuasivos en sus alegaciones de presentación o de conclusión porque tratan sucintamente los argumentos clave que más importan al jurado.

También son perfectos para ti los empleos que exigen valor y capacidad para soportar situaciones de gran esfuerzo físico, así como los que requieren aminorar la marcha y fijar prioridades. Así pues, piensa en una carrera en el campo de las ventas o, como tienes tanta autodisciplina y tanto coraje, en las fuerzas armadas.

Tanto el mundo de los negocios como el ejército valorarían el talento que posee Escorpio como estratega. Igual que el campeón de ajedrez o el general a punto de entrar en combate, tú planificas las cosas detenidamente tomando en cuenta por adelantado todos los movimientos de tu oponente. Los Escorpio no hacen nada sin una enorme preparación.

El dominio de tu signo sobre la casa octava te aporta talento para todas las actividades que tengan que ver con obtener rentabilidad. Podrías ser bueno recaudando capital para invertirlo, gestionando grandes presupuestos, negociando acuerdos, trabajando con legislación fiscal o económica, y actividades similares. Puedes pensar en la banca, las inmobiliarias, los fideicomisos, los seguros, la contabilidad, las leyes fiscales o el mercado de valores, pues todas estas son áreas en las que podrías disfrutar y destacar.

Otra vía profesional con la que Escorpio guarda una estrecha relación es la de la medicina, debido a la fuerte capacidad de transformación de su regente, Plutón, y a su vínculo con el arte de la curación. La casa octava, que corresponde a los finales y la renovación, rige la cirugía (el médico extirpa la parte del cuerpo que ya no se necesita). Así, teniendo en cuenta al corregente de este signo, Marte, el planeta que rige los instrumentos afilados, los Escorpio suelen ser excelentes cirujanos. Todas las partes de la medicina pueden ser áreas favorables para ellos. Son buenos químicos, farmacéuticos, biólogos, bioquímicos, investigadores, patólogos, obstetras, especialistas en fertilidad, radiólogos y acupuntores. Y no olvidemos el mundo intelectual, ya que Escorpio es un maestro a la hora de entender las motivaciones humanas. Las carreras de psicólogo, psicoanalista e hipnoterapeuta resultarían excelentes también.

Estudia la posibilidad de trabajar en el sector de la seguridad, ya sea como especialista en dispositivos de vigilancia, cerrajero o guardaespaldas. Los Escorpio pueden destacar en la industria minera, desenterrando metales valiosos, minerales, combustibles fósiles o piedras preciosas, actividades que son un reflejo de su regente, Plutón, que gobierna lo que está oculto o bajo tierra. Por último, el hecho de pertenecer a un signo de agua te proporciona éxito como comerciante de vinos, licores u otras bebidas, o si trabajas en cualquier área relacionada con los cruceros de placer.

CUERPO, MENTE Y ESPÍRITU

A los Escorpio les va bien pasar un tiempo a solas de vez en cuando para recuperar la energía y centrarse. Dotados con un elevado metabolismo y abundante fuerza (como ya he dicho, su corregente es Marte, el activo planeta guerrero), necesitan encauzar de una manera vigorosa su considerable energía. Correr solo o compitiendo con otros o entrenarte para una maratón podría representar para ti un oasis de paz en medio del ajetreo del día. Elige una forma de hacer ejercicio que te permita ir por tu propio camino y a tu propio ritmo. También podría interesarte practicar el levantamiento de pesas. Aunque eres muy competitivo, en el ámbito de la salud y la buena forma no te interesa demasiado compararte con los demás. Trabajas para complacerte a ti, lo cual es una actitud bastante saludable.

No te engañes, con un regente como Plutón —el gran y poderoso transformador—, los Escorpio son bastante robustos y están dotados de una notable resistencia. A Plutón se lo considera también el planeta de las obsesiones. En alguna ocasión te habrás llevado a ti mismo demasiado lejos debido a tus elevadas expectativas. Procura concederte el descanso necesario, querido Escorpio, y no te enfrasques en el trabajo hasta el punto de saltarte las comidas.

El hecho de parecer y sentirte más sexy al hacer el amor podría motivarte a mantenerte sano y en forma durante toda la vida. Por lo general, tú no tienes debilidad por las comidas fuertes ni por los dulces. Más bien, cuanto más sencilla y normal sea tu dieta, mejor. Algunos Escorpio tienen el estómago delicado, y eso podría explicar el hecho de que te inclines más por los platos clásicos y sencillos. Con esa dieta y tanto ejercicio, normalmente te las arreglas para conservarte delgado.

Astrológicamente, las partes del cuerpo que rige Escorpio (y Plutón) son las glándulas reproductoras, la vejiga y el recto, y por lo tanto es posible que sean estas zonas las que te causen preocupación. Esto puede traducirse en dificultades con la próstata o con los testículos en el caso de los hombres, por ejemplo, o en problemas con los órganos de la reproducción (ovarios, útero) en las mujeres. Es importante hacerse revisiones médicas sistemáticas, ya que esos problemas se pueden identificar rápidamente. Es probable que para las mujeres Escorpio sea una buena idea escoger dar a luz en un hospital en vez de un centro de partos, por si de pronto surgiera la necesidad de consejo médico durante el alumbramiento. Sin embargo, por regla general tu signo es fuerte, querido Escorpio, de modo que con toda seguridad posees las reservas internas necesarias para superar casi cualquier obstáculo.

RESUMEN

Escorpio es un signo que nos habla del poder y de cómo contenerlo y controlarlo. Esto proviene de tu planeta regente, Plutón. Tú no malgastas la energía, sino que más bien la concentras en aquello en lo que te has empeñado. Por eso Escorpio consigue tanto, y por eso parece emitir energía procedente de un generador que llevase dentro. En lugar de despilfarrar energía (como hacen algunos signos), Escorpio la retiene y la reparte con cautela, previsión y cuidado. Otros signos tienen problemas para ponerse a tu altura porque, igual que el plutonio, tú nunca pareces quedarte sin fuerzas. Como el plutonio, no puedes enterrar, quemar ni destruir tu energía, y está bien documentado que la determinación que caracteriza tu signo es capaz de demoler paredes de hormigón. Muchos Escorpio son también unos perfeccionistas muy exigentes, porque les gustan las cosas hechas a conciencia.

El punto fuerte de Escorpio estará siempre en el mundo emocional. De los otros signos fijos, Leo irradia energía creativa, Tauro posee la capacidad de tomar el dinero y construir empresas, Acuario aporta al mundo ideas innovadoras y científicas. El talento de Escorpio radica en su energía agudamente emocional, espiritual, y como tal, es el más misterioso de todos. Su capacidad para guardar rencor durante años o para vengarse está bien documentada. Al mismo tiempo, su capacidad para cumplir una promesa o asumir un compromiso que supere la prueba del paso del tiempo, con independencia de los obstáculos inesperados que se interpongan en su camino, es también una parte muy importante de la personalidad de Escorpio.

Los mitos de Escorpio y Plutón

Octubre es el mes del año en el Hemisferio Norte (en donde nacieron todos los mitos de la astrología) en el que la Tierra comienza a oscurecerse. Los árboles pierden las hojas y empiezan a nutrir la Tierra. En las antiguas religiones naturales se creía que en otoño los dioses y diosas empezaban a pasar el tiempo en el mundo subterráneo y que la primavera no regresaría hasta que ellos volvieran a la Tierra.

De manera muy apropiada para los Escorpio, signo que rige el ciclo de la vida, la muerte y el renacimiento, festividades como el Halloween (31 de octubre) y el Día de Todos los Santos (1 de noviembre) se celebran en muchas culturas durante esta misma época del año. La celebración más antigua que se conoce de estas características es la fiesta de Samhain Eve, entre los celtas, en la fecha en que se creía que se levantaba la cortina que separaba los vivos de los muertos, permitiendo así el libre acceso entre ambos mundos. En América Latina también existen festividades durante las dos primeras semanas de noviembre (dentro del período correspondiente a Escorpio) que conmemoran y honran a los muertos.

En la mayoría de los mitos, los héroes tienen que probar su valor y su determinación. Ningún viaje se consideraba tan aterrador y peligroso como una visita al mundo subterráneo (o «mundo de los muertos»). A Hades, rey del mundo subterráneo (el dios griego equivalente a Plutón), no le gustaba tener visitantes, y los que hacían el viaje para verle no regresaban jamás, o por lo menos ese era el caso de la mayoría. Todo el que conseguía volver era sin duda considerado un héroe.

PERSÉFONE Y HADES

La historia de Perséfone está llena de simbolismos, y parece ser reflejo de muchos de los temas de Escorpio. Perséfone era la única hija de Zeus y Deméter. Por supuesto, Zeus era el más poderoso de los dioses del Olimpo, señor del cielo y de la tierra, de los dioses y de todos los seres humanos. Deméter era la diosa de la fertilidad y de las cosechas. Hades, dios del mundo subterráneo, se fijó en la encantadora Perséfone, que era virgen, y se enamoró de ella rápidamente. No tardó mucho en decidir que debía ser su esposa. Un día, cuando ella estaba jugando en el prado entre las flores, la raptó y se la llevó a su reino.

En otra versión de este mismo mito, Hades aparece en un carro tirado por cuatro caballos negros que cruzan la pradera con fuerza atronadora. Agarra a Perséfone con un brazo y la desflora allí mismo, dejando el prado salpicado de pétalos de todos los colores. En el momento del rapto, Perséfone gritó pidiendo socorro, con la esperanza de que la oyeran sus amigas o su madre, pero, según el relato, Hades actuó con tal rapidez que nadie vio el incidente y por lo tanto nadie pudo ayudarla. Para que conste, parece ser que Zeus, el hermano de Hades (que era, por lo tanto, tío de Perséfone) estaba enterado del inminente secuestro antes de que este tuviera lugar, pero no hizo nada para evitarlo. Cuando Hades hubo agarrado a Perséfone, el carro desapareció en una misteriosa abertura en la tierra, la cual se los tragó rápidamente sin dejar rastro.

Cuando Deméter, la madre de Perséfone, llegó al prado para recoger a su hija y no la encontró, se volvió loca de inquietud. Durante los nueve días siguientes, la buscó por todos los rincones de la Tierra sin detenerse a comer ni a dormir. Naturalmente, estaba muy turbada —furiosa, en realidad— y en aquel momento no tenía ni idea de lo que había sucedido. En su caminar fue destruyendo cosechas, tierras y ganado, buscando a su hija por todas partes. Pronto se hizo evidente que si Deméter continuaba haciendo eso, la Tierra quedaría completamente asolada. Estaba desbocada, y como no se detenía ante nada, pronto destruiría a la humanidad entera.

Por fin Deméter supo por Hécate, diosa de la luna nueva, que Perséfone había sido raptada, pero no estaba segura de por quién. Deméter y Hécate consultaron al dios Sol, Helios, que lo ve todo a través de su brillante luz, y este les confirmó que Hades era quien había raptado a Perséfone, y les contó lo que había ocurrido exactamente. Deméter quedó horrorizada, y aunque Helios intentó convencerla de que aceptase el destino de su hija al lado de Hades, ella se negó en redondo.

De hecho, Deméter se negó a regresar al monte Olimpo. También estaba enfurecida porque sospechaba que Zeus había tenido la oportunidad de impedir el secuestro. Se transformó en un ser mortal y vagó por la Tierra prohibiendo que esta produjera frutos, hortalizas y hierbas. Al cabo de un año de hambruna, Zeus comprendió que iba a tener que intervenir y hacer algo drástico para salvar la Tierra. Si Deméter continuaba con aquella actitud, todos los seres vivos morirían y ya no habría mortales que adorasen a los dioses. Zeus estaba claramente preocupado.

En primer lugar, probó a enviar una serie de dioses a razonar con Deméter, pero sin éxito. Ella se negó firmemente a hacer trato alguno hasta que tuviera de nuevo a su hija. Al final, Zeus se dio cuenta de que Deméter no iba a ceder. Así pues, envió a Hermes, mensajero de los dioses, a negociar con Hades en su nombre, quien accedió a dejar libre a Perséfone porque esta aún no había probado la comida de los muertos. Había estado tan afligida que se había negado a comer.

Justo cuando iba a salir del mundo subterráneo (probablemente sintiéndose bastante aliviada y contenta), Hades la engañó convenciéndola para que comiera un solo grano de granada. (Algunas versiones del mito difieren en este punto, diciendo que el jardinero de Hades dio un paso al frente para informar de que Perséfone ya había comido siete granos de granada durante su estancia.) Con independencia de la versión que prefiramos, todos los relatos coinciden en que todo aquel que visitara a Hades no podía marcharse si había probado la comida de los muertos, y punto. Como vemos, de pronto había surgido un gran problema.

Rea —madre de Zeus, Deméter y Hades— discurrió una solución con la que todos estuvieron de acuerdo, aunque a regañadientes. Perséfone habría de pasar seis meses (algunas versiones dicen que tres o cuatro meses) en el Hades y el resto del año en la Tierra con su madre Deméter. Durante los meses fríos, cuando Perséfone residiera con su esposo, Hades, sería la Reina del Mundo Subterráneo. Deméter cumplió su promesa de devolver la fertilidad a la Tierra y también regresó a su debido lugar en el monte Olimpo. Por otro lado, en cumplimiento de lo estipulado, durante el tiempo en que Perséfone dejase su casa para convertirse en esposa de Hades en el mundo subterráneo, la Tierra quedaría fría y desierta hasta su retorno en la primavera, cuando recuperaría el calor y volverían toda la vegetación, los frutos y la belleza de la vida.

Plutón, además de simbolizar el renacimiento y el rejuvenecimiento, representa también la pérdida y las cosas a las que renunciamos para dejar sitio al crecimiento y la madurez. A menudo, cuando se experimenta un fuerte tránsito de Plutón, es como si nos arrancaran algo sin lo cual no nos sentimos capaces de vivir. Puede ser la muerte de un ser querido o la pérdida de una situación (un trabajo) o una relación que ha durado mucho tiempo y que ahora se termina. Los finales forman parte de la vida, y aunque en ocasiones tengamos la sensación de no poder continuar después de experimentar esa pérdida, en realidad somos más fuertes precisamente por ello.

Además, Plutón representa los pensamientos e ideas enterrados y reprimidos que residen en el subconsciente. (También Neptuno gobierna el subconsciente, pero tiene un papel distinto, el de supervisar los sueños, las inspiraciones y las aspiraciones.) En el mito, Deméter renunció a su hija y al hacerlo experimentó una pérdida y un dolor terribles. También lamentó que Perséfone perdiera la inocencia, y por eso el mito habla de la separación de madre e hija, tan necesaria para que la hija crezca y se convierta en una mujer. Con el retorno de Perséfone a Deméter y al mundo de los vivos, el mito simboliza el cíclico despertar espiritual y la nueva vida que sentimos en primavera. Cuando Perséfone regresó con su madre había cambiado, y madre e hija lo entendieron. Al igual que Perséfone, la personalidad de Escorpio tiene un lado sumamente brillante que coexiste con su lado oscuro. Este signo posee la capacidad de elegir qué energía ha de predominar, la mala o la buena.

LAS AVENTURAS DE GILGAMÉS

Existe otro poderoso mito que pertenece al signo de Escorpio, un antiguo relato sumerio que data del 2100 a. C. y que es por lo tanto una de las historias de héroes más antiguas que conocemos. Se trata de las aventuras de Gilgamés, que también se cuentan en este libro en el apartado: «Los mitos de Acuario y Urano». El relato es demasiado largo para reproducirlo aquí, pero lo esencial consiste en que Gilgamés, un rey sumerio, emprendió un viaje que requería cruzar un territorio montañoso muy peligroso guardado por dos leones (Leo), un toro (Tauro) y los temibles «hombres escorpión». El mito se centra en la capacidad de Gilgamés para probar su temple. Tras luchar con los dos leones, tuvo que recorrer a pie un túnel de cincuenta y ocho kilómetros que no tenía ninguna clase de luz. Al salir de la oscuridad del túnel a la tierra de los dioses, fue recompensado por sus pruebas y tribulaciones. Entonces llegó a un lugar mágico lleno de joyas refulgentes que colgaban de las ramas de los árboles. Este recorrido a través de la oscuridad ha sido comparado con un viaje a las profundidades del Hades, que prevalece en muchos mitos posteriores y se refiere a la capacidad de la persona para enfrentarse a sus demonios interiores y encontrar significado a su vida.

Los antiguos pensaban que el único camino para hallar la sabiduría era a través de la experiencia adquirida mediante duras pruebas. Bajar a las profundidades de nuestro ser puede ser para algunos una experiencia dolorosa si hay que enfrentarse a problemas turbadores, íntimos, de la psicología interior de la persona. Sin embargo, la fuerza de Escorpio nos muestra el camino de salida. Los nativos de este signo poseen más fuerza interior que la mayoría de la gente, y por ese motivo cuentan con una reserva de energía a su disposición cuando la necesiten.

Las serpientes siempre han sido criaturas interesantes, y aparecen en la Biblia y en otros lugares en todo tipo de mitos y rituales. Mudan la piel de manera regular, cada vez que crecen para renovarse..., un símbolo adecuado para Escorpio. Si has leído el apartado titulado «La personalidad de Escorpio», sabrás que la serpiente es uno de los tres símbolos (escorpión, serpiente y águila) más estrechamente asociados con tu signo.

LA SERPIENTE COMO SÍMBOLO DE ESCORPIO

En los primeros tiempos de Creta, se consideraba a la serpiente depositaria de los secretos de la vida y de la muerte, además de ser el símbolo de la sexualidad. En otras narraciones, la serpiente posee sabiduría para compartir, como en la historia de Casandra de Delfos, que era considerada una profetisa que poseía el don de predecir el futuro. Según este mito, Casandra había sido abandonada por sus padres por error una noche entera a las puertas del sagrado templo de Apolo. Mientras estaba dormida, las serpientes le lamieron las orejas para purificar su alma y otorgarle el don de la profecía, un don que conservaría durante toda su vida.

Las serpientes se utilizaban también en la ceremonias religiosas (el vínculo entre Escorpio y la religión y la espiritualidad es muy fuerte) porque se pensaba que guardaban los secretos de la vida y de la muerte. Se empleaba veneno de serpiente en diversos rituales porque se creía que era capaz de provocar un estado alucinatorio, incluida la capacidad para tener visiones. Algunos pueblos antiguos pensaban que el hecho de ingerir veneno de serpiente les ayudaría a curarse. Otros creían que al ingerir su veneno se podía visitar a los muertos para conocer los secretos de la salud y la curación antes de regresar al mundo de los vivos. El vínculo de unión entre la curación y las serpientes constituye un tema persistente que ha llegado hasta nuestros días; nos lo recuerda el símbolo del caduceo que se utiliza en la profesión médica: un bastón con dos serpientes enlazadas alrededor de él.

Por último, Escorpio, el segundo signo de agua, se diferencia de Cáncer, el primer signo de agua, de un modo muy claro. Cáncer se ocupa sobre todo de la familia y la crianza de los hijos, mientras que Escorpio rompe el vínculo entre el padre o la madre y el hijo (como en la historia de Perséfone), para que este forme una relación verdadera y más estrecha con su pareja. El hecho de que Plutón sea el regente de este signo subraya la necesidad de alcanzar la unión por medio de la sexualidad o de la fusión. Este tema de unirse estrechamente a otra persona necesita controlarse; es como si el subconsciente de Escorpio comprendiera que en su intenso deseo de fusionarse con otro, corre el peligro de perder su identidad y por eso se aferra firmemente a ella, luchando por tener algo de control y dominio sobre esa situación o relación.

El sexo, el embarazo, el nacimiento y la muerte son fuerzas silenciosas que tocan el núcleo de los misterios de la vida y que tienen lugar en lo más profundo de nosotros. El agua que nos rodea dentro del útero es un reflejo de la intensa y emocional vida interior de Escorpio. Se remonta al acto sexual en sí, tal vez la actividad más íntima y privada de nuestra vida. Escorpio se considera un signo «femenino» (irradia una carga negativa en vez de positiva), y como tal proporciona la intuición y la comprensión de la sabiduría universal. Su intuición es un mecanismo de supervivencia que siempre prevalece, un pozo profundo del que surtirse cada vez que lo necesite, para siempre.

La personalidad de Sagitario

Sagitario
22 de noviembre - 21 de diciembre

Principio guía
«Aspiro»

Cómo disfruta este signo
Disfruta ampliando horizontes por medio de los viajes y la recopilación y preservación de información para que sea accesible a todo el mundo.

En el nuevo milenio, tu contribución al mundo será...
Como filósofo del zodíaco, tu misión es la de estudiar el rico espectro de los acontecimientos humanos para entender la consciencia colectiva. Ahora, más que nunca, tu excepcional capacidad en este ámbito será estimulada y admirada.

Cita que te describe
«Investigo... no la noche, sino un amanecer para el cual ningún hombre ha madrugado nunca lo suficiente.»

HENRY DAVID THOREAU, un *Cáncer*

Recordando tu época en el instituto o en la universidad, ¿te acuerdas de cuál era tu profesor favorito? Tal vez fuera un profesor universitario que te impartía teología, ciencias políticas, ética, lógica o sociología. Debido a su estilo penetrante a la hora de presentar esa materia, ciertamente, ese profesor podría haberte enseñado prácticamente cualquier asignatura en casi cualquier curso. Es posible que cuando llegaste por primera vez a su clase no abrigaras grandes expectativas, pero una vez que le oíste hablar, tu actitud cambió; estabas impaciente por volver a oírle. Probablemente, él te animaba a que hicieras preguntas en las que nunca te habías parado a pensar, y luego te desafiaba a buscar las respuestas. Con suerte, es posible que tengamos uno o dos profesores así en la vida. Esta clase de maestros puede ayudarnos a descubrir talentos latentes y proporcionarnos la seguridad necesaria para desarrollarlos al máximo. Los grandes profesores nos hacen salir del bache y nos zarandean un poco. Es muy posible que tu profesor favorito fuera un Sagitario, porque todo lo que he descrito hasta ahora se le da muy bien a este signo. Dentro de cada Sagitario hay una indudable grandeza de mente, corazón y espíritu que resulta decididamente contagiosa y totalmente inolvidable.

La enseñanza suele ser algo que los Sagitario llevan en la sangre. Expresan esta maravillosa cualidad ya sea en sentido formal, trabajando de profesores universitarios, mentores o jefes de un subordinado con talento, o de manera más informal, como un amigo o padre que ofrece su sabio consejo y estimula a apreciar la visión de conjunto. Sagitario siempre animará a los demás a formular las preguntas difíciles en vez de simplemente aceptar lo que se ve en la superficie.

SÍMBOLOS

La constelación de Sagitario, que se encuentra en la Vía Láctea, es la del centauro: medio hombre, medio caballo. Los astrólogos opinan que este símbolo personifica la capacidad del ser humano de elevarse por encima de sus instintos animales y al mismo tiempo conservar parte del poder y la fuerza sobrehumanos que posee el animal. Los signos de fuego son famosos por ser intuitivos e innovadores, así como por su entusiasmo y su creatividad. En esta constelación, el centauro sostiene un arco y una flecha y la apunta hacia los cielos, indicando con ello el supremo optimismo de este signo y la necesidad de continuar aspirando a altas metas. Es cierto que cuando Sagitario alcanza una meta ya está en camino hacia la siguiente.

Si algo es cierto acerca de la personalidad de este alegre signo, es que el hecho de esperar lo mejor puede ser una profecía que lleva en sí su propio cumplimiento. El símbolo astrológico de Sagitario recuerda su papel de arquero, porque consiste en una flecha con una barra que la atraviesa en la parte de abajo formando una cruz. Este símbolo parece representar la eterna lucha entre los sueños y la realidad, pero también señala el asombroso poder del guerrero en el combate. La flecha apunta hacia arriba; así el guerrero está siempre seguro de obtener la victoria al final. Si existe algún signo que diga: «¡Sí, puedo hacerlo!», ese es Sagitario.

Al observar el símbolo de tu regente, se aprecia una relación importante entre Júpiter y Saturno. El símbolo de Júpiter es parecido al de Saturno, pero está dibujado exactamente al revés (véase el símbolo de Saturno en el apartado «La personalidad de Capricornio»). Esto tiene su lógica, ya que cada planeta tiene influencias opuestas. Saturno restringe y limita, mientras que Júpiter expande y trae abundancia. En Júpiter el semicírculo (la media luna) se alza por encima de la cruz, lo cual significa que aunque la mente y el cuerpo estén unidos, la mente es capaz de elevarse por encima del mundo material. El papel de Júpiter consiste en expandir desde el centro hacia fuera, mientras que la misión de Saturno es llevar el exterior hacia el interior, hacia el centro. Júpiter es grande y gaseoso, Saturno es pequeño y denso.

Júpiter representa la necesidad del alma de crecer, mejorar y tener más experiencias. También personifica la necesidad humana de triunfar y, en materia de salud, de experimentar una sensación de bienestar. También la fe forma parte de este planeta, ya que la media luna (los sentimientos) se alza sobre la cruz de la materia. El símbolo de Saturno es justamente lo contrario: la cruz de la materia situada encima del semicírculo del alma. Dicho de otro modo, la realidad del mundo material domina el reino de Saturno, mientras que en la esfera de Júpiter la fe lo conquista todo. Es necesario equilibrar ambas necesidades. Por ejemplo, el crecimiento de Júpiter, si se deja que se descontrole, podría volverse grandioso, exagerado, y expandirse sin control alguno. Y aunque Saturno lo mantiene todo dentro del mundo de la realidad equilibrando la exuberancia de Júpiter, si se lo deja solo podría perder el ánimo muy deprisa, abrumándose y deprimiéndose, demasiado «estancado» para poder avanzar.

INFLUENCIAS PLANETARIAS

Eres afortunado, Sagitario, porque estás regido por Júpiter, el planeta considerado el gran benefactor, el planeta de la fortuna, la prosperidad, la compasión, la fe y la verdadera felicidad. En la tradición astrológica, Júpiter es el planeta que protege y cuida igual que un padre cariñoso, recompensando el trabajo duro, la amabilidad para con los demás y la fe en nosotros mismos, en el prójimo y en nuestro creador. Este papel de Júpiter como protector tiene también una base científica. Los científicos nos dicen que este planeta lleva años desviando peligrosos asteroides que se dirigían a la Tierra. Su enorme campo gravitatorio saca a esos asteroides de su curso y los desvía de vuelta hacia el espacio.

Júpiter nos trae más oportunidades y golpes de suerte creando nuevos contactos. Genera continuamente esperanza en un mundo lleno de pruebas y tribulaciones. Su gran tamaño nos convence de que pensemos a lo grande y seamos más optimistas y entusiastas. Júpiter no sólo aumenta el favor y la generosidad que nos muestran otras personas, sino que también indica el alcance y la naturaleza de nuestra propia generosidad con los demás.

En cuanto a la salud, Júpiter es famoso por aumentar la vitalidad, la fuerza y el brillo, además de la resistencia a las enfermedades, ya que se le han atribuido también cualidades curativas. Para aquellas personas que sufren una enfermedad crónica o grave, un tránsito de Júpiter en buen aspecto con planetas clave en su horóscopo posee la capacidad de aportar ayuda en forma de un médico que probablemente entenderá su estado y les prescribirá el tratamiento adecuado para que se alivien o se curen. Este es ciertamente un planeta poderoso, y los antiguos escribieron que era capaz de extender su influencia más allá del plano físico, hasta los reinos espirituales. Los astrólogos de la Antigüedad lo llamaban «el planeta de la fe y los milagros», y veían pruebas de ello cuando Júpiter se alineaba de forma magnífica con otros planetas formando un aspecto especial y poco común. Con un planeta regente que posee cualidades como estas, es fácil comprender por qué dicen de los Sagitario que son personas tremendamente optimistas.

Con anterioridad, en el capítulo dedicado a Leo, hemos hablado de la influencia del Sol, regente de este signo, en el horóscopo. Tanto el Sol como Júpiter constituyen influencias beneficiosas en una carta astral, y como comparten algunas similitudes, podría ser fácil confundir la aportación que hace cada uno de ellos al horóscopo. Estudiemos sus similitudes y sus diferencias y veamos los papeles que desempeñan.

En una carta astral, tanto Júpiter como el Sol poseen la capacidad de ayudarnos a buscar el favor de personas de gran autoridad, y también fomentan la buena salud y la fuerte vitalidad. Sin embargo, el Sol (centro de nuestro universo y regente de Leo) es más individual y personal en la influencia que ejerce, ya que una de sus misiones consiste en encontrar características únicas y talentos singulares. También nos ayuda a tener más seguridad en nosotros mismos. Por otro lado, se cree que la aportación de Júpiter llega por medio de la relación entre nosotros y otras personas que estén dispuestas a ayudarnos dándonos una oportunidad de conseguir nuestros objetivos. Este planeta también puede proporcionarnos un magnetismo especial para atraer una relación romántica, amigos y en general una cálida sensación de aceptación. Dicho de otro modo, el papel de Júpiter es social, nos aporta experiencias afortunadas en el mundo exterior, mientras que el Sol es personal y nos permite desarrollar nuestros talentos hasta su máximo potencial. Júpiter a menudo nos ofrece también beneficios económicos, en forma de regalos, dinero o un golpe de suerte, que nos permitirán alcanzar más fácilmente la felicidad. El regente de Leo, el Sol, cuando está bien emplazado, promueve la seguridad en uno mismo y el orgullo de la propia singularidad, lo cual a su vez nos permite presionar hacia delante porque sentimos que nos merecemos el éxito. Cuando uno se siente seguro de sí mismo, los demás se muestran más dispuestos a ayudarle.

Tu regente, Júpiter, acrecienta el buen juicio; es el encargado de la ley, la moral y la ética, y por eso se considera también que tiene el papel de protector de las personas. En un nivel más personal, nos ayuda a construir nuestra visión particular del mundo y del lugar que ocupamos en él, una visión que integra nuestras esperanzas y nuestros sueños, junto con nuestra espiritualidad o nuestras creencias religiosas, en una filosofía personal de la vida. Ya se haya creado consciente o inconscientemente, dicha filosofía forma el esquema con el que trabajamos, el que nos proporciona los principios, la moral y la ética de los que podemos servirnos para que nos guíen a la hora de tomar una decisión importante. Esto es muy especial, y a veces se hace referencia a ello como el «carácter» fundamental de cada uno.

DONES CÓSMICOS

Un horóscopo es una especie de mapa que no sólo nos habla de nosotros mismos, sino que también, en un sentido más amplio, sigue el desarrollo y el progreso del ser humano a lo largo de la vida. El signo de Sagitario, situado en la novena casa del horóscopo, es donde el hombre se hace cargo de sus necesidades inmediatas en relación consigo mismo y con sus padres, sus hermanos, su pareja y sus hijos. Al llegar a esta casa, el hombre ha evolucionado y madurado lo suficiente para tener una visión más amplia del lugar que ocupa en el universo. En este punto de su desarrollo necesita dar forma a sus creencias religiosas, planificar sus estudios y determinar su moral y su ética. Está preparándose para decidir cuál ha de ser su mayor contribución al mundo, y si necesita leer y estudiar más para efectuarla, lo hará aquí, en esta casa. La novena forma parte del radio de influencia del Medio Cielo o ápice de la carta astral. Aquí es donde empiezan a florecer las cualidades del líder. El estudio y la erudición —ya sea por medio del aprendizaje o de la enseñanza— desempeñan un papel de enorme importancia en este signo de fuego, muy reflexivo y en esencia intelectualmente creativo. Quizá sea exigirse demasiado, pero al final merece la pena.

Si eres Sagitario, piensas a lo grande, debido a que tienes como regente a Júpiter, el planeta más grande del sistema solar; en astrología con frecuencia se le llama «el Gran Benefactor» o «el proveedor de dones y de suerte». Astronómicamente hablando, si agrupásemos todos los planetas del sistema solar (excluyendo el Sol, que es una estrella) en una parte concreta del cielo, Júpiter sería más grande que todos los demás planetas juntos. Su enorme tamaño, junto con el hecho de estar asociado desde la Antigüedad con la fortuna y las bendiciones, proporciona a Sagitario una personalidad chispeante. Los nativos de este signo son generosos, joviales, alegres, optimistas, curiosos, atrevidos y, sí, ¡decididamente afortunados!

Los Sagitario son famosos por expandir todo lo que hacen, y extienden sus conocimientos más allá de los límites exteriores de lo que los demás creen posible. Tu optimismo es tan fresco y embriagador que si pudieras embotellarlo, la gente haría cola para comprarlo. En ocasiones, todo el mundo quisiera ser tú, Sagitario, sobre todo en los momentos de apuro, cuando tu incombustible actitud mantiene entusiasmada a la gente que te rodea, y ahí estás tú, para enseñar a los demás cómo aterrizar siempre de pie. Aportas lógica, raciocinio y erudición a todo lo que tocas, y cuando te enfrentas a circunstancias cambiantes eres lo bastante flexible para seguir proponiendo planes alternativos. Se ha dicho que alrededor de un Sagitario siempre pulula una pequeña multitud escuchando todo lo que dice. ¡No es de extrañar! Eliges bien tus ideas y las meditas con detenimiento, y el mundo jamás se cansa de ellas.

En el plano intelectual, Sagitario es uno de los pensadores más profundos y uno de los mayores filósofos del zodíaco. Siendo un signo creativo y de fuego, no teme formular las preguntas misteriosas de la vida, ya sea en cuanto a religión, filosofía, moral o ética. Se esfuerza mucho por disipar las teorías fáciles, pues quiere ver las ideas completamente desarrolladas, ya que siempre lucha por la verdad y la razón puras. Piensa en ti mismo como el guardián de las llaves de las bibliotecas del mundo, que contienen todo el conocimiento que ha ido recopilando la humanidad a través de las épocas. Tú sabes que es necesario proteger y conservar esas bibliotecas, pues guardan la verdad de los siglos. Mantener el nivel de dicho conocimiento es una tarea muy exigente, y por lo tanto Sagitario no se lo toma a la ligera. Todo el que haya escrito alguna vez un libro de investigación sabe que el editor insistirá en ver las fuentes de información en las que se basa el material presentado. Sagitario, el signo que rige las publicaciones, entiende en todo momento esta exactitud en los datos.

A la mayoría de los Sagitario les gusta el trabajo de erudición. De hecho, los astrólogos están de acuerdo en que este signo ha dado origen a la «gente que trabaja en casa», estudiantes y profesores que están sumamente motivados y enfrascados en su trabajo. A Sagitario le gustan tanto los ambientes de estudio y las aulas que es conocido como el signo de mayor probabilidad de volver a estudiar para hacer cursos avanzados, seminarios o cursos de repaso a lo largo de su vida, por muchos años que hayan pasado desde que terminara sus estudios formales. Su curiosidad por el mundo es muy amplia, profunda y constante. Una madre Sagitario vuelve a estudiar a los cuarenta años para licenciarse en Derecho, o un trabajador Sagitario deja su aburrido empleo y se pone a estudiar informática para dar un giro interesante a su carrera. Los Sagitario nunca permiten que la falta de estudios les impida avanzar; tienen la voluntad necesaria y encuentran la manera de conseguirlo, pues para ellos todos los campos de estudio les traen suerte.

En los Sagitario también es muy fuerte la necesidad de aventura a través de los viajes. Un signo de fuego necesita libertad; no es un elemento que se pueda contener. Así pues, si eres Sagitario, sentirás una intensa necesidad de ir allí donde las ideas vivan, florezcan y cambien. Naciste con una fuerte curiosidad y el ansia de ver mundo. Visitando diversas culturas es como crece y madura tu signo. Los astrólogos antiguos opinaban que los viajes por el extranjero eran justamente una manera más de formarse y representaban una forma válida de ampliar los horizontes de una persona y de tener en cuenta otras posibilidades. Si no tienes un juego de maletas, querido Sagitario, deberías pensar en ahorrar para comprarte uno pronto, porque es casi seguro que te pasarás una gran parte de tu vida viajando.

En el fondo, Sagitario anhela resolver algunos de los mayores misterios de la vida. En lo más recóndito de tu cabeza bullen siempre preguntas como: «¿De dónde vengo? ¿Por qué estoy aquí? ¿Cuál será mi principal aportación a mi generación? ¿Cómo puedo contribuir mejor al mundo en su conjunto y cerciorarme de que he aprovechado bien mi paso por la Tierra?». Los Sagitario siempre son conscientes de que la vida tiene una finalidad elevada, y encontrarla se convierte en una necesidad imperiosa para ellos. Si no les es posible hallar una respuesta definitiva, desean crear una teoría que funcione de momento, y probarla con el tiempo. Incluso en un primer encuentro superficial con un Sagitario, sería difícil no captar esa especial seriedad de propósito que exudan todos ellos.

Sagitario está bien dotado para esa búsqueda académica, porque rige la casa novena del zodíaco. Dicha casa ocupa un lugar especial en la rueda del horóscopo, ya que es la del filósofo, el profesor, el guía, el mentor o el sabio. Además rige las publicaciones, la radiodifusión, la comunicación internacional en general y toda clase de educación superior. Rige también el sistema judicial, el gobierno, la espiritualidad, y los viajes y el comercio internacionales. Pertenecen asimismo a este sector del horóscopo las cuestiones relacionadas con la moralidad y la ética.

El polo opuesto de Sagitario es Géminis, cuyo período tiene lugar entre mayo y junio. Como ocurre con muchos opuestos, estos dos signos en realidad tienen muchas cosas en común. Resulta útil fijarse en las características de Géminis, porque este signo comparte el mismo eje con Sagitario, del que aprenderemos algo más al ver el contraste entre ambos. Al igual que Géminis, Sagitario no se considera un signo especialmente emocional, sino más bien intelectual. Ambos son signos mutables, de modo que son bastante flexibles y versátiles, y les encanta jugar con una gran variedad de ideas. No es posible que ninguno de los dos se quede estancado en un método concreto, ya que ambos son conocidos por su capacidad para proponer procedimientos alternativos e imaginativos, incluso (o sobre todo) cuando están sometidos a presión. Si te hace falta alguien que piense con los pies en el suelo y se le ocurran soluciones rápidas, llama a un Géminis o un Sagitario. Si durante un debate o una discusión, a ese Géminis o Sagitario le resulta evidente que la idea necesita ser ajustada o reformada, lo hará de inmediato. La perspectiva de perder el orgullo no preocupa a estos signos; simplemente desean la respuesta correcta. De hecho, su ego no va unido a la verdad en sí, sino al proceso de descubrirla. Dicho de otro modo, lo divertido es encontrarla. Sagitario no es orgulloso como Leo. Esto constituye un punto muy importante, porque sin la necesidad de defender continuamente tu postura para proteger tu ego, te sientes libre de reconstruir tus teorías constantemente conforme vas recibiendo opiniones, y de volver a estudiar y reajustar tu postura.

Sin embargo, también existen algunas diferencias importantes entre Sagitario y su socio cósmico. Denominado «el escriba o periodista del zodíaco», Géminis recopila datos e información de forma cotidiana. Se le asignó también la misión exclusiva de nombrar las cosas del universo, lo cual es un papel fundamental, ya que, a no ser que la sociedad tenga un nombre para una idea o una persona, tiende a no «verla» (es decir, no se da cuenta de su existencia). Al igual que el locutor del telediario que cuenta lo que ha sucedido a lo largo del día, Géminis (signo informado y al día donde los haya) encuentra igual de interesantes todas las noticias. Al parecer, no hay casi nada que este signo no desee investigar; su misión no consiste en discriminar entre los diversos tipos de información que recoge, sino simplemente en recogerla.

Por otra parte, Sagitario necesita dar un paso atrás y buscar el simbolismo o el significado en el detalle que ha encontrado Géminis. En el esquema de las cosas, Sagitario consigue establecer prioridades y hacer juicios sobre el material que encuentra Géminis. Así, si este es el reportero que va al lugar del suceso, Sagitario es el jefe de la redacción del periódico que escribe el editorial. La misión de Sagitario consiste en encontrar sentido a lo ocurrido dándole un toque filosófico.

Sagitario se burla de Géminis porque le considera demasiado disperso, saltando continuamente de un lado a otro, por todas partes. Le dice que se interesa demasiado por todo lo que oye, lee o descubre, y le recomienda: «Deberías centrarte en una idea y recordar que el que mucho abarca poco aprieta». Claro que hay algo de razón en este consejo. No obstante, Géminis le replica diciéndole que la información que él ha descubierto también la necesita Sagitario. Así pues, le dice que no debería burlarse tanto de él, y además, señala que Sagitario puede volverse demasiado teórico y perder mucho tiempo encerrado en su torre de marfil. Géminis, que es el polo opuesto de Sagitario, lo ve con claridad y afirma que debería pasar un poco de tiempo mezclándose con la masa, donde él circula a diario. Esta crítica de Géminis tiene su razón, porque en ocasiones los Sagitario pueden perderse de tal forma en las teorías que no se enteran de lo que sucede a su alrededor, hasta el punto de no ver lo obvio. A veces deberían recibir una dosis de realidad.

Por supuesto, ambos signos tienen su valor. Lo que hace especial a Sagitario es su insistencia en sacar sentido a toda la información que encuentra Géminis. Sagitario separa los datos, lo cuestiona todo y da vuelta a las cosas en un esfuerzo por hallar la verdad filosófica que domina a ese suceso. Entre las opciones que fluyen de este proceso, medita y discute, trabajando con ahínco para encontrar y extraer las conclusiones adecuadas.

De hecho, los astrólogos antiguos opinaban que le correspondería a Sagitario delinear y preservar las diversas aportaciones de conocimientos que hicieran al mundo las diferentes civilizaciones. Los Sagitario tejen lo que aprenden en un todo coherente con el fin de oír el susurro de la consciencia humana por encima del tiempo y el espacio. Gestionan las bibliotecas, guardando los conocimientos acumulados que podrán ser utilizados por cualquiera para el bien común.

Allí donde otros podrían centrarse en las diferencias entre nacionalidades y religiones, Sagitario ve similitudes. Tú prefieres celebrar las diferencias entre las culturas en vez de lamentarte de ellas. Tu signo comprende que como ciudadanos del mundo que somos, unidos sobreviviremos y divididos perderemos. Sagitario, junto con Acuario, es especialmente sensible a la necesidad de eliminar los prejuicios y aumentar la tolerancia entre las personas de todo el mundo.

Los Sagitario hacen que se conozcan mejor sus ideas no tanto por medio de esfuerzos artísticos (el terreno de Leo) o del comercio (la base de Aries), sino mediante la publicación de trabajos, comentarios, libros, artículos o tesis, impartiendo clases, o bien mediante encuentros personales durante sus viajes. No es de sorprender que a Sagitario, un signo tan preocupado por sopesar la moral y la ética, le fuera asignado también el deber de establecer leyes y normas de conducta para la sociedad. Eso es una gran responsabilidad, pero nada queda fuera del alcance de Sagitario, porque teniendo como regente al generoso Júpiter, este signo sabe que se puede conseguir cualquier cosa, por mucho respeto que imponga.

A estas alturas, ¿has llegado a la conclusión de que Sagitario podría ser un poco estirado? Si crees que es una posibilidad, piénsalo de nuevo. De hecho, este signo puede ser un auténtico bromista. La mayoría de los Sagitario están siempre prestos a romper la burbuja de alguien sin previo aviso, en el sentido más travieso y endemoniado —y adorable— de la frase. El nombre de Júpiter, su regente, se deriva de *Jove*, término del cual deriva a su vez la palabra «jovial». Este signo alegre, optimista y verdaderamente feliz posee un enorme potencial para la risa, sobre todo la que es irónica o ingeniosa.

Sagitario es un signo mutable, y por lo tanto, bastante flexible. Los signos mutables son los últimos de cada estación, y se dice que soportan bien las transiciones. Así pues, Géminis pone fin a la primavera, Virgo al verano, Sagitario al otoño y Piscis al invierno, y todos son igual de adaptables y versátiles. Demuestran su temple en situaciones extremas, como los desastres naturales. Tienes tantos recursos que el caos no te da ningún miedo. Eres capaz de pensar bajo presión y en circunstancias que cambian continuamente, e incluso de conducir a otros a la seguridad. Empleas ese talento en tu vida diaria, pero probablemente no te concedes a ti mismo ningún mérito por ello.

El simbolismo de todos los signos astrológicos se basa no sólo en la mitología antigua, sino también en las estaciones que tienen lugar en el Hemisferio Norte durante los períodos pertenecientes a cada signo. (Tal como se ha dicho en otra parte de este libro, el simbolismo de los signos se aplica a personas de todo el mundo, con independencia de dónde vivan o hayan nacido.) A finales de noviembre y durante las tres primeras semanas de diciembre, la noche cae temprano sobre el paisaje frío y sin hojas. Empezamos a guarecernos del gélido viento en el interior de las casas; en esa época del año, en ciertas zonas del globo no hay duda de que se acerca el invierno. El mundo de puertas afuera puede ser muy solitario, pero por triste que parezca el exterior, el interior es luminoso y alegre. Es el momento de compartir la buena comida y las tradiciones familiares, de oír relatos nuevos y conocidos. Reservamos tiempo para leer, para escribir cartas, tarjetas y mensajes electrónicos y para restablecer nuestras relaciones con las personas a las que amamos. Es el momento de reflexionar y hacer planes para el futuro.

En la época de tu cumpleaños, Sagitario, en todo el mundo mucha gente comienza a prepararse para la festividad más grande, lujosa y alegre de todo el año. Resulta muy apropiado que Júpiter sea el regente de este signo. De pronto aparece comida en abundancia y se reciben invitaciones a fiestas de fin de año. Santa Claus, ese ser cálido, feliz, orondo y generoso que nos trae regalos, es el símbolo perfecto de la generosidad de Júpiter. La mayoría de la gente compra los regalos principalmente a lo largo del mes de diciembre y termina de hacerlo cuando llega el solsticio de invierno, cuando el Sol entra en Capricornio. Es el momento de reflexionar sobre las bendiciones que nos ha otorgado el universo, y también de dar las gracias a todas las personas que nos han mostrado amabilidad a lo largo del año.

Mucha gente empieza a centrarse en sus creencias religiosas más queridas, en sus principios y valores, que son todas cualidades de Sagitario. La espera de las vacaciones también trae alegría y optimismo, junto con un renovado esfuerzo por unir a todas las personas del mundo en una sola familia humana, y una sincera esperanza de paz y buena voluntad. Todo esto tiene sentido, ya que Sagitario enseña que cuando un hombre sufre, sufre toda la humanidad, y a no ser que todos estén protegidos, todos se ven disminuidos.

En el simbolismo astrológico, cuando la luz diurna va decreciendo y la noche va adquiriendo cada vez más importancia, eso quiere decir que hay un mayor énfasis sobre lo colectivo (la multitud) y menos sobre las preocupaciones de la persona. Así pues, los asuntos colectivos de la sociedad, la universalidad, tienen una importancia suprema en Sagitario, donde alcanzan su punto máximo. Cuando llega el solsticio de invierno al comienzo de Capricornio, el 21 de diciembre, el día más corto del año, marca un punto de inflexión, y los días empiezan a alargarse; la «fuerza del día» va creciendo y la «fuerza de la noche» va menguando. El énfasis vuelve a situarse sobre la persona.

En la tradición astrológica, cada signo equilibra las características del signo que lo precede. En Sagitario existe un fuerte deseo de ser liberado de la poderosa intensidad de Escorpio. En este signo, los sentimientos van dirigidos hacia dentro y son muy privados, pero en Sagitario hay una manifestación más libre y externa de sentimientos e ideas. En Sagitario no hay nada de la furia interna que vemos en Escorpio, y mientras que este es un signo un tanto escéptico, Sagitario es confiado y amable. Escorpio es solitario y taciturno, y en cambio Sagitario es sociable y locuaz. Para Escorpio son importantes el poder y el control, pero a Sagitario no le preocupan en absoluto. A Escorpio lo distinguen la pasión y la posesión, mientras que Sagitario no quiere nada de eso, sino que opta por la independencia y la libertad. Y finalmente, Escorpio puede ocultar sus motivos para proteger su posición, mientras que Sagitario los muestra claramente y es honesto hasta rozar la ingenuidad.

El interés de Sagitario por la universalidad del ser humano se puede demostrar también en términos astronómicos. Se dice que el centro de nuestra galaxia se encuentra exactamente a veintiséis grados de Sagitario. Así pues, en el grado que corresponde al centro de la galaxia se halla bien entrado ese signo, precisamente el 18 de diciembre. (Cada signo abarca 29 grados; después, la constelación pasa al signo siguiente.) De este modo, conforme nos vamos acercando a la parte más oscura del año, a pocas horas del solsticio de invierno, nos vemos unidos a conceptos tan enormes y universales que el único símbolo apto para dichas ideas sería el firmamento entero.

Desde la Tierra, el centro de la Vía Láctea está situado en ese punto exacto a veintiséis grados de Sagitario. La Vía Láctea, una densa banda formada por doscientos mil millones de estrellas que se extiende por el cielo como una franja brillante, ha sido objeto de muchos mitos, entre ellos uno que denomina «camino del cielo» a esta encantadora formación de estrellas. Se ha dicho que ese camino une el mundo de los muertos con el de los vivos. Los romanos fueron quienes la bautizaron con el nombre de Vía Láctea, mientras que los griegos la llamaban Galaxias Kuklos («círculo lácteo»). Platón dijo que unía las dos mitades del cielo.

Existe un encantador relato griego que llama a la Vía Láctea «corriente de leche divina». En la mitología, a Júpiter le gustaba tener aventuras amorosas con mujeres mortales, y por eso se dice que a los Sagitario, sobre todo los varones, les gusta zascandilear por ahí en su juventud. Los hijos nacidos de las indiscreciones de Júpiter podían ser inmortales sólo si eran amamantados por su esposa, Juno. No obstante, a esta no le hacía ninguna gracia la perspectiva de criar a los hijos ilegítimos de las amantes de Júpiter, y cuando le tocó a Hércules sencillamente se negó. Una noche, el tramposo Mercurio le puso a Hércules al pecho mientras Juno dormía, y cuando esta se despertó empujó al niño a un lado; pero ya era demasiado tarde, Hércules había mamado lo suficiente para volverse inmortal. Cuando ella le empujó a un lado, derramó un poco de leche, la cual creó la Vía Láctea. ¡Qué imagen tan encantadora!

Hemos hablado de la faceta entusiasta de Sagitario, pero este signo posee una pequeña característica que irrita un poco a todo el que le rodea: su tendencia a crear situaciones embarazosas por el hecho de hablar sin pelos en la lengua. Por desgracia, esa flecha siempre parece estar apuntando a alguien. Sagitario, expresas tus opiniones con mucha vehemencia y también una franqueza alarmante. Siempre un poco precipitado, no tienes paciencia para maquillar un poco lo que tienes que decir, sino que lo sueltas a bocajarro. Ser el receptor de la falta de tacto de un Sagitario puede resultar bastante doloroso.

Si eres Sagitario, sabrás que puedes acabar distanciándote de la gente que te importa. Esto podría ser una prueba de la continua necesidad que tienes de asumir la actitud del profesor, aunque sea inconscientemente. Y es que no puedes resistirte a mejorar a los demás. (Sin embargo, si alguien se atreve a criticarte a ti, te ofendes.) Es posible que seas directo y franco, pero tiendes a conseguir resultados. Esos comentarios siempre contienen algo de verdad, y por eso resultan tan desconcertantes y no caen en saco roto. Cuando apuntas tu flecha, puede que hiera en carne viva. No obstante, tus amigos te perdonan porque rezumas una sincera buena voluntad. Júpiter te proporciona la capacidad de ser magnánimo, quizás incluso excesivamente generoso. Y en las relaciones de todo tipo te esfuerzas por ser justo, aunque digas las cosas de manera impulsiva y a veces equivocada.

RELACIONES

En lo que se refiere al romance, te gusta conservar tu espacio. Tal como ya he dicho, a tu regente, Júpiter, le encantaban las mujeres y a menudo estaba tan ocupado en seducirlas que tenía poco tiempo para dirigir el trabajo desde su base del monte Olimpo. Esa es la razón por la que Sagitario es proclive a mariposear durante un tiempo antes de sentar la cabeza, lo cual es más probable en los hombres que en las mujeres, tal vez a causa de los condicionamientos sociales. Es tu necesidad de espacio y de variedad lo que se pone de manifiesto aquí. No todos los Sagitario son así, pero sí muchos de ellos.

Casarte es un paso que nunca tomarías a la ligera ni darías con precipitación. De hecho, retrasarás el compromiso lo más posible. No te interesa estar atado a la realidad ni a personas o lugares, al menos de entrada. La mayoría de los Sagitario se casan tarde. Algunos astrólogos llegan hasta el punto de referirse a Sagitario como el «signo de los solteros», porque valora mucho la libertad y la independencia, justo al contrario que Escorpio, un signo posesivo al que le gusta «tener y retener». Tú eres mucho menos emocional que Escorpio, y de hecho temes que con el paso del tiempo sientas claustrofobia dentro de una relación. La espontaneidad es algo obligado para un Sagitario, pero tú sabes que el matrimonio y la familia podrían restringir tu expresión individual. Es posible que te sientas atrapado por algún compromiso ya existente (incluso profesional); por eso siempre te gusta, incluso de forma inconsciente, dejar abiertas las posibilidades.

Así pues, si ya mantienes una buena relación con alguien, seguirás aplazando el compromiso todo lo posible. Pero existe otra preocupación, quizá por encima de las demás, que retrasa el hecho de aventurarte al matrimonio, y es que antes deseas formarte una idea clara de tu identidad. Muchas personas dicen que las parejas casadas tienden a parecerse el uno al otro con el tiempo, así que en lugar de empezar a mezclarte antes de haber tenido siquiera la oportunidad de conocer tu verdadera identidad, es posible que prefieras casarte tarde, cuando tu personalidad y tu filosofía estén más definidas.

A la hora de elegir pareja, buscas una persona de mente abierta y gustos y opiniones sofisticados, como tú. Admiras a los que poseen elevados principios morales y una fuerte integridad y que no albergan prejuicios contra otros grupos étnicos o religiosos. También buscas a alguien que sea capaz de discutir de temas diversos de manera emocionante. A este respecto, eres como tu signo opuesto, Géminis: deseas una pareja estimulante. No es de sorprender que muchos Sagitario se sientan atraídos por personas que cuentan con un bagaje totalmente distinto, y que encajan a la perfección con su enfoque ecléctico de la vida.

Una vez que te casas, tu excelente capacidad para comunicarte contribuye a mantener fuerte esa unión. El hecho de que te cases tarde también es un buen presagio de conseguir el éxito en el futuro... Para cuando te ates, ya sabrás lo que esperas de la relación. Felizmente, una vez casado, Sagitario tiende a ser fiel. A los nativos de este signo les encanta jugar; por eso cuando por fin tienen hijos propios se convierten en padres o madres ideales, curiosos, atentos, divertidos y jóvenes de espíritu. Los Sagitario adoran llevar a sus hijos a lugares interesantes y ofrecerles un amplio surtido de actividades divertidas, así como exposiciones y espectáculos que les enriquezcan mental y culturalmente.

Ten en cuenta que a veces es posible que tengas que hacer concesiones a tu pareja. Pocas son las personas que pueden moverse a la velocidad de la luz, como haces tú. Lo ideal sería que tuvieras una pareja que pudiera viajar contigo y compartir tu ansia de conocer países, para que pudierais conquistar el mundo juntos. Tú quieres ver París en primavera y las nieves del Kilimanjaro en invierno, recorrer Asia en otoño y explorar la Antártida en verano. Si la buscas bien, querido Sagitario, esa pareja existe, y también podréis convencer a vuestros hijos.

En lo que se refiere adónde y cómo te gusta vivir y a tu instinto aventurero, a ti te gusta la carretera abierta. Antes de atarse, muchos Sagitario necesitan escuchar la llamada de la naturaleza embarcándose en uno o dos viajes de aventura mientras son jóvenes y no están agobiados por los hijos ni otras responsabilidades. Este signo está asociado con los enormes espacios abiertos, el ancho cielo y otras grandiosas características de la naturaleza. Tú tiendes a resistirte a verte confinado en una ciudad abarrotada. La civilización excesiva hace que los Sagitario anhelen la libertad. Están siempre haciendo planes para irse de acampada o a esquiar, de safari y a otras aventuras que les devuelvan a la naturaleza.

Las tareas domésticas no te atraen de forma natural, con independencia de cuál sea tu estado civil. A ti se te conoce por eludir los trabajos aburridos. Extrañamente, eres capaz de terminar una tesis, trabajando durante meses, incluso años, para conseguir un título, pero cuando hay que realizar tareas triviales como preparar la cena o hacer la colada, desapareces en el instante mismo en que se te pide que eches una mano. Una buena parte de la frustración de tu pareja se debe a que tiendes a ser bastante desordenado. Te gusta esparcir las cosas, y eso te viene, una vez más, de Júpiter. La razón de que no te vayan las tareas domésticas es que tu cabeza con frecuencia suele estar en las nubes, meditando sobre las cuestiones verdaderamente importantes de la vida, querido Sagitario. Ese es el motivo por el que tu pareja te perdona tus pequeños defectos. Si dispones del dinero necesario, contratar a alguien que te ayude a ordenar tu casa reduciría al mínimo las peleas con tu pareja por causa de la limpieza.

FINANZAS

Económicamente hablando, la inquietud que le causa a tu signo el concepto de restricción puede hacerte gastar el dinero de manera incontrolada y despilfarradora, y eso podría crear fricciones en tu relación de pareja. En ti existe siempre la tendencia al derroche. A menudo te preguntas: ¿Hasta dónde podré forzar mi suerte? Esto se debe en parte a la influencia de Júpiter, que expande todo lo que toca. Tienes una actitud optimista que te hace pensar que tu saldo en el banco volverá a crecer por mucho que gastes. Los antiguos solían escribir que Sagitario es el signo del jugador, pero esa etiqueta no tiene por qué ser literal. Podrías igualmente ser arriesgado en el trabajo sugiriendo ideas y conceptos que están muy por delante de su tiempo. Si pudieras encauzar y controlar tu lado gastador, Sagitario, es posible que salieras bastante bien parado. No has nacido con el don de gentes y la astucia que posee Escorpio para los asuntos económicos; por eso quizá debieras tener un buen asesor financiero que fuera de este signo. Por su parte, los Sagitario son un poco demasiado abiertos y no defienden lo suficiente la propiedad de sus ideas en los tratos comerciales. Recuerda que debes proteger tu propiedad intelectual. Si sabes combinar tu asombroso talento intelectual y creativo con la inteligencia financiera, podrías ser el rey del mundo. De momento, no hagas saltar la banca. La otra cara de esto es que nunca eres tacaño; compartes lo que tienes con tus familiares y amigos, y es difícil no quedar conmovido por tu buen corazón, querido Sagitario.

CARRERA PROFESIONAL

Los Sagitario adoran los animales y con frecuencia tienen perros grandes e interesantes. Por supuesto, perteneces al signo del centauro, de modo que relacionarte con caballos es también algo natural en ti. Muchos Sagitario saben montar e incluso compiten en carreras y exhibiciones de equitación. Tu signo rige además otros animales grandes y exóticos, como los elefantes, los leones y los osos. Para estar más cerca de la naturaleza, los Sagitario eligen trabajar con animales como estos. Entre las profesiones adecuadas para este signo se encuentran las siguientes: zoólogo, veterinario, instructor de equitación, domador de animales, criador, jockey y estrella de rodeos. ¿Deseas una profesión verdaderamente emocionante? Aventúrate en la naturaleza o viaja a los helados polos para permanecer largo tiempo estudiando a los animales en su hábitat, o conviértete en guía de un safari. A lo mejor te gustaría dirigir tu propia tienda de animales o un servicio de peluquería canina. También podrías ofrecer tus servicios para pasear perros.

Hay otras carreras que podrían resultar adecuadas para ti. Al pertenecer a un signo de fuego, posees un cierto aire de estrella, y por lo tanto la necesidad de actuar, con independencia del escenario que escojas. Sin embargo, Sagitario no rige el teatro clásico (ese es el dominio de Leo). Estudiemos qué «escenario» podría ser el apropiado para ti. Tal como cabría esperar, muchas de las mejores profesiones para tu signo giran en torno a tu tendencia a pensar a lo grande. Como eres tan buen estudiante y no te da miedo encararte a muchos años de estudio, podrías pensar en ser médico, dentista, abogado o maestro. Sagitario suele ser un signo que da buenos pensadores, eruditos, investigadores, filósofos y otras personas que disfrutan sopesando los pros y los contras de un tema y explorándolo a fondo. Por eso es posible que te llame el sistema judicial. Piensa en la posibilidad de hacerte juez, fiscal de distrito o funcionario de tribunales. Tu regente, Júpiter, era el dios romano de la justicia y de las leyes. Tu signo también produce excelentes políticos, de manera que plantéate una carrera en ese ámbito.

Los Sagitario destacan como periodistas, corresponsales en el extranjero, escritores, editores de revistas, libros o periódicos y comentaristas políticos (sobre todo de asuntos exteriores). También es posible que te interesen los idiomas, de modo que puedes pensar en ser lingüista o traductor. Muchos Sagitario son también destacados inventores.

Posees un talento sobresaliente para la radiodifusión y para Internet, así que puedes estudiar la posibilidad de trabajar de pro-

ductor, proveedor de contenidos, locutor o presentador de programas de entrevistas en radio o televisión. Hablas bien, de modo que
puedes pensar en las ventas o en las relaciones públicas. Tu signo es
juguetón y jovial; por eso tu profesión no tiene por qué ser seria. Si
sientes esa inclinación, podrías convertirte en un guionista de comedias de gran éxito, o incluso en un humorista. (No olvides que
probablemente también serás popular en otros países.)

La naturaleza espiritual de muchos Sagitario es muy profunda.
Por este motivo puedes plantearte dedicar tu vida a la religión
como sacerdote, monja, pastor o rabino, o bien como profesor universitario, erudito o filósofo especializado en teología. También es
posible que disfrutes trabajando para una fundación o una organización internacional sin ánimo de lucro, como UNICEF u otra que
forme parte de las Naciones Unidas, contento de saber que con tu
labor estás contribuyendo a una buena causa. Tu comprensión y
tu sensibilidad innatas hacia otras culturas te permitirían sobresalir
como diplomático en el extranjero, embajador, banquero internacional o financiero. Piensa también en la posibilidad de hacerte im-
portador o exportador de bienes o servicios, o en crear una página
web para dirigir actividades comerciales por todo el mundo mediante el correo electrónico. Tu interés por otras ciudades del
mundo y por los viajes haría de ti un excelente planificador de
acontecimientos de una empresa multinacional, agente de viajes,
operador turístico, piloto, azafata de líneas aéreas o, si quieres algo
realmente fuera de lo común, explorador.

La velocidad y las máquinas grandes de elevada potencia (automóviles rápidos, reactores privados, etc.) te intrigan. Así pues,
piensa en trabajar en el mundo del transporte, incluida la aviación
(también la de transporte de mercancías), o en las industrias de
automóviles, camiones o barcos. Diseña automóviles estilizados,
elegantes y caros, o inventa versiones nuevas de automóviles que
funcionen sin gasolina. Otra buena carrera para ti sería la de ingeniero.

Por último, también podrías plantearte la posibilidad de ser profesional del deporte. Tal como hemos dicho anteriormente, a muchos Sagitario les gusta practicar deportes y parecen tener un talento natural para ello. Centra tu atención en deportes que estén incluidos en las disciplinas olímpicas y aspira a representar a tu país. Tú te sientes atraído por la idea de jugar contra un contrincante digno, y como tu signo suele ser bastante robusto y musculoso, con el entrenamiento adecuado podrías llegar muy lejos. Incluso si decides no convertirte en deportista profesional, deberías dedicarte a algún deporte por diversión, porque probablemente disfrutas mucho con el ejercicio, y este te ayudará a reducir el estrés.

CUERPO, MENTE Y ESPÍRITU

El atletismo suele desempeñar un papel importante en la vida de un Sagitario. Este signo expresa lo mejor del ideal griego de una mente sana en un cuerpo sano. A los signos de fuego les gusta competir para poner a prueba su innata fuerza física y emocional, y Sagitario no es una excepción. En efecto, a menudo los nativos de este signo necesitan expresar su entusiasta energía. Si no tienen modo de canalizarla, se vuelven bastante nerviosos o irritables. (También se dice de otro signo de fuego, Aries, que posee cualidades atléticas, pero la modalidad fija del segundo signo de fuego, Leo, tiende a hacer que su energía se queme internamente, y no en el exterior. Como consecuencia, la energía de Leo suele dar origen a una singular creatividad individual, más que a capacidad atlética.)

Aunque no a todos los Sagitario les gustan los deportes, casi todos disfrutan lanzándose contra circunstancias que les supongan un reto. Eso les permite (y también a Aries) experimentar la deliciosa sensación de victoria que es tan importante para estos nativos. En efecto, Sagitario (igual que Aries) se considera intrépido. El símbolo de los Juegos Olímpicos es una llama, muy apropiada para unos juegos que unen a las naciones en un espíritu de hermandad y un tema internacional que también recalca las cualidades de Sagitario.

La astrología médica nos dice que Sagitario rige el hígado, las caderas y los muslos. No obstante, al ser Júpiter el regente de tu signo, pareces mostrar una inclinación un tanto excesiva hacia los alimentos ricos en grasas. Procura controlar esos impulsos, querido Sagitario, o de lo contrario podrías encontrarte con altos niveles de colesterol. Controla también tu consumo de alcohol, para proteger tu hígado. La principal dificultad que experimenta Sagitario radica en el exceso de actividad o en accidentes ocurridos por participar en deportes agotadores. Eres un poco temerario, y como sueles precipitarte, tiendes a probar deportes que le resultarían duros a cualquiera. ¡Tómatelo con más calma! En la vejez, toma calcio para evitar problemas de huesos (sobre todo en la cadera y el fémur).

Cada uno de los miembros de la familia de los signos de fuego expresa su energía de un modo distinto. Aries es espontáneo y particularmente emprendedor. Tiene estallidos rápidos y breves de intensa energía. Es el único signo de fuego que no necesita un detonador externo para lanzarse a la acción, pues su iniciativa le nace de dentro. En Leo, el elemento fuego se dirige hacia el interior (en vez de hacia el mundo) debido a que es un signo fijo. Por lo tanto, Leo se considera especialmente innovador en un sentido artístico, dotado sobre todo para el color, la música y el diseño, pero no demasiado atlético. Su carácter fijo hace que sea muy amante de las comodidades. Sagitario, cuya energía es a la vez de fuego y mutable, es despreocupado y está continuamente en movimiento, como un fuego avivado por un fuelle. Signo sumamente comunicativo, tiene necesidad de difundir información al mundo después de haber procesado el material. Así que en lugar de vender ideas (Aries) o magnetizar a los demás (Leo), Sagitario convence por medio de la razón y atrae transmitiendo la verdad. En este signo, el elemento fuego empieza a volverse cambiante, menos indeleble y más transmutable. Sin embargo, en cuanto a energía física, Sagitario posee una gran resistencia y por lo tanto puede recorrer largas distancias.

Por lo general, a los signos de fuego no les gusta que les digan lo que tienen que hacer. Necesitan espacio para respirar y crecer, y por eso están mejor cuando son independientes, ya sea porque trabajen por cuenta propia o porque dirijan su departamento con un alto grado de autonomía. Lo que los signos de fuego como el tuyo temen más por lo general es la rutina. Las normas, las disposiciones, los sistemas burocráticos y los politiqueos internos les irritan más que a nadie.

Los Sagitario corren el peligro de quemarse porque pueden sentirse atraídos por demasiadas ideas nuevas, dispersarse o disipar su energía por no centrarse bien, absorbiendo así demasiados pensamientos divergentes a un tiempo. A veces pierden el hilo de lo que estaban buscando. También pueden sentirse tentados a probar atajos, y después tienen que volver sobre sus pasos cuando ven que los proyectos e informes no tienen la calidad de costumbre. Sagitario, aprende a discernir para poder encauzar de la mejor manera tu energía y así conseguir tu objetivo.

RESUMEN

Tus críticos te dirán que estás demasiado seguro de ti mismo, e incluso que a veces eres insolente, inflexible, ofensivo, arrogante, brusco o alborotador. Pero al final, tu sinceridad, tu honradez y tu optimista perseverancia compensan con creces esos rasgos caprichosos que brotan de vez en cuando. Es posible que seas excesivamente franco, pero rara vez fracasas en tus empeños. Tu mente despejada, tu razonamiento lógico y tu necesidad de una ética escrupulosa equilibran esos rasgos con creces. Así pues, no tenemos más que aceptar el conjunto completo que nos ofrece Sagitario, y con eso basta. En su interior late un corazón muy generoso, y hace pensar a la gente más profundamente que ningún otro signo del zodíaco. Aunque, para consternación suya, su sinceridad pueda herir a veces, su sentido de la justicia sería capaz de atraer a todo el mundo a su causa.

Los mitos de Sagitario y Júpiter

El nombre de Júpiter proviene del latín *Diu-pater*, que significa literalmente «Dios padre». En la Antigüedad, esta descripción encajaba perfectamente. Júpiter era considerado el legislador principal, el jefe espiritual y el que vigilaba Roma. Su equivalente griego era Zeus, señor de los cielos, y está simbolizado por el planeta más grande del firmamento. Tanto Zeus como Júpiter proporcionaron iluminación espiritual a hombres de todas partes, y al igual que un faro, mostraban el camino hacia la ética, la moral y la espiritualidad. En Roma, Júpiter fue representado siempre sentado en un trono, sosteniendo un rayo en una mano y un cetro en la otra, con una águila en el hombro. Este dios regía también el matrimonio, y se creía que otorgaba una protección especial a la pareja de recién casados, así como a los hijos y la familia en general. (La astrología así lo sostiene también, ya que se considera que Júpiter está en exaltación en el signo de Cáncer, muy amante del hogar y la familia.) Los romanos adaptaron los dioses griegos a su cultura, y el significado de Júpiter continuó siendo el mismo que el de Zeus.

Se ha dicho que las personas que tienen a Júpiter destacado en su carta astral (o que son Sagitario) en cierto modo pueden controlar su propio universo, de forma muy parecida al modo en que Júpiter regía el cosmos por ser el jefe de los dioses del Olimpo. Las personas que tienen a este planeta bien emplazado suelen encontrarse en los peldaños superiores de la sociedad, y por lo visto participan en la creación de algunas de las leyes que utilizan para regir su universo personal. Esto podría describirte a ti, Sagitario. Naturalmente, como cualquier planeta, Júpiter también tiene sus defectos. Crea un exceso de abundancia, lo cual puede volverle a uno perezoso, gordo o incluso arrogante. Esto indica que tener demasiado de algo bueno también puede ser un problema.

Además de estar regido por Júpiter, Sagitario está simbolizado por el centauro, una criatura considerada medio hombre, medio caballo. Míticamente, se creía que los centauros eran muy inteligentes (humanos), pero su cuerpo delataba su instinto animal. A la mayoría de ellos se los consideraba violentos, porque a menudo iniciaban peleas y otros disturbios. Sin embargo, Sagitario no iba a ser simbolizado por un centauro cualquiera, sino por uno muy especial, llamado Quirón, amable y juicioso, el más sagrado de los centauros. Se decía de él que era sanador, filósofo y maestro.

QUIRÓN, EL MAESTRO SABIO

Según el mito, Quirón resultó herido en el talón o en el muslo (los relatos difieren), de forma accidental y sin intención, por una de las flechas envenenadas de Hércules. Irónicamente, Quirón no pudo curarse a sí mismo aunque era un sanador muy respetado, porque la herida provenía de Hércules y por lo tanto se consideraba mágica. Sufría terribles dolores y deseaba morir, pero como era inmortal no podía abandonar la vida a menos que renunciara a su inmortalidad expresamente. Por fin lo hizo, pero de un modo que dio un significado especial a su vida.

Dijo a los dioses que estaba dispuesto a renunciar a su inmortalidad a condición de que su muerte sirviera para liberar a Prometeo de su sufrimiento y su tormento. Prometeo (que significa «previsión» y es considerado el gran despertador de la humanidad) era un titán que había sido encadenado a una roca por Zeus como castigo por desafiar a los dioses. Había robado el fuego de los dioses para dárselo a los hombres, compadecido por el desamparo en que se encontraban estos. Zeus le había condenado a sufrir eternamente ordenando a una águila que se le comiera el hígado. Cada noche este le volvería a crecer, y cada día se repetiría el tormento cuando el águila se lo comiera de nuevo. Quirón puso fin a ese tormento exigiendo que Prometeo fuera devuelto a la Tierra para continuar sirviendo a la humanidad, a cambio de dar él su vida. Según prosigue el relato, el único modo en que Prometeo podría ser liberado consistía en que un dios inmortal accediese a renunciar a su inmortalidad y descendiese al Hades. Durante un tiempo esto pareció una circunstancia muy improbable, pero cuando Quirón propuso hacer precisamente eso, resultó ser un milagro para Prometeo. Este, considerado el salvador de los hombres, fue liberado y devuelto a la Tierra. Por respeto a su bondad, los dioses honraron a Quirón situando su imagen en el cielo, en la constelación de Sagitario, muy adecuada para Quirón, que había hecho el supremo sacrificio por el bien universal (un impulso característico de Sagitario). Quirón, el gran centauro, se considera parte de la fuerza impulsora de Sagitario.

Sagitario y su polo opuesto, Géminis (que se encuentra situado exactamente seis meses antes), son signos que rigen los viajes y la movilidad. Así pues, para un signo amante de la libertad como Sagitario, una herida en el talón o el muslo que le limite la movilidad puede resultar muy frustrante. Todo el que haya estado enfermo alguna vez establecerá una relación con el tema de ser «bajado a la Tierra», atrapado dentro de un cuerpo que no funciona correctamente. En el mito, cuando el bondadoso Quirón estaba vivo, escogió vivir en una cueva del monte Pelión, en la que meditaba y estudiaba medicina (el tipo de medicina que asociamos con las hierbas y la homeopatía), además de temas como la música y las matemáticas. Entre sus famosos alumnos se encontraban Jasón, Aquiles, Esculapio (el gran médico), Acteón (el gran cazador) y Eneas, a todos los cuales entrenó para la guerra. Quirón enseñó medicina a Esculapio (hijo de Apolo), quien con el tiempo superó los conocimientos de su maestro y fue considerado el dios patrón de las artes curativas. Quirón cristaliza perfectamente el espíritu de compartir que posee tu signo, querido Sagitario, así como tu constante búsqueda de la excelencia por medio de la educación superior.

La personalidad de Capricornio

Principio guía
«Realizo»

Cómo disfruta este signo
Disfruta consiguiendo honores por su contribución a la comunidad, por medio del liderazgo, la visión y la creación de metas y prioridades prácticas para los demás.

En el nuevo milenio, tu contribución al mundo será...
Posees el don de saber construir estructuras organizativas complejas. Tu capacidad para dirigir, y también para crear y mantener una ordenada cadena de mando, será respetada y abundantemente recompensada.

Cita que te describe
«A los seis años, yo quería ser cocinero. A los siete, quería ser Napoleón, y desde entonces mi ambición no ha dejado de crecer.»

SALVADOR DALÍ, un *Tauro*

Capricornio tiene un sueño, que es el del poder y el éxito. En sus fantasías, ve su nombre grabado en una placa colocada en la puerta, una caja de plata que guarda sus tarjetas de visita y el panorama de la ciudad resplandeciente que sirve de telón de fondo de su luminoso despacho. Las tres secretarias que trabajan para él tienen rosas en su mesa, atienden las llamadas, se encargan de gestionar su apretada agenda y lo conducen de una reunión a otra. Las personas que le visitan es posible que se fijen en los premios que ha ganado, discretamente alineados sobre el aparador que tiene detrás del escritorio, así como en las muchas fotografías de su familia o de él mismo estrechando la mano de dirigentes mundiales. ¿Puede este sueño convertirse en realidad? ¡Por supuesto que sí! Es un Capricornio, de modo que la cuestión no es «si» podrá ser, sino «cuándo».

El tuyo es el signo de la ambición, y como visualizas tus metas con tanta meticulosidad, a menudo las consigues. Ciertamente cuentas con todas las cualidades necesarias para salir adelante. Eres racional, fiable, resistente, sereno, competitivo, digno de confianza, determinado, cauto, disciplinado y bastante perseverante. Tus subordinados te ven como un ejemplo de fortaleza, y en efecto lo eres. Te las arreglas para esquivar todos los baches que encuentras en tu camino hacia el éxito porque tomas decisiones profesionales muy estudiadas y cuidadosas, como si fueran una serie de movimientos de ajedrez detenidamente calculados. Como tu vida laboral te proporciona una gran parte de tu sentido de la identidad, es vital que encuentres una carrera que satisfaga tu necesidad de crecer y que aproveche bien tus talentos. Trabajas mucho, y algunos te consideran un adicto al trabajo. Tú te ríes de esas críticas y afirmas que tu trabajo es un juego para ti, y eso, querida Cabra, es muy cierto.

Los Capricornio saben que la seguridad de su empleo es sólo tan fuerte como su victoria más reciente y que todo hay que ganárselo. Esta es la actitud madura de una persona realista. A diferencia de Sagitario, que se convence a sí mismo para hacer lo que sea, Capricornio ya está de vuelta de todo y ha aprendido que no existen atajos. Eres un purista y no tienes paciencia con los que resuelven las cosas precipitadamente a base de chapuzas en lugar de estudiar la situación con detenimiento y hacer las cosas como es debido. Y tampoco desperdicias el tiempo sumido en fantasías.

SÍMBOLOS

Los antiguos designaron a la Cabra como símbolo del que asciende a la cumbre de la montaña para difundir el conocimiento del mar y de la creación a todo el género humano. Sólo «recientemente» (desde los griegos) se convirtió en el símbolo de Capricornio. En la Antigüedad, se reverenciaba a la cabra porque era un animal sagrado, y se utilizaba en las ceremonias de sacrificio más importantes. La cabra era especial también en otro sentido: era un animal capaz de sobrevivir cuando el terreno era muy pobre y las circunstancias bastante adversas (algo que tiene mucho que ver con Capricornio). La Cabra tiende a ser solitaria, contenta de escalar la montaña ella sola (no es muy gregaria). La recompensa es la vista que se tiene desde la cumbre, que para la Cabra bien merece el esfuerzo.

El regente de Capricornio es Saturno, y su símbolo es una cruz encima de una media luna, lo cual significa que para este planeta la materia y la realidad dominan al espíritu. (Con Júpiter pasa lo contrario: el espíritu se eleva por encima de la materia en su símbolo, ya que la media luna que representa el alma está situada encima de la cruz que simboliza la materia.) Así, cada uno de estos planetas, Saturno y Júpiter, adopta un enfoque de la vida opuesto y complementario, que permite diversos modos de integrar el alma y el espíritu en la realidad.

INFLUENCIAS PLANETARIAS

El solsticio de invierno tiene lugar el 21 de diciembre, y a partir de esa fecha el Sol (y la luz diurna) comienza a ganar importancia. De ahí que en este solsticio se alcance un punto simbólico de contacto pleno con la «universalidad». La oscuridad simboliza el inconsciente colectivo, mientras que la luz que va aumentando se considera que simboliza el yo. Así pues, el progresivo aumento de la luz que se produce en el período de Capricornio apela a la transformación y la renovación del espíritu de la persona, el cual se ve realizado por medio de la sabiduría de la conciencia colectiva, que llegó a su plenitud durante la época de Sagitario y su regente, Júpiter.

A finales de diciembre, Júpiter cede la batuta al regente de Capricornio, Saturno, un planeta denominado por los griegos «el Sol de la noche». (De hecho, algunos astrólogos de hoy en día creen que los Capricornio trabajan mejor por la noche, cuando se sienten más despejados y llenos de energía.) Siempre que Júpiter y Saturno forman un aspecto importante entre sí en una carta astral, se cree que poseen la capacidad de ayudar a la persona a avanzar hacia un cambio importante y positivo. De manera simbólica, en diciembre y durante buena parte de enero, el hombre deja el período de optimismo de Júpiter y se le pide que efectúe un recuento de sus actos y que haga planes para el futuro. El hecho de que Saturno rija a Capricornio nos dice que nuestra misión consiste en responsabilizarnos de nuestra vida por medio de actos disciplinados.

La casa décima, la que rige tu signo, es la del «rey filósofo», ese elevado lugar del horóscopo que te permite llevar a la práctica como líder tu filosofía más profunda. En la Tierra, todo el mundo tiene la posibilidad de ser un rey en alguna área de su vida (en la escala que elija), y es en esta casa donde tú escoges el terreno en el cual realizarás tu principal aportación profesional al mundo, por la que se te recordará siempre. Este éxito o punto de destino no suele revelarse hasta que uno se hace mayor y más sensato (en torno a los cuarenta o los cincuenta). Rara vez llega antes (aunque hay que reconocer que para algunas personas, sí). Uno necesita trabajar para conseguir ese objetivo y ganarse el papel. (El Ascendente es donde empezamos nuestra búsqueda, y describe nuestra personalidad, mientras que el Medio Cielo, que es otra forma de llamar a la cúspide de la casa décima, es donde uno «llega» en lo que se refiere a posición y reputación en la comunidad.) La casa décima, propiedad de Capricornio, rige la fama, la posición social, las recompensas, los honores y los logros finales; así vemos que el hecho de asumir responsabilidades y compromisos conduce a la alegría de tener una buena reputación y contar con el respeto de la comunidad.

Como ya sabemos, el Sol simboliza la autoridad; Júpiter es un padre que proporciona ayuda y seguridad, y Saturno representa otra faceta, la del hombre severo que impone disciplina. Algunos astrólogos afirman que el papel de Saturno en la carta de un Capricornio (de hecho, en cualquier carta) parece apuntar a la necesidad de corregir las deficiencias de una figura «paterna» significativa: los padres, el jefe, un socio, el cónyuge u otra persona de importancia.

El horóscopo no es simplemente un símbolo para una persona, sino también una especie de mapa de las etapas del ser humano. Así, para cuando llegamos al décimo signo, Capricornio, el hombre está preparado para hacer su aportación al mundo. Hasta ahora, ha aprendido cosas acerca de sí mismo y de su identidad; ha pasado tiempo con sus parientes cercanos y lejanos, probablemente ha experimentado el amor y la amistad y quizás el matrimonio y los hijos. En Sagitario, el noveno signo, el hombre tiene la oportunidad de obtener una buena educación y/o de viajar a lugares lejanos. Al llegar a la casa décima, es el momento de devolver algo a la sociedad, y en Capricornio esto sucede con creces.

DONES CÓSMICOS

Las Cabras tienen fe en que al final todo quedará sumado, cuadrado y saldado, y que su duro trabajo encontrará recompensa. Cuando eso suceda, será un día luminoso y feliz. En tu mundo todo es correcto y justo; el trabajo es recompensado y los actos tienen consecuencias directas. No eres nada ingenuo, sino resuelto, y te impulsa una visión del destino que estás deseando que se haga realidad. Este sentimiento te sirve de apoyo a pesar de los grandes obstáculos a los que te enfrentas en tu ascensión al Everest. Un rasgo encantador que posees es tu modestia en cuanto a tus logros (incluso te sorprendes cuando los demás te elogian). Aunque te encanta que los demás reconozcan tu trabajo, tú, a diferencia de Leo o Aries, no eres nada dado a hacer alardes.

En tu fuero interno sabes que, aunque tus rivales puedan ser escogidos por los listillos como probables ganadores, se quedarán sin resuello mucho antes de alcanzar la meta. Posees la seguridad en ti mismo necesaria para saber que tu paciencia será recompensada, así que haces tiempo. Al igual que la tortuga, sacas ventaja a la larga y ganas la mayoría de las veces. A ti te interesa ganar no una batalla, sino la guerra entera. Constante y resuelto, cuando pones la vista en una meta seguro que la alcanzas, porque cuentas con una enorme fortaleza interior. Algunos textos astrológicos antiguos dicen que los Capricornio son pesimistas por naturaleza, y aunque esto pueda ser cierto en algunos casos aislados, en general yo pienso que la mayoría son alegres, por muy serios que sean sus objetivos.

Astrológicamente hablando, cada signo compensa los excesos del signo que lo precede. Así, el optimismo ciego de Sagitario se ve atemperado en Capricornio, que también se esfuerza por reprimir los despilfarros de Sagitario con un control prudente y tomando medidas para recortar gastos. Si Sagitario se inclina hacia el hecho de conseguir estudios, Capricornio tiende a hacer uso de ellos, aunque es lo bastante pragmático para saber que conseguir buenas calificaciones no es por sí solo garantía de éxito; en cambio, el impulso y la ambición sí lo son. La constancia es importante, y aquí de nuevo gana Capricornio, ya que es estable y pisa fuerte. Cuando eran Chicos Exploradores, a las Cabras les enseñaron el lema: «Hay que estar preparado», y este signo está preparado para todo.

Capricornio nunca tiene problemas para aplazar la gratificación por un objetivo ambicioso. El deber siempre está por encima de la diversión. Como suele decir: «¿Cómo voy a relajarme en una fiesta cuando todavía estoy pensando en todo el trabajo que tengo encima de la mesa? Será mejor que me quede a trabajar». Sin embargo, tú pones el listón tan alto que los demás empiezan a esperar ese nivel de rendimiento. No es probable que haya ningún jefe que te diga lo bastante a menudo «buen trabajo», así que resérvate un instante para felicitarte a ti mismo, querido Capricornio. El hecho de trabajar tantas horas encierra otro peligro: es posible que después tengas la sensación de haberte perdido partes importantes de la vida, y que lamentes no haber pasado más tiempo con la familia y los amigos. Para un Capricornio siempre supondrá un reto encontrar el equilibrio justo.

Te interesa la historia, y armarte de un sólido conocimiento del pasado te ayuda a trazar planes para el futuro. Tú entiendes de manera instintiva que las circunstancias a las que te enfrentas hoy son sencillamente una consecuencia de los acontecimientos y decisiones de ayer. Rastreando el origen de tus dificultades y valiéndote de la historia como guía, podrás planificar mejor para el futuro. Sin embargo, tu amor por el pasado puede convertirse también en un inconveniente. Capricornio corre el peligro de enamorarse demasiado de la tradición y no poner suficiente énfasis en la innovación. La historia no se puede usar como un modelo para toda circunstancia, y en situaciones especiales es posible que te falte la fuerza de convicción necesaria para efectuar cambios audaces.

Tú necesitas mantener una poderosa perspectiva del futuro. En la Antigüedad, se creía que los reyes recibían su poder directamente del Sol o de Dios. Así, la elevada posición, encumbrada y a menudo solitaria, que ocupaba el rey infundía un enorme respeto en sus súbditos. Sin embargo, los antiguos sabían que en algún momento el rey se haría viejo, y que entonces su poder ya no provendría de fuentes tan elevadas, sino de una tradición gastada. Esta regla encuentra aplicación en la vida de hoy en día de múltiples formas. A los súbditos se les hará obvio que llega el momento de que haya un nuevo rey, pero es muy importante que este futuro rey esté seguro de ser oportuno cuando lleve a cabo su asalto a palacio. Al hacerlo, necesita generar su propia base práctica y espiritual sobre la que fundar su autoridad. En la actualidad, esto se llama «programa electoral», y se utiliza también dentro de las empresas, no sólo en la política. Si el nuevo rey no representa una filosofía nueva, nunca formará la base necesaria desde la que reinar y, lo que es peor, perpetuará el régimen del rey anterior sin darse cuenta. Si eso ocurre, aceptará, ya sea de manera consciente o inconsciente, la tradición desgastada del rey anterior en vez de reemplazarla por ideas nuevas.

Ten esto en cuenta, querido Capricornio. Tu signo puede ser demasiado desconfiado de las ideas y métodos nuevos. La próxima vez que te sientas tentado a decir: «No está roto, así que, ¿para qué arreglarlo?» (como diría también tu compañero Tauro), párate a pensar. Es posible que tengas que obligarte a ti mismo a entrar pisando fuerte en el siglo XXI. Aunque los Capricornio no son visionarios natos como los Piscis, los Acuario o los Aries, poseen el talento de saber cómo dar vida a las ideas de otras personas.

Producir, construir y expandir las ideas de los demás es lo que constituye tu verdadero genio y tu aportación fundamental al mundo. Cuando Aries está listo para empezar otro negocio pero no tiene idea de cómo hacer crecer el que ya ha iniciado para que pase a una fase más estable, ¿a quién llama? ¡A Capricornio, por supuesto! En las reuniones, si alguien expone una idea muy buena, todos tus instintos sienten el deseo de actuar respecto de ella. La Cabra dice: «Vamos a preparar un presupuesto, formar un equipo y fijar unos cuantos plazos». Tú sabes cómo obtener resultados. «¿De qué sirve una idea si nunca se hace nada respecto de ella?», dices. Y tienes razón, querido Capricornio. Tú eres sumamente organizado y sabes hacer que los equipos trabajen de modo efectivo, aun cuando los objetivos parezcan imposibles de cumplir. Eres un genio para contratar gente, posees un talento legendario para asignar el trabajo adecuado a la persona adecuada. Tu mente práctica tampoco deja que se inmiscuyan los sentimientos. Al igual que tu regente, premias a los que se lo ganan, no por amistad, sino por haber hecho el esfuerzo que se requería. El gran miedo de Capricornio consiste en decepcionar a los demás, lo que pasa es que eso simplemente no ocurre.

Eres capaz de señalar acertadamente lo que falta en un proyecto y compensarlo adaptando los recursos de que dispones a las necesidades que haya que atender. Nunca despilfarras recursos; tu signo da un nuevo significado a la palabra «conservador» (el que conserva). Saturno nos enseña a arreglarnos con lo que tenemos, y esto es precisamente lo que ocurre en la época del año en que tú naciste, cuando el invierno ofrece un ambiente severo y poco abundante.

La concentración mental es muy fuerte en Capricornio. Si perteneces a este signo, sabrás que eres capaz de penetrar como el rayo en cualquier proyecto (personal o profesional) sin peligro de distraerte. Si pasara por delante de tu despacho o de tu cuarto una banda de música, apenas te percatarías, porque te concentras totalmente en lo que estás haciendo. Saturno te ayuda a manejar una enorme cantidad de detalles a la vez, y como te metes tanto en lo que estás haciendo, puedes continuar durante largas horas sin necesitar descansos. Tu familia y tus amigos se maravillan al verte. Esperemos que tengas un despacho que sea tan cómodo como tu casa, porque pasas mucho tiempo en él. Las Cabras tampoco abandonan ni dejan las cosas para más tarde.

Tal vez esa intensa dedicación tuya se deba al hecho de que Capricornio es muy difícil de convencer a la hora de aceptar proyectos. Sabe que no debe malgastar tiempo ni energía (tal como haría Géminis) ni dinero (como haría Aries, el derrochador del zodíaco). Tú tiendes a ser realista, pero no demasiado optimista (como se dice de los Sagitario). Los Capricornio ni siquiera permiten que su ego interfiera en una decisión importante o difícil (como tienden a hacer los Leo). En lugar de eso, se niegan a empantanarse en los detalles (como sabemos que hacen los Virgo).

No nos engañemos, Capricornio piensa a lo grande. Los antiguos escribieron que eres capaz de asumir empresas de una enorme magnitud, y por eso son pocas las cosas que excedan a tu capacidad. Si se te antoja gobernar un imperio, será tuyo nada más pedirlo. Capricornio también posee vitalidad, y aunque Aries (otro signo cardinal) tiene increíbles explosiones cortas de energía, la Cabra cuenta con la resistencia del corredor de maratón. Piensa en tu energía como si fuera carbón, una fuente de combustible regida por tu signo. Lento y estable, y siempre caliente, dura y dura.

Una de tus facetas más atractivas es que posees un sentido del humor más absurdo, excéntrico y gracioso que el de ningún otro signo del zodíaco. Se ha dicho que para reírnos de algo necesitamos tomarnos muy en serio el tema del chiste, y ese es tu territorio, Capricornio. No es de sorprender que algunos de nuestros mejores cómicos pertenezcan a tu signo. A veces empleas un humor crítico contigo mismo que nos hace partirnos de risa. Otras veces le pones una gota de ingenio tan seco que tardamos un segundo en «pillarlo», pero cuando por fin lo entendemos suplicamos que nos des más. Hasta el humor cínico o sarcástico nos hace desternillarnos de risa cuando lo empleas tú en el momento justo.

El humor también puede ayudarte a tomarte con filosofía las decepciones, y tú sabes que las decepciones forman parte de la vida. Eres bastante filosófico a la hora de hace frente a los contratiempos. De hecho, el tuyo es uno de los mejores signos para «volver a levantarse» después de haberse caído. No obstante, el lado de Saturno que rige el miedo podría en ocasiones disminuir tu seguridad en ti mismo. Cuando sientas que esta se tambalea, has de detenerte, dar marcha atrás y decirte unas cuantas cosas que te levanten el ánimo. Una Cabra que no tiene seguridad en sí misma es ciertamente una Cabra coja, ya que la autoestima es la capa mágica que te permite conseguir tus grandes logros. Se dice que la depresión es de vez en cuando un producto de Saturno, pero lo más frecuente es que lo que estés experimentando sea el resultado de un simple agotamiento por no comer bien. Trabajas muchas horas, y por eso has de procurar tener buena salud y buen ánimo. Si no es así, acude al médico. Es muy posible que haya un buen tratamiento aguardándote. Esta es una de esas ocasiones en las que resulta temerario ser un estoico ejemplo de fortaleza.

RELACIONES

Siendo el verdadero espartano del zodíaco, Capricornio, puedes ser demasiado duro contigo mismo, sobre todo cuando crees que has sido perezoso. Tu crítico más firme eres tú mismo, no tus jefes ni tus accionistas, y deberías saber que eres muy capaz de exigirte cosas poco razonables. Tú te dices que no necesitas cumplidos, pero no es verdad; todo el mundo los necesita. Hay momentos en que Capricornio duda de sí mismo y tiene baja la autoestima, como cualquiera. Y como cree que no necesita que lo elogien constantemente, tiende a olvidar que los demás sí lo necesitan, y puede hacerles daño. No te olvides de elogiar a familiares, amigos o empleados cuando haya motivo para hacerlo.

A los que te rodean les puede resultar difícil entender tus cambios de humor. A menudo la gente no sabe cómo te sientes, querida Cabra. Podrías estar sumido en cálidos pensamientos, y sin embargo mantenerlos velados con tu natural reserva. Ello podría causar en otra persona la impresión de que no te gusta, lo cual no es en absoluto el caso. La cosa se complica todavía más por el hecho de que los Capricornio nunca se encuentran tan cómodos en ambientes sociales como en los de trabajo (donde las reglas están claras). Te resulta difícil relajarte en una situación social. Sin embargo, si hablas sólo un poco, los demás podrán rebatir lo que has dicho con mayor rapidez.

Al igual que su polo opuesto, Cáncer, el lema de Capricornio en el amor es: «Si me quieres a mí, has de querer a mi familia». Podemos estar seguros de que el clan que rodea a la Cabra no anda muy lejos. En realidad, esto es una característica tuya muy entrañable, Capricornio, ya que del mismo modo que respetas tus relaciones familiares, respetarás también las de tu pareja. Acudirás alegremente a la graduación de la hermana de tu cónyuge o a la fiesta de cumpleaños de su madre. Si tu pareja es Capricornio, pronto verás que siempre están de telón de fondo los miembros de su familia, llamando y enviando cartas o regalos. La Cabra disfruta del cálido círculo formado por hijos, padres, hermanos, tíos, primos y demás parientes. Capricornio rige los cimientos, y ciertamente estas personas te proporcionan una poderosa base emocional.

Conforme va madurando, Capricornio tiende a ser muy consciente de sí mismo en el contexto de su árbol genealógico, y eso forma parte de su amor por la historia en general. Estudiar sus raíces constituye un divertido pasatiempo, y es muy posible que si eres Capricornio ya hayas buscado tu apellido en Internet. Los nativos de este signo son conscientes de que han tenido que vivir y morir muchas generaciones para darles vida a ellos. No están dispuestos a dejar pasar la oportunidad de hacer una importante aportación mientras vivan. Aun de jóvenes, saben que algún día serán los tatarabuelos de alguien. Cuando, pasadas algunas generaciones, los futuros niños de la familia quieran saber quiénes eran ellos y cómo vivieron, los Capricornio quieren estar seguros de convertirse en un miembro fascinante de su árbol genealógico. Y por supuesto que lo serán.

Aunque son tímidos, a los Capricornio les gusta ampliar su círculo de amistades y, con sus modales educados, su sobria elegancia y su porte sereno, encajan en cualquier parte. Si perteneces a este signo, la gente casi siempre supone que provienes de una familia de recio abolengo, aunque no sea así. Y tú esperas encontrar el mismo estilo en tu pareja. Una persona grosera de modales chapuceros o que hable mal no permanecerá mucho tiempo dentro de tu círculo.

Hay quien dice que los Capricornio son trepadores sociales, pero esa acusación puede que sea demasiado dura. Es verdad que no intentan mantenerse a la altura de sus vecinos de al lado, sino que sucede más bien lo contrario: ¡son estos los que tienen que procurar estar a la suya! Aun así, si un Capricornio ha conseguido «llegar», le resultará tentador alardear un poco. Esa tendencia se manifiesta de diversas formas. Nunca dado a las cosas llamativas, comprará un automóvil elegante y de buena calidad, de un color neutro, con tapicería de lujo y un montón de extras que tal vez no se aprecien a simple vista pero que son estupendos. Le gusta llevar (o regalar) joyas caras de oro auténtico, y por lo general compra en las mejores tiendas. Las mujeres de este signo es posible que deseen incluso un abrigo de piel, por muy pasado de moda que esté en relación con el medio ambiente, diciendo: «¡Cariño, calienta mucho y dura muchos años!». No todos los Capricornio son así, naturalmente, y algunos sí se preocupan por el medio ambiente, pero por lo general son bastante conscientes de la posición social, tal como admitirá cualquiera de ellos si se le presiona un poco.

Por muy revoltosos que hayan sido en su adolescencia o en la universidad, dentro de cada Capricornio hay una persona respetable que jamás echaría a correr a Las Vegas para casarse con una estrella del rock. Capricornio piensa en el futuro, y no tiene planeado sufrir las vicisitudes de la vida si puede evitarlo. Busca una pareja resuelta, práctica y poderosa que, al igual que él, persiga el éxito. Al parecer, su madre le enseñó que es igual de fácil casarse con una persona pobre que con una rica, de manera que procura hacer un buen matrimonio, para subir un peldaño en la escala social, y si no encuentra lo que busca cuando tiene veintitantos años, es posible que espere un poco hasta dar con ello. De hecho, es común que los Capricornio quieran primero tener su carrera bien encauzada, y por eso no les importa retrasar el momento de contraer matrimonio.

Ciertamente, los Capricornio quieren tener un triunfador en su equipo. Si después se encuentran atados a una pareja que no posee ambición o que es totalmente irresponsable, todo se vendrá abajo con rapidez a menos que esa persona empiece a mostrar algo de chispa. Por otra parte, tener una pareja muy enérgica y triunfadora también puede constituir un problema. Con la propensión que tiene la Cabra a desarrollar una carrera brillante, sería agradable tener también alguien en casa que se encargara de las cosas. Esto es así en el caso de hombres y de mujeres; a muchas mujeres les encantaría tener un «marido casero» que las ayudase con los niños. Es difícil llevar una casa cuando los dos miembros de la pareja son muy dinámicos.

En lo que se refiere a buscar el amor, ten en cuenta que trabajar todo el tiempo y no divertirte nada puede convertirte en un tipo aburrido. Es posible que al principio te sientas un poco fuera de lugar en las fiestas, a no ser que se trate de tomar unas copas con compañeros de profesión, porque incluso cuando te relacionas sueles necesitar tener un objetivo claro. Las fiestas que son puramente para divertirse tienden a parecerte en el mejor de los casos demasiado «dispersas», y en el peor una pérdida de tiempo. En vez de tirar la toalla en sociedad, es posible que una presentación personal sea una fórmula mejor para que el tímido Capricornio conozca a una nueva pareja sentimental.

Eres muy reservado, y en ocasiones desearías poder escaparte de tu prisión interior para relacionarte de forma más sincera y libre con las personas que te importan. En cualquier relación emocional es tremendamente importante que te sientas seguro. A diferencia de otros signos, que son menos vulnerables, Capricornio prefiere sentirse seguro para no tener que lamentarse después. Tú quieres ver alguna prueba de que la otra persona alberga los mismos sentimientos por ti antes de arriesgarte a declarar los tuyos. Si por algún motivo tienes miedo de que la otra persona pueda aprovecharse de tu buena voluntad o de que no esté en la misma onda, te retirarás hasta percibir una mayor sensación de lealtad, devoción y apoyo. Eres precavido y protector con tus sentimientos; no estás dispuesto a ir por ahí con el corazón en la mano. Las mejores parejas románticas para ti son los nativos de signos de tierra (Virgo, Tauro y Capricornio), porque entenderán ese impulso de manera instintiva. También eres compatible con los nativos de signos de agua (Piscis, Cáncer y Escorpio), porque el agua y la tierra se combinan bastante bien.

Con Cáncer en la cúspide de tu casa solar del matrimonio, está claro que deseas como pareja a una persona afectuosa y familiar, que sea un poco más demostrativa que tú en el aspecto emocional. Sería muy sensato elegir a alguien así, ya que conseguirías el romance duradero que ansías en secreto, y tu pareja obtendría el compañero sólido como una roca que necesita desesperadamente.

Una vez que Capricornio ha encontrado a alguien especial, le gusta implicar a su pareja en su profesión. Para un hombre, eso significa coronar a su esposa como Primera Dama, y para una mujer quiere decir casarse con su Príncipe, que no tendrá inconveniente en trabajar con ella para construir juntos el castillo (o imperio) de ambos. A los Capricornio les gusta llevar a su pareja a convenciones, cenas o fiestas de la empresa, y como cuanto más alto sea el puesto que ocupen más se espera de ellos que se relacionen, harán bien en elegir una pareja que esté a la altura de dicho papel. Es de esperar que su pareja comprenda que se le va a exigir eso de vez en cuando, y que esté deseosa de representar ese papel especial. De lo contrario, podría haber problemas más adelante, ya que los Capricornio también se casan con su trabajo.

Es posible que haya una diferencia de edad de ocho años o más entre tú y la persona con que te cases, sobre todo si tu carta Venus se encuentra también en Capricornio. Ni los hombres ni las mujeres de este signo sienten aversión por casarse con alguien de más edad porque opinan, y con razón, que la edad por sí sola no debería separar a dos almas gemelas. Con frecuencia esos matrimonios resultan ser un gran éxito. Capricornio tiende a tener las cosas muy claras en el tema del romance.

Una vez te hayas casado y tengas hijos, te tomarás muy en serio tu papel de mantener a la familia, ya seas hombre o mujer. Hay muchas mujeres que se encontraron de pronto con que nadie las ayudaba con sus hijos porque su marido no tenía ningún sentido de la responsabilidad. El único peligro radica en que los Capricornio pueden adoptar una fuerte actitud de autosacrificio, sobre todo cuando llegan los hijos, lo cual les causa dificultades para relajarse y pensar en sí mismos. La única manera de romper este ciclo es contratando a una canguro y simplemente desconectando durante un rato; es el momento de tomarse un bien merecido respiro.

Por muy apuradas que sean las circunstancias familiares (si es que terminan siendo así), los Capricornio no renuncian a su objetivo de enviar a sus hijos a la universidad y darse mientras tanto unos cuantos caprichos. Aunque su pareja no los ayude, se las arreglan para comprar a sus retoños ropa nueva y un par de zapatillas deportivas de moda, algún que otro juguete y unas vacaciones divertidas, aunque sean modestas. Para Capricornio, una promesa es una promesa, y para un familiar consanguíneo como es un hijo, la promesa de cuidarle y protegerle es sagrada. A algunos nativos de este signo se les pide que se ocupen de un familiar anciano, y en ese caso sucede lo mismo. Nada les impide ser proveedores, ya que el amor les proporciona una enorme energía.

En cuanto a la sexualidad, hay quien supone que los Capricornio son fríos, pero eso no es cierto. Si bien no les gustan las exhibiciones teatrales de sentimientos, de puertas para adentro no tienen ningún problema para ser intensamente sensuales y eróticos. De hecho, la antigua tradición astrológica afirma que los signos del zodíaco simbolizados por animales con cuernos (Aries, Tauro y Capricornio) pueden ser los más fogosos y eróticos de todos. Así que el mundo no debería dejarse engañar por tu aspecto modesto y tímido.

Tal como ya he dicho, Capricornio valora la fidelidad y la lealtad. No obstante, como tiende a vivir la vida «hacia atrás» (siendo serio en la juventud y jovial en su vejez), podría verse tentado a mariposear llegada la madurez, sobre todo porque es posible que experimente una súbita necesidad de recuperar el tiempo perdido e independizarse un poco. Si ocurre esto, sería después de una importante victoria profesional, cuando se encuentre con tiempo libre y el ánimo adecuado para una dulce distracción romántica. Esperemos que se trate sólo de una etapa pasajera de la que pueda recuperarse con rapidez. Probablemente, el amor de su familia y de sus hijos y la necesidad de respetar obligaciones contraídas en el pasado impedirán que la sangre llegue al río.

FINANZAS

Los prácticos Capricornio llevan una camiseta con la frase: LA VIDA CUESTA. EL DINERO AYUDA. Eres lo bastante práctico para gastar con cuidado; sabes que necesitarás unos ahorrillos para las emergencias. Te gustan las marcas y tiendes a comprar en tiendas de prestigio. La calidad es lo que buscas, porque te gusta aferrarte a las cosas año tras año. Sabes que trabajas mucho para tirar el dinero por la ventana. Siempre a la caza de una buena ganga, compras cosas al por mayor, de rebajas o a precio reducido siempre que te es posible. También eres un excelente negociador. En cuanto al uso de tarjetas de crédito, tienes mucho cuidado de mantener tu buen nombre y haces lo que sea necesario para cerciorarte de que tu valoración crediticia siga siendo inmejorable.

A Capricornio le gusta invertir en acciones y bonos, pero no es un inversor arriesgado como Aries. Invierte su dinero en empresas sólidas que tengan beneficios seguros, firmas que ofrezcan una visión factible del futuro. A la Cabra le gusta también invertir en oro, plata u otros metales preciosos, y también en diamantes y otras gemas, pues sabe que nunca pierden valor. Por esa misma razón, al terrenal Capricornio le gusta invertir dinero en propiedades inmobiliarias.

Los Capricornio son conocidos por ser muy ahorradores. Esta es una buena cualidad si no se lleva a un extremo. Cuando sucede esto, aunque sea rara vez, la necesidad de conservar que tienen los nativos de este signo puede convertirles en avariciosos y tacaños, como el viejo Scrooges del cuento de Dickens. Muy apropiado precisamente que este cuento tenga lugar en Navidad, en la época del año perteneciente a Capricornio.

CARRERA PROFESIONAL

Como la casa décima del horóscopo, que está dedicada a los logros, los honores, la fama y el reconocimiento, es la casa de Capricornio, este signo produce excelentes líderes. Los Capricornio se preocupan profundamente por su reputación y están dispuestos a hacer su trabajo con el esmero que creen que merece. Después les suele llegar todo lo que acompaña al éxito: dinero, poder y posesiones... y en abundancia.

Capricornio es el signo de los negocios. Rige los grandes presupuestos, y de hecho gobierna las empresas multinacionales más importantes y sólidas del mundo. De ahí que los Capricornio siempre estén mejor trabajando en grandes organizaciones que en pequeñas empresas o por su cuenta (que es el terreno de Aries). A ti te gustan los beneficios y los vastos recursos que puede aportar una gran empresa. Sin embargo, si decides emprender tu propio negocio, posees la energía necesaria para alcanzar el éxito. Triunfarías formando una fuerte alianza estratégica con una empresa más grande que haga crecer la tuya. También te irá bien si trabajas en una gran empresa, porque te atrae la idea de la cadena de mando. Esto tiene su lógica, ya que tu regente, Saturno, gobierna el esqueleto humano, la estructura de un edificio y el organigrama de una empresa. El nuevo concepto de gestión consistente en un organigrama plano que se expande hacia fuera, con menos personas dependiendo de otras y más abierto (nada de puertas ni de despachos), a ti no te atrae en absoluto.

Eres detallista, práctico y también prudente en lo económico. Los de tu signo a menudo desempeñan un puesto en finanzas (aunque no sea su trabajo principal), y si a ti te dan esa responsabilidad, manejarás los fondos de forma digna de confianza, con el mismo cuidado que si se tratara de tu propio dinero. Junto con los Tauro y los Escorpio, los Capricornio se consideran los directores financieros de más talento que hay en el zodíaco.

Un puesto perfecto para ti sería el de presidente ejecutivo o algo parecido, como director de operaciones, director financiero o tesorero. Como se te dan bien las matemáticas, serías un buen director de tecnología. Añade a esa lista las profesiones de economista, financiero, matemático, contable, asesor fiscal, agente de bolsa, columnista o asesor financiero y corredor de fincas o de seguros.

Al ser un signo de tierra, Capricornio produce excelentes arquitectos, contratistas, constructores, topógrafos y agentes de la propiedad inmobiliaria. Prueba a trabajar en la planificación de viviendas o para un comité que se dedique a salvar de la destrucción edificios antiguos de gran valor. Como a ti te preocupa mucho «obrar correctamente», serías un excelente dirigente público. Piensa en la posibilidad de desempeñar un cargo político o convertirte en funcionario del estado. Capricornio es también un signo al que le gusta ver que se mantienen la ley y el orden, de modo que plantéate trabajar de profesional encargado del cumplimiento de la ley o de detective.

Saturno es tu regente, y rige también a las personas ancianas, así que podrías escoger dedicarte a la medicina geriátrica o a dirigir una residencia de la tercera edad. Saturno rige asimismo los huesos y los dientes, y por eso algunos Capricornio eligen ser dentistas, cirujanos ortopédicos o quiroprácticos.

Los Capricornio saben cómo funcionan las cosas o desean averiguarlo, y con frecuencia están dotados de talento para la mecánica. Piensa en ser ingeniero o mecánico de automóviles, o bien técnico de ordenadores.

A los Capricornio también les encanta la historia, de modo que puedes agregar las profesiones de arqueólogo y antropólogo a la lista, así como el puesto de conservador de un museo de historia. Tal vez te gustase ser director de documentales de cine o autor de novelas históricas. También podrías hacerte subastador o tratante de objetos antiguos y valiosos, como documentos, monedas, sellos, muebles, obras de arte, porcelana, etcétera.

Saturno está vinculado a la agricultura, de modo que podrías ser un buen agricultor o bioquímico, sobre todo de ésos que buscan maneras de cultivar alimentos más nutritivos o de dar de comer a países superpoblados. Capricornio rige las cuevas y las cosas enterradas en el suelo; puedes ser excavador, gemólogo, geólogo, mineralogista, minero o cantero. Entre otros campos interesantes se encuentran los de curtidor, cronometrador, relojero o joyero, y hasta enterrador. Algunos Capricornio se inclinan por la vocación religiosa, de modo que piensa en la posibilidad de formar parte del clero.

Una faceta poco conocida de los Capricornio es que muchos

de ellos poseen un gran talento para las artes. De manera que puedes plantearte la posibilidad de ser director artístico o ilustrador. Estudia música para tocar en una orquesta clásica o aprender a dirigir. Estudia para ser restaurador de arte o de muebles. Capricornio rige las cosas valiosas del pasado; por eso estas profesiones podrían resultarte divertidas. También posees un gran sentido del humor, de modo que piensa en trabajar de guionista de comedias de situación o de humorista, o en escribir una columna de humor en el periódico.

CUERPO, MENTE Y ESPÍRITU

Querido Capricornio, ¿alguna vez te has fijado en que tanto los hombres como las mujeres de tu signo prefieren los colores neutros (incluso durante el fin de semana) —ya sea el negro, el beige, el marrón, el castaño, el gris marengo, el gris claro o el blanco—, que subrayen su imagen digna y discreta pero sofisticada? Eso se debe a que Saturno hace que seas discreto y elegante, igual que la paleta de colores del invierno, la época del año en la que naciste. También te da una imagen muy poderosa, con tus trajes azul marino con camisa blanca, o tus vestidos negros, incluso en las fiestas. Es posible que algunas personas se sientan un poco tímidas a la hora de acercarse a ti. Déjalas; es el momento de ser tú mismo.

A menudo ocurre que a los Capricornio se les retrasó la infancia, o simplemente no la tuvieron, por la razón que sea. Muchos miembros de tu signo crecen con rapidez y se sienten ya maduros a corta edad, porque desde muy pronto en la vida se les pide que asuman una pesada carga o responsabilidad. Esto hace que Capricornio, al igual que los hijos primogénitos, siempre se haga cargo de los demás y aprenda a ser el jefe antes de que otros niños de su edad aprendan a leer y escribir bien. Algunos Capricornio nacen con deficiencias de salud, obstáculos que frenarían a otros o les harían bajar la vista; pero a ellos las dificultades no hacen sino espolearlos. Es posible que esos retos hayan terminado siendo talentos ocultos porque han alimentado su impulso interior. La buena noticia es que los Capricornio casi nunca cogen el buen ritmo hasta más adelante en la vida, así que, felizmente, cuanto mayor te vayas haciendo, más fácil se volverá tu vida. En efecto, las recompensas (ya sean personales o profesionales) que tanto te empeñabas en conseguir empezarán a llegarte ya cumplidos los cuarenta, y marcarán el inicio de una época muy gratificante para ti. En un giro cósmico del destino, los Capricornio de hecho comienzan a parecer más jóvenes y más atractivos sexualmente a medida que va pasando el tiempo, lo cual resulta de lo más agradable. Así que aunque el joven Capricornio pueda parecer mayor de lo que es, sin duda sucederá lo contrario conforme vaya cumpliendo años. Si crees que estás viviendo la vida un poco hacia atrás, así es; pero ¿no te alegras? Además, probablemente hay más personas centenarias de tu signo que de ningún otro, porque Saturno rige la longevidad. Esto compensa con creces los comienzos ligeramente más duros de lo normal que tuviste en la vida, querido Capricornio. La Cabra puede reírse de la obsesión de nuestra sociedad por la juventud. Se da cuenta de que los «niños» (los que tienen menos de treinta años) tienen su valor y cosas que aportar, pero también sabe que la gente consigue cosas mucho más interesantes después de cumplir los cuarenta o los cincuenta.

Es posible que te sorprenda saber que los Capricornio no se sienten del todo cómodos con los inicios y emprendimientos nuevos; a ellos siempre les preocupa no estar a la altura del potencial que representa ese acontecimiento. En lugar de eso, les gusta dormirse en los laureles (aunque sea sólo durante un segundo) después de haber conseguido lo que se proponían hacer. De manera que aunque estén vagamente incómodos celebrando su boda (a menudo se torturan a sí mismos pensando: «¿Y si no funciona y nos hemos gastado todo este dinero y montado todo este lío con los amigos y la familia inútilmente?»), cuando llega su 35 aniversario están listos para armarla. Los Capricornio celebrarán muy nerviosos una promoción al principio de su carrera, pero cinco años más tarde, cuando hayan demostrado su valía escribiendo un libro o apareciendo en la portada de la revista *Time* (o cualquiera que sea el objetivo), será cuando se recreen en su éxito.

A estas alturas ya debes de saber que Saturno, tu regente, que tanto influye en tu personalidad y en tus perspectivas, es el planeta de la responsabilidad, el trabajo duro, los límites, los aplazamientos, el sacrificio y la determinación. Antes de decir: «¡Oh, genial! ¿Por qué me habrá tocado un regente como este?», aguarda un segundo. Resulta que Saturno rige la cumbre del horóscopo, la casa décima, la de los honores, los premios, los logros y la fama. Saturno se ocupa de la realidad, de las partes de la vida que uno puede ver, oír, saborear, oler o tocar, y nos hace abrir los ojos. Saturno siempre concede recompensas tangibles cuando se supera un reto. Precisamente tú sabes que nada que merezca la pena se obtiene con facilidad.

Las rodillas son la parte del cuerpo asociada con Capricornio. Algunos nativos de este signo tienen una cicatriz en la rodilla o una cojera causada por una antigua lesión deportiva. Si juegas al fútbol o practicas algún otro deporte, protégete las rodillas. Capricornio rige también los huesos, las uñas y los dientes, de modo que harías bien en cerciorarte de que tomas suficiente calcio y de ver al dentista regularmente; no hacerlo sería una tontería. También deberías levantar pesas con regularidad, con el fin de mantener fuertes y sanos los huesos, sobre todo a medida que vayas envejeciendo. El reumatismo y la artritis podrían convertirse en un problema, pero esperemos que la medicina moderna continúe descubriendo nuevos remedios para aliviar el dolor, y es posible que pronto exista una cura. Para mantener lejos la rigidez y los problemas de articulaciones, haz mucho ejercicio, Capricornio, y procura desperezarte y estirar las piernas durante toda tu vida. Pasarte horas sentado ante la mesa de trabajo no es bueno para ti.

También la piel queda bajo el dominio de Capricornio, así que debes utilizar abundante protección solar, no sólo para protegerte de enfermedades de la piel, sino también para evitar las arrugas. Los oídos podrían ser otra área de preocupación, ya que también están regidos por Capricornio. Aunque nadie puede controlar totalmente la pérdida de audición, haz lo que puedas para proteger tus oídos manteniendo bajo el volumen de la música de los auriculares.

RESUMEN

Tú estableces un ejemplo excelente para el resto de nosotros. La Cabra prefiere subir la montaña antes que pasarse la vida en el valle, porque ansía la fama, y normalmente la consigue a lo largo de la vida. Los demás le dirán que no trabaje demasiado, pero, como está regida por el práctico Saturno, es realista. Tú sabes que todo aquello que merece la pena hay que luchar para lograrlo, y que no se consigue fácilmente. Los Capricornio siempre prefieren ganarse las cosas antes que tenerlas regaladas. No te engañes, la décima casa es la del rey filósofo, que te permite obrar según tus valores morales y éticos más profundos y servirnos a todos de inspiración. Tu pareja te considera sensato, sexy, sensible, fiel y apasionadamente leal. Por estas razones y muchas más, la gente no puede sino admirarte profundamente.

Los mitos de Capricornio y Saturno

Muchas culturas del mundo, ya desde el 3000 a. C., han considerado la época de tu nacimiento sumamente significativa, querido Capricornio, y de hecho Capricornio es una de las constelaciones más antiguas, pues aparece ya en los textos de los babilonios, varios miles de años antes del nacimiento de Cristo.

Tu símbolo, conocido en muchas culturas antiguas del Mediterráneo, no era una cabra cualquiera, sino una muy especial llamada Ea, que tenía la cabeza y medio cuerpo de cabra y la cola de pez. En Babilonia, el dios Ea era un hombre que llevaba puesta una piel de pez y por eso lo llamaban «antílope del océano subterráneo». Su reino era el agua dadora de vida que fluía por debajo de la tierra, y que se consideraba que era el poder que alimentaba a los ríos Tigris y Éufrates. Así pues, Ea era una criatura anfibia que podía habitar en ambos mundos, el del agua (los sueños, los sentimientos y el inconsciente colectivo) y el de la tierra (la realidad y el mundo material), estableciendo un vínculo psicológico entre ambos. Tenía además otra misión: la de ejercer de sabio maestro para el pueblo de Sumeria. No se sabe mucho acerca de Ea, pero en el arte mesopotámico las cabras y los antílopes comían del Árbol de la Vida.

El concepto de nutrición encuentra su eco en Cáncer y en Capricornio, dos signos que se hallan sobre el mismo eje. En la Antigüedad la gente vivía en una economía principalmente agrícola, y por eso las crecidas estacionales del Nilo se consideraban muy importantes, ya que representaban la abundancia y la manutención de las personas que vivían junto a sus orillas y que dependían de las propiedades vitalizadoras del río. Según los calendarios antiguos, en mayo o junio el Nilo crecía al mismo tiempo que Capricornio se elevaba en el horizonte vespertino, momento que servía de señal a los pescadores de que tenían que ponerse a trabajar porque habría abundancia de peces en el agua. Controlando el riego y proporcionando abundantes alimentos al pueblo, la sociedad permanecía en orden, un concepto bastante propio de Capricornio.

PAN Y TIFÓN

El fascinante mito de Pan se relaciona también con Capricornio como la cabra-pez, que forma parte de las vivificantes aguas de la vida. Pan, que era hijo de Hermes, era un dios musical y despreocupado que tenía cuernos y pezuñas como los de las cabras. Se creía que era el dios de los pastores y compañero de las ninfas de los bosques. Su hogar eran todos los lugares silvestres, y sobre todo se lo asociaba con espacios agradables de denso follaje, bosques y montañas, lugares donde tocaba su instrumento musical, la flauta que él mismo había construido con una caña. Se dice que su música era tan bella como el canto del ruiseñor.

En cierto momento Pan saltó al agua para evitar al monstruo Tifón, justo cuando Júpiter estaba ayudándole a disfrazarse de animal. (La palabra «pánico» se supone que se deriva de esta leyenda.) El resultado fue que la parte de Pan que estaba por encima del agua conservó la forma de una cabra, pero la porción que estaba sumergida adoptó la forma de un pez. Así pues, este mito expresa el anhelo de Capricornio de encontrar el equilibrio entre la lucha y la libertad, la profundidad y las alturas, y la adversidad y la victoria. El símbolo de Capricornio revela también esta historia, mostrando los dos cuernos de la cabra con un bucle en el lado derecho, que representa la rodilla, tan necesaria para escalar las montañas de la vida (las rodillas también están regidas por Capricornio). El símbolo termina en una curva que simboliza la cola de pez de la misteriosa cabra marina. Aparte, de esta historia es de donde se dice que Capricornio obtiene su carácter sexy y juguetón (desde luego, Pan no se quedaba corto en lo que se refería a diversiones). Esta energía se cree que se equilibra con la exigencia de respetabilidad que impone Saturno. Sin embargo está ahí, escondida dentro de la personalidad de Capricornio, para ser disfrutada.

SATURNO COMO DIOS DE LA AGRICULTURA

En la época de la antigua Roma, Saturno no tenía las connotaciones tan serias que tiene hoy. Entonces se le consideraba un alegre dios de la agricultura, y alrededor del solsticio de invierno tenía lugar la festividad romana de las Saturnales (del 17 al 24 de diciembre). Estas fiestas, celebradas en honor de Saturno, el dios de la «siembra de las semillas» y de las cosechas, lo eran todo menos discretas: la gente comía y se divertía sin inhibiciones, celebrando los dones de la naturaleza. Los amos servían a los criados y en general la realidad se ponía del revés durante unos días de total confusión en que el mundo estaba patas arriba.

En esta festividad se retrataba a Saturno portando su hoz, la cual, de manera bastante notable, aparecía transformada en un cuerno de la abundancia o cornucopia, rebosante de frutas, flores y trigo. (La hoz se usaba para segar el trigo, lo cual en Roma constituía un ritual sagrado.) Así, la idea de la abundancia material estaba asociada con Capricornio, y ese símbolo llevaba inherente el mensaje: «Se cosecha lo que se siembra». Por lo tanto, Saturno es una influencia sumamente justa en un horóscopo, y subraya la idea del karma; dicho de otro modo, uno obtiene de la vida lo que esté dispuesto a poner en ella.

Para entender la diferente visión que tenían los romanos de Saturno, necesitamos regresar a la antigua Grecia y a la mitología griega de este dios, al que llamaban Cronos. Cronos era uno de los titanes, la primera raza de dioses que gobernó el mundo antes de que se hicieran cargo los inmortales habitantes del monte Olimpo (que serían gobernados por Zeus). Era el padre no sólo de Zeus, sino también de Hades, Deméter, Poseidón y Hestia.

CRONOS Y SU ESPOSA REA

Temeroso de un presagio que le había advertido de que uno de sus hijos le desafiaría y suplantaría, Cronos devoraba a cada uno de los niños recién nacidos que le ofrecía su esposa Rea, con el fin de asegurarse de que nunca alcanzaran la madurez y pudieran derrocar su régimen. He aquí una imagen de un viejo dirigente que no quiere abandonar su trono aun cuando cada vez se hace más obvio que está cansado de la vida y que ya no puede gobernar con eficacia. Esto es una continuación del concepto del viejo rey del que hablé en: «La personalidad de Capricornio».

Rea pensó que no podía quedarse sin hacer nada, mirando cómo sus hijos eran devorados por su esposo, así que cuando nació Zeus, envolvió una piedra en pañales y se la ofreció a Cronos, fingiendo que era su hijo recién nacido. Tal como esperaba, Cronos se tragó rápidamente la roca sin mirarla siquiera. Mientras tanto, Zeus fue llevado en secreto a Creta, donde creció y maduró. Más tarde, cumplió la terrible profecía hecha a su padre convirtiéndose en el copero de este y envenenándole la bebida. Al instante, para alivio de todos, Cronos regurgitó a todos los hermanos y hermanas de Zeus. A esto siguió una sangrienta batalla que ganaron Zeus y sus hermanos. Los titanes fueron relegados a un lugar del mundo subterráneo denominado Tártaro y Zeus se convirtió en el poderoso jefe de una nueva raza de dioses, los dioses del Olimpo.

Esta historia parece una confirmación del adagio que dice: «Lo que más teme uno es lo que al final termina ocurriendo». Sin embargo, Cronos no desconocía la insurrección, pues él mismo había suplantado a su propio padre castrando a Urano con su hoz (véase el apartado «Los mitos de Acuario y Urano»). Los griegos no reconocieron a Cronos después de que Zeus asumiera el poder, pero los romanos le encontraron interesante y le restauraron como dios de la agricultura. Saturno era venerado a lo largo del año, pero en las Saturnales se lo reverenciaba de un modo especial; era la festividad más grande porque se trataba de la cosecha del trigo, que se segaba con la hoz, el símbolo del dios. La siega era entonces un ritual sagrado, un momento especial en el que se segaban las espigas y se comía el grano (igual que hacía Cronos con sus hijos).

La palabra «crono» significa tiempo, y la podemos ver formando parte de términos que todos conocemos, como «cronológico» o «sincronía». En la actualidad, cuando el año va tocando a su fin, vemos una versión de Cronos como un Padre Tiempo viejo y gastado, vestido con una capa negra y portando una hoz, un símbolo de la crueldad del tiempo, o del ser que juzgará nuestros actos cuando nos llegue la hora. El Padre Tiempo es también el año viejo y cansado, que cede su puesto para que un hermoso bebé lleno de vida, la imagen del nuevo año, pueda hacerse cargo. El Padre Tiempo está asociado con la vejez, la muerte y la transición. Al finalizar el año miramos atrás y hacemos propósitos para el año que va a comenzar, con la promesa de abandonar los malos hábitos. Resulta apropiado que en enero hagamos caso del consejo de Saturno: «Menos es más».

El dicho: «Se cosecha lo que se siembra» es perfectamente aplicable a tu signo, querido Capricornio. Saturno te convierte en un realista que valora los actos por encima de las palabras. No es de sorprender que termines siendo no sólo un triunfador, sino también el elegido para enseñar y dirigir como rey filósofo, como sólo la Cabra lo puede hacer.

La personalidad de Acuario

Acuario
20 de enero - 18 de febrero

Principio guía
«Innovo»

Cómo disfruta este signo
Disfruta con los cambios, sustituyendo las estructuras sociales y científicas y los métodos y conceptos que están viejos y gastados por innovaciones mejores y más apropiadas.

En el nuevo milenio, tu contribución al mundo será...
Tu punto de vista innovador y orientado hacia la tecnología es la clave para que la humanidad entienda lo que está por venir. El principio acuariano de que «la información ha de ser libre» llegará a muchas personas y liberará a todo el mundo.

Cita que te describe
«Descubrir consiste en ver lo que todo el mundo ha visto y pensar lo que nadie ha pensado.»

ALBERT VON SZENT-GYÖRGYI, un *Virgo*

El rasgo que más impresiona de Acuario son sus asombrosos ojos. A menudo son de un color azul como el cristal o de otro color claro, con una expresión profunda que parece no tener fondo. Los demás tenemos la sensación de «perdernos» en esos ojos, y evitamos clavar nuestra mirada en la suya. Paul Newman, nacido bajo este signo, es un buen ejemplo del legendario carisma de los Acuario. La mayoría de los miembros de este signo son famosos por mirar a la gente con lo que parece ser una visión de rayos X. Querido Acuario, cuando tú miras a alguien, es como si pudieras ver directamente el fondo de su alma. ¿Quién está seguro de que no sea así? Acuario es famoso por ser uno de los signos con más poderes psíquicos, y en efecto sabe cosas sin saber muy bien por qué las sabe. No es de sorprender que tus ojos, los instrumentos de tu visión, parezcan de algún modo distintos de los demás.

Naturalmente, no todos los Acuario poseen esos característicos ojos claros que destellan como piedras preciosas en el escaparate de una joyería. Cada signo tiene determinadas características físicas que ya sugirieron los antiguos, pero hay excepciones. Oprah Winfrey, por ejemplo, es una Acuario, dotada de unos ojos de color chocolate grandes como platos y tan cálidos y atractivos que son capaces de derretir los casquetes polares. La gente desea contarle sus secretos a Oprah porque perciben que su corazón está abierto de par en par y que ella tiene un sincero deseo de ayudar. Oprah es la prueba de que lo que más importa de Acuario es su expresión, a menudo muy atrayente. Tus ojos deslumbran, Acuario, y hacen que la gente se ponga derecha para escuchar lo que tengas que decir. Socialmente, en un nivel más personal, la intensidad que desprendes tiene un atractivo sexual tan fuerte que prácticamente se puede decir que dejas tu marca.

SÍMBOLOS

La imagen que simboliza a Acuario es la de un hombre (en algunos textos muy antiguos se trataba de una mujer) de rodillas, sosteniendo dos cántaros en un gesto de verter líquido. Los cántaros contienen el agua dadora de vida, que simboliza el conocimiento colectivo de la humanidad que él vierte en el éter del cosmos para beneficio de todos. El nombre hebreo de Acuario es Delfos, o urna de agua, lo cual quiere decir que el hecho de verter agua se relacionaba con la limpieza, para la expiación y la purificación (similar al bautismo). Acuario permite que el agua fresca y dadora de vida fluya a la tierra reseca (la ignorancia), que está necesitada de ella (iluminación).

En la imagen de tu signo, la figura está arrodillada, es decir que es un servidor; no es el líder pomposo, sino que se ve a sí mismo como igual al resto de la gente. Este espíritu democrático y esta identificación con el hombre común son especialmente fuertes en Acuario, y constituyen el secreto de su éxito y la explicación del hecho de que a menudo se le escoja a él para desempeñar el papel de líder. A ti te impulsa no sólo la necesidad de ser admirado (como le ocurre a Leo), sino también la de aportar algo de valor duradero a la comunidad, ya sea dentro de tu entorno inmediato o en el escenario del mundo.

El símbolo de Acuario son dos líneas onduladas, y aunque muchos piensan que es agua, en realidad sugiere corrientes de aire. Tu regente, Urano, rige la electricidad, una fuerza que encaja muy bien contigo, porque esta energía, que viaja a la velocidad de la luz, es como tu elemento el aire, poderosa pero invisible. Urano siempre ha estado asociado con destellos de inspiración e invención.

El símbolo de tu regente, Urano, revela tu talento. Se parece a una H, pero en vez de las dos líneas verticales tiene dos medias lunas, situadas a izquierda y derecha, que se dan la espalda la una a la otra y están unidas por una línea recta (el centro de la H), que sugiere el horizonte de la Tierra; por debajo de ese horizonte se encuentra una pequeña cruz (la cruz sugiere siempre la materia en el simbolismo astrológico), y más abajo aparece un pequeño círculo unido a la cruz (en lenguaje astrológico, el círculo significa el espíritu).

Las dos medias lunas unidas entre sí sugieren una unión de las perspectivas de la conciencia colectiva (grupos de gente) y de la persona. Así pues, la cruz sugiere que aunque el espíritu esté ocupado trabajando en un mundo material, sigue controlado por la mente. El símbolo sugiere además que el intelecto puede ser rejuvenecido y renovado por el espíritu humano. El hombre posee el dominio sobre el mundo material y tiene el poder de convertirlo en un lugar mejor.

Este símbolo resulta apropiado porque transmite que Acuario trabaja mejor en grupo (las dos medias lunas de los lados) para crear un todo que sea mayor y mejor que la suma de sus partes. Con este signo no hay falta de ideas ni de dedicación a los ideales. El símbolo del intelecto (los semicírculos o medias lunas) indica que la mente superior (divina) trabaja bien con la llamada mente inferior (común o cotidiana).

El metal de Acuario es el uranio, un elemento radiactivo. Si buscamos la palabra «uranio» en el diccionario, vemos que se utiliza en la investigación, como combustible y en armas nucleares. El uranio debe su nombre a Urano, el planeta que fue descubierto ocho años antes. La similitud entre estos dos nombres nos recuerda que la ciencia nos proporciona inventos tanto magníficos como terroríficos. Visto por el lado bueno, la ciencia nos ha dado los viajes espaciales, avances inimaginables en medicina y toda clase de comodidades de la vida diaria, como teléfonos, faxes y televisores. Pero también nos ha traído la guerra y métodos de destrucción en masa. Siempre presente en la mente de Acuario se halla el impulso de actuar con responsabilidad y prudencia, un concepto que aprendió de su anterior regente, Saturno. Mientras que algunos signos, como el fornido Aries, albergan la esperanza de ganar guerras físicas, Acuario desea destacar mediante la lógica, la objetividad y el intelecto, de un modo completamente pacífico.

INFLUENCIAS PLANETARIAS

Regido por el independiente Urano, Acuario es idiosincrásico, imaginativo, resuelto, excéntrico, inventivo, ingenuo, original y muchas cosas más. Resulta difícil describir a un signo tan independiente, porque pocos Acuario estarán de acuerdo con dicha descripción.

Tú nunca has sentido la necesidad de estar de acuerdo con la multitud para ser popular. A ti no te importa demasiado lo que piensen de ti los demás, y eso no hace más que aumentar tu poder y tu misterio. Al igual que Escorpio, tú mismo diseñas tu propio criterio del éxito. Tu frío distanciamiento, siempre presente en cierto grado, es considerado «misterioso» por tus admiradores. Esto, combinado con una habitualmente fuerte seguridad en ti mismo, suele resultar muy sexy. Urano, tu regente, suscita en ti la necesidad de distanciarte y ser lo más independiente posible, porque un exceso de proximidad te resulta claustrofóbico. Dejar espacios en blanco nos permite a los demás la posibilidad de rellenarlos.

Para comprenderte mejor a ti y entender más a tu planeta regente, Urano, primero hemos de fijarnos en Mercurio, un planeta situado más cerca del Sol y que rige el pensamiento objetivo y el intelecto. El efecto de Mercurio es totalmente desapasionado y racional, ya que su misión consiste en buscar toda la verdad y nada más que la verdad. (Por esa razón Géminis, que está regido por Mercurio, puede ser un excelente periodista, y Virgo, también regido por este planeta, es tan meticuloso y perfeccionista, siempre empeñado en buscar todos los datos.) De igual manera que un misil que detecta el calor, Mercurio detecta y destruye todo lo que encuentra en su camino hasta dar con la verdad desnuda. Rige la información obtenida en circunstancias cotidianas observando, percibiendo, leyendo, hablando y escuchando.

En astrología, Urano se considera la «octava mayor» de Mercurio, y así permite a los seres humanos llevar la belleza del conocimiento y del intelecto a un nivel más original, inventivo y creativo. En una carta astral, Urano rige la mente superior; es un planeta que nos ayuda a tratar no sólo con lo que es, sino también con lo que puede ser. Mientras que Mercurio refleja la recopilación de información día a día, Urano es distinto; rige la vasta cantidad de información que se acumula a lo largo de un período prolongado y que se manifiesta en forma de intuición.

Si Mercurio es el mensajero, el estudiante, el reportero o el periodista, Urano es el sabio y sagaz maestro o juez. Ya ves lo afortunado que eres por tener un planeta regente tan poderoso, y también la responsabilidad que, como consecuencia, tienes de utilizar bien tu poder. Como Urano impulsa todos tus movimientos, esa es la razón de que seas tan experimental, inventivo e incluso a veces psíquico.

Así pues, afortunadamente para ti, Urano es el gran sintetizador, el que traslada toda la información más allá del nivel individual para incluir la conciencia colectiva, y la acumula con el fin de crear algo que sea completamente nuevo y diferente. Más importante aún, ese «algo» estará individualizado y adaptado a la situación, y será único en todos los sentidos. Esto describe tu capacidad, Acuario.

Urano rige también el caos, de modo que tú, Acuario, te sientes bastante cómodo con la ambigüedad, una característica que te permite ser creativo e inventivo. Dentro de una estructura blanda (o sin estructura alguna), tienes más facilidad para construir cosas según tu propia visión interior y tu forma de ver el mundo. Tú consideras el caos algo bueno; es un caldo de cultivo burbujeante y creativo que se puede moldear para darle una forma útil e innovadora.

DONES CÓSMICOS

Tiendes a necesitar en tu vida más cambios y descubrimientos que la mayoría de la gente. Te aburres fácilmente, y cuando las cosas se vuelven sosas las agitas a propósito. Acuario no necesita un entorno tranquilo, sino que la conmoción le sienta a las mil maravillas. Urano te enseña que tienes además una misión superior que llevar a cabo: la de tomar las estructuras establecidas y cuestionar su valor.

Por lo tanto, te enseña a ponerlo todo patas arriba cuando es necesario. A diferencia de Plutón (que introduce sus cambios de forma muy gradual), Urano funciona de modo repentino y rebelde, y por eso se lo llama el Gran Despertador.

En ocasiones puedes ser un poco imprevisible, aunque si se te pregunta, dirás que nunca actúas de forma impetuosa. Para ti, todo lo que haces es lógico y calculado; no tienes ni idea de por qué la gente cree que actúas al azar. Tú sabes antes que los demás cuándo ha llegado el momento de cambiar. Urano te envía ráfagas de inspiración y te empuja a actuar de un modo para el cual los demás aún no están preparados del todo. En tu planeta regente nada es sutil, ni tiene por qué serlo. Urano necesita que ayudes al mundo a despertar. Mientras tu regente te pueda convencer de que actúes de modo desconcertante, tú podrás proporcionar al mundo una sensación de súbita liberación, después de haber contribuido a romper las cadenas de la restricción.

Lo peor que se le puede decir a un Acuario es: «Siempre lo hemos hecho así». A ti no te importa lo que se haya hecho antes; ese papel se lo dejas a los Capricornio (defensores de la tradición). Es bien conocida la reputación que tiene tu regente de ser el planeta que rompe nuestras ataduras a circunstancias que nos debilitan y nos libera de formas de pensar antiguas. Así pues, Acuario, tu misión consiste en desechar las viejas normas y, si es necesario, demostrar que no sirven. Urano te convierte en un iconoclasta en el sentido más literal del término, alguien que destroza (o al menos cuestiona) las imágenes consagradas de la sociedad. Y como iconoclasta, ofreces al mundo una visión vigorizante de estados nuevos y alterados.

Sin embargo, Saturno, el planeta que se consideraba regente de Acuario antes de que Urano fuera descubierto en 1781, desempeña un papel distinto pero afín en el desarrollo de este signo. Saturno nos enseña que para sentirse seguro el hombre necesita disciplina, orden, estructura y forma, así como unos sólidos cimientos; Urano pone a prueba la fortaleza y la utilidad de dicha estructura, y deja intactas las formas que todavía funcionan con eficacia. El hecho de que Saturno fuera el antiguo regente de Acuario sugiere que cuando tú, en tu fervor por progresar, quitas a la sociedad su seguridad, tienes la responsabilidad de sustituir lo que has suprimido por algo que sea igual de estable para que la humanidad pueda prosperar como consecuencia de ese cambio. Sin embargo, tu sentido de la responsabilidad es fuerte, y ese es el motivo por el cual estás tan bien dotado para conducir a la humanidad en este nuevo siglo.

A Acuario se lo ha llamado «el signo del genio», porque Urano es capaz de provocar en todo el mundo destellos de súbita inspiración y comprensión. En el diccionario, la palabra «genio» se define simplemente como «facultad intelectual y creativa extraordinaria». Sabemos por Thomas Edison que el genio es también «un 1 por ciento de inspiración y un 99 por ciento de transpiración». Siendo un signo fijo, Acuario posee exactamente el tipo de determinación y empeño que se necesita para llevar a cabo un proyecto. El filósofo suizo Henri Amiel definió de este modo el talento y el genio: «Hacer con facilidad lo que a otros les resulta difícil es talento, hacer lo que al talento le resulta imposible es genio». Esto se corresponde contigo, Acuario, ya que a menudo el genio es el don que proporciona Urano.

El hecho de ser incomprendido es algo a lo que has tenido que acostumbrarte, y no te desalienta. Todas las grandes mentes se exponen a sufrir las burlas de los demás en un momento u otro, y por suerte, tú tienes la capacidad de quitarle importancia. De hecho, es probable que hayas aprendido a exhibir tu excentricidad como si fuera una medalla al honor. Tal como dijo E. B. White: «El genio se encuentra más a menudo en una jarra rota que en una intacta». A ti no te importa que te tachen de radical; el resto del mundo siempre tendrá problemas para estar a tu altura, Acuario. Es posible que te sientas sorprendido y frustrado al ver cuánto tiempo tarda la gente que te rodea en comprender tu visión del mañana.

Al igual que la mayoría de los nativos de signos de aire, te acercas a todo con maravillosa curiosidad. Esto lo podrías aplicar a algo divertido y tonto, como inventar una manera de hacer que el timbre de tu puerta toque las primeras notas de la Quinta Sinfonía de Beethoven, o bien a algo serio, como encontrar la cura para el cáncer. Mientras que Géminis formula preguntas sobre lo que ha sucedido, Acuario quiere saber cómo funcionan las cosas. A ti te gusta desmontarlo todo, ya se trate de una célula molecular (como en biotecnología) o de un ordenador, perforarlo para buscar su esencia. Y sí, aunque es cierto que algunos Acuario pueden volverse demasiado tercos, rígidos o dogmáticos respecto de lo que creen, la mayoría no son así. Tu cualidad más maravillosa es tu apertura al mundo.

Acuario rige no sólo todas las cosas nuevas que se inventan, sino también todas las cosas que no se comprenden del todo. Por esa razón la astrología queda dentro del terreno de Acuario. Las propiedades matemáticas y los ciclos recurrentes que subyacen en la astrología te resultan particularmente fascinantes. A ti te gusta desmontar las cosas que no entiendes, pieza por pieza, y luego reconstruirlas de un modo totalmente nuevo. A ello se debe que los astrólogos Acuario por lo general posean un talento excepcional. Es cierto que el tuyo es un signo intelectual, pero ten en cuenta que si vives todo el tiempo dentro de tu cabeza, es posible que te olvides de que tienes un cuerpo que necesita cuidados y ejercicio. Acuario rige la circulación sanguínea, y si notas que tu circulación es mala (una señal puede ser que tengas frío con mucha frecuencia), sería una excelente idea hacer un poco de ejercicio cardiovascular. Acuario rige también los tobillos y, hasta cierto punto, las pantorrillas y las espinillas. Estas son zonas que podrían causarte alguna dificultad, de modo que procura conservar tus articulaciones ágiles y flexibles mediante ejercicios de estiramiento.

Al ser regido por Urano, el planeta de la electricidad, también eres más susceptible a sufrir tensión nerviosa y deberías incluir algún rato de descanso en tu vida diaria. Durante la mayor parte del tiempo te gusta navegar por Internet, jugar con el ordenador, ir a la tienda de electrónica a comprar juguetes nuevos o ver las reposiciones de *Expediente X* o de *Star Trek* en la televisión. Como te encanta jugar, Urano mantiene muy vivo al niño que hay en ti. Has de intentar buscar un poco de tiempo para atender a ese niño. Pareces recibir una inyección de oxígeno al disfrutar de tiempo libre, lo cual te ayuda a hacer un paréntesis en tu trabajo normal.

Una cosa inherente al hecho de ser Acuario es la sensación que tienes de vez en cuando de ser una persona solitaria, y es probable que en algún momento importante de tu vida te hayas sentido como un bicho raro. Incluso de pequeño puede que te sintieras diferente de los demás niños o de tus hermanos. Esta separación psicológica de tus iguales en una temprana edad no te hizo daño; de hecho, esa misma falta de aceptación por parte de tus compañeros no hizo sino impulsar más tu desarrollo como pensador independiente, y posiblemente también como líder. Sobresalir, en el sentido más auténtico del término, a menudo es muy necesario para destacarse del montón.

Tienes una gran cantidad de detalles en la cabeza al mismo tiempo. A veces la gente dice que eres olvidadizo, pero es sencillamente que no entienden que estás concentrado en las cosas que más te importan. Eres capaz de recordar los detalles más nimios de una complicada fórmula matemática, pero olvidarte de comprar leche de camino a casa. Comprar leche no te ayudará a salvar el mundo, y en cambio, formular un nuevo algoritmo puede que sí. Cuando estás concentrado en algo importante, tu naturaleza fija perfora ese tema igual que un taladro que agujerea el hormigón. Simplemente, no te detendrás hasta no haber dejado piedra por mover.

Cuando te acaban de conocer, en ocasiones los demás suponen que deben de haberte visto en televisión, o tienen la sensación de que dentro de poco vas a tener un gran éxito. La gente te lo dice constantemente, pero tú no estás seguro de por qué. Podría ser porque tu conducta es por regla general noble o sumamente refinada y porque caminas con un garbo especial. Si no vas con rumbo al estrellato en los medios de comunicación, puedes estar seguro de que triunfarás dentro de tu comunidad o de tu empresa. Si deseas la fama, para ti es posible.

Si consigues ser algo en el mundo, seguramente llevarás tu éxito con modestia. La ostentación no es algo que tú toleres, ni en ti mismo ni en nadie. Como perteneces a un signo de aire enormemente comunicativo y analítico, tu ascenso hasta lugares destacados se basará en una firme base de sólidas credenciales, ya que los Acuario no son de los que hacen las cosas basándose en corazonadas. Al pertenecer a un signo fijo, trabajas con ahínco y jamás abandonas, sino que permaneces siempre atento a tus objetivos principales.

Tienes fuertes sentimientos acerca de los derechos humanos, la justicia social y las causas humanitarias. No toleras los prejuicios de ninguna clase. Muchos Acuario encuentran tiempo para trabajar como voluntarios para causas filantrópicas, ya que este signo tiende a saltar a la acción cuando ve algo que necesita una solución. Si no fuera por ti, cabe preguntarse quién se pondría en marcha para salvar el planeta de los vertidos de petróleo y la reducción de la capa de ozono, y quién centraría la atención en la necesidad de proteger la selva tropical. Fue probablemente un Acuario quien comenzó a reciclar la basura y quien ganó la batalla por conseguir el mismo salario por igual trabajo. Tú exiges que se dé un trato humano a los animales y luchas por proporcionar más refugios a las personas sin hogar. Acuario está en primera línea combatiendo por la reforma de las prisiones, la limpieza de residuos tóxicos y la investigación del posible daño que causan los campos electromagnéticos. Sean cuales sean los males a los que esté ciega la sociedad, Acuario los descubrirá y los señalará, y conseguirá que se haga algo al respecto.

Uno de tus grandes dones es que no ves las diferencias entre las personas, sino más bien las similitudes que las unen como hermanas. Acuario posee una tendencia fuertemente idealista y altruista a trabajar con grupos de personas que están unidas entre sí por rasgos comunes. El común denominador del grupo podría ser trabajar en la misma profesión o compartir un mismo interés, como las personas que quieren aprender más de informática o que desean contribuir a una determinada causa benéfica o política. Tu comprensión de las similitudes entre los seres humanos como miembros del planeta Tierra se extiende a todos los grupos étnicos, religiosos y culturales; tú siempre te las arreglas para ver el hilo que los une. También posees facultades psíquicas, algo que tu mente racional no comprende del todo, pero que tienes que reconocer que es verdaderamente notable.

Encuentras respuestas a cuestiones complejas de forma creativa y nada ortodoxa. Como eres Acuario, harás lo que sea necesario para sacudir tu forma de pensar, a menudo haciendo uso de procesos de pensamiento aleatorios. Esto podría suponer estudiar campos que no tienen relación entre sí para buscar posibles paralelismos. Mediante la perseverancia (perteneces a un signo fijo) y los «accidentes», realizas importantes descubrimientos. Te fascinan los hechos y estadísticas incongruentes, y te encanta reunirlos de maneras distintas. También es posible que examines tu horóscopo en busca de inspiración creativa. O puede que abras el diccionario y te encuentres con la cuarta palabra de la primera frase de la página 179 (o la que sea), y que eso te obligue a buscar alguna asociación entre esa palabra y tu problema con el fin de abrir tu mente. El método que emplees no importa tanto como el resultado. El hecho de hacer asociaciones nuevas y a veces extrañas te ayuda a resolver problemas de manera creativa. Siempre será tu fuerte abrir caminos nuevos.

Una cualidad especialmente marcada que tiene Acuario es su extraordinaria capacidad para descubrir tendencias sociales mucho antes que los demás. En marketing o innovación de productos, o en medicina, ciencia, arte o política, Acuario está a años luz del resto de nosotros. No obstante, con frecuencia, como piensa con miras al futuro, se le entiende mal o se malinterpreta su opinión. Es posible que otras personas le hagan pasar un mal rato. Como mejor trabaja es cuando no hay ningún comité que lo cuestione y cuando se permite que fluya su intuición. Con el tiempo termina demostrándose a sí mismo que es una persona sagaz que capta antes que nadie el pulso del mercado y de la conciencia social.

RELACIONES

Gregario y extravertido, Acuario tiene muchos amigos y contactos (parece conocer a todo el mundo), pero sólo permite a unos pocos entrar en su círculo íntimo. Una vez más, esto prueba tu necesidad de mantener una cierta distancia, una incoherencia que desconcierta a la gente. (Con tal maraña de personas siempre a tu alrededor, ¿quién iba a sospechar que necesitabas abundante espacio e intimidad?) El lado desapasionado y sumamente intelectual de Acuario te hace volverte en ocasiones un tanto distante y esquivo; es esa misteriosa frialdad lo que los demás encuentran tan frustrante y tan atractivo al mismo tiempo. Se te conoce como una persona «de mundo» (un líder que es sensible a la multitud) y no como alguien orientado hacia las relaciones personales. Hay excepciones, por supuesto, pero a modo de explicación, he aquí un ejemplo: mientras que Piscis es posible que tienda más a ayudar a un vecino anciano que vive solo y que sufre de artritis, tú seguramente crearías una fundación dedicada a la investigación de la artritis en todo el mundo, que movilizase a grupos de personas para entrar en acción.

La amistad es algo por lo que un Acuario se preocupa profundamente y que nunca se toma a la ligera. Tú tienes amigos durante años, y con el tiempo ese vínculo se va haciendo más fuerte. Hay muy pocas cosas que no seas capaz de hacer por un amigo que te necesita, ya que, cuando un Acuario ofrece su amistad, es para siempre. Tu carácter cálido y afable te convierte en la estrella de cualquier grupo. Probablemente preferirás apartarte de ese pululante círculo de gente que te rodea para poder pensar. No es muy probable que te conviertas en una de esas personas que están tan ocupadas apagando fuegos que nunca parecen conseguir organizar su vida. El hecho de no estar tan centrado en lo que sucede a cada momento te permite concentrarte en el mañana, tu tiempo favorito.

En el amor, como en todo lo que haces, revelas tu particular estilo personal. Cuando empiezas a salir con alguien, a menudo te gusta que seáis amigos antes de pasar a la fase siguiente. Tu cerebro siempre está funcionando, y nunca pierdes la cabeza por amor, por eso sueles querer conocer bien a tu pareja antes de continuar avanzando. Prefieres establecer una relación con la otra persona a cierta distancia hasta que hayas tenido la oportunidad de conocerla y decidir cómo deseas actuar. Tú quieres ver si esa persona seguirá manteniendo tu interés o si tiene cosas en común contigo. El sexo es importante, pero para ti existen también otros ingredientes vitales en una relación. (Naturalmente, te encanta la experimentación en todas sus formas, por eso es posible que algunos Acuario menos evolucionados se pasen la vida buscando promiscuamente parejas nuevas.)

La mayoría de los Acuario buscan a alguien que esté a su altura en el aspecto intelectual (esto es mucho pedir), que esté dispuesto a debatir y discutir temas y a quien interesen las tendencias actuales. Los demás pueden ganarse tu respeto aunque no estés de acuerdo con ellos. Tú esperas de la persona con la que sales (o te casas) que tenga opiniones muy bien formadas, respaldadas por la investigación y defendidas con inteligencia. Escucharás su punto de vista para averiguar si lo que dice tiene algún mérito, y por supuesto defenderás su derecho a decir lo que piensa. Con Géminis en la cúspide de tu casa solar del amor, necesitas conversar con tu pareja, y si esta no te atrae al debate pronto desaparecerá lo divertido de la relación.

Por lo que se refiere a la atracción, poseer un gran dominio o capacidad en determinado tema es la única cualidad que tú encuentras irresistiblemente sexy y que de verdad despierta el deseo en ti. Ese conocimiento o talento especial podría estar relacionado con una profesión, un proyecto o una pasión. Cuando ves a alguien que muestra una excelencia excepcional además de un cierto orgullo y entusiasmo, te enamoras perdidamente, sin remedio.

Muchos miembros de tu signo tienen dificultades con el concepto del matrimonio, ya sea al principio de su vida o más tarde, cuando se dan cuenta de que la clase de relación cercana que requiere el matrimonio simplemente no es la que les va a ellos. El matrimonio es una institución, y tú tienes dificultades con todo lo establecido o lo que es convencional. Y tampoco te gusta cumplir las expectativas de nadie; para ti es importante tener una sensación de libertad. Si estás enamorado, encontrarás la manera de estar con esa persona, pero es posible que tardes años en sentirte preparado para ir al altar. La idea de mezclar tu personalidad y tu estilo de vida con los de otra persona es una especie de anatema para ti, al pertenecer a un signo tan individualista e independiente como Acuario, y también te da un poco de miedo. En tu caso, ciertamente tienes que buscar para dar con esa persona especial que entienda a tu verdadero yo.

Aunque mucha gente se casa por razones materiales o de seguridad, tú no. No tienes ni un pelo de materialista, de modo que acumular dinero o amasar fortunas nunca te ha atraído demasiado. (Lo que te motiva es la realización personal y la capacidad de crear o de inventar.) Tú opinas que el dinero y la seguridad constituyen una pobre excusa para casarse o para seguir casado si la unión se vuelve turbulenta. Tu carácter idealista te dice que una relación debe basarse exclusivamente en el amor. Puede que el matrimonio no vaya contigo debido a tu necesidad de crear un estilo de vida que resulte apropiado para ti, y eso puede entrar en conflicto con las ideas que tenga tu pareja de lo que es mejor o «normal». Por ejemplo, tu pareja quiere cenar contigo aproximadamente a la misma hora todas las noches, pero como la rutina es algo a lo que tú te resistes a toda costa, esto podría plantear un problema. Te irrita hacer una cosa a la misma hora todos los días. Es posible que tengas un trabajo que requiera un esquema de funcionamiento propio, pero lo más frecuente es simplemente que huyas de todo tipo de repetición. Tú piensas que la espontaneidad es la sal de la vida. También te disgusta tener que hablar con tu pareja antes de hacer planes (en tu mente, es una pérdida de tiempo) o tener que llamarla para decirle que vas a llegar tarde (no quieres interrumpirte cuando estás concentrado). Las relaciones tienen constantes limitaciones que a ti pueden resultarte difíciles de aceptar. No pasa nada si tu pareja entiende cómo eres, pero si no es así, prepárate para una relación tormentosa.

También está el hecho de que posees un gran control de ti mismo y rara vez muestras tus intensas emociones. Esto puede crear dificultades en una relación cuando la otra persona quiere que expreses tus sentimientos. Tú tiendes a mostrar tan sólo un exterior plácido y calmo casi todo el tiempo, aunque por dentro estés muy agitado. A la vez, tu lado idealista desea «hacer lo correcto». Si te enamoras pero luego descubres que esa persona no es adecuada para ti, pasarás rápidamente a poner fin a la relación, pero lo harás de una manera fría y práctica. Puede que tengas el corazón destrozado, pero no lo dejarás ver. Sencillamente, así es como son los Acuario, muy particulares y prácticos en lo que se refiere a los sentimientos.

FINANZAS

Regido por el excéntrico Urano, no te gusta sentirte restringido ni constreñido de ninguna manera, de modo que no te va eso de tener un presupuesto rígido. Tu forma de llevar un recuento de los cheques que firmas es, como todo lo demás, un tanto inusual. En lugar de molestarte en introducir en un programa informático de contabilidad todos los cheques e ingresos (o de sumarlos con una calculadora), prefieres llevar mentalmente un control intuitivo de tu saldo. Esto es posible que crispe los nervios de tu pareja o de tu compañero de piso, pero pronto demuestras al mundo que eres capaz de hacerlo con notable exactitud y te las arreglas para que no se te pueda reprochar nada.

Se te te ha visto pasar de un extremo a otro en el tema de ahorrar y gastar, como cuando tienes un objetivo en mente y ahorras tacañamente hasta el último céntimo que ganas y luego vas y te lo gastas haciendo una compra importante. No entiendas esto como que eres despilfarrador o sueles vivir por encima de tus medios; todo lo contrario, querido Acuario, tú no acostumbras a gastar demasiado. Los símbolos de prestigio pretenciosos ofenden tu democrático estilo de «uno para todos y todos para uno». Mientras que un Tauro o un Leo ansían una cena maravillosa en un restaurante de cuatro tenedores o disfrutan siendo dueños de un carísimo reloj, tú seguramente consideras que esos gastos son un despilfarro. Sería más sano tomar una cena modesta y nutritiva, y más útil llevar un reloj digital de plástico.

Por otra parte, tampoco eres una persona agarrada. Das mucho valor a los instrumentos que te ayudan a comunicarte, a explorar o a disfrutar del mundo que te rodea de manera divertida o cómoda. También te gusta que las cosas sean funcionales y estén bien diseñadas, y de vez en cuando te gastas grandes sumas de dinero en esa clase de objetos. Te gustan tus aparatos electrónicos, que te proporcionan placer de forma cotidiana.

Al igual que Aries, si crees en una idea eres capaz de establecer tu propio negocio para lanzarla. Al pertenecer a un signo fijo, no eres de los que abandonan, lo cual te hace perfecto para trabajar por cuenta propia. A ese respecto, si empleas en tu trabajo tu amor por la tecnología, podrías conseguir una bonanza económica. Acuario percibe con facilidad las tendencias futuras del mercado, y esa capacidad le proporciona una asombrosa ventaja. A ti te gusta trabajar con ahínco y posees una capacidad de concentración excepcional que te ayuda a alcanzar el éxito.

Cuando tu cuenta bancaria sufre uno de sus característicos bajones, tú sabes cómo conseguir ingresos nuevos. Si bien el éxito económico no suele ser tu objetivo principal (te motiva más el hecho de hacer alguna aportación a la sociedad), cuando tu barco llega por fin a puerto suele traer un botín que es directamente proporcional al esfuerzo extraordinario que has hecho. En lo económico tiendes a asumir la responsabilidad total de tus actos, y esa es una buena cualidad. Sin embargo, también podría hacerte vacilar a la hora de buscar el consejo de un experto cuando lo necesitas, pues consideras tu necesidad de pedir ayuda como una debilidad. ¡No permitas que el orgullo se interponga en tu camino, querido Acuario!

Si se te ocurre una buena idea, cerciórate de patentarla o registrarla enseguida. ¡No dejes que los demás se aprovechen de ti! Puedes estar tan concentrado en perfeccionar tu idea, que es posible que pierdas de vista la necesidad de protegerte. Invertir sabiamente en los adecuados valores tecnológicos es otra forma que tienes de amasar riquezas.

CARRERA PROFESIONAL

Las profesiones en las que destacarías son las relacionadas con la radio y la televisión, Internet, los ordenadores y otros aparatos electrónicos, las telecomunicaciones y los sistemas inalámbricos, la fotografía digital y la artística, los rayos X, los inventos y la alta tecnología. Eres un buen comunicador y sabes lo que la gente quiere tener o saber. Así pues, piensa en la posibilidad de ser escritor, periodista, especialista en marketing o publicitario. También te iría bien trabajar en algún campo científico, como el de las ciencias biológicas, en el programa espacial, como matemático o como astrónomo. Las profesiones de la Nueva Era también están regidas por Acuario, de modo que posees un gran potencial para convertirte en un astrólogo de talento, por ejemplo.

Piensa asimismo en las ciencias sociales, campo en el que sacarías provecho de tu sensibilidad humanitaria, quizá trabajando para una organización sin ánimo de lucro o como asistente social. Por último, a Acuario se le da bien la medicina, el arte y otras áreas en las que pueda realizar nuevos descubrimientos o desarrollar su individualidad mediante la impresión o la sorpresa.

El dinero no te motiva; te interesa más bien hacer alguna aportación o inventar algo nuevo. No obstante, aunque no persigas la riqueza, por regla general el universo te ayuda económicamente. Otros signos dan por sentado el «paquete» que nos entrega la sociedad al nacer, pero Acuario no. Dentro de la mayoría de los nativos de este signo late un corazón altruista que siente la apasionada necesidad de devolver algo a la sociedad. Tú también te suscribes al lema: «La información ha de ser libre», sobre todo en lo que se refiere a Internet, que tanto te gusta. No se encuentran muchos Acuario embaucadores en el fraudulento mercado cibernético, porque no es su forma de ser; este signo se aparta de todo lo que implique explotar a los demás, pues su sentido de lo correcto así se lo impone.

Tu misión consiste en dibujar las líneas maestras de tu punto de vista para inspirar a otros. Es bien conocido tu carisma. Los demás desean seguirte de forma natural. Al ser un pensador objetivo y racional al que le encanta jugar con ideas y conceptos nuevos, ves rápidamente lo que falta en el mercado. Combinando ese talento con el hecho de que te consideras a ti mismo (y con razón) una persona «capaz», tú te remangas y movilizas a los demás para que te ayuden a encontrar un remedio. Como no te gusta bregar demasiado con los detalles, estos se los dejas a los Virgo o a los Tauro que tienes a tu alrededor, y ya está. Eso es lo que debes hacer.

CUERPO, MENTE Y ESPÍRITU

En tu aspecto físico hay siempre algo memorable o insólito que te hace destacar de los demás. Puede que seas muy alto o desgarbado, que tengas un rostro ligeramente asimétrico o que camines de un modo determinado. Si ese aspecto distinto no te ha salido de forma natural, habrás hecho lo necesario para que salga. Cuando tenías cinco años probablemente te cortaste tú mismo el pelo, y cuando te hiciste mayor te afeitaste la cabeza o te teñiste el cabello de un color de moda o incluso agresivo. Eso vale tanto si eres hombre como si eres mujer. El pelo es sólo una de las formas de distinguirte de los demás; existen docenas de formas diferentes, como los tatuajes y los *piercings*.

También decidiste muy pronto que nadie iba a decirte cómo debías vestir o qué apariencia debías tener; eso lo ibas a decidir tú mismo, aunque supusiera desafiar los convencionalismos. En actos que requieren vestimenta formal, el que lleva esmoquin y va calzado con unas zapatillas deportivas es un Acuario. Las mujeres de este signo se niegan a ser esclavas de la moda; son ellas quienes dictan lo que hay que llevar e inician tendencias. Acuario no es seguidor de nadie. En un momento u otro deja a la sociedad con un palmo de narices, y no es raro que caiga en los extremos. Se siente empujado a ir contracorriente; simplemente no hace lo que todo el mundo espera que haga.

RESUMEN

La misión de Acuario consiste en estar «ahí fuera»; ni los hombres ni las mujeres de este signo son precisamente hogareños. El ejemplo extremo de esto es el incansable voluntario que lucha por los derechos de los niños en su comunidad, pero que nunca está en casa para atender a sus propios hijos. Ten en cuenta que, como Acuario que eres, tendrás un papel muy exigente en el escenario del mundo, y que muy pocas cosas se interpondrán en tu empeño de cumplir esa prioridad. Organízate para conseguir la ayuda necesaria y para dedicar un tiempo a las personas que amas y que necesitan tu presencia. Tu vida no será nunca simple ni aburrida, sino muy activa. Lo bueno es que tu capacidad para resolver problemas rara vez se ve obstaculizada; si se te mete entre ceja y ceja, eres capaz de superar cualquier obstáculo.

El matrimonio puede irte bien si tienes la previsión de escoger una pareja que comprenda tu necesidad de espacio y de desarrollar tus talentos hasta su máximo potencial. Ciertamente, vivir contigo puede resultar muy emocionante. Una vez que te hayas enamorado, es probable que seas muy fiel a tu pareja (aunque puedas coquetear en algún acontecimiento social), porque, como perteneces a un signo fijo, la estabilidad en una relación es algo que valoras mucho.

Eres inventivo, original, independiente e intuitivo, además de creativo e imaginativo. Querido Acuario, no cambies nunca. Tu visión del futuro es nuestra mayor esperanza de tener un mañana mejor.

Los mitos de Acuario y Urano

Al estudiar los mitos que rodean tu signo, podemos ver muchos de los temas recurrentes que según se cree son reflejo de tu personalidad, Acuario. En la mitología griega, Urano está relacionado con la mente divina y se dice que inventó el mundo. Está simbolizado por el cielo o el paraíso y es la figura mitológica original y más importante asociada con la creación. Urano despertó sexualmente a la Madre Naturaleza, cuyo nombre es Gea (Gaia), o Tierra, al tener con ella una relación incestuosa. Según el mito, se sirvió de rayos y truenos para impregnar a Gea con la semilla fertilizante de la lluvia, y al hacerlo se unieron la Tierra y el cielo, despertando a la vida. Urano desencadenó la serie de sucesos que dieron lugar al despliegue de la vida.

Descubrió enseguida que la progenie que había tenido con Gea le causaba muchos problemas. Gea había dado a luz monstruos, tres gigantes de cien manos y tres cíclopes, además de los doce titanes (término que llegaría mucho más tarde, y que según el mito fueron los primeros gobernantes del universo).

LOS TRES CÍCLOPES

Los tres cíclopes que tuvieron Gea y Urano se convirtieron más tarde en figuras divinas por derecho propio, famosos por ser herreros sumamente innovadores que forjaban rayos y truenos. El problema que presentaban es que pronto demostraron ser unos niños arrogantes, traviesos y fuertes, que constantemente tenían dificultades con las figuras de autoridad (algo que también se atribuye a Acuario, dicho sea de paso). Urano, loco de atar, arrojó a sus hijos a un oscuro mundo subterráneo, donde esperaba poder retenerlos. Mientras tanto, se sintió frustrado y decepcionado, pues tenía la sensación de que ninguno de sus hijos era perfecto.

CRONOS SE ENFRENTA A SU PADRE

Un día, Urano decidió enterrar a sus hijos uno por uno volviendo a meterlos en el útero de la Madre Tierra (Gea). Como uno se puede imaginar, el hecho de tener a tantos de sus hijos otra vez dentro de su útero era algo muy doloroso para ella (Gea tuvo doce titanes, tres cíclopes y tres gigantes de cien manos). Al cabo de un tiempo, la carga era tan excesiva que Gea, también conocida como la Madre Naturaleza, se rebeló. Construyó una hoz y luego pidió a sus hijos que se ofreciesen voluntarios para castigar a su padre por haber intentado enterrarles. La mayoría de los titanes no quisieron enfrentarse a su padre, mejor dicho, ninguno excepto el más joven, Cronos (conocido por los romanos como Saturno, el planeta de la responsabilidad y la madurez). Cronos resultó ser el hijo más osado, probablemente porque era el que más despreciaba aquella injusticia. Utilizó la hoz para cortarle los genitales a su padre, los cuales arrojó al mar.

Este acto de violencia hizo que la sangre de Urano salpicara por completo a Gea, que se volvió a quedar encinta. Más tarde daría a luz a las Furias (entre otros hijos), las cuales a su vez engendraron la violencia, el odio y la rabia en el mundo. Urano, comprensiblemente, se enfureció con sus hijos y los llamó «titanes» (que significa «los que se extralimitan»), y les advirtió que el acto violento de Cronos sería vengado. Algo bueno salió de todo esto, ya que así nació Afrodita, la diosa del amor (Venus), que surgió de la espuma del mar sobre una concha marina. Así pues, en este mito Cronos (Saturno) se libera del comportamiento irracional de Urano y por medio del caos termina restaurando el orden en el universo.

Cabría pensar que Cronos (Saturno) se convirtió en un regente juicioso, pero no sucedió así. En realidad, se comportó aún peor que su padre. Urano y Gea poseían la capacidad de ver el futuro (igual que tú, por ser Acuario), y le dijeron que él también sería derrocado por su hijo, pero Cronos amaba tanto el poder que no quiso escuchar su consejo.

La historia continúa en el mito de Capricornio, pero ya he demostrado lo que pretendía: si crees que tal vez los conceptos de Urano y Acuario que aparecen ilustrados aquí son incoherentes y en cierto modo caóticos, tienes razón; estos mitos captan a la perfección el espíritu de Acuario (y de Urano). En el mundo de este signo, la mente objetiva, madura, lógica y científica existe al lado mismo de lo indómito, lo ingobernable, lo imprevisible y lo caótico. Para un Acuario, estos conceptos van necesariamente unidos y son como las dos mitades de un todo. Tu papel como nativo de este signo es el de unir lo racional con lo irracional para crear algo completamente nuevo. Este mito subraya también la necesidad que tiene Acuario de fomentar la independencia individual mientras que al mismo tiempo se desarrolla a sí mismo como el líder, el responsable del bienestar del grupo.

Los romanos defendieron un mito bastante diferente como parte del modelo de Acuario, e insistieron en que el suyo era el único verdadero. Opinaban que Ganimedes, hijo de Tros, que era rey de Troya, personificaba mejor el mito de Acuario.

GANIMEDES

Se consideraba que era la deidad responsable de regar la tierra con la lluvia del cielo, reforzando así una vez más el concepto de nutrir la Tierra con propiedades vivificantes. Además, se decía que Ganimedes era el joven más hermoso que existía, lo cual hizo que Zeus (Júpiter) se enamorara de él. El dios supremo tomó la forma de una águila, raptó al muchacho y le convirtió en copero de los dioses. Según el relato, los dioses bebían ambrosía, no agua, de una copa de oro (*ambrosía* equivale al término sánscrito *amrita*, que significa «bebida de la inmortalidad»). El padre de Ganimedes se opuso al rapto de su hijo, de modo que Zeus le envió dos elegantes caballos y le explicó que a cambio de trabajar como copero de los dioses su hijo se volvería inmortal. Esto refuerza el tema de consumir o proporcionar una bebida nutritiva en relación con el mito de Acuario.

Ganimedes es el símbolo del amor homosexual desde la Edad Media. Los astrólogos que escriben sobre el planeta Urano por lo general mencionan que esa ambigüedad sexual forma parte de las características de este planeta. Al parecer, Urano es andrógino; ni masculino ni femenino, sino que posee las características de los dos sexos. Esto no quiere decir que las personas nacidas bajo el signo de Acuario, al estar regidas por Urano, muestren una mayor tendencia que otras a ser homosexuales (ni tampoco que el hecho de tener a Urano destacado en la carta astral aumente esa tendencia). Los textos astrológicos simplemente nos dicen que Urano es neutral, y que otorga a su signo un poderoso talento intelectual que por lo visto es ligeramente más fuerte que la atracción por lo físico. Este mito sugiere por qué a ti te causa una satisfacción tan profunda ser un amigo comprometido y leal, querido Acuario. Dicho de otro modo, la calidad de la relación es tan importante (o incluso más) que el puro placer físico. Una vez que se comprometen, los Acuario son tan apasionados en sus relaciones íntimas como cualquier otro signo.

EL NILO COMO SÍMBOLO DE VIDA

Hemos visto la explicación que dieron los griegos de Acuario, y también el mito romano, de manera que estudiemos ahora la interpretación de los egipcios. Para ellos, Acuario representaba un poder que renueva, reabastece y fertiliza todas las cosas vivas. El pueblo de Egipto reverenciaba las cualidades vivificantes del Nilo, y se ha dicho que la imagen que representa a Acuario, la del hombre que sostiene dos cántaros, puede significar que está vertiendo agua del Nilo. A finales de julio o en las primeras semanas de agosto, el Nilo casi siempre crece alrededor de la luna llena, la época del año en la que esta se eleva en la constelación de Acuario. (La luna llena se eleva siempre en el signo de uno seis meses después de la fecha de su nacimiento.)

Además, los egipcios creían que el Nilo era gobernado por el dios Osiris. Su santuario, el templo de Elefantina, era considerado uno de los más sagrados de todo Egipto y puerta espiritual del Nilo. (En realidad no era la cabecera del Nilo.) En ese santuario estaba depositada una reliquia sagrada, la tibia del dios Osiris. (No es coincidencia que Acuario rija los tobillos y la parte inferior de la pierna.) En la cercana isla de Filae se encontró un bajorrelieve que mostraba a Hapi, el dios del Nilo, vertiendo agua de dos vasijas, lo que también evoca la imagen de Acuario como el aguador que vierte las aguas de la vida para alimentar a la humanidad.

ENKIDU

Existe un mito relacionado con Acuario que procede de los babilonios, los fundadores de la astrología. El nombre que ellos daban a Acuario era Gula, que significa tanto «diosa de los partos y de la curación» como «constelación del gran hombre». Este último epíteto se refiere, según creen los eruditos, al dios gigante Enkidu, una copia del dios del cielo, Anu, que se formó para contrarrestar la desbocada prepotencia de Gilgamés. Enkidu resultó ser un hombre bueno y afectuoso, muy simpático, un espíritu desenfadado que vivía en la llanura entre los animales salvajes. Se hacía amigo de las bestias liberándolas de las trampas de los cazadores. A menudo aparece representado en pinturas antiguas como un hombre que da de beber agua a un buey. Cuando le llegó el momento de luchar contra Gilgamés, al principio se lanzaron el uno contra el otro, pero pronto se dieron cuenta de que tenían muchas cosas en común y se hicieron amigos. Así, de acuerdo con la leyenda, por ser Acuario te resulta fácil hacer amistades.

EL LIBRO DE EZEQUIEL

Los cuatro signos fijos del zodíaco se repiten una y otra vez en los relatos babilónicos. Aparecen en la epopeya de Gilgamés y en el libro hebreo de Ezequiel. He aquí el mito: cuando Enkidu murió, Gilgamés fue a buscar la hierba de la inmortalidad, pero tuvo que superar muchas pruebas para encontrarla. La diosa en primer lugar envió contra él un toro (Tauro), al cual venció. Gilgamés conquistó también el «orgullo de los leones» (Leo). Luego atravesó una puerta guardada por los hombres escorpión (Escorpio). El hecho de enfrentarse al toro, al león y al escorpión resultó ser una especie de prueba que Gilgamés tenía que superar para demostrar su valía. Esos tres signos (Tauro, Leo y Escorpio) forman, junto con Acuario, lo que en astrología se denomina la Gran Cruz Fija, una configuración muy difícil que podría interpretarse como una especie de suprema prueba cósmica. (Cada uno está situado a noventa grados respecto de los otros, formando una T que se completará cuando Gilgamés se reúna con Utnapishtim, que es un Acuario.) Antes de que Gilgamés pudiera llegar al mundo subterráneo, donde vivía Utnapishtim —que simbolizaba a Acuario—, tenía que luchar contra esas criaturas.

Utnapishtim (Acuario) es por lo visto un ser inteligente, ingenioso y espiritual. Habiendo sido advertido del inminente diluvio, se construyó un barco y se salvó en una historia semejante a la del arca de Noé. Fue recompensado por los dioses por haber escuchado el consejo divino y le fue concedida la vida eterna como guardián de la hierba de la inmortalidad. Su amigo Gilgamés consiguió por fin encontrar la hierba que buscaba, aunque sólo para perderla después. Así pues, la moraleja de la historia es que la humanidad aún tenía un largo camino que recorrer (y mucho que aprender) antes de que se le otorgara la inmortalidad. Es, a su manera, una historia de esperanza, amistad y victoria sobre los desafíos.

Espero que hayas encontrado inspiración en estos mitos, ya que son muy reveladores de los dones que posees.

La personalidad de Piscis

Principio guía
«Creo»

Cómo disfruta este signo
Disfruta con la compasión, la solidaridad y la profundización en la espiritualidad por medio de actos altruistas que alivien el sufrimiento de los demás.

En el nuevo milenio, tu contribución al mundo será...
Tú no te centras en el dinero ni en los símbolos de prestigio social, sino más bien en las verdades eternas y en la universalidad del espíritu humano. Tu compasión nos inspirará a todos para elevarnos a un estado superior y más evolucionado.

Cita que te describe
«La compasión es el deseo que mueve al yo individual a ampliar el alcance de su preocupación por sí mismo para abarcar a la totalidad del yo universal.»

ARNOLD J. TOYNBEE, un *Aries*

La época del año correspondiente a Piscis es la más fría y oscura, y la primavera parece quedar todavía lejos. La naturaleza pinta el paisaje con toda una gama de blancos invernales y destellos de azules helados. Muchos de los otros matices se ven suavizados y velados bajo varias capas de hielo. De las ramas desnudas cuelgan carámbanos que tiemblan y tintinean como si fueran minúsculas campanillas. El silencioso paisaje está desierto y quizá parezca áspero, pero también hay un cierto tipo de santidad en esa severa imagen.

Si el viejo oso, más flaco tras varios meses de hibernación, saliese ahora de su cueva para buscar comida, el aullido del viento tal vez lo convenciera de regresar al interior de su refugio y acurrucarse durante un poco más de tiempo. A los ciervos, los zorros, los mapaches y los castores también les costará más encontrar alimento, pero no están solos. Hasta los seres humanos ven que sus provisiones van mermando. Los melocotones, albaricoques y cerezas que con tanto cuidado se conservaron en botes de vidrio casi se han terminado cuando llega el final del invierno. Más adelante habrá una abundante cosecha, pero aún no; por el momento, la oferta del mercado es bastante exigua. El viento arrecia, lo que sugiere que se aproxima una nueva estación, pero por ahora hay que esperar, descansar, reflexionar y visualizar lo que vendrá cuando se suavice el tiempo. La claustrofobia hará que soñemos con imágenes que entretengan y animen nuestro espíritu, fantasías de hadas que bailan sobre la verde hierba del verano o de grupos enteros de liliputienses que cantan y juegan en el alféizar de la ventana. La vida en el interior de la mente siempre será fuente de una rica inspiración.

Piscis es el duodécimo signo, y por lo tanto el último, del zodíaco. En su época del año, al final del ciclo astrológico, se reducen las raciones de alimento o incluso se ayuna, y es el momento de prepararse para un ciclo totalmente nuevo. Hay que cumplir las viejas obligaciones, establecer nuevas metas y dejarlo todo preparado. El concepto de «menos es más» que apareció por primera vez en Capricornio surge de nuevo en Piscis, pero de una manera diferente, más espiritual. En este signo, la abnegación no se da por razones prácticas, como ocurre en Capricornio (para mejorar su imagen física o equilibrar su cuenta bancaria), sino que obedece a fines más profundos, para ser digno de la redención y la renovación por la limpieza y la purificación de la mente, el cuerpo y el espíritu. La mayoría de las religiones sugieren la necesidad de limitar los alimentos con fines de expiación. Con independencia de cuáles sean sus creencias religiosas, en Piscis existe siempre una sensación de que la vida puede contener una finalidad superior, y que encontrarla es algo de una importancia primordial.

SÍMBOLOS

En la constelación de Piscis hay dos peces que nadan en direcciones opuestas; uno nada corriente arriba mientras que el otro lo hace corriente abajo, y están unidos entre sí por un único cordel. En Piscis hay siempre una disyuntiva entre opuestos: ir por el camino de arriba o por el de abajo, seguir la corriente o nadar en contra de ella, expresar lo negativo o lo positivo, lo divino. También sugiere la necesidad de reconciliar e integrar el mundo material y el etéreo en uno solo. Los Piscis son a menudo negociadores sorprendentemente buenos, y los miembros más evolucionados de este signo siempre son conscientes de la necesidad de tener un pie en la realidad mientras prosiguen su eterna búsqueda de una mayor espiritualidad. Naturalmente, no todos los Piscis son evolucionados; hay algunos que están demasiado dispuestos a darse gusto a sí mismos —porque no hay duda de que este es un signo propenso a los extremos—, pero esos Peces han de aprender con el tiempo que necesitan practicar la abstinencia para purificarse de las sustancias que no son buenas para su mente, su cuerpo o su espíritu.

♓ Algunos expertos opinan que el símbolo de Piscis podría ser un jeroglífico egipcio que significa «regeneración psíquica». Los dos peces simbolizan los dos hemisferios del cerebro, y la línea o cordel que los une se dice que representa el «tercer ojo», que proporciona a Piscis una «segunda visión».

Ψ Este signo está regido por Neptuno, el planeta del altruismo, los sueños, la espiritualidad y la fe, y que por lo tanto genera una gran compasión, intuición, creatividad e inspiración, así como una profunda sensibilidad a la belleza. Denominado «el planeta de la niebla», Neptuno se funde con todo lo que toca, ya que sus aguas no se pueden contener con facilidad. Su símbolo es el tridente de Poseidón, que representa las tres vertientes del ser humano: cuerpo, mente y espíritu, la mayor de las cuales es el espíritu. Neptuno puede ayudarnos a imaginar —y buscar— una realidad mejor.

INFLUENCIAS PLANETARIAS

Neptuno fue descubierto en 1846, de modo que antes de eso se consideraba que el regente de Piscis era Júpiter, y por lo tanto muchos astrólogos todavía indican a este último como corregente de Piscis en un horóscopo. Tal como vimos en Sagitario, Júpiter es también un planeta espiritual, de un optimismo al parecer inacabable, y un fuerte símbolo de esperanza. Si viajamos hacia atrás en el tiempo, hasta la época de los dioses del Olimpo, hay pruebas de que el dios Neptuno era considerado entonces el regente de Piscis, de manera que siempre ha existido una conexión entre los dos.

Un talento extraordinario de Piscis es que cuando se esfuerza por expresar una emoción de manera artística, ya sea amor, desesperación, soledad o cualquier otra, en vez de contenerla y estudiarla a cierta distancia, se acerca tanto que de forma fácil, natural e inconsciente él mismo se convierte en esa emoción. Neptuno, su regente, le enseña a fundirse, y por eso nunca hay un muro que separe a Piscis del sentimiento que está estudiando. Este signo cristaliza las ideas sacándolas del fondo del mar de su inconsciente. El hecho de tener como regente a Neptuno hace que posea una intuición especial para comprender los sentimientos de las masas; Piscis siente su dolor, oye sus anhelos y predice lo que posiblemente desearán conforme vaya pasando el tiempo. Es el signo de los filósofos y los videntes, el signo que está más en contacto con quienes lo rodean, tanto que es capaz de sublimar su propio ego en su altruista empeño de servir a los demás. Neptuno también hace a los Piscis grandes visionarios, pero a diferencia de Virgo, que se da cuenta hasta del último detalle de las hojas de los árboles (pero no ve el bosque), Piscis ve el bosque en su forma más plena y panorámica (pero sigue tropezando con la maleza del suelo que tiene justo enfrente). Cuenta con una gran visión anticipada, pero en ocasiones puede utilizar más una vista de miope.

DONES CÓSMICOS

Un horóscopo no sólo tiene que ver con la persona, sino que también hace las veces de mapa global en el que aparecen marcados el desarrollo y la evolución de la humanidad. Los astrólogos antiguos escribieron que cada signo obtiene algo de todos los signos zodiacales que lo preceden. Así pues, Piscis, como compilación de todos los signos que están por delante de él, lleva consigo el conocimiento y la sabiduría colectivos de todos los signos, además de algunos de sus deseos y sueños. Igual que un prisma de colores que empieza a brillar con un blanco puro cuando gira y los colores se combinan, Piscis tiene mucho de donde nutrirse y a cambio la pesada obligación que le impone el hecho de ser el filósofo del zodíaco. Dentro del corazón de cada Piscis late el deseo de hacer del mundo un lugar mejor.

Para cuando la rueda del horóscopo llega a Piscis, se considera que el hombre ha adquirido sabiduría y que ahora extiende la mano hacia arriba para alcanzar su forma de evolución espiritual más elevada posible. En Piscis, el hombre es ya capaz de salirse de sí mismo y de sus propias necesidades para ver cómo puede hacer mejor su aportación al mundo. En lo más profundo de sí, Piscis cree en el amor universal y en la bondad del ser humano, y quizá sea por esta razón por la que este signo a menudo parece estar protegido por fuerzas externas, como si fueran ángeles de la guarda. Piscis anhela encontrar su verdadero destino y, al igual que su signo opuesto, Virgo (que cae seis meses antes), necesita satisfacer su necesidad interna de servir y ser útil a los demás.

La belleza simbólica de la naturaleza en la época del año regida por Piscis es un reflejo de la sensibilidad y la fuerte emotividad de este signo de agua. A mediados de marzo, la Madre Naturaleza por lo general ha iniciado el deshielo de primavera y el mundo se llena de líquidos. Esto resulta apropiado poéticamente, porque el regente de Piscis, Neptuno, en su forma del antiguo y poderoso dios Poseidón, gobierna todos los líquidos de la Tierra. Así pues, la majestuosa cascada y el grácil estanque, la niebla y el rocío de la mañana, la laguna de color azul oscuro y el agua negra, tóxica y salobre que puede causar daño, además del agua sagrada que según se dice lo cura todo, todas ellas quedan bajo el dominio de Neptuno.

En marzo los vientos cobran fuerza y las nubes se cargan de humedad y se abren dando lugar a lluvias que hacen que la nieve se funda. Mientras tanto, el minúsculo azafrán, ese perenne precursor de esperanza, se asomará a través de la tierra y anunciará delicadamente su llegada. Ríos y arroyos comenzarán a fluir, y la capa de escarcha que cubre el lago empezará a agrietarse y a derretirse y finalmente se disolverá en el lúcido azul oscuro que aguarda debajo. También despertará la savia dulce de los robustos arces y empezará a resbalar sin descanso para ser recogida en cubos de madera atados a sus troncos. Piscis, nacido justo antes de que la Madre Naturaleza despierte de nuevo a la primavera, lleva en su corazón la perenne esperanza de que lleguen tiempos mejores, y es eternamente recompensado por esa fe.

Sin embargo, hasta que llegue la primavera, a finales de febrero y durante la mayor parte de marzo, la naturaleza continúa estando bastante oscura y tempestuosa en las latitudes septentrionales, de modo que en el exterior hay poco o ningún impulso. Al igual que el viejo oso, la mayoría de nosotros preferimos quedarnos en casa, donde la vida es seca y acogedora. Muy apropiado, ya que para Piscis lo que suceda fuera, en lo que la gente llama «la vida real», nunca será tan importante como lo que ocurre en los pliegues internos de su corazón y de su alma.

En las religiones cristianas, hay un momento situado dentro

del período de Piscis, desde finales de febrero hasta el 20 de marzo, que marca el inicio de la Cuaresma, que es un período de ayuno, abstinencia y negación. La Cuaresma fue creada por los cristianos para honrar el ritual de purificación de la Virgen María cuarenta días después del nacimiento de Jesús. La Navidad es el 25 de diciembre, y la Cuaresma empieza aproximadamente cuarenta y cinco días después (se corresponde con el signo de Piscis, y tiene lugar exactamente en la mitad de la estación), dando comienzo a un período de cuarenta días que se considera un ciclo de gestación espiritual. Según se cree, cualquier costumbre puede asentarse firmemente si se practica durante cuarenta días consecutivos; pasado ese plazo, ya queda arraigada. Los sociólogos modernos están de acuerdo en que hay algo de verdad en esta idea, y por lo visto tiene cierta base científica.

La Cuaresma empieza el Miércoles de Ceniza, normalmente a finales de febrero, y recuerda los cuarenta días que pasó Jesús dedicado al ayuno y la meditación. El día anterior al Miércoles de Ceniza se llama Martes de Carnaval (*shrove* en inglés, que significa una confesión que se hace antes de la penitencia). La Cuaresma comienza cada año en un día distinto, dependiendo de cómo caiga la Semana Santa. En un calendario lunar, la Pascua de Resurrección es siempre el domingo siguiente a la primera luna llena que tiene lugar después del equinoccio de primavera.

En la Antigüedad, quienes respetaban la Cuaresma dejaban de comer huevos y grasa. Por eso el comienzo de la Cuaresma viene precedido en muchos lugares por el *Mardi Gras*, cuya traducción literal es «Martes Graso», el martes de carnaval, un día para disfrutar antes de dar comienzo al período de negación. En la actualidad los fieles a la iglesia tienen ciertos días en los que no comen carne y abandonan ciertos hábitos cómodos con el fin de prepararse para la renovación espiritual que tiene lugar en Semana Santa.

En Piscis, se sacrifican hábitos que proporcionan placer no sólo para sanar y alcanzar una mayor sensación de valía, sino también para mostrar amor y devoción al creador y para purificar el alma. Este objetivo difiere de la disciplina de Capricornio, que él se impone a sí mismo como reacción a los excesos de Sagitario en diciembre.

En el apartado «La personalidad de Virgo» hablamos de la virgen que sostiene una espiga de trigo, con el que se hace el pan. En el signo opuesto de Virgo (y por lo tanto en el mismo eje) encontramos ahora a Piscis, representado por los peces. Así se nos recuerda el relato del milagro de los panes y los peces que aparece en la Biblia, y que ya se narró en «Los mitos de Virgo y Mercurio».

Albert Einstein, famoso Piscis, dijo en cierta ocasión que uno podía tomarse la vida de dos maneras: suponiendo que no contiene ningún milagro o, todo lo contrario, que sólo contiene milagros. Piscis escogerá siempre esta segunda interpretación, porque habita en un mundo basado en hermosas maravillas espirituales. Cuando los demás contemplan por fin la vida a través de los ojos de Piscis, a menudo resultan iluminados. Este signo nos explica pacientemente que muchos de los dones de la vida son bendiciones de un universo que se preocupa por nosotros, pero que también estamos demasiado dispuestos a darlos por sentado. Piscis sabe que si vivimos de manera positiva, los milagros cotidianos nos ayudarán a avanzar hacia nuestro destino preferido y definitivo.

La compasión es uno de los mejores atributos de Piscis, algo que ningún otro signo del zodíaco, excepto Cáncer, puede igualar ni de cerca. Incluso comparado con este, Piscis escoge siempre hacer un esfuerzo más grande. Su necesidad de aliviar el sufrimiento es tan fuerte que es capaz de dejar a un lado a familiares y amigos para ayudar a perfectos desconocidos. A Piscis le resulta fácil ponerse en el lugar del otro. Como son esponjas psíquicas, los Peces necesitan disponer regularmente de tiempo a solas para deshacerse de las preocupaciones de los demás, meditar y reagrupar sus energías. La niebla de Neptuno borra las fronteras; por eso Piscis, que no es un signo asociado con un ego fuerte, no ve diferencia entre el yo y el tú. De hecho, su capacidad para reflejar el espectro total de sentimientos de las personas con las que está es legendaria. Cuando sus amigos son felices, Piscis también lo es; y cuando sufren, siente su dolor como si fuera el suyo propio. Todo se revela en los grandes y expresivos ojos de Piscis, brillante espejo de lo que piensa y siente.

La gente se aprovecha de la bondad de Piscis, y este no tiene inconveniente en reconocer que así es. Sin embargo, lo admitirá sonriendo para sí y perdonando a sus amigos por no ser lo bastante evolucionados para salir adelante por sí solos. Los Peces a menudo permiten que los demás se nutran de sus reservas de energía porque estas son casi infinitas y se reponen continuamente. Tal como dice el Piscis típico: «Si esa persona necesita servirse de mí, deja que lo haga, porque tal vez lo necesite. Que Dios la bendiga». Piscis es siempre el filósofo, dispuesto a perdonar y a decirse a sí mismo: «No saben lo que hacen». En efecto, si alguna vez ha habido un signo dispuesto a ofrecer la otra mejilla, es este. Los Piscis evolucionados no permiten que las personas de mala conducta les arrastren a su nivel, y la mayoría de ellos se esfuerzan por no dar lugar a que les reprochen nada, ya que este signo tiende a ser el más espiritualmente motivado de todos.

Piscis acepta especialmente bien la ambigüedad en todas sus formas, y por eso se lo considera el signo de la fe y de la esperanza. Para los Piscis, las contradicciones y las incoherencias son sencillamente una parte de la naturaleza, y por lo tanto piensan que los misterios están ahí para que los celebremos. Saben que no todas las cosas del universo pueden explicarse y responderse en una vida, ni siquiera en varias vidas; se compadecen de quienes insisten en usar sólo sus cinco limitados sentidos para buscar respuestas a las preguntas de la vida. Este signo siempre se ha fiado de otro sentido, un sexto sentido que siempre le ha sido muy útil.

Piscis rige la duodécima casa, la parte del zodíaco que corresponde a la vida retirada, los sueños, los recuerdos, los secretos y los asuntos confidenciales, así como a la atención médica y la curación. También rige los lugares de confinamiento como los hospitales, los centros de rehabilitación y hasta las cárceles, ya que esta casa del horóscopo gobierna conceptos como las restricciones, las limitaciones, el sufrimiento en silencio y las partes de la vida que están ocultas pero que de vez en cuando salen a la luz. Los astrólogos antiguos escribieron acerca de la propensión ocasional de este signo a la autodestrucción, refiriéndose con ello a los problemas que todos experimentamos en la vida y que no son culpa de nadie excepto de nosotros mismos. Los Piscis evolucionados saben esquivar claramente estas trampas, pero algunos particularmente jóvenes e impresionables suelen tener que tropezar un par de veces antes de aprender. Piscis opina que la mejor manera de hacer frente a la depresión o al estrés es mediante obras de caridad. Eso le saca de su preocupación por sí mismo y le proporciona consuelo al hacerle ver que ha intentado hacer del mundo un lugar mejor.

Dormir forma parte del papel de Neptuno, y Piscis entiende muy bien el valor de ese misterioso momento que tiene lugar entre la vigilia y el sueño, ya que es cuando le habla con mayor claridad su mente subconsciente. Los nativos de este signo disfrutan más de la vida cuando se borran los bordes. En cierto modo, el punto mismo entre el genio y la locura es muy de Piscis; es una zona de penumbra en el tiempo que otros signos desechan o simplemente no recuerdan, un estado alterado del que se sirve Piscis para aumentar su intuición. Cuando tiene demasiado sueño para sumergir o inhibir sus sentimientos, es cuando surge la verdad sin ataduras. Este signo también encuentra significado y dirección en sus sueños, que le proporcionan una comprensión intuitiva y un marco para encauzar sus energías. Algunos signos, en particular los de tierra —Tauro, Capricornio y Virgo—, además de los intelectuales y analíticos Acuario y Géminis, necesitan ver y tocar, oír y paladear todas las partes del mundo que les rodea para encontrarle sentido. Pero no ocurre así con los Piscis. Por supuesto que ese amor por la vida de bordes suavizados puede crear en algunos nativos de este signo la necesidad de valerse de una muleta, como las drogas o el alcohol, pero esos Peces son la minoría.

Una cualidad exquisita que poseen los Piscis es que ven belleza en todas partes, en las cosas más pequeñas y más sencillas, en lugares que a otros les pasan inadvertidos. También ven que su creatividad les procura más satisfacción que ninguna cosa que puedan comprar. Jamás harán nada exclusivamente por dinero, y por eso no son dados a «venderse». Piscis comprende que forma parte de un mundo temporal, y el plano en el que se mueve él es mucho más etéreo. Si tuviese mucho dinero, construiría un hospital o crearía una fundación. Quizá sea por eso por lo que el dinero acude a ellos cuando están ocupados pensando en otras cosas, creando y tejiendo sus sueños.

Cuando un Piscis sufre durante un período particularmente nefasto, puede romper a llorar en sentido figurado o literal como reacción a los gestos de bondad de los demás para con él. Dichos episodios siempre dejan una fuerte impresión en los Piscis, y cuando ven la resplandeciente divinidad del corazón de otra persona se sienten transformados para siempre por esa experiencia. Las superficiales normas de belleza dictadas por nuestra época no les impresionan, sino que hacen que estén todavía más decididos a ayudar a los demás. La comprensión de la auténtica belleza por parte de Piscis cruza la barreras étnicas y culturales. Por medio de su propio sufrimiento, este signo llega a ver la luz blanca del espíritu humano, y la experiencia le resulta inolvidable.

El color violeta, asociado con Piscis, está situado al final del espectro, y cuando se extiende un poco más lejos se convierte en ultravioleta y desaparece en el vasto y desconocido mundo de la universalidad completa, una metáfora apropiada para Neptuno, el planeta que rige las cosas que son a la vez universales e invisibles.

La Naturaleza ha dotado a Piscis de lo que sólo puede denominarse «visión nocturna». Se trata de un instinto certero que le sirve de protección y nunca le falla. Los símbolos de los otros dos signos de agua, Cáncer y Escorpio, son el cangrejo y el escorpión, dos criaturas que pueden vivir tanto en la tierra como en el agua. A diferencia de ellos, el pez no puede vivir en la tierra, porque no puede respirar aire, por lo que para sobrevivir debe quedarse en el agua. Además, como no tiene garras ni cuernos, y no puede pedir auxilio con un rugido, un gorjeo o un ladrido, la Naturaleza tuvo que proporcionarle un mejor dispositivo de protección. Así pues, Piscis cuenta con la precognición y un aguzado instinto. Amigos y familiares se maravillan de la extraordinaria capacidad que tiene para leerles la mente, como si estuviera oyendo invisibles ondas de radio que flotasen en el aire. Se ha dicho que los pensamientos son en realidad vibraciones de energía, de modo que es del todo posible que Piscis, al igual que ciertos animales, perciba frecuencias que quedan fuera del alcance del individuo medio. Nadie podrá nunca averiguar cómo o por qué funciona esta percepción extrasensorial, pero funciona, y por lo visto es introducida en los Piscis en el momento de nacer para garantizar su seguridad.

Tal como se ha dicho a lo largo de este libro, cada signo del zodíaco compensa las características del signo que lo precede. Así pues, Piscis reacciona contra el punto de vista frío, distanciado y puramente objetivo de Acuario. Sabe que los hechos tienen fallos y sus propias limitaciones, y que la intuición acierta casi siempre, ya que el corazón suele manifestar sólo la verdad. Si la ciencia a menudo cuestiona la fe, Piscis hace lo contrario, ampliándola y agrandándola. Desea explorar el mundo escuchando los susurros de su corazón en lugar de investigándolo a través de la lente de un microscopio.

Los Piscis saben que serán criticados por ser personas «sensibles» que viven casualmente en una época que valora la ciencia. Manteniéndose firmes por muy acalorado que sea el debate, reconocen la verdad cuando la sienten físicamente. La duodécima casa del horóscopo, la de Piscis, rige la mente subconsciente y equilibra la casa sexta, la de Virgo. Las dos forman parte del mismo eje en la rueda del horóscopo, y por lo tanto ambas tienen el mismo potencial para hacer surgir la intuición. Piscis sabe que la mente subconsciente es capaz de recoger grandes cantidades de información bajo el radar de la conciencia, donde nace la intuición. Mientras la mente consciente suplica saber qué y por qué, la mente subconsciente susurra: «Simplemente escucha, y el universo te lo dirá». En este último signo del zodíaco, la sabiduría y la iluminación nacen del hecho de comprender que algunas cosas no se pueden explicar tan fácilmente, y se tiene fe en que con el tiempo toda la verdad será revelada.

Mientras que Acuario funciona muy bien en grupos, el reservado Piscis a menudo prefiere trabajar directamente con personas necesitadas de una en una. Un Piscis más activo y extravertido tal vez pueda trabajar de las dos maneras. Tanto los Acuario como los Piscis son sumamente sensibles a su prójimo, y por lo general expresan el deseo de ayudar de diferentes maneras. Resulta interesante señalar que Aries, el signo que sigue a Piscis y que inicia la primavera, contrarresta la casi total falta de ego de Piscis. Así pues, Aries subraya la importancia del yo y de la expresión individual, es el signo del espíritu pionero y emprendedor, y es famoso por tener una gran seguridad en sí mismo, algo de lo que carecen muchos Piscis, sobre todo en su juventud. Esto demuestra la intención del cosmos de que cada signo sirva mejor al mundo.

Sus amigos instan a Piscis a que sea más realista, a que establezca un límite en la interacción social, pero esto resulta casi imposible para él, porque la niebla de Neptuno le hace resistirse a la contención o a trazar fronteras. Si perteneces a este signo, sabrás que hacer eso puede prácticamente ponerte enfermo. Si tienes que adoptar una actitud firme, escoges con cuidado lo que dices, procurando siempre no herir los sentimientos de la otra persona. Esto no quiere decir que seas flojo ni que no estés seguro de tus intenciones; el Pez puede ser muy decidido, incluso cabezota en ocasiones (gracias a la presencia de Tauro en la cúspide de su tercera casa solar, la de la comunicación). Tú siempre consigues tus objetivos, pero de una manera que te permita conservar tu sensibilidad y tu dignidad.

La capacidad de Piscis para ser espejo de las emociones nace en parte de su forma de ser y en parte del hecho de tener como regente al acuoso Neptuno. El pez es una de las formas de vida más antiguas, nacida de las aguas mismas de la creación. Tiene una larga espina, y en lugar de cabeza, piernas y brazos (como los seres humanos y otras muchas criaturas), posee un cuerpo enormemente sensible. Sus aletas perciben los menores cambios en los ritmos y vibraciones de las corrientes del agua en la que viven. El sonido se amplía y viaja más deprisa en el agua que en el aire, y por eso el pez puede captar esos sonidos —incluso sentirlos— más velozmente que la mayoría de las criaturas que habitan la Tierra. Esa sensibilidad a los sonidos bajo el agua, proporcionada por Neptuno, es sin duda alguna la razón por la que Piscis pose tanto talento para la música.

Para Piscis, el regalo más grande es el tiempo del que uno dispone, que se da generosamente, con buen ánimo y nunca de mala gana. No es de sorprender que los nativos de este signo tengan muchos amigos de toda condición y de todas las religiones y razas. Pero aparte de sus amistades, buscan constantemente gente necesitada (a veces perfectos desconocidos) a la que ayudar y posiblemente llevar a su casa, para disgusto de su pareja. El motivo de esta clara prioridad de ayudar a los demás radica en que comprenden que la vida es algo temporal, pero que el alma es para siempre. El centro de atención de Piscis no está en lo trivial, sino en la eternidad.

Aunque el agua lava y purifica, también puede envenenar silenciosamente o causar daño de otra forma. Esta arma de doble filo de Neptuno está siempre presente, pues este planeta puede infundir esperanza, empatía y purificación, pero también confusión y engaño, incluso muerte. Los Piscis siempre tienen que caminar entre las dos cosas, sin dejarse engullir por las aguas de Neptuno, cosa que para algunos no resulta nada fácil. Todos hemos leído sobre determinados músicos y actores de este signo, por ejemplo, que, abrumados por el estrellato, recurren a las drogas y a la bebida como una forma de escapar de la presión del éxito o de la confusión de sentimientos que experimentan cuando la vida no deja de exigirles. En ocasiones demasiado visionario y nada práctico, Piscis tiene que esforzarse por pensar con claridad y fijarse metas. Una vez que lo consigue, este signo de «todo o nada» puede lanzarse al estrellato o buscar la paz interior que tanto ansía. En cierto sentido, puede trazarse él mismo su destino.

Al enfrentarse a una crisis, los Piscis pueden verse abrumados y tener la sensación de ahogarse en un mar de emociones. O bien puede que digan que se sienten a la deriva en medio de un vasto océano, solos y aislados de las mismas personas a las que siempre han ayudado pero que de pronto les faltan. Tal como dice el viejo adagio: «El éxito tiene muchos padres, pero el fracaso es huérfano». Es posible que Piscis no sepa qué hacer para conseguir regresar a tierra firme, pero la respuesta es que debe intentar pedir ayuda. Aunque este signo anima a los demás a acudir a él (ofreciendo siempre un consejo acertado), parece extrañamente vacilante a la hora de pedir ayuda, pues supone que será una carga.

No obstante, es innegable que la ocasional crisis que soporta Piscis le permite encontrar su reserva de fortaleza más profunda. Cuando los nativos de este signo despiertan de una fantasía, el torrente de la vida les fuerza inevitablemente a afrontar de cara las cosas que temen. Signo sumamente incomprendido, Piscis es tachado de débil por los demás demasiado a menudo y con demasiada facilidad. Cuando las cosas van mal, pronto demuestra ser más fuerte de lo que nadie suponía. Su capacidad de supervivencia es enorme, y su instinto, tal como ya he dicho, con frecuencia es de una agudeza asombrosa y siempre le ayuda a saber cómo escapar de la mayoría de los enredos de la vida. Y si ha elegido vivir como el buen Pez, con una alma pura y buenas intenciones, el universo conoce el modo de salvarlo, incluso si no tiene a nadie a quien culpar de sus desdichas más que a sí mismo. (Se sabe de nativos de este signo que se han disparado a sí mismos en el pie.) Una vez más, Piscis es capaz de salir triunfante si se empeña en ello.

El océano es sumamente cambiante, por lo cual los mutables Piscis pueden ser variables, pero no tanto como sus colegas de agua los Cáncer, ya que estos están regidos por la Luna. Puede que el mar esté encrespado, con tormentas torrenciales, vientos huracanados y olas terroríficas, pero poco después las aguas se calman y vuelven a ser de un azul claro y apacible como el cristal. A su vez, Neptuno da a Piscis la capacidad de cambiar de forma del mismo modo y con la misma rapidez que sus aguas. Esto proporciona a este signo la fantástica ventaja de la adaptabilidad, que le permite sobrevivir en las circunstancias más difíciles. Si un método no funciona, el Pez prueba con otro en un abrir y cerrar de ojos. Piscis es camaleónico en el sentido de que sabe adaptarse a casi cualquier circunstancia, incluso las más extremas, y, como todos sabemos, la supervivencia es de aquellos que son capaces de adaptarse con mayor éxito a su entorno.

Piscis es el signo que se considera que representa los sentimientos de la humanidad, las emociones inconscientes y colectivas de todos los seres humanos, el denominador común que nos une a todos con independencia de nuestra edad, nuestro sexo o nuestra nacionalidad. La expresión «gran colectivo» abarca las opiniones, modas, tendencias y políticas que prevalecen en una época determinada. En Piscis, la antena está colocada tan alta, que sabe con toda precisión cuál es el pensamiento colectivo del momento. Como contraste, Sagitario se siente unido a la humanidad a través de ideas y de la aportación de conocimientos de las diversas civilizaciones del mundo como familia humana. Piscis une a la gente de una manera más instintiva, por medio de los lazos de las emociones mutuas.

A esto hay que añadir que los Piscis utilizan mucho el hemisferio derecho del cerebro, lo cual les diferencia bastante de su polo opuesto, los Virgo, que son sumamente verbales y precisos y emplean con preferencia el hemisferio izquierdo. Como la información tiende a penetrar de manera visual, Piscis está especialmente dotado para leer símbolos, el lenguaje corporal, los gestos, una mirada o un destello en los ojos con mayor exactitud que ningún otro signo. Así, es capaz de captar la verdadera intención de una persona, ya que, al igual que Capricornio, se fía más de las acciones que de las palabras. Pero, a diferencia de Capricornio, el Pez lee el lenguaje corporal y la inflexión del tono de voz además de interpretar lo que está haciendo la gente, y termina teniendo una idea muy acertada de lo que sucede.

Romántico, emocionalmente sensible y sumamente imaginativo y creativo, es fácil comprender por qué Piscis destaca en las artes. Los campos de la fotografía, el cine, la música, la literatura, la poesía, la danza y la interpretación (que se ve acrecentada por las cualidades camaleónicas de las que ya he hablado) resultan perfectos para este signo. En efecto, Piscis es el poeta del zodíaco. Como mejor trabaja es cuando los demás no le imponen ninguna estructura, ya que necesita sentirse libre y trabajar cuando y donde le apetezca, a todas horas. Tal como he dicho anteriormente, la necesidad de hacer una importante aportación a todo lo que lleva a cabo es lo que constituye su principal motivación, no el dinero que va a ganar. Sin embargo, los Piscis son también magníficos negociadores, porque entienden las motivaciones psicológicas del ser humano. La gente de las empresas subestima constantemente a este signo, pues supone que es débil o flojo, pero si eres Piscis sabrás que esto casi siempre resulta ser una ventaja. Tus detractores no dejan de intentar adivinar qué vas a hacer a continuación, pero casi siempre se equivocan.

Piscis se siente cómodo en medio del caos y en efecto parece disfrutar con él. Su aceptación del desorden, la confusión y la aleatoriedad en general va unida a su profunda creatividad. Su capacidad para aceptar la ambigüedad también le permite hacer nuevos descubrimientos. Incluso los Piscis que no tienen profesiones tradicionalmente artísticas son capaces de trabajar en medio del clamor y el revuelo generalizados, ya que su concentración suele ser excelente, y su habilidad para el detalle, muy marcada. También son capaces de descubrir rápidamente lo que falta en un proyecto y de buscar maneras de compensarlo enseguida. En ese sentido son un poco como Capricornio.

Sin embargo, a diferencia de la Cabra, el Pez es un artista, y como tal a menudo prefiere desempeñar dicha función, es decir, la de retratar los papeles que el resto de nosotros, colectivamente, estamos a punto de asumir antes de que sepamos conscientemente que nos encaminamos en esa dirección. El artista de éxito ofrece una imagen memorable que resuena como especialmente «adecuada». El gran colectivo —las masas de una región o del mundo— ve lo que Piscis ofrece y dice: «Sí, eso es exactamente lo que voy a ser, y lo que quiero ser, y de hecho, lo que soy ahora». Un artista no sólo tiene la misión de predecir la identidad futura de una cultura entera, sino que también puede sugerir estilos de vida alternativos. Así, ejerce una influencia muy sutil pero profundamente poderosa sobre la cultura de masas. La moda, la música y el arte, la decoración de las casas, la política y los libros que se leen, todo ello se ve influido por el artista en el dominio de Piscis. Si el nativo de este signo escoge no dedicarse a las artes, el otro campo que le atraerá con fuerza será la medicina, curar el cuerpo, la mente o el espíritu.

Hasta aquí hemos hablado del lado serio y espiritual de este signo, pero los Piscis tienen también un lado juguetón que es igualmente importante. El niño de cinco años que tienen dentro sigue muy vivo, y eso explica por qué es tan fuerte su creatividad. Los Piscis creen que el mundo sería un lugar terrible si no hubiera parques temáticos, dibujos animados ni cuentos de hadas. Opinan que la fantasía siempre vencerá a la realidad, porque les permite construir el mundo que ven en su rica imaginación. Es posible que la realidad hiera a Piscis, pero un proyecto creativo o un poco de tiempo en la realidad virtual le proporciona una vía hacia otro espacio y otro tiempo, y a Piscis le encanta ser absorbido de este modo. La fantasía le permite ser verdaderamente él mismo, convertirse en la persona que ve con el ojo de su mente. Aunque, por supuesto, esta tendencia al escapismo puede representar un peligro, para la mayoría de los Piscis bien equilibrados es sólo beneficiosa, pues les sirve de mecanismo de protección, un lugar secreto para la mente y el corazón que les permite curar las heridas que puedan tener.

Así que Piscis se va a Orlando para ver Disneylandia, o a Nueva Orleans, Las Vegas, Tinseltown (Hollywood) o algún otro de esos «países de nunca jamás» que ofrecen parques temáticos u otras diversiones que hagan olvidar la realidad, aunque sólo sea durante un rato. Ir a un lugar de ésos puede ayudar a los Piscis a refrescar su espíritu, siempre que no se entusiasmen demasiado. En su mente es perfectamente posible volar o incluso lanzarse al espacio o habitar otros planetas. Si se le dice a un Piscis que no puede hacer nada de eso, pondrá los ojos en blanco y te dirá que lo siente mucho por ti.

En realidad, a veces los Piscis prefieren visitar lugares con la mente —como parte de su productiva fantasía— en vez de visitarlos en la vida real. Después de todo, si van allí físicamente siempre existe la posibilidad de que queden desilusionados. Las realidades del aeropuerto, o del aparcamiento, o las dificultades que implica que a uno le traten como un turista, pueden convertir el viaje en una pesadilla. En Internet o en una aventura de realidad virtual estos problemas se volatilizan. Piscis podría pasarse días enteros cayendo, igual que Alicia en el País de las Maravillas y el Conejito Blanco, por el tobogán que conduce a las profundidades de emocionantes imágenes panorámicas. Cree que los personajes de ficción podrían existir de verdad; los nativos de este signo siempre creen en los milagros y en la magia. Tanto Michael Eisner, director de Disney, como Steve Jobs, fundador de Apple Computer y de Pixar, suelen hablar del «reino mágico» o de «conducir a los fieles». Prueba a decirles a ellos que la realidad es mejor que la fantasía, y verás cómo rompen a reír a carcajadas. ¡Naturalmente! ¡Los dos son Piscis!

En la película *Brasil*, los personajes estaban de acuerdo en que una imagen de tamaño real de la comida que habían pedido a la camarera era mejor que la comida en sí. Para los Piscis, eso es perfectamente lógico. Lo visual entra por los ojos, y las imágenes agradables los alimentan más que ninguna cosa que puedan llevarse a la boca. Se quedan constantemente sin productos básicos de casa como leche, mantequilla, jabón o bolsas para la basura, pero jamás se quedan sin pinturas y lienzos, carretes de fotos y papel fotográfico, memoria RAM y ancho de banda, tijeras y pegamento o cualesquiera que sean sus herramientas creativas, porque constituyen elementos preciosos para ellos.

Lo más importante que hay que recordar es que Piscis posee una gran imaginación, tal vez la más rica y pura de todo el zodíaco. Sencillamente, es que los mundos alternativos de la mente y el corazón son demasiado atractivos para no investigarlos. Cuando su maestro de tercer curso le dijo: «Algún día leerás libros sin dibujos. No los necesitarás, y nunca los echarás de menos», el pequeño Piscis movió la cabeza en un gesto negativo diciéndose a sí mismo: «No, eso no va a suceder nunca, porque a mí me gustan mucho los dibujos».

RELACIONES

Pasemos ahora al lado romántico de los Piscis, y veamos cómo son en el amor y el matrimonio. Tal como cabría sospechar, son increíblemente tiernos y poseen un mágico romanticismo. Modestos, reservados y posiblemente hasta tímidos, desean una relación estrecha, íntima, con alguien que explore el espectro total de las emociones humanas en vez de una persona que se quede en la superficie. Por este motivo ni los signos de aire ni los de fuego (Géminis, Libra, Acuario, Aries, Leo y Sagitario) suelen resultar adecuados para los Piscis, que necesitan siempre una gran intensidad amorosa en sus relaciones, y quieren sumergirse hasta el fondo del mar del amor para experimentar la plenitud amorosa. Ellos creen en su capacidad para conseguir la «felicidad eterna» con alguien especial. A menudo encuentran el amor que buscan, aunque sólo sea porque son muy generosos.

Hay una explicación muy convincente para el carácter romántico y generoso de Piscis. Neptuno se considera la «octava mayor» de Venus, lo cual quiere decir que lleva la belleza de este planeta a un nivel superior y más espiritual. Tal como vimos en Tauro y en Libra, Venus rige la belleza y la armonía; por eso es feliz y tiende a incrementar los placeres sensuales, pero también puede ser muy hedonista. Venus se ocupa del mundo exterior, la diversión, las fiestas y otros lugares y formas de disfrute, y después de haber preparado la escena, inicia el coqueteo y enciende la primera chispa de química entre los amantes. Neptuno celebra la belleza en los aspectos más profundos y amplios del amor. Si Venus es el contacto o el sentimiento terrenal, Neptuno lleva la sensibilidad al reino de lo psíquico. Venus desea disfrutar del amor, pero Neptuno abarca tanto que está dispuesto a sufrir por amor e incluso a sacrificarse por él. Su misión es la de trasladar esa primera chispa de atracción sexual a una esfera muy superior, mucho más espiritual, posiblemente hasta el compromiso (con la ayuda de los demás planetas). Si Venus tiene que ver con el mundo exterior que podemos ver y tocar, Neptuno se interesa más por la vida interior del corazón y el alma.

El amante soñado por Piscis sería un Cáncer, un Escorpio o bien otro Piscis, o quizás un Tauro, un Virgo o un Capricornio. El Pez anhela encontrar a una persona que sea sensible y diplomática, que le apoye y le reafirme, ya que en ocasiones necesita un poco de impulso en lo que se refiere a la seguridad en sí mismo, por mucho éxito que tenga en la vida. Su pareja ha de tener también un espíritu aventurero en cuanto a los viajes, y al mismo tiempo ser lo bastante romántica para aportar un elemento de sorpresa y diversión durante los años en que permanezcan juntos. Signo gregario, a Piscis le gusta mezclarse en la escena social, pero necesitará una cantidad igual de soledad, pues un exceso de relación social le deja aturdido y con la profunda necesidad de descansar.

Los Piscis desean ser comprendidos y quieren que se los aprecie con sus cualidades y sus defectos. Un Pez jamás establecerá una relación a toda prisa o con una actitud arrogante, sino despacio y tanteando. Sabe que es fácil que hieran sus sentimientos, de modo que es comprensible que se proteja a sí mismo, sobre todo al principio. Una vez que pueda confiar en la otra persona, se mostrará sensible y afectuoso y querrá avanzar hacia el compromiso. No hay que ser rudo ni abiertamente agresivo con los Piscis, pues prefieren un acercamiento sutil e indirecto. Si te acercas a un Pez de forma demasiado impetuosa, desaparecerá entre las rocas del fondo del mar y no volverás a verlo.

A la hora de elegir alguien a quien amar, un Piscis típico buscará equilibrar su carácter artístico y sentimental con una persona que posea un sentido práctico como una roca y que también sea firmemente formal, leal y empática. A Piscis le gusta tener una pareja diligente, que trabaje con ahínco y que muestre entusiasmo por su trabajo. Hay que tener en cuenta que los Piscis a menudo están muy dedicados a su propio trabajo (sobre todo si tienen una profesión creativa, lo cual puede querer decir que trabajan las veinticuatro horas del día, siete días a la semana), y por eso consideran normal que otros hagan lo mismo.

Cuando hace el amor, Piscis desea vivir la pasión de una experiencia casi religiosa en la que el mundo se hace a un lado y dos almas se funden en una sola. Los nativos de este signo poseen una elegancia y un ritmo naturales que simplemente los convierten en compañeros sexuales inolvidables. La calidad de dicha experiencia dependerá de la profundidad de los verdaderos sentimientos de ambos, pues Piscis busca emociones auténticas. Si al principio de la etapa de conquista no hay fuegos artificiales, Piscis aguardará un poco para ver qué pasa; sin embargo, al cabo de un tiempo, si sigue sin suceder nada, intentará averiguar por qué. Si nota que su pareja simplemente no está en la misma onda, renunciará y se retirará en silencio. Lo suyo no es montar escenas; por eso es posible que su pareja se despierte un día y descubra que su Piscis se ha ido. Un Pez desilusionado que tenga el corazón roto necesitará mucho tiempo para curarse; los nativos de este signo no superan con facilidad el mal de amores.

No obstante, si la relación es cálida y armoniosa y le proporciona la excitación que necesita, Piscis abrirá una compuerta de emociones para su ser amado. Como es idealista, siempre ve a su pareja con buenos ojos. La frase más irresistible que podría pronunciar la pareja de un nativo de Piscis es: «Te necesito». No existe prácticamente modo alguno de que el Pez no reaccione ante eso. Quiere ser importante en la vida de los demás, y da generosamente su amor a cambio. Está dispuesto a sacrificar mucho por la persona amada, y también por los hijos que puedan llegar después. Si tu pareja es Piscis, necesitarás estimularle a que también piense en él mismo (o ella misma), ya que a veces los nativos de este signo se extralimitan al dar a la familia demasiado de sí mismos y pueden convertirse casi en mártires al negarse su propia diversión. Como Piscis mantiene tan vivo a su niño interior, siempre es un progenitor fantástico. (El deseo de tener hijos suele ser bastante fuerte en este signo, y es una buena razón para casarse.) Los Piscis estimulan y apoyan a su pareja para que escale a alturas que jamás habría intentado en solitario, y escuchan no sólo con los oídos, sino también con todo el corazón. Fuertes, fieles, curiosos, juguetones y siempre en busca de alguna pequeña sorpresa, aportan a su unión el encanto y el hechizo del romance. Siempre conservan esa chispa de embeleso en los ojos, así que si tu pareja es Piscis, cuídale como si fuera un tesoro, porque has encontrado a alguien compasivo e imaginativo que te rodeará de un infinito amor.

FINANZAS

En el aspecto económico, Piscis ha asombrado a más de uno de los demás signos por destacarse del montón. Con Aries en la cúspide de su segunda casa solar, los Piscis se sienten cómodos generando por sí mismos sus ingresos y con todo lo que eso conlleva, de modo que resulta muy adecuado que trabajen como autónomos. Con frecuencia se ve a nativos de este signo que desempeñan con éxito dos profesiones, a menudo al mismo tiempo.

La revista *Forbes* llevó a cabo recientemente una encuesta entre cuatrocientos millonarios y multimillonarios. Los resultados revelaron que Piscis era el signo del zodíaco al que pertenecían más millonarios hechos a sí mismos: un 11,3 por ciento, con Acuario en el segundo lugar con un 9,4 por ciento (revista *Forbes*, 16 de octubre de 1995, pp. 380-382).

CARRERA PROFESIONAL

Los Piscis son brillantes cineastas, montadores de películas, productores de realidad virtual, diseñadores, animadores, creadores de dibujos animados, músicos, narradores de historias, realizadores de televisión y jefes de estudio. También son fotógrafos de talento. A esto hay que añadir las siguientes profesiones: creador de efectos especiales, director artístico, peluquero, maquillador y diseñador de moda y de accesorios, cuanto más imaginativo, mejor. Ya te haces una idea de lo que sabe hacer.

Para los lectores que no sean Piscis, he aquí una pequeña advertencia: los Peces son sensibles. Además son sumamente leales, y esperan que los demás lo seamos también. No les gustan las confrontaciones, de manera que si vas a criticar sus esfuerzos creativos, hazlo delicadamente, porque de lo contrario se sentirán como si les hubieras atacado o pensarán que odias sus creaciones (advertirás que se refieren a sus creaciones como sus «hijos»). Si les insultas, no hacen ningún aspaviento ni discuten contigo, sino que simplemente se retiran en silencio y no vuelven nunca. Si se van, créeme, les echarás de menos. Una vida sin tu Piscis es como una vida sin Mickey Mouse, Goofy, Peter Pan, el Pájaro Carpintero, los Cazafantasmas y Supermán todos juntos. Aportan alegría a todas las edades y a todos los lugares, de modo que si les criticas, sé suave.

Los Piscis son también grandes estrellas de cine. Si perteneces a este signo, has de saber que probablemente poseas un talento excepcional, porque Neptuno te proporciona la capacidad de adoptar muchas formas distintas. Tu regente tiene además una faceta resplandeciente —piensa en las escamas iridiscentes del pez, que parecen lentejuelas—, así que es posible que sientas atracción por el estrellato y por disfrutar de un papel lleno de encanto en la vida real.

Neptuno rige todas las cosas que aparecen y desaparecen, de modo que debemos añadir a la lista la profesión de mago. De hecho, el mundo del espectáculo en general resulta muy apropiado para Piscis. Podrías ser director de iluminación o de escena, autor dramático o agente de reparto. Piensa en la posibilidad de ser diseñador de vestuario o restaurador en un museo. Diseña videojuegos, experiencias de realidad virtual, páginas web, parques temáticos...

Dirige un estudio cinematográfico o un archivo de películas antiguas. Hazte poeta, pintor artístico o ilustrador, o escribe guiones de cine o imaginativas novelas.

El baile es un dominio de Piscis. Los bailarines Piscis, tanto clásicos como modernos, se cuentan entre los mejores del mundo. También puedes ser coreógrafo o enseñar a bailar a otros; son campos igual de interesantes.

A ti te gusta ayudar a la gente; por eso a lo mejor te gustaría ser enfermera o auxiliar de clínica. Busca algo en el campo de la medicina que implique atención médica a largo plazo o hazte fisioterapeuta. Las placas fotográficas también están regidas por Piscis, de modo que tal vez tuvieras éxito como técnico de rayos X.

El mismo instinto que puede empujarte hacia la medicina (es decir, el de ayudar a los que sufren) podría llevarte a trabajar para algún centro de beneficencia, fundación u otra organización no lucrativa. Únete a Médicos sin Fronteras o a la Cruz Roja, por ejemplo. Piscis también adora a los animales y sabe cuidarlos, de modo que podrías hacer carrera como veterinario o colaborar con la sociedad protectora de animales de tu población.

Tu signo rige el subconsciente, los sueños y otros fenómenos similares. Plantéate la posibilidad de ser un médico que estudie los desórdenes del sueño o un anestesista. Piscis también rige los pies, así que podrías pensar en hacerte podólogo. Tu signo siente fascinación por la mente, de manera que podrías ser un buen psiquiatra, psicólogo, psicoanalista o hipnólogo. Asimismo, te podrías dedicar a enseñar meditación, yoga o astrología.

Piscis tiende a ser el más religioso de todos los signos, y por eso es posible que hayas sentido la vocación de entrar en un convento o en una orden religiosa. Incluso puede que elijas ser misionero o dirigir una librería religiosa.

También te atrae el mar. Son ideales para ti las profesiones que te acerquen al agua, como las de capitán de yate, organizador de cruceros o director de actividades en un barco. Podrías ser submarinista, oceanógrafo o pescador, o entrar en la Marina. Tal vez lo más divertido de todo fuera recaudar fondos para recuperar tesoros hundidos.

De hecho, todos los líquidos te traen bastante suerte. Trabaja en la industria de las bebidas: té, cerveza, café, gaseosa, agua, vino, champán o licores, en el puesto que sea. O prueba en la industria petrolera o en la farmacéutica, que también están regidas por Neptuno. Diseña esculturas de hielo o fuentes. Sé instructor de natación o de buceo, o socorrista en verano, o hazte marino mercante o miembro de los guardacostas. Construye barcos o véndelos.

Por último, los Piscis son grandes detectives e incluso espías, ya que saben guardar secretos, y como también saben volverse invisibles, pueden deslizarse por debajo del radar mientras los demás desempeñan su trabajo. Como ves, tienes a tu disposición multitud de profesiones, y en cada una puedes emplear bien tus talentos.

Además de las artes visuales y creativas, hay otras carreras en las que Piscis podría destacar. Como posee un sexto sentido para saber lo que quiere la gente, los medios de comunicación constituyen una importante área para este signo. Los Piscis son muy sensibles al pulso de la opinión pública y a su cambiante estado de ánimo, de modo que triunfaría en publicidad, relaciones públicas, marketing, radiodifusión o publicaciones. Allí donde tengan importancia las arenas movedizas de la opinión pública y la necesidad de información, ese será el sitio perfecto para Piscis. Con Sagitario en su Medio Cielo, está asegurado el éxito en el campo editorial, igual que en un trabajo como agente de viajes. La imaginación y el sentido de la aventura de los Piscis son muy fuertes, y les encanta viajar. Son capaces de pintar muy bien una imagen brillante, atractiva y sumamente poética de tierras lejanas que recomendarán con gran entusiasmo.

CUERPO, MENTE Y ESPÍRITU

En cuestiones de salud, los Piscis son menos robustos que otros signos, y de ahí que deban cuidarse un poco más. Como ya he mencionado, a este signo el mundo tiende a pesarle, y por eso la soledad es a menudo el antídoto perfecto contra el estrés. Neptuno puede enmascarar una enfermedad y hacer que a los médicos les resulte más difícil diagnosticarla, de modo que en ese caso Piscis deberá tener paciencia hasta que el médico dé con la causa del problema. Este signo rige los pies, una zona que probablemente sea origen de dolores. Piscis siempre se delata por los zapatos viejos que le gusta llevar. Le encantan cuando están destrozados, porque son blandos y cómodos, aunque le den un aspecto un tanto desaliñado en medio de una apariencia por lo demás elegante. En sentido metafórico, los pies representan los cimientos, y físicamente cargan con el cuerpo entero. El sistema linfático, que limpia el organismo de toxinas, también está bajo el dominio de Piscis, lo cual resulta bastante apropiado para un signo al que interesa mantener el espíritu puro e integrado con la mente y el cuerpo. A Piscis le encanta beber toda clase de líquidos, si bien lo que mejor le va es el agua. Los remedios homeopáticos a menudo son mejores para los sensibles Piscis que los fármacos fuertes, ya que este signo suele sufrir importantes efectos secundarios porque su sistema parece absorber las medicinas más deprisa que los demás. Cuando se siente estresado, el Pez necesita estar cerca del agua (en la playa) o dentro del agua, porque es donde desconecta mejor. Las mujeres Piscis adoran sobre todo los masajes de aromaterapia, que también les resultan bastante curativos.

RESUMEN

La próxima vez que lances una piedra a un estanque fresco y tranquilo, observa cómo roza la superficie del agua y cómo las ondas reverberan en círculos que se van agrandando sin fin. Así es Piscis, el último signo del zodíaco, el que envuelve todas las características de los signos que lo han precedido. Piscis nunca deja de creer en los milagros, y como consecuencia, el universo se los proporciona. El 26 de noviembre de 1994 la revista *Newsweek* publicó lo siguiente:

«Los nuevos esfuerzos (científicos) en cosmología sugieren que la humanidad en gran medida forma parte del universo. [...] Somos parte de una comunidad permanente de seres [...] afines a todas las criaturas, pasadas y presentes, y también a entidades que no forman parte de la vida. [...] Los átomos mismos de nuestros cuerpos fueron en otro tiempo polvo estelar que salió despedido cuando explotaron las estrellas.» (*Newsweek*, «La ciencia de lo sagrado», 26 de noviembre de 1994.)

Los Piscis sonríen ligeramente cuando oyen esto, y susurran en voz baja: «Ya lo sabía, porque lo creía». Ellos jamás han dudado de que la humanidad esté hecha de polvo de estrellas y de que todos estemos unidos por un vínculo común. Probablemente ya soñó con este descubrimiento hace eones.

Piscis posee un subconsciente vasto e infinito, una reserva de la que puede nutrirse para alumbrar creaciones artísticas o para acercarse más a la comprensión del corazón humano. Piscis será siempre el signo de los sueños, que teje su tela más rica en las profundidades de la mente dormida. Benditos sean. ¿Dónde estaríamos sin un Piscis que nos sirviera de inspiración?

Los mitos de Piscis y Neptuno

Los romanos llamaron a Poseidón, el importante dios griego del mar, *Neptunus* (o, como diríamos hoy, Neptuno) y dejaron su mitología prácticamente tal como estaba. Neptuno quiere decir «esposo (o señor) de la Tierra». En efecto, era una figura de gran importancia, y aunque poseía un alojamiento más bien suntuoso bajo el mar, prefería pasar más tiempo relacionándose con los demás dioses del Olimpo. Neptuno era un dios más bien temperamental, pero también se le atribuían actos de misericordia. Su faceta violenta se cree que representaba la furia del mar encrespado y su asombroso poder destructivo.

Conviene señalar que el hecho de referirse a Neptuno como regente mitológico de Piscis no tuvo lugar hasta mucho después de los romanos, ya que este planeta no se descubrió hasta 1846. Las características de la época en la que se descubre un planeta nuevo —en este caso el Romanticismo— se consideraban significativas a la hora de asignarle una descripción astrológica. Hasta entonces, los astrólogos antiguos asignaban Júpiter a Piscis, un regente que compartía con Sagitario. (Hay menos cuerpos celestes que signos del zodíaco, y por eso algunos tienen que ser compartidos.) En la actualidad, muchos astrólogos consideran a Júpiter corregente de Piscis. La influencia de este planeta es humanitaria y de amplio espectro, y encaja bien con el afán de servicio desinteresado de Piscis, que procura trabajar por el bien de todos.

Si nos remontamos más en el tiempo, los antiguos griegos percibieron siempre un vínculo entre Piscis y Neptuno; por eso, en cierto modo, mediante el descubrimiento y bautismo del planeta Neptuno como regente de Piscis, los astrólogos simplemente estaban volviendo a asignar a este signo su regente correcto. Tal como se verá más adelante en este capítulo, el Neptuno mitológico tiene ciertos lazos de unión con el Júpiter mitológico, lo que hace que la mitología de Piscis sea aún más interesante... y misteriosa.

ZEUS, HADES Y POSEIDÓN ECHAN SUERTES

Al ser hijo de Cronos y Rea, Poseidón (también conocido por su nombre romano, Neptuno) era el hermano mayor de Zeus. Cronos devoró a todos sus hijos excepto a Zeus (Júpiter) porque temía ser suplantado por ellos, lo cual ocurrió de todos modos (véase, por favor, «Los mitos de Capricornio y Saturno»). Poseidón y Zeus se propusieron derrocar a los titanes, la primera generación de dioses, y lo lograron. Junto con sus hermanos, Zeus y Hades (Plutón), Poseidón echó suertes para ver quién gobernaría qué partes del mundo. Habían acordado dejar el Olimpo y la Tierra como terreno común. Zeus ganó el puesto más alto, el que le permitía reinar en los cielos, y Hades recibió el mundo subterráneo de los muertos. Poseidón se quedó con las aguas del mundo, pero como se sintió molesto al ver que Zeus obtenía el puesto de mayor prestigio, el cielo, siempre hubo tensiones entre ambos hermanos.

Neptuno era conocido en Grecia como «el que sacude la Tierra» o creador de los terremotos, lo cual tiene lógica dentro del contexto de las tensiones que había entre Zeus y Poseidón. El dominio de Neptuno sobre los terremotos también tiene sentido si nos paramos a pensar en la fama que tenía de inestable, vengativo y voluble. Cabría preguntar: «¿No serían los terremotos más adecuados para un planeta como Urano, que rige los sucesos imprevistos, en vez de Neptuno, del cual se dice que rige sobre todo las aguas de la Tierra?». Muchos astrólogos han debatido esta cuestión, pero la asignación de los terremotos por parte de los griegos a Neptuno cuenta con una base científica. Los geólogos modernos nos dicen que los terremotos son producidos por cambios en el clima que, a su vez, provocan cambios en el peso de las diversas masas de tierra. Cuando se funde el hielo que cubre la tierra, como ocurrió en la época glacial, el océano crece, la tierra se vuelve más ligera y el planeta se reajusta de forma repentina provocando terremotos.

NEPTUNO COMO CAMALEÓN Y PROTECTOR DE LOS ARTISTAS

Neptuno era el único dios del Olimpo que tenía acceso a las profundidades del mar; así pues, los griegos le nombraron encargado de las artes, la música y la danza. Como el mar siempre ha simbolizado la emoción pura, se decía que aportaba una inspiración especial a todos los artistas, poetas, actores y músicos. El mar simboliza la intuición, los recuerdos y los sueños, y según el psicólogo Carl Jung, también es una metáfora del inconsciente colectivo de los seres humanos.

Al igual que la mayoría de dioses del mar, Poseidón disfrutaba de la capacidad y el poder de transformarse y adquirir otra forma, incluso convertirse en distintas criaturas, y lo hacía para seducir a potenciales amantes. ¿No es eso lo que hacen el actor, el poeta, el músico y el artista, seducirnos con su arte y su versatilidad? Una vez más, se hace evidente el lazo de unión que existe entre el arte y Neptuno, ya que se dice que el temperamento artístico está bajo el dominio de Piscis.

Neptuno, el dios mitológico, no era famoso por su fidelidad en el amor. Sus escapadas eran bastante bien conocidas y en cierto modo escandalosas, y tenían que ver con un amplio número de ninfas, diosas y hasta mujeres mortales. Por ejemplo, Deméter, madre de Perséfone, se sentía muy afligida por la desaparición de su hija. Para evadirse de las insinuaciones de su hermano, se convirtió en yegua. Poseidón, que no estaba dispuesto a que le pusieran obstáculos, se transformó en un semental y se apareó con ella. Deméter dio a luz un caballo divino, Arión, y una hija, Despoina.

Tal vez el apareamiento de Poseidón con Deméter sirva para explicar por qué más tarde proclamó sagrado el caballo. Algunos mitos afirman que, en realidad, Poseidón (Neptuno) creó el caballo destrozando su tridente contra una roca. También está escrito que Neptuno inventó las carreras de caballos; de los Piscis no muy evolucionados se dice que se pierden en el juego y en las carreras de caballos cuando la vida real se les hace cuesta arriba. Sin embargo, la relación de Piscis con el caballo tiene un especial interés porque este animal está bajo el dominio de Sagitario, signo regido por Júpiter, que era el antiguo regente de Piscis. Parece adecuado que Júpiter esté asociado con Poseidón y, por lo tanto, con Piscis, por medio del símbolo del caballo.

ULISES

En otro mito, este escrito por Homero, Poseidón iba a causar muchas dificultades a Ulises. Debido a una ya antigua animosidad hacia los troyanos, Poseidón intervino a favor de los griegos, aun cuando su hermano Zeus le había pedido expresamente que no lo hiciera. Las tensiones entre Poseidón y los troyanos tenían su origen en un episodio anterior en una época en la que Poseidón y Apolo actuaron a favor de Laomedonte, padre de Príamo. El rey Laomedonte incumplió su promesa de pagar una cierta suma a Poseidón y a Apolo por construir las murallas de su ciudad, Troya. Neptuno no se olvida de nada, y en efecto, se dice que Piscis tiene una memoria de elefante.

Poseidón retó a Ulises haciendo que se perdiera una y otra vez, causándole así un gran sufrimiento y retrasando su viaje por el mar. Nadie mostró mayor fe y determinación que Ulises, el cual, con una actitud muy propia de Piscis, resuelve los problemas no por la fuerza bruta, sino pensando de manera creativa y recurriendo al ingenio. Ulises quería regresar a su hogar, al amor de su familia, y se negó a rendirse. Esa férrea voluntad de sobrevivir se encuentra en gran medida en la actitud de Piscis.

LA FUNDACIÓN DE ATENAS

Otro temprano mito explica por qué el pueblo de Atenas tuvo que escoger entre el arte y el comercio y por qué ganó el comercio. El relato cuenta que Poseidón libró varias batallas con otros dioses por la posesión de tierras que reclamaba como suyas, pero con frecuencia perdió en esos altercados, para su consternación. En uno de los más notables se vio enfrentado a Atenea, que reinaba sobre la antigua tierra del Ática, en Grecia. Poseidón reclamó aquella tierra perforándola con su tridente y creando un manantial de agua salada. Al hacerlo, estaba ofreciendo simbólicamente a los ciudadanos una vida de sentimientos y expresión artística. A continuación, Atenea plantó un olivo al lado del manantial de Poseidón y ofreció a su vez a los ciudadanos un futuro de prosperidad económica. (Más tarde, los olivos traerían la prosperidad a las tierras que rodeaban Atenas.)

Al enterarse de esto, Poseidón tuvo un ataque de cólera y rápidamente desafió a Atenea a combatir. En aquel momento intervino Zeus, llevó el asunto ante un tribunal divino y, para ser neutral, se abstuvo de votar. Los otros cuatro dioses varones votaron por Neptuno (Hades se quedó en el mundo subterráneo, de manera que no votó, tal como tenía por costumbre). Sin embargo, las cinco diosas, en una demostración de solidaridad, votaron por Atenea y así le otorgaron el derecho de poseer aquella tierra, a causa del mayor valor de su regalo, los olivos. Neptuno, enfurecido, inundó la llanura del Ática, de modo que los ciudadanos de Atenas le aplacaron negando a las mujeres el derecho al voto, y también pusieron fin a la práctica de que las mujeres llevaran el nombre de su madre. Poseidón y Atenea fueron honrados en la Acrópolis. La ciudad se llamó Atenas en honor de Atenea. Según se dice, aquél fue un punto de inflexión en la cultura occidental, a partir del cual la vida se regiría por la economía y por otras consideraciones prácticas, tristemente juzgadas más valiosas que una vida centrada en las artes y los sentimientos.

VENUS Y CUPIDO

Los romanos tenían un mito encantador que explicaba la creación de la constelación de Piscis. Un día Venus y Cupido fueron sorprendidos por un monstruo en llamas. Ambos sabían que aquel monstruo no podía sobrevivir en el agua, de modo que para escapar de él se transformaron en peces y saltaron al agua. Antes de hacerlo, tuvieron cuidado de atarse al extremo de una única cuerda para no perderse el uno al otro. Según prosigue el mito, Júpiter, antiguo regente de Piscis, les recompensó por su ingeniosa huida conmemorando su supervivencia en los cielos al colocarles entre las estrellas como los dos peces.

Carente de tendencias agresivas, Piscis se protege a sí mismo mediante la intuición —sintiendo las corrientes del agua que le rodea— y una hábil transformación. Puesto ante la tesitura de luchar o huir, Piscis escoge huir, y a menudo de forma muy inteligente. En este caso, Cupido y Venus se convirtieron en peces. Este mito nos recuerda que hoy día se considera que el planeta Venus está «exaltado» cuando se encuentra en Piscis, ya que este simboliza el amor en su estado menos egoísta y más generoso.

Bibliografía

Applewhite, Ashton, William R. Evans III, y Andrew Frothingham, *And I Quote: The Definitive Collection of Quotes, Sayings and Jokes for the Contemporary Speechmaker*, St. Martin's Press/A Thomas Dunne Book, Nueva York, 1992.

Ashley, Wendy, Conferencias para el Consejo Nacional de Investigaciones Geocósmicas, Serie de Seminarios sobre Astrología Mítica en Nueva York, «Cancer & Capricorn», domingo 23 de enero del 2000; «Leo & Aquarius», domingo 20 de febrero del 2000. Existen cintas grabadas.

Banzhaf, Hajo, y Anna Haebler, *Key Words for Astrology*, Samuel Weiser, Inc., York Beach, Maine, 1996. [Existe edición en castellano: *Las llaves de la astrología*, Edaf, Madrid, 1998.]

Biedermann, Hans, *Dictionary of Symbolism: Cultural Icons and the Meanings Behind Them*, traducción de James Hulbert, Meridian, Nueva York, 1994. [Existe edición en castellano: *Diccionario de símbolos*, Paidós, Barcelona, 1996.]

Bills, Rex E., *The Rulership Book*, American Federation of Astrologers, Tempe, Arizona, 1971.

Burt, Kathleen, *Archetypes of the Zodiac*, Llewellyn Publications, St. Paul, Minnesota, 1996.

Casey, Caroline W., *Making the Gods Work for You*, Three Rivers Press, Nueva York, 1998.

Condos, Theony, *Star Myths of the Greek and Romans: A Sourcebook*, Phanes Press, Grand Rapids, Michigan, 1997.

Dreyer, Ronnie Gale, *Venus: The Evolution of the Goddess and Her Planet*, Aquarian/HarperCollins, San Francisco, 1994.

Encyclopedia Britannica, CD-ROM, Encyclopedia Britannica, Inc., 1997.

George, Llewellyn, *The New A to Z Horoscope Maker and Delineator*, Llewellyn Publications, St. Paul, Minnesota, 1995.

Goodman, Linda, *Sun Signs*, Bantam, Nueva York, 1968. [Existe edición en castellano: *Los signos del zodíaco y su carácter*, Urano, Barcelona, 1984]

Grant, Michael, y John Hazel, *Who's Who in Classical Mythology*, Oxford University Press, Nueva York, 1973.

Graves, Robert, *Greek Myths*, Penguin Books, Londres, 1984. [Existen varias ediciones en castellano.]

Greene, Liz, *The Astrological Neptune and the Quest for Redemption*, Samuel Weiser, Inc., York Beach, Maine, 1996. [Existe edición en castellano: *Neptuno*, Urano, Barcelona, 1997.]

Grimal, Peter, *The Dictionary of Classical Mythology*, traducción de A. R. Maxwell-Hyslop, Blackwell Publishers, Ltd., Oxford, 1986, 1996.

Guttman, Ariel, y Kenneth Johnson, *Mythic Astrology: Archetypal Powers in the Horoscope*, Llewellyn Publications, St. Paul, Minnesota, 1996.

Hamilton, Edith, *Mythology*, Little, Brown and Company, Boston, 1942. [Existe edición en castellano: *La Mitología*, Daimon, Manuel Tamayo, Barcelona, 1984.]

Heindel, Max, y Augusta Foss Heindel, *The Message of the Stars: An Esoteric Exposition of Natal and Medical Astrology Explaining the Arts of Reading the Horoscope and Diagnosing Disease*, 18ª edición, The Rosicrucian Fellowship, Oceanside, California, 1980. [Existe edición en castellano: *El mensaje de las estrellas*, 1ª edición, Luis Cárcamo, Madrid, 1979.]

Hyde, Lewis, *Trickster Makes This World: Mischief, Myth and Art*, Farrar, Straus and Giroux, Nueva York, 1998.

Knowles, Elizabeth, ed., *The Oxford Dictionary of Phrase, Saying, and Quotation*, Oxford University Press, Nueva York, 1997.

Malsin, Peter, *The Eyes of the Sun: Astrology in Light of Psychology*, New Falcon Publications, Tempe, Arizona, 1997.

McDonald, Marianne, *Mythology of the Zodiac: Tales of the Constellations*, Metrobooks, Nueva York, 2000.

Microsoft Encarta 98 Encyclopedia, CD-ROM, Microsoft Corporation, 1998.

Osborn, Kevin, y Dana L. Burgess, *The Complete Idiot's Guide to Classical My-

thology, A Division of Macmillan General Reference/A Simon & Schuster Macmillan Company-Alpha Books, Nueva York, 1998.

Parker, Derek y Julia, *The Complete Astrologer,* Michael Beazley Limited/McGraw Hill Book Company Publishers, 1971. [Existe edición en castellano: *El gran libro de la astrología,* Debate, Madrid, 1982.]

Soffer, Shirley, *The Astrology Sourcebook: A Guide to the Symbolic Language of the Stars,* Lowell House, Los Ángeles, 1998.

Toen, Donna Van, *The Mars Book: A Guide to Your Personal Energy and Motivation,* Samuel Weiser, Inc., York Beach, Maine, 1995.

Vaughan, Valerie, *Astro-Mythology: The Celestial Union of Astrology and Myth,* One Reed Publications, Amherst, Massachusetts, 1999.